S0-CTX-037

RICHARD REITZENSTEIN

DIE HELLENISTISCHEN MYSTERIENRELIGIONEN

RICHARD REITZENSTEIN

DIE HELLENISTISCHEN MYSTERIENRELIGIONEN

NACH IHREN GRUNDGEDANKEN UND WIRKUNGEN

FOTOMECHANISCHER NACHDRUCK
DER DRITTEN AUFLAGE VON 1927

1956

WISSENSCHAFTLICHE BUCHGESELLSCHAFT E. V.
DARMSTADT

Mit Genehmigung
des Verlages B. G. Teubner, Stuttgart,
herausgegebene Sonderausgabe

Fotomechanischer Nachdruck: F. Becker & Co. Wiesbaden-Biebrich

DEM ANDENKEN
ALBRECHT DIETERICHS
UND WILHELM BOUSSETS
GEWIDMET

VORREDE ZUR DRITTEN AUFLAGE

Da ich in der zweiten Auflage begonnen habe, dies Büchlein den erweiterten Kenntnissen anzupassen, welche freundliche Unterstützung verschiedener Orientalisten und wohl auch etwas eigene Arbeit mir seit seinem ersten Erscheinen vermittelt haben, ist ein unveränderter Abdruck, so sehr ich ihn aus verschiedenen Gründen erwünscht hätte, nicht mehr möglich. Leider auch nicht eine volle Umgestaltung. Eine systematische Darstellung in Kapiteln und Paragraphen eines Lehrbuches verträgt der Stoff noch nicht; wir stehen noch am Anfang der Arbeit und werden zu reinlicher Scheidung der einzelnen Religionen und Mysterien vielleicht nie kommen. Auch müßte eine derartige Form ihm notwendig das Eigenste, die Seele rauben, indem sie die Ausblicke auf die Geschichte unserer eigenen Religion in ein Schlußkapitel verwiese. Das Büchlein bezeichnete einst für mich den Höhepunkt meiner Lehrtätigkeit an der Straßburger deutschen Universität, der ich in mehr als siebzehn Jahren die beste Kraft meiner Manneszeit gewidmet habe, und durfte zugleich äußerlich jenes mich beglückende Gefühl der Interessengemeinschaft mit einer im edelsten Sinne liberalen Theologie bekunden, wie sie mir nach den Erlebnissen meiner Kindheit und Jugendzeit Herzensbedürfnis war. Ich mag seinem Hauptteil die äußere Form des Vortrags nicht nehmen, der einst in dem kleinen Kirchlein am Niklasstaden vor einem Kreis von Theologen und für religiöse Fragen interessierten Laien gehalten wurde, und mag ebensowenig auf die Freiheit verzichten, in dem ausführenden Teil in freier Folge herauszugreifen, was mir erklärbar und wichtig scheint. Eine gewisse Einheit werden nachsichtige Leser hoffentlich empfinden. Wer zu sehr den Eindruck des Stückwerks hat, möge es damit entschuldigen, daß Wissen und Arbeiten des Verfassers Stückwerk geblieben sind, und er nur um Mitarbeit und Ergänzung werben will.

Die reiche Literatur, die in den anderthalb Jahrzehnten seit der ersten Auflage herangewachsen ist, habe ich nach Kräften auszunutzen versucht und bitte, wenn mir so manches entgangen ist, gern um Vergebung. Wer an der Grenze seines eigentlichen Faches spät in solche Nebenstudien geraten ist, wird es auf sich nehmen müssen, manches zu übersehen, wenn er überhaupt noch Eigenes bieten will. So geht von dem Neuen wohl mehr auf die persönliche Belehrung und Hilfe zurück, die ich bei vielen Freunden und Kollegen gefunden habe; ich nenne besonders Fr. C. Andreas, W. Bang, W. Bousset, A. v. Le Coq, Heinr. Junker, M. Lidzbarski, F. W. K. Müller, H. H. Schaeder, K. Sethe, W. Spiegelberg, H. Thiersch, L. Troje, H. Zimmern. Ich selbst darf für mich nur das bescheidene Verdienst in Anspruch nehmen, eine zur Zeit dem einzelnen noch unerfüllbare Aufgabe in Angriff genommen zu haben, damit junge Theologen und Orientalisten oder klassische Philologen sehen, was sie lernen müssen, um diese Aufgabe voller und befriedigender zu lösen, und um gemeinsamer Arbeit auf diesem Gebiet die Wege zu öffnen. Die Schriften, in denen ich das seit dem ersten Erscheinen dieses Büchleins versucht habe, darf ich hier kurz erwähnen, weil ich, um es nicht zu überlasten, öfter auf sie Bezug nehmen muß. Es sind die drei Aufsätze „Die Göttin Psyche in der hellenistischen und frühchristlichen Literatur", Sitzungsber. d. Heidelberger Akademie 1917, Abh. 10, „Das mandäische Buch des Herrn der Größe und die Evangelienüberlieferung", ebd. 1919, Abh. 12, endlich „Weltuntergangsvorstellungen, eine Studie zur vergleichenden Religionsgeschichte", Kyrkohistorisk Årsskrift Uppsala 1924, S. 129—212 (auch einzeln erhältlich Uppsala, Lundequistska Bokhandeln), und die beiden Bücher „Das iranische Erlösungsmysterium", Bonn 1921, sowie das mit Prof. Schaeder gemeinsame Buch „Studien zum antiken Synkretismus, Aus Iran und Griechenland", Leipzig 1926. Formell liegt die größte Änderung wohl darin, daß ich mich entschlossen habe, um die „Ausführungen" zu entlasten und selbständiger zu machen, Literaturnachweise und kürzere Belegstellen schon dem „Vortrag" als Anmerkungen einzufügen. Das Los solcher Bücher, immer stoffreicher und damit unhandlicher zu werden, ließ sich nicht ganz vermeiden, ebensowenig bei solcher Zerstückelung Wiederholungen.

Weg und Ziel haben jedem Forscher auf diesen Gebieten Hermann Usener und Albrecht Dieterich gewiesen, aber die engere Fühlung mit der Orientalistik blieb ihnen versagt, und doch ist das Christentum in seinem Ursprung eine orientalische Religion. Wenn wir hier ergänzen und nacharbeiten, so geschieht es, wie ich von beiden weiß, in ihrem Sinn. Der Führer aber für diese Ergänzung ist Wilhelm Bousset gewesen. So zolle auch die neue Ausgabe dieses Büchleins den verstorbenen Freunden, dem Philologen und Theologen, meinen Dank.

Göttingen, den 8. Aug. 1926.

R. Reitzenstein.

INHALTSÜBERSICHT

Herrn Pater Vincent O. D. an der École Biblique et Archéologique zu Jerusalem und Herrn Prof. Franz Cumont in Rom, deren gütige Hilfe die Reproduktion der beiden Sarkophagbilder nach Originalaufnahmen ermöglichte, sei auch an dieser Stelle aufrichtigster Dank gesagt.

Göttingen, 9. Febr. 1927.

R. Reitzenstein.

Mit dem Empfinden aufrichtiger Dankbarkeit, aber auch leiser Besorgnis komme ich der Aufforderung nach, in einem theologischen Kreise als Philologe über ein religionsgeschichtliches Thema zu sprechen. Denn so dankbar jeder Philologe, wenn er die Hauptprobleme des Urchristentums seiner Betrachtung mit unterwerfen muß, es wohl stets empfindet, daß alle seine Arbeit von dem Boden ausgeht, den die protestantische liberale Theologie uns erkämpft hat, und daß sie ohne ihre Vorarbeit und Mithilfe undenkbar wäre, so notwendig muß er sich leider wohl immer noch gleich im Eingange gegen eine Vorstellung verteidigen, die in Wort und Schrift von hervorragenden Theologen und Philologen genährt wird, die Vorstellung, daß er als Unberechtigter, gewissermaßen als Einbrecher, in ein fremdes Gebiet dringt, wenn er Fragen streift, die von dem Theologen auch behandelt werden und behandelt werden müssen. Ist es des Philologen Aufgabe, sich die Geistesentwicklung des gesamten Altertums, nicht zum wenigsten also auch seines Ausganges, zur lebendigen Anschauung zu bringen, so wird er ein Eingehen auch auf die erste Entwicklung des Christentums nicht vermeiden können, und selbst wenn er sich willkürlich auf das Heidentum beschränken wollte, so könnte er vieles in ihm gar nicht verstehen, ohne die frühchristliche Literatur, ihre Sprache und Begriffsentwicklung, das Empfindungsleben und den Kult der Gemeinden mit heranzuziehen. So wird die Arbeit beider Wissenschaften in der Tat oft parallel gehen müssen, wo sie rein in ihrem Fach bleibt, freilich mit verschiedenem Ziel. Auf die Einheit der gesamten Zeitentwicklung wird die eine Betrachtungsweise das Hauptgewicht legen, die Ähnlichkeiten und Berührungspunkte zwischen Christentum und Heidentum besonders hervorheben und leicht in Gefahr sein, das Eigentümliche in ersterem in der Darstellung zurücktreten zu lassen oder gar zu unterschätzen; umgekehrt wird eine Behandlungsweise der gleichen Fragen, die das Christentum zum alleinigen Gegenstande der Forschung macht und das ihm Eigentümliche oder dem Judentum Entnommene in den Mittelpunkt stellen muß, jene Ähnlichkeiten gern auf Äußeres beschränken und Einflüsse erst für die Zeit zugeben wollen, in der das Christentum schon als fertiges Gebilde vorliegt. Mir scheinen beide Betrachtungsweisen an sich so berechtigt und zur gegenseitigen Ergänzung bestimmt, wie, um ein freilich nicht ganz treffendes Bild zu verwenden, in der Geschichte die Betonung des Milieus oder der Persönlichkeit. Nur erschwert der ungeheure Umfang beider Literaturen, die niemand mehr voll übersehen kann, dem einzelnen diese Ergänzung und schafft leicht persönliche Gegensätze, über welche die Erkenntnis, daß auf beiden Seiten gleich schwer gesündigt wird, freilich hinweghelfen sollte.

Von einigen nicht unbekannten, aber vielleicht nicht genügend betonten Grundanschauungen hellenistischer Religionen wollte ich berichten, und zwar von gemeinsamen Grundanschauungen, nicht von dem Sonderbesitz der einzelnen.[1] Ich bezeichne dabei mit dem Worte 'Hellenistisch' Religionsformen, in denen orientalische und griechische Elemente sich mischen, mag das Griechentum auch nur darin bestehen, daß ihm die Sprache und Begriffe oder die philosophische Deutung und Rechtfertigung entnommen sind, und mögen andrerseits auch Vorstellungen und Stimmungen, die jetzt aus dem Orient herüberdringen, sich in einer weit zurückliegenden Epoche des Griechentums schon nachweisen lassen, ja mag in manchen Fällen der Orient nur den Anstoß zu einer Wiederbelebung dessen gegeben haben, was in der Frühzeit aus ihm hierher gedrungen war.[2] Die griechische Reli-

1) Vgl. zum folgenden Beigabe I.

2) So werden die samothrakischen Mysterien wahrscheinlich mit Phrygien

gion hatte ja frühzeitig durch ihre künstlerische und daher anthropomorphe Ausgestaltung orientalische Anregungen individualisiert und fortgebildet, gerade durch sie aber auch die Widerstandskraft gegenüber der bald einsetzenden Spekulation und Aufklärung verloren. In jener künstlerischen Ausgestaltung war sie von dem Stadtstaat des fünften und vierten Jahrhunderts ergriffen und zum politischen Gebilde gemacht worden, für welches der Glaube des einzelnen Bürgers nicht eben viel bedeutete. Polis-Religion einerseits und Aufklärung andrerseits drängten dann die Elemente volkstümlicher oder mystisch-vertiefter Frömmigkeit an den meisten Stellen in die niederen Kreise. Wohl entnimmt Plato ihr frühzeitig starke Anregungen und verschmilzt später im Timaios sogar orientalische Gedanken, die ihm durch Eudoxos vermittelt sind, mit der griechischen Philosophie, um eine 'natürliche Religionslehre' (*naturalis theologia*) zu schaffen, welche die Polis-Religion zwar nicht aufheben, aber für den Denker zurückdrängen soll, aber weder er noch seine zum Teil an den Volksglauben anschließenden nächsten Nachfolger übten in religiöser Hinsicht zunächst größeren Einfluß. Nur auf das künstlerische Schaffen übertragen wirkt Platos religiöse Sprache weiter. Erst mit dem Erstehen der Monarchien beginnt eine

---

zusammenhängen, aber nach Griechenland weiter gewirkt und dort auch andere beeinflußt haben (Kabeiro als Mutter des Kabeiros entspricht z. B. der Brimo als Mutter des Brimos in Eleusis). Dennoch empfiehlt es sich bei der Dürftigkeit unseres Wissens, die älteren griechischen Mysterien von der Betrachtung auszuscheiden. Wenn sie auch nach der Wiederbelebung der Religion wieder eine gewisse Bedeutung gewinnen, so geht doch jene Wiederbelebung selbst nicht von ihnen aus, und ihre Rückwirkung auf die dem Orient entlehnten, also hellenistischen Mysterienvorstellungen kann nur gering gewesen sein. Ihnen fehlt der Hintergrund einer besonderen Religion und deren Darstellung in der Literatur, vor allem aber die Werbetätigkeit der Propheten. — Stark orientalisch beeinflußt ist jedenfalls die Orphik, und teils durch sie, teils durch kleinasiatische Griechen schon des beginnenden fünften Jahrhunderts sind orientalische Anregungen schon in den Pythagoreismus gedrungen (vgl. Reitzenstein-Schaeder, Teil I, Kap. 3). Die Aufgabe, orientalischem Einfluß bei den Vorsokratikern nachzuspüren, ist durch A. Goetze (Ztschr. f. Indologie und Iranistik II, 1923, S. 60 u. 167) neu gestellt.

planmäßige Rücksichtnahme auf das religiöse Empfinden breiterer Massen, die ja auch auf orientalischem Boden von Anfang an politische Notwendigkeit ist. Die stoische Philosophie paßt sich diesem Bestreben an, sucht die 'natürliche Religionslehre' mit der Polis-Religion zu verbinden und schafft die Literaturgattung der Apologetik; sie gelangt, indem sie die Götter als Begriffe oder Naturkräfte deutet und die Mythen allegorisch erklärt, zunächst für die griechische, bald auch für die orientalischen Religionen zu einem *tolerari posse,* einem an den Verstand sich wendenden Nachweis, daß Volksglaube und wissenschaftliches Erkennen des Gebildeten sich nicht zu befehden brauchen. Da in den großen orientalischen Religionen, die von einem festen Stande von Priestern gehütet und spekulativ ausgebaut werden, eine Umdeutung der Gottheiten zu Naturkräften oder Begriffen schon begonnen hatte, hat die Stoa dabei vor allem den Wortschatz für die hellenistischen Umgestaltungen jener Religionen gegeben und gewissermaßen die religiöse κοινή geschaffen. An sich war ihre Apologetik religiös so wirkungslos wie die Apologetik meist, und wie es der Herrscherkult, in dem die neuen Monarchien ihre griechischen und orientalischen Untertanen zusammenfassen und ähnlich wie im Stadtstaat eine göttliche Repräsentation des politischen Gebildes schaffen wollten, wenigstens für den Griechen geblieben ist. Wohl aber gewinnt für ihn gerade im Laufe des dritten und zweiten vorchristlichen Jahrhunderts die Philosophie eine fast religiöse Bedeutung, die, im wesentlichen jetzt auf die Ethik gerichtet, ihn von dem blinden Spiel des äußeren Geschehens und dem Streit der eigenen Leidenschaften unabhängig machen und ihm in sich selbst den festen Punkt und mit der Freiheit den Frieden geben wollte. Wieweit sie jetzt auch ganz untheoretische Naturen ergreift und zu welchem Seelenadel sie selbst an ihrer äußersten Peripherie noch erzieht, mag ein so nüchterner Mann des praktischen Lebens wie Polybios, zu welcher Höhe der Geistesbildung und zu welchem Ideal echtesten Menschentums sie erheben kann, ein Lehrer wie

Panaitios zeigen. Die Religion spielt dabei gar keine Rolle Erst der Zusammenbruch seines aristokratischen Humanitätsideales, den sein Schüler, der Syrer Poseidonios, wenigstens auf moralischem Gebiete vorauserlebte, schafft die Sehnsucht nach einer neuen, stärkeren Begründung der sittlichen Ideale; das orientalische Empfinden eines unlöslichen Zusammenhanges von Gott und Mensch wirkt mit, ihn auf Platos religiös befruchtete Philosophie zurückzuführen. Ein universelles Wissen, wie es nach ihm im Altertum niemand mehr vereinigt hat, sucht seine letzte Krönung im mystischen Schauen; der Philosoph wird zum Propheten, und die Macht seiner Sprache und Glut seiner Phantasie beeinflußt die heidnische wie christliche religiöse Literatur bis zum Ausgang des Altertums und trägt eine Fülle platonischer Vorstellungen und Worte hinüber in den Orient. Eine Umbildung des Griechentums hat begonnen, die sich unter dem Druck entsetzlicher Zeiten und eines immer allgemeineren Sünden- und Schuldgefühles wunderbar beschleunigt; bald sehen wir im Neupythagoreismus orientalischen Zauberglauben sich mit vermeintlich altgriechischer Weisheit verbinden; später in der allmählichen Umbildung des Platonismus zum Neuplatonismus eine rein orientalische Form der Ekstase zum Höhepunkt und Ziel des philosophischen Lebens werden. Immer bewährt sich der Satz: werbende Kraft besitzen und missionierende Tätigkeit üben im Hellenismus nur griechische Philosophie und orientalische Religion oder Religiosität.

Wenden wir den Blick zunächst auf diese, so müssen wir einen Grundunterschied innerhalb der vorderasiatischen Religionen ins Auge fassen und hieran anschließend den Begriff, um den es sich im folgenden handeln wird, einigermaßen bestimmen.

Zwei wesentlich verschiedene Religionstypen stoßen schon früh in Vorderasien aufeinander, in denen wir nicht nur Eigentümlichkeiten der beiden Hauptrassen, sondern noch mehr verschiedene Stufen der allgemeinen religiösen Entwicklung sehen dürfen. Auf der einen, nüchterneren bleibt die Verbindung der Gottheit mit dem

Menschen mehr äußerlich[1]: der Gott hat sich einen bestimmten Stamm geschaffen oder erwählt und sorgt für ihn und besonders für dessen Vertreter, den König, so lange sie ihm treu bleiben; aber sein Walten bezieht sich nur auf das irdische Leben; keine Wesensgemeinschaft und keine Jenseitshoffnung verbindet die Menschen mit ihm. Die babylonische und die ältere israelitische Religion zeigen diesen Typus wohl am reinsten. Auf der andern ist die Seele, wenigstens des Anhängers der rechten, d. h. der Stammesreligion, wesenhaft mit Gott verwandt, also wie dieser unsterblich. Mensch und Gott stehen sich unendlich viel näher. Wir dürfen als Beispiele die iranische und die indische Religion bezeichnen. Es ist klar, daß der Begriff der Seele sich hier stärker entwickeln muß. Eine Entwicklung ist in der Tat deutlich. Das eigentlich Wesenhafte, die Person oder das Selbst ist, auch wo man schon einen Gegensatz von Sinnlichem und Übersinnlichem empfindet, zunächst immer der Körper. Die Welt selbst als mit Leben erfüllter Körper wird als die Gottheit und zugleich, wenigstens in den genannten Religionen, als ein Menschenwesen, ja als der Mensch gefaßt. Weiteres Nachdenken scheidet die übersinnliche Lebens- und Geisteskraft von dem Stofflichen ab; sie ist die Gottheit, und zwar sowohl in der Welt wie im einzelnen Menschen. Die Seele als Lebenshauch wie als Geisteskraft bleibt daher das Allgemeine, Nicht-Eigentümliche; das Ich oder Selbst haftet noch am Körper, und doch wird gerade die Höherstellung des Geistigen immer mehr verlangen, in ihm das wahre Wesen, das eigentliche Ich des Menschen zu sehen, das dann notwendig ein Teil der Gottheit oder die Gottheit wird. In verschiedenen Formen läßt sich dieser Wesenszusammenhang zwischen Mensch und Gottheit denken; er bedingt überall die Unsterblichkeitsvorstellung, aber durchaus nicht notwendig die Vorstellung der unsterblichen Einzelseele, die von Gott gekommen ist und zu Gott

1) Ich darf auf Zimmerns schönen Aufsatz 'Babylonische Vorstufen der vorderasiatischen Mysterienreligionen', Ztschr. d. deutschen Morgenländischen Ges. LXXVI, 1922, S. 36f. nur verweisen; mir selbst fehlen hier alle Kenntnisse.

zurückkehrt. Ihr steht entgegen, daß sich überall der Begriff 'Mensch' zunächst auf den Stamm beschränkt; der Feind, der Andersgläubige ist kein Mensch; er hat keine Seele, weil er die Gottheit, das Wissen von ihr, die Religion nicht hat.[1]

Keiner dieser beiden Typen bleibt natürlich rein; sie beeinflussen sich beständig wechselseitig. Innerhalb des ersten können Naturmythen von einem sterbenden und wiederauflebenden Gott[2] den Gedanken erzeugen, daß der einzelne Mensch sich durch Zauber, also heilige Handlungen, mit ihm verbinden und daher sein Los teilen kann, oder entsteht der Glaube, daß der König unmittelbar von Gott erzeugt und daher wie dieser unsterblich ist; auch die Nachahmung der Königsweihe kann also hier zum Unsterblichkeitszauber werden.[3] Dabei handelt es sich — die ältesten und klarsten Belege gibt wohl die ägyptische Religion — um die Unsterblichkeit des einzelnen Menschen. Sie wird allmählich Allgemeingut und Allgemeinglaube. Die innerhalb des zweiten Typus ausgebildete Vorstellung von einer Gesamtseele aller Gläubigen oder Volksgenossen, die göttlich und unsterblich ist, kann ebenfalls herüberwirken, wie wir an dem Erwachen des Unsterblichkeitsglaubens im Judentum sehen. Aber auch innerhalb des zweiten Typus wird das Bedürfnis zu individualisieren, das aller religiösen Empfindung anhaftet, und die Auffassung der Religion als des rechten Wissens um die Gottheit ein Scheiden von Graden dieses Wissens und kultliche Handlungen, die den Aufstieg bewirken, verlangen. Wir sehen auf indischem Boden in dem Bau des Feueraltars (S. 166) einen ur-

---

1) Sie wird etwas Persönliches, eine Art Stammseele. Vgl. z. folg. Beigabe II.

2) Dem Sterben des Gottes ist, wenn wir an den Ursinn denken, schwere Verwundung oder Gefangenschaft natürlich gleichzusetzen. Ob ein Tod des Marduk in den babylonischen Liedern bezeugt ist, macht für unsere Betrachtung nichts aus. Zimmern hat doch recht, den Mythos von seiner Gefangenschaft im Berge mit Istar-Tammuz-Mythen zu vergleichen und Babyloniens Bedeutung für den syrisch-phönizischen Adonis-Kult und andere zu betonen.

3) So bekanntlich in der ägyptischen Religion; eine Übergangsform zeigt die babylonische, die ursprünglich den König bei der Thronbesteigung von Gott adoptiert werden läßt.

alten zauberhaften Kult, der den Opferherrn zu Agni (dem Feuergott als der Weltseele) macht. Auf persischem empfängt schon in der ältesten Vorlage des allerdings jungen Bahman-Yašts der Prophet die Allwissenheit (die Schau des Alls) in einem Becher Wasser zu trinken; er besitzt sie so lange, als das Wasser in seinem Leibe bleibt. Der gleiche Ritus, dreimal wiederholt, befähigt Ardā Virāf, im Geiste die Himmel zu durchwandern und das rechte Religionswissen herabzuholen; in den Mithrasmysterien verbindet sich persischer Glaube mit siebenfach abgestuften Weihen, im Manichäismus beweist schon die Scheidung von Kämpfern (Hörern) und Vollkommenen (Auserwählten) das Bestehen mindestens eines Mysteriums, von dem wir leider nichts Näheres wissen. Von selbst versteht sich, daß dabei die Aufnahme des Fremdbürtigen in die Religion oder den Stamm solche Kulthandlungen besonders verlangen wird und auch hier verschiedene Grade sich scheiden; erst die dritte Weihe macht den Mithras-Gläubigen zum Kämpfer, erst die fünfte zum vollen Mitglied des Stammes der Seelen (mandäische Bezeichnung), zum Perser. Und doch hat ihm jeder vorherige Grad schon Offenbarung, himmlische Schau, geboten, die vergöttlichend, weil sein Wissen um Gott bereichernd, auf sein Wesen eingewirkt hat. Beides vereinigt sich, so weit ich sehe, in dem griechischen Begriff Mysterion, im heidnischen wie im neutestamentlichen Gebrauch; wenn Paulus sagt 'ich verkünde euch ein Mysterion', so liegt dem zugrunde, daß er der Schau Christi gewürdigt und auch später mit Visionen begnadigt, einmal sogar bis in den dritten Himmel erhoben ist. Daß Kulthandlungen solche Schau in der Regel ermöglichen sollen, daß sie an alte, dem Laien unverständlich gewordene und zauberhaft erscheinende Handlungen — besonders des frühen Totenkults — anknüpfen und wie Zauberbräuche von einem Volk zum andern wandern, liegt in der Natur der Sache. Man darf für die hellenistische Zeit trotz der erwähnten grundlegenden Unterschiede der vorderasiatischen Religionen in diesen immer mit der Gottheit in außerordentlicher Weise in

Verbindung setzenden Handlungen doch wieder eine Art Einheit sehen und darstellen, besonders in einer Übersicht, deren Ziel ist, die Einwirkung der Umwelt auf Sprache und Empfindung des jungen Christentums zu zeigen.

Um Unsterblichkeit, also im allerweitesten Sinne um 'Erlösung', handelt es sich bei dem eigentlich religiösen Teil dieser Mysterien immer, und es ist klar, daß sie in dem zweiten Typus kosmologisch begründet werden muß; Kosmologie und Eschatologie hängen hier unlöslich zusammen; es ist verfehlt, sie in der Betrachtung trennen zu wollen. So darf ich gleich hier hervorheben, daß wir wenigstens für eine dieser Religionen die Entwicklung jetzt etwas deutlicher überschauen, seit uns ein glänzender Fund Albrecht Goetzes[1] eine in Trümmern und jüngeren Nachbildungen erhaltene Schrift des persischen Avesta, den Dāmādδ-Nask ins fünfte Jahrhundert vor Christus zu datieren gestattet. Das letzte, von dem höchsten Gott geschaffene Wesen trägt hier den Namen Gaya maretan, sterbliches Leben. Das unterscheidende Beiwort zeigt, daß dem Ursinn nach das Leben unsterblich sein müßte, zum Wesen der Gottheit gehört. In die materielle Welt versenkt, erliegt es dem Tode, dem Widergöttlichen, aber indem es, sich auflösend, in die Materie zerfließt, läßt es aus ihr die Menschen erstehen, und es kehrt bei dem Untergang der materiellen Welt, oder vielmehr bei ihrem Aufgehen in die Gottheit und dem Ausschluß der Sterblichkeit aus ihr in die Gottheit zurück und zugleich mit ihm alle seine Nachkommen oder Teile, die Einzelmenschen. Daß jenes 'sterbliche Leben' zugleich der Welt die Kräfte der sieben Sphärenlenker (Planeten), dargestellt als ihre Metalle, und die Bewegung, d. h. Freiheit gebracht hat, tritt schon ganz zurück. Wir empfinden: der Gedanke eines Weltgottes oder einer Weltseele, die in den vergänglichen Einzelerscheinungen selbst unvergänglich waltet, wird schon von dem Interesse an dem Lose des Einzelmenschen zurückgedrängt.

1) Ztschr. f. Indologie und Iranistik II, 1923, S. 60 u. 167f.

Eine andere, nicht notwendig spätere Stufe der Entwicklung vertritt der an sich wohl jüngere 22. Yašt. Die Verbindung mit der Kosmologie ist hier gelöst; es handelt sich nur um die Seele des einzelnen Menschen. Der Seele des Frommen kommt nach dem Tode ihr himmlisches Gegenbild, das aus ihren guten Gedanken, Worten und Taten, also ihrer Religion besteht, entgegen und führt sie durch die drei Himmel aufwärts. Dem Gott Ohrmazd ist sie gleich geworden und wird Verehrung finden wie dieser. Es ist wichtig, daß dieser Seelenaufstieg, bei dem schon ein Erlöser erscheint, auch in dem Dāmdāδ-Nask schon dargestellt war, trotz des inneren Widerspruches, in dem diese Auffassung zu dem Gedanken der Auferstehung des Leibes beim Endgericht steht.

Eine Folgerung scheint mir die in jüngeren Schriften vorgetragene Lehre, daß Gayōmard selbst, also das sterbliche Leben, das Wesen der wahren Religion bedeutet. Sie ist die Voraussetzung für eine griechische Bearbeitung des Dāmdāδ-Nask, die uns in der hermetischen Schrift 'Poimandres' etwa um den Anfang unserer Ära entgegentritt.[1] Nur der Aufstieg der Seele bildet hier das Ende der doch ganz kosmologisch angelegten Darstellung. Die Rolle des Erlösers tritt stärker hervor. Es ist der 'Gute Sinn', das Gegenbild und der Gesandte des 'Weisen Herrn', Ohrmazd, im Grunde also wieder das Religionswissen. Er erscheint bei Lebzeiten dem Frommen, in dem er doch als sein inneres Selbst schon wohnt, läßt ihn den Weltgott schauen, lehrt ihn den Aufstieg der Seele und ihre Vereinigung mit dem Gott, der wie der Urmensch und jeder Fromme Licht und Leben ist, und entsendet ihn dann, weil er damit alles Wissen um Gott empfangen habe, als Verkünder, um durch diese Lehre die Menschheit zu erretten. Von einem Mysterium werden wir hier kaum reden können; ein rein inneres Erlebnis, ähnlich dem, das im Buddhismus zum 'Vollkommenen' macht[2], wird dargestellt.

1) Vgl. Reitzenstein-Schaeder, I 1 und II 1.

2) Außerordentlich lehrreich für das Empfinden war mir das Büchlein

Aber es schließt den Missionsbefehl in sich; wir sind in der Diaspora.

Ein Grundzug wenigstens des indisch-persischen Denkens tritt uns dabei entgegen, der sich bei der Beschaffenheit der persischen Überlieferung sonst dem Blick leicht entzieht, der tiefe Drang nach einer einheitlichen Welt- und Gottesanschauung.[1] Sie kann nicht mehr rein-mythologisch und noch weniger kann sie schon rein-wissenschaftlich sein, ist traditionell, dogmatisch gebunden und verlangt doch ein inneres Erleben, eine wirkliche 'Schau' des großen Geheimnisses. 'Kennen lernen will ich das Seiende, sein Wesen verstehen und mit Gott bekannt werden', sagt der Prophet.[2] Und ähnlich ist in der gleichen Zeit die Auffassung des persischen Priesterwissens bei Philo[3]; er faßt es, wie wir später noch sehen werden, völlig als das, was wir jetzt als 'Gnosis' bezeichnen, aber die minderwertige, ja verderbliche Nachahmung, sein Gegenbild, ist die Magie als Zauber.

In dem zweiten Religionstypus können wir die Entwicklung nur undeutlich erkennen. Wichtig scheint mir, daß wenigstens für die spätere Auffassung Götter wie Osiris, Attis, Adonis eine Zeit lang Menschen gewesen sind: gestorben sind sie, aber wiederauferstanden. Wenn wir uns mit diesen Göttern irgendwie ver-

---

eines japanischen höheren Geistlichen 'Zen, Der lebendige Buddhismus in Japan', übersetzt von Schüej Ohasama, herausgegeben von A. Faust, 1925.

1) Richtig betont von Prof. Schaeder, Reitzenstein-Schaeder II, Kap. II Ende.

2) Die in Wahrheit unübersetzbaren Worte (Poim. I 3) lauten griechisch: μαθεῖν θέλω τὰ ὄντα καὶ νοῆσαι τὴν τούτων φύσιν καὶ γνῶναι τὸν θεόν. Das könnte philosophisch klingen, aber die Erfüllung der Bitte bringt die Vision und der sie erläuternde Gott.

3) De spec. leg. III 100: τὴν μὲν οὖν ἀληθῆ μαγικήν, ὀπτικὴν ἐπιστήμην οὖσαν, ᾗ τὰ τῆς φύσεως ἔργα τρανοτέραις φαντασίαις αὐγάζεται, σεμνὴν καὶ περιμάχητον δοκοῦσαν εἶναι, οὐκ ἰδιῶται μόνον, ἀλλὰ καὶ βασιλεῖς καὶ βασιλέων οἱ μέγιστοι καὶ μάλιστα οἱ Περσῶν διαπονοῦσιν οὕτως, ὥστ' οὐδένα φασὶν ἐπὶ βασιλείαν δύνασθαι παραπεμφθῆναι παρ' αὐτοῖς εἰ μὴ πρότερον τοῦ μάγων γένους κεκοινωνηκὼς τυγχάνοι. ἔστι δέ τι παράκομμα ταύτης, κυριώτατα φάναι κακοτεχνία, ἣν μηναγύρται καὶ βωμολόχοι μετίασι καὶ γυναίων καὶ ἀνδραπόδων τὰ φαυλότατα, περιμάττειν καὶ καθαίρειν κατεπαγγελλόμενα καὶ στέργοντας μὲν εἰς ἀνήκεστον ἔχθραν, μισοῦντας δὲ εἰς ὑπερβάλλουσαν εὔνοιαν ἄξειν ὑπισχνούμενα.

einigen, etwa ihr Gewand anlegen oder das Mittel, das den Gott erweckte, anwenden, oder sonst irgendwie sein Los teilen und zu ihm werden, dürfen auch wir auf ein Fortleben hoffen. Das magische Mittel begründet hier die Zuversicht oder das Mysterium. Die Darstellungen der Erlebnisse des Gottes, die Kämpfe um Osiris, das Suchen der Isis, die Klage um den gestorbenen Adonis und die Begrüßung des auferstandenen, die Hauptdarstellungen des Attisglaubens — alle diese heiligen Handlungen (ob alt oder neu eingeführt) scheinen im hellenistischen Kult Teile eines kunstvoll geordneten Gottesdienstes geworden und ganz oder doch für die Gemeinde öffentlich zu sein. Ob wir sie noch Mysterien nennen wollen — sie werden ja auch in den Mysterien-Gemeinden fortgeführt —, und ob sie es jemals im Vollsinne waren, macht wenig aus, wenn wir sie nur scharf von jenen rein persönlichen Mysterien trennen, die nur einzelnen zugänglich sind.

Doch über sie später! Zunächst gilt es, eine Urkunde zu betrachten, die uns die Vereinigung dieser ihrer Natur nach verschiedenen Jenseitshoffnungen zeigt und die sich glücklicherweise zeitlich bestimmen läßt. Es ist die sogenannte Naassenerpredigt[1], die etwa um das Jahr 100 n. Chr., also ein Jahrhundert nach dem Poimandres, ein völlig hellenisierter Orientale für eine phrygisch-jüdische Gemeinde verfaßt hat, wohl die wichtigste Urkunde für den antiken Synkretismus. Ein überall ausgebildetes Mysterienwesen wird vorausgesetzt; aber die Mysterien aller Religionen künden nur von dem einen Urmenschen, der hier Adam heißt. Er erscheint in doppelter Form. Unindividuell

---

1) Anlage und Wesen habe ich in meinem Poimandres (S. 83) festgestellt und den rein heidnischen Teil herausgegeben. Daß die jüdischen Teile von Anfang an dazu gehörten, erkannte ich später, habe den Text nochmals ediert (Reitzenstein-Schaeder I S. 161) und in den Nachträgen (S. 191) ein voll erhaltenes, den mandäischen Totenliedern und dem Jesajasmartyrium entsprechenden Lied hergestellt. Jenes Gottwesen, das als Urmensch der Sohn Gottes, das All im All, die Seele ist, trägt hier zugleich den Namen Aion. Die philosophische Rechtfertigung scheint auf Poseidonios zurückzugehen, vgl. Beigabe I am Schluß.

durchwaltet er als Seele das Weltall, als Individualseele ruht er in den einzelnen Menschen, dem ersten körperlichen Adam und seinen Sprossen. In ihnen freilich liegt er, da sie schlummern, bewußtlos. Erst wenn er als der himmlische Adam diese in die Materie versenkten Gegenbilder erweckt hat, kann er sie heraufführen in das Gottesreich, dem er selbst angehört. Die persische Lehre vom Urmenschen soll die magischen Unsterblichkeitshoffnungen gewissermaßen metaphysisch rechtfertigen; aber im Kult wirken offenbar die magischen Elemente weiter.

Wir begreifen, daß diese rein heidnische Lehre christianisiert werden konnte und mußte. Eine ihr ganz ähnliche finden wir als Volksreligion bei den Mandäern, einem semitischem Stamm, der ursprünglich in der Nähe des Jordan, also in dem Umkreis des Judentums und unter dessen Einfluß gewohnt hat, später aber an den Unterlauf des Euphrat gewandert ist. Daß er einmal seinen Glauben gewechselt hat, zeigt sich schon in der Bezeichnung für Gott; das allgemein semitische *ilah* wird nur für den falschen Gott, den Götzen gebraucht, für den wahren die iranische Wesensbezeichnung 'Leben' (*haije*). Totenkult und Totenlieder, das heißt die Lieder von der Himmelfahrt der Seele, zeigen durch ihre enge Berührung mit dem 22. Yašt des Avesta und späteren persischen Urkunden, wie längst erkannt ist, ihre Abhängigkeit von der iranischen Religiosität. Der Begriff der Erweckung, der uns schon in der Naassenerpredigt entgegentrat, beherrscht geradezu das religiöse Denken. Der Urmensch, der als die Erkenntnis der Gottheit (Mandā d' Haijē)[1], als der vollkommene Mensch, der erste Mann, der Gerechte, Reine, als das Haupt der Generationen, als Adam oder auch als Enoš (Mensch) bezeichnet wird, schlummert als 'verborgener Adam' (Adakas) in jedem einzelnen, aber er durchwandert auch wieder als Gesandter unbekannt oder gar unsichtbar die Erde, um 'die Herzen zu befühlen und alle Sinne zu messen und zu prüfen, zu sehen,

1) So entspricht er dem persischen Begriff *daēna* (Religionswissen) und dem in die Gnosis übernommenen aramäischen *achamoth* (σοφία).

in welchem Herzen er selbst weilt, in wessen Sinn er ruht'.[1] Er ruft den Weckruf, denn er ist ein Wort[2] und ein Sohn von Worten, ja heißt Adakas Malalā (Adam das Wort) wie Adakas Manā (Adam das Gottwesen). Wiederkehrend führt er dann beim Tode des Leibes die Seele oder eigentlich ihr göttliches Teil zum Himmel empor. So kann auch die aufsteigende Seele selbst Adam genannt werden, zumal da jene Totenlieder ursprünglich wohl als eine Art von Analogiezauber den Aufstieg eines kosmischen Gottwesens, Adam als der Weltseele, schilderten. Auch wenn nach alter vorderasiatischer Tradition vier Weltepochen angenommen werden und viermal das Gottwesen zum Himmel steigt, zieht jedesmal die ganze Schar der in dieser Epoche verstorbenen Seinen, aus einem Zwischenreich erlöst, hinter ihm empor, wie in dem persischen Dāmdāδ-Nask die Toten hinter Ġayōmard. Wie ferner in der Naassenerpredigt dieser Adam die Weltseele (Psyche) heißt, so finden wir auch bei den Mandäern den Begriff der 'großen Nituftā', der *monuhmed vuzurg*[3] der

1) Genzā r. XVI 4 S. 389, 23 Lidzbarski.

2) Auch das Wort Gottes ist im Iranischen Person, und der Adam der Naassener ist der Logos.

3) [Ich muß an dieser Deutung der *monuhmēd vuzurg* sachlich festhalten trotz des Einspruchs, den soeben Waldschmidt und Lentz (Abh. d. Preuß. Ak. 1926) dagegen erhoben haben. Sie legen auf das Beiwort *vuzurg* (groß, breit) kein Gewicht, lassen den Text, der es zu dem Hauptwort *monuhmēd* fügt, unerklärt und schließen ihrerseits aus den Listen der fünf Seelenteile oder Teile der Rüstung des ihr gleichgesetzten Urmenschen, das Wort bedeute nur γνῶσις (aramäisch *manda*). Ich wende ein, daß diese Deutung schon für die Stelle, von der einst Prof. Andreas und ich ausgingen, die Wiedergabe des griechischen Wortes δίψυχος durch den soghdischen Übersetzer 'die in zwei *monuhmēd* stehen', nicht genügt (vgl. Prof. Andreas in meiner Abhandlung 'Die Göttin Psyche' S. 4. A. 3); noch weniger freilich für die Mehrzahl der von Lentz und Waldschmidt neu angeführten Stellen. Sie zeigen, daß neben jener Aufzählung von fünf religiösen Denk- oder Wissensformen der Seele noch eine andere Formel wirkt, nach der eine von ihnen (die erste *bām* oder die zweite *monuhmēd*) als Ergänzung und Gegenbild zu dem Wort 'Seele' gefügt wird, wie in dem System des Poimandres der νοῦς zu der ψυχή; sie ist das Selbst der Seele, entspricht also ihrem Ganzen. Ähnlich ist bei den Gnostikern das Verhältnis der Achamoth (σοφία) zu der Seele. Kein griechisches oder deutsches Wort kann

manichäischen Turfān-Texte, dafür, und neben ihr stehen die Einzelseelen, auch der einzelne hat eine Nituftā oder *monuhmed.* Wir können hier sogar die Bildung des Begriffes verfolgen. Nituftā bedeutet ursprünglich den Tropfen, und in dem altpersischen Dāmdāδ-Nask (Gr. Bundahišn cap. 28, Goetze, Zeitschr. f. Indol. u. Iranistik II 60) beginnt der Vergleich des Mikrokosmos mit dem (göttlichen) Makrokosmos mit den Sätzen: In den heiligen Büchern (dem Avesta) heißt es: 'der menschliche Körper ist ein Ebenbild der Welt'. Denn die Welt ist aus einem Wassertropfen gemacht, wie es heißt 'diese Schöpfung ist in ihrer Gesamtheit ein Wassertropfen; auch der Mensch ist ganz aus einem Wassertropfen entstanden'. Ebenso wie der Mensch gerade so breit wie lang ist, gerade so ist auch

solche orientalisch-religiösen Begriffe voll ausdrücken. So muß wenigstens der Religionsforscher von den Funktionen ausgehen, die sie an der einzelnen Stelle ausüben, unbekümmert, ob unsere Sprache und Psychologie uns gestattet, einen für alle Stellen passenden Ausdruck zu finden (man denke etwa an das indische Wort *ātman*). Setzt sich bei einem solchen Wort gar die Personifizierung durch und läßt Mythen hinzutreten, so wachsen natürlich die Schwierigkeiten, wie etwa bei dem mandäischen Gegenbild der *monuhmᵉd*, bei *Mandā (d'haijē)*. Die Beziehung zu dem Urmenschen ist bei diesem ebenso klar wie die Gleichsetzung mit dem erweckenden Gesandten. Wenn er als der erste Mann oder der Gerechte, Reine erscheint, so empfinden wir den Zusammenhang mit der Gayōmard-Vorstellung, die sich ebenso durch die Betrachtung der Nituftā-Anschauung, wie durch die der Adakas- (bzw. Adam-) Spekulationen der Mandäer bestätigt. Zu den Gattungsnamen, wie Adam, Ἄνθρωπος, Enoš, und den Begriffsbezeichnungen, wie λόγος, νοῦς, σοφία, ψυχή, treten dann sekundäre Eigennamen (für Adam seine Söhne Hibil und Šitil, d. h. Abel und Seth); die letzte, rein spekulative Fortbildung stellt sich bei beabsichtigter Verschmelzung der Religionen ein. So beginnt die Naassenerpredigt ihre Darlegungen (Hippolyt El. p. 81,7 We.) ψυχῆς γάρ, φασί, πᾶσα φύσις, ἄλλη δὲ ἄλλως ὀρέγεται, findet dies Gottwesen in Attis, Adonis, Osiris, Hermes, Ἄνθρωπος und anderen wieder und schließt (98,14) οὗτος (Attis), φησίν, ἐστὶν ὁ πολυώνυμος, μυριόμματος, ἀκατάληπτος, οὗ πᾶσα φύσις, ἄλλη δὲ ἄλλως ὀρέγεται. So wird Jesus in die manichäische Reihe als Gegenbild unserer Lichtseele gefügt. Immer handelt es sich um dieselbe religiöse Grundanschauung, um dasselbe Gottwesen, das kein Name voll bezeichnet. Darum darf die religionsgeschichtliche Betrachtung nicht an dem Einzelnamen — an dem Begriffsnamen *monuhmᵉd* so wenig wie an dem Eigennamen Jesus —, sondern nur an der Grundvorstellung haften. Korrekturzusatz.]

der Mensch, jeder einzelne, so groß wie seine Armweite. Für den ersten Menschen Gayōmard wird das dann in dem Schöpfungsbericht noch ausdrücklich hervorgehoben. So kann für ihn auch die Bezeichnung Nituftā eintreten.[1] Auch hier steht wie bei den Naassenern ein Mysterium, das Sakrament der Taufe, kultlich im Vordergrund; es bedingt die Zugehörigkeit zu dem Stamm der Seelen, also der Religion.[2]

So hat sich bestätigt, was Eduard Meyer in seiner Geschichte des Altertums[3] behauptet hatte: trotz der religiösen Duldsamkeit der persischen Regierung hat der Glaube der herrschenden Klasse ganz Vorderasien beeinflußt.[4] Was er selbst nur für die jüdische Religion darlegte, läßt sich durch Einzelbeobachtungen viel weiter verfolgen. Die Anschauungen innerhalb der einzelnen Religionen erweitern und vertiefen sich, auch wo der Kult keine Änderungen erfährt; dem Individualismus eröffnen sich weitere Möglichkeiten. Von Ägypten bis nach Südrußland und ostwärts bis an die Grenzen Chinas geht dieser ausgleichende und dabei

---

1) Lehrreich für den Zusammenhang der mandäischen und persischen Vorstellungen ist der aus dem Avesta (dem Dāmdāδ-Nask) entnommene Bericht in Hamza al-Isfāhānis Annalen (Reitzenstein-Schaeder II S. 234, vgl. 215): 'Als er (Gayōmard) starb, ging aus seinen Lenden ein Samentropfen (*nutfa*) hervor und drang in die Erde ein.' Diese Gleichsetzung von Samen, Mensch und göttlicher Seele beherrscht das religiöse Denken der Mandäer, aber ebenso das des Verfassers der Naassenerpredigt, ja der meisten Gnostiker, die ja von anderer Natur und Abstammung sein wollen als die anderen Menschen. Mit Notwendigkeit erwächst hieraus die Vorstellung des Stammes der Seelen, und wird von hier der Gedanke der Wiedergeburt wie der Erweckung beeinflußt.

2) Den Beweis, daß die mandäische Religion, deren Aufzeichnungen in ihrer jetzigen Fassung relativ jung sind, bis über die Zeit der Entstehung des Christentums hinaufgeht und von ihm nicht wesentlich beeinflußt ist, habe ich in der Abhandlung 'Das mandäische Buch vom Herrn der Größe' und später in dem 'Iranischen Erlösungsmysterium' zu geben versucht. Die in ihren Ergebnissen völlig übereinstimmenden Untersuchungen von W. Bauer, Bultmann und neuerdings H. H. Schaeder (Reitzenstein-Schaeder II Kap. 4) genügen wohl, die Anzweiflungen Ed. Meyers, der sich mit diesem Stoff nicht näher beschäftigt hat, zu entkräften.

3) III S. 167.

4) Vgl. hierzu Beigabe IV.

verinnerlichende Zug, an vielen Stellen jedenfalls gefördert von der Spekulation fester priesterlicher Stände. So steht schon beim Beginn dieser Epoche der Orient dem religiös verarmten Griechentum gegenüber. Vermeintlich uralte Tradition und ununterbrochen fortwirkende Gottesoffenbarung, göttlichen Schutz und die Gewißheit ewigen Heils bieten seine Religionen. Kein Wunder, daß sie sich verbreiten müssen.

Zwischen beiden Gedankenwelten, die ineinanderzufließen begonnen haben, der griechischen und der orientalischen, erwächst das junge Christentum; es ist selbstverständlich, daß beide auf es Einfluß üben. Die Einwirkung der Philosophie auf das Christentum, die moderne Forscher im Hellenismus zunächst betonten, ist gewiß noch nicht eindringend genug, aber doch so oft geschildert worden, daß ich sie hier beiseite lassen kann. Meine Aufgabe kann nur sein, den zweiten, eigentlich orientalischen Teil hellenistischer Religionen scharf ins Auge zu fassen. Er wird nicht ohne weiteres den alten Volksreligionen gleichgesetzt werden dürfen. Ganz abgesehen von dem schon erwähnten Ideenaustausch in der Perserzeit und der Förderung, die ihm das Eindringen der griechischen Weltsprache, die Einsetzung griechischer, durchaus nicht immer adäquater Worte für die Begriffe der verschiedenen Priesterspekulationen bringen mußte, muß jede Religion in der Propaganda und der Diaspora anders werden, unendlich persönlicher als innerhalb eines geschlossenen Volkstums, in dem die Beteiligung an ihr selbstverständlich ist und dem einzelnen keine eigene Entscheidung auferlegt, und doch auch wieder universeller, für die ganze Menschheit, nicht für ein Volk bestimmt. Als die Urreligion wird jede sich zu geben versuchen müssen, und doch auch wieder gezwungen sein, für die Zugehörigkeit zu ihr bestimmte, möglichst charakteristische Formen und Zeichen festzusetzen, — hierin ähnlich den Sekten, die sich innerhalb der einzelnen Volksreligionen bilden. Hierzu dienen vor allem die Mysterien.

Natürlich ist gerade darum das Material für die Erkenntnis

der Umgestaltung alter Natur- und Volksreligionen in der hellenistischen Propaganda klein. Für die ägyptische läßt sich die Existenz hellenistischer, auch dem Ägypter zugänglicher Weihen wenigstens durch sprachliche Beobachtungen erweisen[1] und für diese ägyptisch-hellenistischen Mysterien, aber auch nur für sie läßt uns die Beschreibung des Isis-Dienstes bei Apuleius Kult, Sprache und Empfindungsleben etwas genauer erkennen; für die phrygische Religion haben wir außer der erwähnten, nur mit Vorsicht zu gebrauchenden Naassenerpredigt zwei kultliche Schilderungen[2], für die persische das an sich wenig ergiebige Zeugnis theophorer Namen[3] und außer den vorgenannten nur noch die nicht ohne weiteres verwendbaren kurzen Angaben über die späteren Mithrasmysterien sowie die noch schwerer zu bewertenden Urkunden der manichäischen Sekte und Widerspiegelungen im Zauber, für die babylonische, da es sich für uns um die hellenistische und römische Zeit handelt, nichts, für andere ein paar versprengte Andeutungen. Wir müssen suchen, sie uns durch Vergleichen zu beleben, und dürfen das um so mehr, als die gleiche, schon vorher wirksame Tendenz, einerseits die Gottheiten als Naturkräfte zu fassen, andererseits die Religion zu ethisieren, überall sich geltend macht. Nur wenn die Seele Gott ähnlich geworden ist, kann sie zu ihm als ihrem Ursprung zurückkehren. So schieben sich, selbst wo die Grundanschauung eine Wiederbringung aller Seelen verlangen müßte, Zwischenstufen und Unterscheidungen ein; die Seele bedarf zu ihrer Heimkehr der Läuterung und der göttlichen Hilfe; bestimmte Handlungen

---

1) Sethe, Nachrichten d. Ges. d. Wissensch., Göttingen 1919, S. 158.

2) Prudentius, Peristephan. X 1006f. und Incerti carm. contra paganos v. 57f., Hepding, Attis S. 65 u. 61 (in der Vergleichung beider Schilderungen nicht scharf genug), sowie Firmicus Maternus, De errore prof. rel. c. 22 (vgl. unten S. 400).

3) Vgl. Iran. Erlösungsmyst. 159 (neue werden, wie ich höre, hinzutreten). Auch könnte man auf die Darstellung des Mithras als Seelenführer auf dem Monument des Antiochos IV. von Kommagene (vgl. Julian Conv. 336c) verweisen.

müssen sie ihr sichern. Aber auch das bloße Wort kann die wundertätige Wirkung üben; die dabei verwendeten Bilder lassen uns die Anschauungen erkennen, die sich einst in Handlungen darstellten. Eine Betrachtung der Grundgedanken der Mysterienreligionen darf sich nicht in den engen Schranken halten, die unsere moderne Sakramentenlehre dem Begriff Mysterium gibt, sondern muß die hellenistische Bedeutungsweite des Wortes berücksichtigen.[1]

Über die Organisation einer Diaspora-Gemeinde des über die ganze damals bekannte Welt verbreiteten Isis-Glaubens[2] gibt uns Apuleius einigen Aufschluß. Zu ihr gehören 'Zugewandte' verschiedenen Grades, Gläubige oder Proselyten, *advenae,* wie sie auch hier heißen. Sie nehmen teil am Gottesdienst und betreten den Tempel; ja sie dürfen in dem heiligen Bezirk selbst Wohnung nehmen. Dennoch sind sie geschieden von denen, die sich der Gottheit verlobt und ihr Leben ihr zu eigen gegeben haben, den Mysten, auch wenn diese in der Welt leben. Diese

1) Vgl Beigabe IX.

2) Mit den Listen der Kultorte eines Gottes, die sich in älterer Zeit in vielen Tempeln Ägyptens finden (Junker, Die Onurislegenden S. 69) ist jetzt der griechische Hymnus an Isis (Oxyrh. Pap. 1380) zu vergleichen, der in seinem Hauptteil ihre Kultorte in der ganzen οἰκουμένη aufführt; Ähnliches bieten — natürlich in starker Abkürzung — auch literarisch erhaltene Gebete, die Isis in den verschiedensten Göttinnen wiederfinden. Gibt jener Hymnus mehr Einblick in die Weite der Propaganda, so eröffnet der auf seiner Rückseite geschriebene Traktat eines Imuthes-Gläubigen (Ox. Pap. 1381) uns einen nicht minder überraschenden Einblick in die Stimmung hellenistisch-ägyptischer Kreise und erschließt uns zugleich das Verständnis für die hermetische religiöse Literatur. Bezeichnet doch der Verfasser als Zweck seiner griechischen Überarbeitungen ägyptischer religiöser Schriften (Z. 198): Ἑλληνὶς δὲ πᾶσα γλῶσσα τὴν σὴν λαλήσει ἱστορίαν καὶ πᾶς Ἕλλην ἀνὴρ τὸν τοῦ Φθᾶ σεβήσεται Ἰμούθην. Es macht vielleicht den Missionstrieb orientalischer Religionen noch etwas fühlbarer, wenn ich das Pauluswort daneben stelle (Phil. 2, 11): καὶ πᾶσα γλῶσσα ἐξομολογήσεται ὅτι κύριος Ἰησοῦς Χριστὸς εἰς δόξαν θεοῦ πατρός. Wie stark sich die Philosophie diesen in der Tendenz religiösen Schriften beimischt — auch jener Imuthes-Gläubige rühmt sich, sie als notwendigen Bestandteil in den alten Text einer Weltschöpfung eingefügt zu haben —, darüber entscheidet das Maß der Bildung des Verfassers und des von ihm ins Auge gefaßten Publikums.

haben 'das Joch auf sich genommen' und sich, wie es hier, in anderen Mysterien, auf welche schon Livius Bezug nimmt, und im Mithraskult heißt, zu dem heiligen Kriegsdienst gemeldet.[1] Ein Diensteid, *sacramentum*, verpflichtet sie auf Lebenszeit. Der Dienst ist schwer, eine strenge Askese ist mit ihm verbunden, und viele beben davor zurück. Denn so weitherzig gerade der Isiskult gegen die Proselyten ist, so streng hält er darauf, daß die Mysten bis in die Äußerlichkeiten die rituellen Vorschriften mitmachen, die in der Heimat für den Priester gelten. Das Mysterium schafft in der Diaspora, wo die Forderung priesterlicher Abstammung und die Bestallung durch den König von Anfang an fortfallen mußte, den Priesterstand. Aus der Zahl der Geweihten beruft dann der Gott, d. h. in der Praxis die Kooptation der eigentlich amtierenden Priester, den einzelnen je nach dem Einfluß römischer Kollegienordnung zu einer zeitlich beschränkten oder lebenslänglichen Stellung. Priesterliche Abkunft wird für ihn durch die Fiktion hergestellt, daß der Weihende, indem er den Unterricht erteilt, zum Vater des Initianden wird. Die Weihe selbst zerfällt in zwei durch eine Zeit strenger Askese geschiedene Teile. Zunächst eine Taufe, die in ihrem Ritual genau der altägyptischen Totentaufe und der Taufe des Königs bei der Thronbesteigung entspricht. Das ist durch die Angabe des Apuleius, daß es sich bei der ganzen Feier um einen freiwilligen Tod und ein aus Gnaden gewährtes neues Leben handelt, genügend erklärt. Auch die Übereinstimmung der Königstaufe mit der Totentaufe läßt sich verstehen. Wohl wird der König von Gott gezeugt; aber zur allgemeinen Annahme kommt diese Gottessohnschaft erst bei der wirklichen Thronbesteigung und wird bei ihr feierlich von dem Gott proklamiert.[2] So bedeutet auch für den König dieser Akt den Beginn eines neuen

1) Vgl. Beigabe V.

2) Ähnlich in Babylon, vgl. W. Stärk, Die Schriften des Alten Testaments III 1 (Göttingen 1901) zu Psalm 2, 7 υἱός μου εἶ σύ, ἐγὼ σήμερον γεγέννηκά σε (Norden, Die Geburt des Kindes S. 92, 1).

Lebens und ein solcher (z. B. die Anerkennung der Mannbarkeit und die Aufnahme in den Stamm) wird bekanntlich bei vielen Völkerschaften durch ein Begraben und Wiederaufwecken dargestellt. Da auch der Priester, wenigstens so weit er als Vertreter des Königs handelt, göttliche Kraft hat und Gott ist, so ist wohl denkbar, daß auch schon der nationale Kult eine entsprechende Priesterweihe wenigstens für die höheren Stufen kannte, die ja meistens nach späterer Anschauung auch den Zugang zu geheimem Wissen öffnen. Doch werden wir, da Zeugnisse dafür zu fehlen scheinen, richtiger tun, unsere Aufmerksamkeit mehr auf die Totentaufe zu lenken. Schon sie genügt, den zweiten Teil der Handlung einigermaßen zu erklären. Daß eine Himmelswanderung beschrieben wird, sollte feststehen; nur auf ihr kann man den himmlischen Göttern in unmittelbarem Verkehr seine Verehrung darbringen; Gegenbilder wie die Himmelswanderung des Nechepso[1] und die sogenannte Mithrasliturgie[2] zeigen das. Auch die Königsweihe gibt in der Umwanderung des Tempels, der ja dem Ägypter den Himmel bedeutet, und in der Verehrung der einzelnen Götter ein gewisses Gegenbild. Für die Fahrt oder den Flug[3] durch die Elemente gibt uns ägyptischer Glaube in der Spätzeit die Erklärung: auch sie bedeutet nur die Himmelfahrt. Dagegen weisen andere Angaben auf den älteren Glauben, so das Betreten der Unterwelt und die zwölfstündige Dauer der Wanderung, in der der Myste zwölf verschiedene Gestalten annehmen muß. Wie sich in dem Ritual von Korinth beides vereinigt hat, bleibt ungewiß.[4] Daß fremdartige Elemente eingedrungen sind, zeigen manche Spuren und drückt sich vor allem darin aus, daß beim Schluß der Wanderung der Gestorbene nicht

1) Unten Beigabe II.

2) Unten Beigabe II und V.

3) Da sich an das Wort *vectus* bei Apuleius Rätseleien geschlossen haben, verweise ich auf die Mithrasliturgie 6, 2 Diet. ὄψει σεαυτὸν ἀνακουφιζόμενον καὶ ὑπερβαίνοντα εἰς ὕψος oder Genzā S. 208, 2 Lidzb.: Winde nehmen ihn hin, Stürme treiben ihn fort, Leitern tragen ihn in die Höhe.

4) Vgl. Beigabe V (der Bericht des Apuleius).

zum Abbild des Osiris wird, sondern zum Abbild eines Sonnen- oder Weltgottes. Für die innere Entwicklung scheint mir bezeichnend, daß auch im phrygischen Mysteriendienst eine zunächst dem Gemeindekult dienende Opferhandlung, an welcher der Priester obersten Grades beteiligt ist, das Taurobolium, zur Weihe des Mysten, zu dem Bad der Wiedergeburt wird, der ein Sterben vorausgeht. Die eigentlichen Mysten sind auch hier ein Volk von Vollkommenen oder von Priestern. Der Unterschied dieser persönlichen Mysterien von den früher erwähnten Volks- oder Gemeindemysterien ist wohl klar: der Myste schaut nicht mehr, was der Gott erlebt hat, sondern erlebt es selbst und wird dadurch zu dem Gott, wie ja auch im älteren Ägypten der Gestorbene selbst zu Osiris wird. Wenn der oberste Priester selbst Attis heißt, so muß er schon bei Lebzeiten als Verkörperung des Gottes gefaßt sein.

Das Band zwischen Gott und Mensch kann gar nicht enger und stärker gedacht werden, und ein Gefühl nicht nur lebenslänglicher Dankbarkeit, sondern persönlicher Liebe, die in ihren Äußerungen bis ins Sinnliche geht[1], verbindet beide. Rechnen wir hinzu, daß hier, in der Diaspora, um so zu reden, jede dieser Gottheiten eine bestimmte Heilsbotschaft hat — von einem Evangelium der Isis, dessen Text wir noch haben, haben Philologen wenigstens mit einem gewissen Recht gesprochen —, daß auch für den liturgischen Gebrauch berechnete Sammlungen heiliger Schriften, und zwar in griechischer Sprache verfaßte Sammlungen, entstehen[2], daß der Glaube (πίστις, *fiducia*) an diese Götter ein persönlicher Willensakt ist, eine göttliche Kraft, die, auf persönliche Erfahrung im Mysterium begründet, ausdrücklich aller philosophischen Überzeugung entgegengestellt wird[3], daß die Predigt bestimmte Formen angenommen hat — wir kennen Dankgebete,

---

1) Man denke an das Gebet des aus dem Tempel scheidenden Apuleius (Met. XI 25).

2) Vgl. Beigabe IV, Reitzenstein 'Die Göttin Psyche', S. 23f.

3) Vgl. Beigabe VI.

Auslegungen heiliger Texte und Missionspredigten —, daß feste Bekenntnisse die Gemeinden zusammenhalten und eine reiche Literatur von Wundererzählungen und Visionsberichten der Erweckung wie der Erbauung dient, so begreifen wir die wunderbare Anziehungskraft, die diese hellenistische Form orientalischen Glaubens auf den religiös verarmten Okzident üben mußte.

Wollen wir die Eigentümlichkeit jenes Glaubens richtig würdigen, so müssen wir zunächst einen Blick auf die Entstehung der Gemeinden werfen. Schon die Verpflanzungen größerer Volksmassen, die inerhalb eines Weltreiches oder Kulturgebietes ein Herrschergebot oder der friedliche Zwang des Handels bewirkt, lösen bis zu gewissem Grade den nationalen Charakter der Volksreligionen und beeinflussen ihr Wesen. Ich darf Sie an die jüdische Diaspora und jene überraschende Entdeckung nur erinnern, daß schon in der Perserzeit eine jüdische Militärkolonie in Assuan ihren eigenen Jahvetempel mit einem nicht streng monotheistischen Kult hat[1], eine Kolonie, die sich als jüdisch empfindet und mit der Leitung des Nationalkultes in Jerusalem in Berührung, aber auch im Gegensatze steht. Wenn wir jetzt in frühptolemäischer Zeit ein Mithrasheiligtum in Ägypten nachweisen können, werden wir an die Nachkommen der persischen Besatzungstruppen, die Πέρσαι τῆς ἐπιγονῆς, denken. Der Astartetempel im heiligen Bezirk des Sarapis zu Memphis wird es uns glaublich erscheinen lassen, daß in Babylon schon zu Alexanders Zeit ein Sarapistempel bestanden hat. Sarapis wird dadurch nicht zu einem babylonischen Gott (so wenig wie Astarte zur Isis). Selbst indische Einflüsse auf Ägypten werden wir nicht von vornherein ablehnen dürfen, seit uns im Pap. Oxyrh. 1380 für römische Zeit ein Kult der *Isis Latina* in Indien bezeugt ist, und werden für die hellenistische Zeit den Inschriften des indischen Königs Asoka einen gewissen Wert beimessen müssen. Angleichungen sind dabei, besonders bei den durch den Handel über-

1) Vgl. Ed. Meyer, Der Papyrusfund von Elephantine, S. 38f.

tragenen Kulten, von Anfang an wahrscheinlich. Wenn in Athen frühzeitig ägyptische Kaufleute sich landsmannschaftlich zusammenschließen und als kultischen Mittelpunkt ihrer Vereinigung ein Isisheiligtum gründen, so wird Kult und Anschauung sich ähnlich zunächst den Umständen, bald auch der Umgebung anpassen, und neue, von hier aus beeinflußte oder begründete Heiligtümer oder Kulte werden noch stärker hellenisiert sein. Noch einschneidender sind die Änderungen bei den aus politischen Gründen übernommenen Kulten. Wenn der hellenistische Herrscher Ägyptens in der mir trotz Schubarts Einspruch wahrscheinlichen Absicht, die beiden Bevölkerungsklassen seines Landes einander näher zu bringen, den Sarapiskult neu organisiert, eine bestimmte Theologie ausarbeiten läßt und das Kultbild aus der Fremde holt, so muß er sich noch so eng wie möglich an frühere Vorstellungen, Begriffe und Worte anschließen; ein ägyptischer und ein griechischer Fachmann helfen ihm dabei. Die griechischen Städte aber, die, um ihm zu huldigen, unmittelbar danach den Kult offiziell übernahmen, brauchten weder einen ägyptischen Priesterstand zu übernehmen — kaum daß einmal ein Ägypter als Berater des griechischen Priesters erscheint —, noch den Kult in allen Einzelheiten nachzuahmen. Sie konstituierten ihn ja neu, und der rein repräsentative Charakter des Poliskultes ließ Einzelheiten schwerlich als wichtig erscheinen. Innerlicher war das Verhältnis zu der fremden Religion notwendig in jenen privaten und freien Kultgemeinschaften, die sich bald selbst bis ins Mutterland Ägypten übertrugen. Wählte der einzelne für seine Verehrung einen fremdländischen Gott, so mußte wohl gerade das dem heimischen Kult Entgegengesetzte, das Neue, ihn anziehen. Aber auch dann mußte die Individualität des Begründers oder Leiters der Vereinigung besondere Wichtigkeit gewinnen, eine getreue Nachahmung der kultlichen Einrichtungen einer orientalischen Volksreligion aber auch aus äußeren Gründen in manchem unmöglich sein. Wieweit sich dann in späterer Zeit privater und öffentlicher Kult gegenseitig beeinflussen und durchdringen, entzieht sich zur Zeit noch wenigstens meiner Kenntnis; nur daß mit der Steigerung des religiösen Bedürfnisses das orientalische Element stärker, der Zauber des Rätselhaften und doch durch uralte Tradition Beglaubigten zwingender wird, können wir erkennen oder ahnen.

Die rasche Verbreitung jener Kulte auch in entlegene und vom Handel kaum berührte Orte können wir nicht verstehen, wenn wir die wenigen Notizen über die Tätigkeit wandernder Diener einzelner orientalischer Gottheiten nicht scharf ins Auge fassen. Offizielle Priester, die an einem bestimmten Heiligtum des Mutterlandes angestellt sind, möchte ich in ihnen nicht sehen und habe ich nie in ihnen gesehen. Aber sie geben sich als Priester und Propheten und beglaubigen ihre Verkündigung durch den ekstatischen Geist ihrer Rede und durch Weissagung und Wunder. Die berühmten Abschnitte, in denen Livius als Lehre für die eigene Zeit Aufkommen und Unterdrückung eines offenbar hellenistisch-orgiastischen Mysterienkultes in Italien im Anfang des zweiten Jahrhunderts v. Chr. eingehend berichtet, scheinen mir besonders lehrreich. Das Ziel ist die σωτηρία. Der Einweihungsritus versinnbildlicht eine geschlechtliche Vereinigung mit dem Gott; wir hören von sakralen Mahlen, geheimen Gebeten, gottbegeistertem Reden (προφητεύειν) und nächtlichem Lichtertragen. Den Kult hat ein wandernder Grieche zuerst nach Etrurien gebracht, seine einheimischen Schüler oder Schülerinnen verbreiten ihn, immer neue Gemeinden bildend, rasch über Italien; sie gestalten ihn 'auf Grund göttlicher Offenbarungen' sogar entscheidend um.[1] Wie jener Grieche, so scheinen bald danach Magier und Chaldäer oder ägyptische Wundertäter Italien zu durchziehen. Schon um Ciceros Zeit übt ein vornehmer Römer Nigidius Figulus all jene Zauber, zu denen unsere Papyri Anweisung geben, und tut es, um einer hellenistischen

1) Vgl. Beigabe I (S. 101).

Lehre durch Wunder Beglaubigung zu schaffen; schon er gründet zugleich eine Art Gemeinde. Daß er in den kleineren Städten Italiens schon Vorgänger gehabt hatte, zeigt die jüngste italische Komödie.[1] Es sind die bald danach von Philodem als die 'sogenannten θεῖοι' erwähnten Männer, aus denen Gott redet. Auch der römische Große der Zeit hält sich neben dem Philosophen oder an dessen Stelle als Seelsorger diese Art orientalischer Propheten, jener Sergius Paulus der Apostelgeschichte nicht anders als Memmius, der Gönner des Lukrez. Eine allgemeine Vorstellung von dem θεῖος ἄνθρωπος beginnt sich durchzusetzen, nach welcher ein solcher Gottmensch auf Grund einer höheren Natur und persönlicher Heiligkeit in sich tiefstes Erkennen, Seher- und Wunderkraft verbindet. Ohne diese Vorstellung blieben Erscheinungen, wie der Prediger und Wundertäter Apollonios von Tyana oder der Seher und Religionsgründer Alexander von Abonoteichos, ja blieben selbst die an Peregrinus Proteus, den Kyniker, schließenden Vorstellungen unverständlich. Als ganz selbstverständlich gilt es in der erzählenden Literatur, daß solche Männer die Zukunft vorauswissen, die Gedanken der Begegnenden erkennen, Kranke heilen und selbst Tote auf Augenblicke oder längere Zeit wiederbeleben können. Im Leben ist Prophet der ehrenvolle, Goët der verächtliche Titel für sie. Die Erklärung bietet offenbar der Charakter orientalischer Religionen. Für den Stoiker Chairemon, den Lehrer des Nero, besteht die ägyptische Religion in einem astrologisch gewendeten Naturkult und in Zaubergebeten, dem Mittel, wie man den Sternenzwang bricht. Das wird begreiflich, wenn wir im Tageskult des ägyptischen Priesters sehen, wie jede Kulthandlung eigentlich ein Zauber ist, und bedenken, daß die unlösliche Verbindung von übernatürlichem Wissen und Wunderkraft, die jetzt im Hellenismus als selbstverständlich gilt, ihre einfachste Erklärung in jener Grundanschauung der Mysterien findet, daß sie mit Gott vereinen und zu Gott machen. Überall tönt uns ja entgegen, daß nur durch

1) Vgl. Beigabe VII.

diese Vereinigung der Zauberer seine Wunder tut und Seher oder lehrender Prophet die Zukunft oder die Geheimnisse Gottes schauen; ja wir hören, daß diese Vereinigung zurückwirkt und man, indem man zaubert und die Zukunft erfährt, unsterblich wird.[1] Kein Wunder, daß der Zauberbrauch beständig die Mysterien nachahmt und nur denselben Gedanken in immer neue Formen kleidet, individuell, weil von allem Gemeindekult gelöst. So zeigen die zahlreichen in Ägypten gefundenen und in der Mehrzahl wohl hier entstandenen Zaubertexte, wie groß hier in junghellenistischer Zeit die Bedeutung jener persönlichen Mysterien geworden ist. Es ist die natürliche Rückwirkung der Diaspora auf das Mutterland.

Ein festes Lehrsystem hat, wie wir mit Bestimmtheit sagen können, trotz ihrer Pflege in geschlossenen priesterlichen Verbänden weder die ägyptische noch die phrygische, ja nicht einmal die persische Religion gehabt, als sie ins Ausland vordrangen; die schon hierdurch bedingte lokale Verschiedenheit steigerte sich noch durch die Art der Übertragung und die Auswahl der Götter, die wenigstens die ägyptische Religion bot. Bald die eine, bald die andere Gottheit rückt in den Mittelpunkt, den die philosophische Bildung der Zeit noch mehr als das Bedürfnis des Kultes erfordert.[2] Schon Martial verspottet als in Rom allgemein bekannt eine Heilsbotschaft, die in dem Bekenntnis zu Hermes als dem dreieinigen Weltgott gipfelt: *Hermes omnia solus et ter unus.* Ihm nachgebildet und doch entgegengesetzt ist eine andere inschriftlich erhaltene Bekenntnisformel: *Isis, una quae es omnia.*

---

1) Vgl. die Mithrasliturgie und den Nephotes-Zauber im Schluß der Beigabe I oder die λῆψις παρέδρου bei Parthey, Abh. d. Preuß. Ak. 1865, S. 125. Von dem πάρεδρος δαίμων, dem Gott in uns, wird gesagt: τελευτήσαντός σου τὸ σῶμα περιστελεῖ ὡς πρέπον θεῷ, σοῦ δὲ τὸ πνεῦμα βαστάξας εἰς ἀέρα ἄξει σὺν αὐτῷ. εἰς γὰρ Ἅιδην οὐ χωρήσει ἀέριον πνεῦμα συσταθὲν κραταιῷ παρέδρῳ. τούτῳ γὰρ πάντα ὑπόκειται.

2) Auch der persische bietet ja eine gewisse Auswahl zwischen Zurvān, Ahura Mazda und selbst Mithra, der phrygische zwischen den verschiedenen Erscheinungsformen der Großen Mutter und ihres Begleiters (Attis oder Sabazios u. a.).

Es sind die beiden größten Offenbarungsgottheiten der hellenistisch-mystischen Literatur. Von einer Geheimlehre der Anubisverehrer redet Plutarch, und eine Bekenntnisinschrift der Diaspora zeigt uns diesen Gott, der sonst wohl der Diener aller Götter heißt, ganz für Horus eingesetzt als Weltenherrscher.[1] Ja, selbst Gemeinden ein und derselben Gottheit weichen in einzelnen Formen voneinander ab und scheinen nicht in engerem Zusammenhang; als Apuleius, der in Korinth die Weihen empfangen hat, nach Rom kommt, ist er Proselyt, 'zwar nicht in der Religion, aber in diesem Tempel'; eine Wiederholung seiner ersten Weihe könnte er, wenn die Göttin sie befiehlt, nicht in Rom, sondern nur in Korinth vornehmen lassen.

Noch seltsamer ist ein zweiter Zug. Wenn der Myste der Isis zum Dank für die erlangte σωτηρία sein ganzes Leben gelobt und in ihr Heer eintritt, so müßte er folgerichtig damit auf den Kult und die Mysterien wenigstens der nichtägyptischen Götter verzichten. Gerade das Umgekehrte zeigen die ägyptischen und die mit ihnen seltsam übereinstimmenden phrygischen Mysteriengebete. Alle Mysterienreligionen des Altertums geben sich in hellenistischer Zeit als für alle Menschen bestimmt, aber alle erkennen sich untereinander an. Jede will die Urreligion geben, die den ersten Menschen von Gott gelehrt ist; aber diese Urreligion haben alle anderen Menschen von hier angenommen; alle Völker verehren unter wechselnden Namen und Kulten dieselbe Gottheit.[2] So kann der einzelne Mysterienkult, der immer von dem Ort ausgehen soll, wo die ersten Menschen erstanden,

1) Siehe für Hermes Martial V 24 (ein christliches Gegenbild bietet das Martyrium Petri, Lipsius-Bonnet Acta apost. apocr. I 17, 26 *Christus, . . . qui est constitutus nobis sermo unus et solus*; für Isis C. I. Lat. X 3800 *te tibi, una quae es omnia* (opfert man im Wort der Isis, da sie das All ist, symbolisch sie selbst? Vgl. Corp. herm. XIII 18 δι' ἐμοῦ δέξαι τὸ πᾶν λογικὴν θυσίαν). Anubisgemeinden (σεβόμενοι τὸν Ἄνουβιν) erwähnt Plutarch De Is. et Os. 44, eine Art Bekenntnis zu ihm bietet Kaibel, Epigr. graec. 1029 = (C. I. Gr. 3724). Eine Bekenntnisformel als Akklamation der Gemeinde am Schluß des Gottesdienstes bietet Pap. Oxyrh. 1382.

2) Siehe Beigabe VIII.

nur noch beanspruchen, den richtigsten und wirksamsten Namen und Ritus zu bieten. Aber ist der überhaupt noch voll bekannt? Kann ein Mensch zwischen den verschiedenen Ansprüchen heiliger Traditionen entscheiden? Es scheint mir nicht unwichtig, daß dieser Zweifel in den Gebeten selbst ausgesprochen wird. Mitwirkt ferner die unmerkliche Wandlung des Empfindens in dem Weltreich. 'Die Götter müssen wir uns allgemein (κοινοί) halten', so ruft Plutarch, wenn er versucht, die Isisbotschaft dem gebildeten Griechen verständlich zu machen, d. h. philosophisch zu deuten. 'Wir dürfen die Menschheit nicht berauben, indem wir durch Betonung der Äußerlichkeiten im Mythos und seiner Deutung eine so starke Religion national und lediglich zum Besitz der Ägypter machen.' Wohl ist die Begründung im wesentlichen noch stoisch. 'Wie Sonne und Mond dieselben bleiben und nur von den verschiedenen Völkern verschieden benannt werden, so bleiben der allbeherrschende Logos und die Vorsehung überall dieselben, wenn auch Namen und Kult wechseln. Die Symbole, unter denen die einzelnen Religionen die Lehre von ihnen bergen, mögen bald schärfer, bald undeutlicher ausgeprägt sein, alle wollen sie nur den Geist zu Gott führen, und alle bieten sie, äußerlich gefaßt, die Gefahr des Aberglaubens oder der Gottlosigkeit.'[1] Aber wir empfinden leicht, daß diese Sätze nimmermehr die Wertschätzung der Einzelreligion begründen würden, die aus der Mahnung, die Menschheit nicht zu berauben, spricht. Ihr liegt ein tiefes Empfinden von der Kraft der Einzelreligion zugrunde, deren heilsame, durchaus nicht bloß auf das niedere Volk beschränkte Wirkungen man nicht national umgrenzen darf. Je mehr Symbole der einzelne vergleicht und richtig deutet,

---

1) Plutarch, De Is. et Os. c. 66f. Seine Quelle (vgl. c. 33 οἱ σοφώτεροι τῶν ἱερέων) wendet sich gegen die c. 38 angeführte Deutung des Osiris auf den Nil, der Isis auf Ägypten und tritt für die allgemeinere Deutung auf Wasser und Erde ein (für den Ägypter selbst fließen beide Deutungen ineinander). Die dritte Erklärung des Osiris als des halb persönlich gedachten λόγος θεοῦ (vgl. 1—3; 58—61; 68) berührt sich mit der Naassenerpredigt und Aelian (Apion?), vgl. Hist. an. X 29 mit Plutarch c. 2.

um so sicherer wird er des allen gemeinsamen Kernes werden. Daß dieser Kern sich in den Mysterien am deutlichsten enthüllen wird, sagt Plutarch hier nicht ausdrücklich, doch ist es die allgemeine Anschauung, die in den Begriffen der 'Geheimnisse Gottes' und der 'Eingeweihten' oder 'Vollkommenen' ihre beste Stütze hat, und auch Plutarch glaubt, daß in den Mysterien eine göttliche Kraft mitgeteilt wird, die zur Erkenntnis der Wahrheit hilft. So wird jene wechselseitige Anerkennung der verschiedenen Mysterien, die uns zunächst so seltsam berühren mußte, ebensosehr durch den Zauberglauben bei den niederen wie durch die philosophische Vertiefung der Religion bei den höheren Naturen begünstigt. Auf beide wirkt die Überzeugung, daß der Myste in der heiligen Handlung eine göttliche Kraft des Handelns oder Erkennens erwirbt; so mag er selbst entscheiden oder vielmehr ausgleichen.

Es ist bekannt, daß das Leben dem durchaus entspricht. Gottesfürchtige Männer benutzen jede Gelegenheit, sich in ein neues Mysterium einweihen zu lassen, und verbinden in sich mit den wiederbelebten griechischen die verschiedensten orientalischen Weihen. Was sie von ihnen erwarten, ist naturgemäß verschieden; beziehen doch viele die σωτηρία, die in allen verheißen wird, zunächst auf das äußere Leben, Errettung aus Gefahren, Erfolg im Berufe, Schutz vor Krankheit — es ist bezeichnend, daß schon in den italischen Bacchanalien für einen Kranken die Weihe nach der Genesung gelobt wird, wie später ganz allgemein im hellenistischen Kult —; aber selbst dann ist, wie Apuleius zeigt, mit der äußeren Hilfe eine Verheißung für das Fortleben im Jenseits verbunden. Tiefere Naturen suchen von früh an in dem Mysterium neue Erkenntnis und Steigerung der Göttlichkeit des eigenen Ich. Jede neue Vereinigung mit Gott muß sie erhöhen. So wird die Religion des einzelnen und gerade des Frommen synkretistisch und damit zugleich individualistisch, sie wird ganz sein eigen.[1]

1) Der christliche Gnostizismus wird bei dieser Auffassung die nicht nur

Naturgemäß bringt der Zauber das Gegenbild. Den Namen desselben Gottes ägyptisch, syrisch, phrygisch, persisch, auch hebräisch zu nennen, wird allgemeiner Brauch, und das Bestreben, zu einer mystischen Urreligion emporzudringen, zeigt sich in dem Versuch, auch die Sprache der 'Engel' oder der Gotteskräfte oder bestimmter Urkräfte hinzuzunehmen, und seltsam, aber doch auch leicht verständlich verbinden sich hiermit die Anrufungsformeln, die ein bestimmter, durch Wunderkraft besonders begnadigter und beglaubigter Mann der näheren Vergangenheit oder Gegenwart verwendet und gelehrt hat; vielleicht war ihm eine besonders wirksame Sprache offenbart. Wenn die Apostelgeschichte die Heiden von Paulus sagen läßt, 'er bringt neue Namen der Götter', oder wenn Simon in ihr von Petrus sich taufen lassen und seinen Zauber kaufen will, so entspricht das durchaus dem Bilde, welches die Papyri gewähren. Und weiter entspricht ihm die Geheimliteratur, die lange vor unserer Zeitrechnung beginnt; theologische, astrologische, alchemistische und andere Schriften mischen ägyptische, persische, syrische, phönizische und selbst jüdische Lehren, die sich immer als Offenbarungen eines Gottes geben, der bald unmittelbar, etwa in Form der Unterweisung eines jüngeren Gottes, zu uns spricht, bald seine Geheimnisse einem der Könige oder Wundertäter der Vorzeit offenbart hat, der nun redend oder schreibend eingeführt wird. Nicht selten freilich spricht auch der wirk-

---

begreifliche, sondern sogar notwendige Äußerung hellenistischer Frömmigkeit, auch wo er nicht vom Judentum oder Heidentum ausgeht. Wenn der Attismyste die Kräfte und die Offenbarungen auch der neuen Religion für sich gewinnen will, oder wenn der Christ durch die Hinzunahme weiterer Mysterien eine ihm bisher nicht befriedigte Wißbegier oder ein religiöses Sehnen stillen will, so ist dies ein nach hellenistischem Begriff frommes Tun; es kommt nur darauf an, ob ihre religiöse Kraft stark genug ist, andere zu beeinflussen. Eine neue Religion glauben sie in dieser Mischung gar nicht zu schaffen, der Christ also meist auch nicht, aus der Kirche austreten zu müssen. Ist doch der ganze Begriff der Kirche im Grunde nicht 'hellenistisch'. Er trennt von Anfang an das Christentum von den heidnischen Mitbewerbern ab und ist nach Sprache und Gedanken nur aus dem Judentum einigermaßen zu begreifen.

liche Verfasser in eigener Person zu uns, gibt seine Lehre und legitimiert sie, indem er vorausschickt, wie er sich mit Gott oder Gott sich mit ihm vereinigt hat; ja selbst wo Götter redend eingeführt werden, begründen sie ihre Kenntnis bisweilen durch ihre mystische Vereinigung mit dem Urgott. Die Formen dieser Vereinigung aber entsprechen für Mensch und Gott in der Regel streng den Bildern und Riten der Mysterien.

Wir erkennen leicht einen nicht minder wichtigen Grundzug dieser Religionen: neben der Berufung auf eine Uroffenbarung und Tradition steht als zweite Quelle des Glaubens eine immer fortwirkende unmittelbare Offenbarung des Gottes an seine Diener. Den Höhepunkt des religiösen Lebens bildet die Ekstase, die ihre vollste und untrüglichste Form im Mysterium erreicht. Vereinigt sich in ihm der Mensch mit Gott, so muß er hierdurch unmittelbares, von allem früheren unabhängiges Wissen gewinnen, und redet von nun an Gott durch den ihm geweihten Diener, so steht für den Gläubigen diese neue Botschaft gleichberechtigt neben, ja über den früheren. Das legen nicht etwa wir Modernen hinein, es ist allgemeiner orientalischer Glaube. Der Pharao ist Gottes Sohn und Gott, also kennt niemand die Götter wie er, und ein Echnaton betet: 'Du bist in meinem Herzen, kein anderer kennt dich außer deinem Sohne Echnaton; du hast ihn eingeweiht in deine Gedanken und in deine Kraft.' Auf Grund dieses Glaubens ändert er die Religion seines Volkes, wie auf Grund seiner sakralen Stellung und der aus ihr folgenden göttlichen Offenbarung der Ptolemäer den Sarapiskult. Aber auch für den Priester bleibt bis zum letzten Ausgang des Heidentums wenigstens in vielen Religionen die Offenbarung und das unmittelbare Schauen Wirkung und Höhepunkt des wahren Kultes; er sieht den Gott, und der Gott spricht aus ihm; nur deshalb konnte man für die höchste Priesterklasse die griechische Bezeichnung Prophet wählen. Ähnlich behauptet jeder Zauberer, daß er allein Namen, Gestalt und Geheimnisse seines Gottes kennt, und ersinnt daraufhin neue Formeln. Von derselben Anschauung geht vor allem die theologische Literatur aus, in der jeder neue Verfasser selbst in den wichtigsten Fragen ganz frei aus eigener Offenbarung die frühere ergänzt oder abändert. Die Polemik ist dabei oft außerordentlich scharf; nur wenn der Fiktion nach Götter selbst sprechen und einander berichtigen, geschieht es in der verbindlichen Form, der Urgott habe dem Rivalen nicht alles offenbaren können, da dieser noch zu jung oder noch nicht in die höchsten Mysterien eingeweiht gewesen sei. Dem Rechte nach muß jeder der Vereinigung mit Gott Gewürdigte autonom sein. Er darf jedem anderen, zumal dem Uneingeweihten, alles Urteil über das, was er erschaut hat, absprechen und kann und muß selbst doch über alles urteilen. Offenbarung macht frei.

Der Widerspruch, in den die beiden Prinzipien des Glaubens an eine Uroffenbarung und Tradition und an eine fortwährende Offenbarung und eigene Schau notwendig treten müssen, wird innerhalb eines Gemeindekultes weniger zutage treten: was an sinnlichen Wahrnehmungen dem Novizen geboten wird, um seine erregte Phantasie zu lenken, ist immer dasselbe, und ein vorhergehender Unterricht oder besser eine Verheißung dessen, was er schauen wird — wir haben jetzt in der Mithrasliturgie eine literarische Nachbildung —, sorgt dafür, daß er die Lichterscheinungen, Gesichte und Stimmen richtig deutet. Man begreift leicht, daß eine Gemeinde die in einer anderen vollzogenen Weihen nicht als für sich vollgültig betrachten kann und erst auf Grund der eigenen Weihe den Betreffenden zum Priester erhebt.

Noch freier muß der einzelne werden, sobald im Gottesdienst und selbst in dieser seiner höchsten Erhebung die Kulthandlung zusammenschrumpft oder wegfällt und das ganze Erlebnis in die erregte religiöse Phantasie verlegt wird. Es ist die letzte und für uns wichtigste Stufe antiken Mysterienglaubens. So mag ein Beispiel, das zugleich warnen möge, die in unseren theologischen Behandlungen der Sakramentlehre üblichen Distinktionen auf die Antike zu übertragen, das, was ich meine, erst einmal kurz erläutern.

Zu den Formen, in denen ursprüngliche Völker sich die höchste religiöse Weihe, die Vereinigung mit Gott (das ὁμιλεῖν θεῷ), vorstellen, gehört mit Notwendigkeit die einer geschlechtlichen Vereinigung, durch welche der Mensch das innerste Wesen und die Kraft eines Gottes, seinen Samen, in sich aufnimmt.[1] Die zunächst ganz sinnliche Vorstellung führt an den verschiedensten Stellen unabhängig zu heiligen Handlungen, in denen der Gott durch menschliche Stellvertreter oder ein Symbol, den Phallos, dargestellt wird. Frühzeitig erstarrt dann an dem einen Ort die heilige Handlung zur unverstandenen Repräsentation einer Hochzeit, an einem andern empfängt sie eine Umdeutung, nach der nur die Seele solcher Vermischung mit der Gottheit gewürdigt wird, an einem dritten soll eine künstliche Überreizung der Phantasie eine Art inneres und dennoch körperliches Erleben herbeiführen. Die verschiedenen Stufen stehen in den hellenistischen Kulten fast gleichzeitig nebeneinander. Von jenen mehrfach erwähnten Bacchanalien an bis zum Ende des christlichen Gnostizismus bildet in einzelnen Kulten die geschlechtliche Vereinigung mit einem Diener des Gottes die Weihe, die in den Himmel erhebt und dort mit Gott vereinigt. Ein zufällig im Leben des Apollonius von Tyana erhaltenes Geschichtchen belehrt uns, daß bei den heidnischen Kilikiern sogar dieselben Formeln wie in zeitlich und räumlich weit entfernten christlich-gnostischen Gemeinden üblich waren.

Dieselbe Grundvorstellung erkennen wir, wenn in jungägyptischen Texten als Begründung der Kunstfertigkeit und Vortrefflichkeit eines Menschen angeführt wird, daß er den Samen aller Götter in sich trägt[2] oder wenn in dem Zauberbrauch der

---

1) Vgl. zum Folgenden Beigabe X.

2) Ausdrücklich erwähne ich wegen der leidenschaftlichen Polemik, die sich einst gegen Dieterich richtete, daß auch für mich das Rätselwort eines so ganz hellenistischen Schriftstückes, wie der erste Johannesbrief es in allen Einzel-

Adept ein Brautgemach, ein Lager und einen Tisch mit Speisen und Wein rüsten muß, um dort den πάρεδρος δαίμων zu erwarten und zu sich auf das Lager zu ziehen. Der Erfolg ist Wissen der Zukunft, Wunderkraft und Unsterblichkeit.[1] Eng verwandt ist die ebenfalls weit verbreitete Vorstellung, daß sich der Gott nur einer reinen Jungfrau so verbindet, sie ihm die Treue wahren muß und so lange sie dies tut, sein Pneuma empfängt und durch es prophezeit. Nach wieder anderer Vorstellung verlangt der Gott von dem Mädchen nur eine Art Erstlingsopfer; er muß ihren Schoß erschließen und weihen. Sie finden wir verdunkelt im römischen Hochzeitsbrauch und finden sie in Weiterbildung und lehrhafter Ausführung in der altägyptischen Vorstellung von der Zeugung des Pharao in der geschlechtlichen Vereinigung des Gottes mit der Königin; sie wird durch diese heilige Handlung selbst zur Göttin. Aber neben ihr erscheinen auch andere Frauen in einer Art sakralen Würde als Nebenweiber oder Geliebte des Gottes. Wenn griechisch geschriebene theologische Schriften ägyptischer Priester noch in junger Zeit theoretisch rechtfertigen wollen, daß es zwar keinen geschlechtlichen Verkehr zwischen einem sterblichen Mann und einer Göttin, wohl aber einen solchen zwischen einem sterblichen Weibe und einem Gott gibt, so wollen sie damit natürlich nicht altägyptische Königsvorstellungen rechtfertigen, sondern ein Mysterium, das in der Diaspora, aber auch in Ägypten selbst bis zum Ausgang

heiten ist, (3, 9): 'wer aus Gott geboren ist, tut keine Sünde, weil sein Same in ihm bleibt', in letzter Linie auf diese Anschauung zurückgeht. Nur glaube ich, daß eine andere Vorstellung sich eingemischt hat und diesen Ursprung kaum mehr zum Bewußtsein des Schreibenden kommen läßt: auch das Wort (λόγος) kann als Same bezeichnet werden — es wird gesät —, und als Same Gottes im Vollsinne wird der Logos gerade in dem Gedankenkreise, dem das Schriftstück entstammt, gefaßt. Doch darüber mehr in Beigabe X und XVII.

1) Vgl. Pap. Berol. II (oben S. 27 A. 1) besonders die Worte εἰς γὰρ "Αιδην οὐ χωρήσει πνεῦμα ἀέριον συσταθὲν κραταιῷ παρέδρῳ. τούτῳ γὰρ πάντα ὑπόκειται. Der religiöse Begriff wäre der νοῦς (er erscheint im Poimandres durchaus als πάρεδρος δαίμων) oder die zweite Seele, das πνεῦμα θεοῦ. Das Wort συνίστασθαι ist für das ὁμιλεῖν θεῷ fast technisch geworden.

des Heidentums nachweisbar ist: der Gott fordert verheiratete Frauen zur Hochzeit mit ihm auf. Es ist beachtenswert, daß Philo von Alexandria diese Anschauungen kennt und in seinen allegorischen Auslegungen verwendet.[1] Der leitende Gesichtspunkt ist ursprünglich offenbar die Begabung des zu erwartenden Kindes mit besonderer Kraft; aber auch die Mutter wird dadurch geheiligt.[2] Wie stark von dieser Vorstellung die Kultordnungen der Gnostiker und die Legenden der orientalischen Völker beeinflußt sind, verzichte ich hier zu verfolgen. Nur die Umbildung, welche der erwachende Drang zur Askese mit sich bringt, darf ich wenigstens flüchtig erwähnen. Sie knüpft an die Vorstellung an, daß der Gott nur der reinen Jungfrau sich nähert und daß sie ihm die Treue halten muß. Beide Anschauungen treffen aufeinander in dem zweiten Abschnitt der Thomasakten. Der Apostel ist zu der Hochzeit einer Königstochter gekommen und begehrt in plötzlicher Verzückung sie als Braut für sich oder vielmehr für seinen Herrn. Da er durch ein Wunder beglaubigt wird, stimmt der König bereitwillig zu, führt ihn in das Brautgemach und heißt ihn über den Neuvermählten beten. Der Apostel tut das, aber als er fortgegangen und das Gemach verschlossen ist, ist plötzlich Christus bei ihnen, und durch seine Lehre, die das 'Leben' in sie sät, vollzieht sich für sie eine göttliche Hochzeit mit dem 'wahren Manne'; es ist eine Vereinigung (ἕνωσις) mit ihm selbst, die sie der Vergänglichkeit (Materie) entrückt und

1) Hier läßt sich ja gar nicht bestreiten, daß nicht literarisch überkommene altgriechische, sondern hellenistische Mysterienanschauungen ihn beeinflussen. Wenn er hinzufügt, daß der Gott durch seine Berührung die Weiber zu Jungfrauen umschafft, so wird er auch dies seiner Quelle verdanken.

2) Das tritt gut in einem alchemistischen Text hervor, der uns in doppelter Fassung erhalten ist (Berthelot, Alchimistes grecs 28f. u. 53f): Isis berichtet ihrem Sohn Horus, daß sie einst, um das geheime Wissen zu erlangen, in ein Heiligtum gegangen ist. Dem Gott, der ihr dort erschien und ihre Liebe dafür verlangte, gewährte sie diese und schwur ihm, das Wissen nur dem Kinde, das sie von ihm erwartet, zu offenbaren, ἵνα ᾖ αὐτὸς σύ, καὶ σὺ αὐτός (Nachbildung einer hellenistischen Gebetsformel).

zu der 'Größe' (Gott) erhebt. Die einzelnen Wendungen entsprechen dabei durchaus der alten Vorstellung einer wirklichen geschlechtlichen Vereinigung mit dem Gott. Die notwendige Folge ist, daß sie menschlichen Geschlechtsverkehr meiden müssen. Dieser übrigens weitverbreiteten Vorstellung entspricht es, wenn Hieronymus ernsthaft zweifelt, ob Gott den Fehltritt einer Nonne, den Ehebruch gegen sich, überhaupt vergeben kann. Die ursprünglich sinnliche Vorstellung wird dann rein bildlich: jede Sünde ist ein Gefährden des göttlichen Samens in uns, eine Untreue gegen den himmlischen Bräutigam der Seele oder der Gemeinde. Alle Stufen von der rohesten sinnlichen Vorstellung bis zu der mystischen Empfindung einer Seelenhochzeit oder dem ganz bedeutungslos gewordenen sprachlichen Bilde, von dem wirklichen δρώμενον mit äußerem Geschehen oder Symbolen eines solchen bis zur flüchtigen Erweckung einer Vorstellung, vom Eingreifen eines weihenden Propheten oder Wundertäters bis zur Wirkung durch das geschriebene Wort lassen sich in dieser Literatur nachweisen. Aber selbst, wo das ganze Mysterium zum Bilde verblaßt scheint, wie in der christlichen Großkirche, übt noch das Bild eine unheimliche, das Leben mannigfach beeinflussende Kraft. Die Mahnungen des Hieronymus (ep. 22), wie die Nonne auf ihrem Lager mit dem Bräutigam Liebesworte tauschen und was sie von ihm zu erfahren glauben soll, unterscheiden sich von den Vorschriften heidnischer Zaubertexte nur durch die eingehendere und sinnlichere Ausführung und die Verwendung des Hohen Liedes.

Jenes Fortfallen der heiligen Handlung und Verlegen des ganzen Vorganges in das innere Erleben des Mysten mußte bei den verschiedenen Mysterienvorstellungen aus verschiedenen Gründen und verschieden schnell eintreten. Bot die Anstößigkeit einzelner aus uraltem Naturkult übernommener Handlungen bei den einen den Anlaß, so bei anderen vielleicht rein äußerliche Gründe wie das Fehlen eines Tempels und eines so komplizierten Apparates, wie ihn z. B. das von Apuleius beschriebene Mysterium der Himmelswanderung verlangt. Selbst wo die Gründe zu der Umgestaltung nur in der Vergeistigung der Religion liegen, können verschiedene Faktoren wirken. Daß am Opfer nicht die Gabe, sondern die Erhebung des Herzens zu Gott das wichtige ist, hat auch im Orient an verschiedenen Stellen frommer Sinn erkannt und unabhängig vom Orient die griechische Philosophie immer wieder betont. Es ist ganz unmöglich, die allgemein hellenistische Anschauung, daß der wahre Kult ein beständiges Preisen Gottes, das richtige Opfer das Dankgebet ist, ausschließlich auf eine Quelle zurückzuführen. Wenn die λογικὴ λατρεία oder λογικὴ θυσία schon vor Paulus ein formelhafter Ausdruck hellenistischer Theologie geworden[1] und von ihm nur übertragen ist, so ließen sich für ihr Aufkommen im ägyptisch-hellenistischen Kult selbst alte Gebetsformeln und die Gleichsetzung des Wortes und der Realität im Zauber als Erklärung anführen. Dennoch sprechen nicht nur allgemeine Erwägungen dafür, daß jene Vergeistigung der Religion und Verinnerlichung des Kultes im griechischen Denken ihre Hauptstütze und Förderung fand. Auch die Geschichte einer Formel wie λογικὴ θυσία kann das Eingreifen griechischer Philosophie oder vielmehr ihrer populären Umbildung anschaulich machen. Sie spielt auch bei der Vergeistigung der Mysterien unverkennbar eine entscheidende Rolle.

Um diese notwendige und allgemeine Entwicklung der Mysterienvorstellungen zu verfolgen, müssen wir den Blick zunächst noch einmal auf Apuleius zurücklenken, also auf die einzige Quelle, die uns ein kultisches Mysterium wenigstens andeutend beschreibt.[2]

Schon hat er sich zum 'Kriegsdienst der Göttin' gemeldet

---

1) Hieraus wird es sich erklären, daß in der christlichen Bearbeitung des Poimandres-Gebetes (Pap. Berol. 9794) für δέξαι λογικὰς θυσίας ἁγνάς der farblose Ausdruck eingesetzt ist δέξαι λ[ιτανείας ἁγ]νάς.

2) Vgl. Beigabe V.

und wohnt gewissermaßen als eine Art von κάτοχος (vgl. Beigabe III) im Tempelgebiet, begnadet mit beständigen Traumgesichten und teilnehmend an dem täglichen Kulte der Priester. Er glüht vor Sehnsucht und kann dennoch die Weihe nicht erlangen; die Göttin muß im Traum den Neuling wie den weihenden Priester berufen; denn beide müssen sie in ihr ἄδυτον steigen, und wer dies ungerufen tut, stirbt. Pausanias, der die gleiche Anschauung aus ägyptischem wie phokischem Isiskult kennt, erklärt ganz richtig: wer die Gottheit schaut, stirbt.[1] Die Weihe ist, wie der Priester dem Apuleius kündet, ein freiwillig gewählter Tod und ein aus Gnaden gewährtes neues Leben (χαριζομένη σωτηρία). Die Göttin waltet der Pforten der Totenwelt und der *salus*. Der Ausdruck kehrt immer wieder, die Bedeutung schwankt zwischen 'Erhaltung des irdischen Lebens' und 'Verleihung eines neuen, höheren'. Ob unsere theologischen Erklärungen des σωτήρ-Begriffes nicht gut täten, letztere Bezeichnung auch in den Kultbezeichnungen *salutaris dea*, Ἶσις σώτειρα, Σάραπις σωτήρ wieder ein wenig mehr zu betonen?[2] Für Apuleius steht diese Bedeutung schon durch die Begründung des eben angeführten Satzes fest: 'denn das alte Leben ist abgelaufen; die Göttin aber ruft von der Schwelle der Unterwelt den Würdigen und Verschwiegenen zurück und verpflanzt ihn in ein neues Leben der σωτηρία'. So ist er 'gleichsam wiedergeboren'. Diese Wiedergeburt ist Wesensverwandlung, Annahme einer neuen Gestalt; *renasci* wechselt mit *reformari*[3], und schon die Verwandlung aus der Eselsgestalt in die menschliche gilt der Gemeinde als ein Teil jener gottbewirkten Wiedergeburt. Das Wort παλιγγενεσία wird in der hellenistischen Lite-

1) Vgl. Beigabe XI.

2) Die wohl allgemein orientalische Vorstellung von dem σωτήρ als dem rettenden König, die auch ins Judentum übernommen wurde, hat mit der Mysterienbezeichnung 'der Lebenmacher' (syrisch) kaum näheren Zusammenhang. Paulus meidet das Wort, wie er auch Ἅιδης, εἱμαρμένη u. a. meidet, aber sein Gebrauch von σῴζειν entspricht dem hellenistischen.

3) Vgl. Beigabe XII.

ratur ja auch für die 'Seelenwanderung', die Annahme einer neuen Gestalt, gebraucht. Zugrunde liegt die Anschauung, daß in jener Wanderung durch die zwölf Stunden der Nacht, die in dem Mysterium nachgebildet wird, der Tote wie der Gott zwölf verschiedene Gestalten, und zwar Tiergestalten, annimmt, ehe er die göttliche erhält oder wiedergewinnt. Eine Transfiguration, ein μεταμορφοῦσθαι oder μεταβάλλεσθαι, ist für diese Vorstellung mit der Wiedergeburt, der παλιγγενεσία, unlöslich verbunden; darum kann der Bericht den Schluß eines Metamorphosenbuches bilden; daher erklärt sich ferner, daß in dem Mithrasmysterium für ἀναγεννηθῆναι auch das seltsame Wort μεταγεννηθῆναι 'Umgeborenwerden' eintritt. Auch hier heißt es dabei ausdrücklich, daß der Myste durch Gottes Wundermacht in eine bessere Natur erhöht ist.

In nächtlicher Vision erhält sowohl Apuleius wie ein von der Göttin erwählter Myste den Ruf (καλεῖται). Die Pflicht des letzteren besteht dabei in heiligen Handlungen und in Lehren; er wird durch diese Lehren der Vater des Novizen. Als festen Titel finden wir den πατήρ im Isiskult zu Delos, in den phrygischen Mysteriengemeinden, dem Mithraskult, bei den Verehrern des θεὸς ὕψιστος und sonst. Doch wird im phrygischen Kult auch vereinzelt hervorgehoben, daß ein und derselbe Mann die Dienste des ἱερεύς und πατήρ bei der Weihe vollzogen hat, wie dies bei Apuleius geschieht. Wir müssen bedenken, daß in den Hauptreligionen des Orients das Priestertum erblich war und man wenigstens in der Zeit des Hellenismus gerade das besonders bewunderte, daß hier der Sohn vom Vater die Lehre überkomme.[1] Hieraus ist in der Diaspora, in den Missionsgemeinden,

1) Diodor II 29, 4 παρὰ μὲν γὰρ τοῖς Χαλδαίοις ἐκ γένους ἡ τούτων φιλοσοφία παραδέδοται, καὶ παῖς παρὰ πατρὸς διαδέχεται τῶν ἄλλων λειτουργιῶν πασῶν ἀπολελυμένος. διὸ καὶ γονεῖς ἔχοντες διδασκάλους ἅμα μὲν ἀφθόνως ἅπαντα μανθάνουσιν, ἅμα δὲ τοῖς παραγγελλομένοις προσέχουσι πιστεύοντες βεβαιότερον (nach E. Schwartz wohl aus Poseidonios; weit nüchterner Hekataios über die ägyptischen Priester, Diodor I 73, 5). Die Angabe scheint bei den obersten Klassen der babylonischen Priester zuzutreffen, bei den Ägyptern nur bis zu einem gewissen Grade. An

die Forderung entstanden, daß der Myste von seinem 'geistlichen Vater' die Lehre empfangen muß. Daß alle Zauberunterweisung und Geheimliteratur des Hellenismus sich als Lehre des Vaters an den Sohn gibt, beruht auf der Fiktion der Mysteriengemeinden und später auch der Christen, daß der Unterricht, selbst wo er schriftlich empfangen wird, zum Sohne macht. Es folgt weiter, daß, wo ein fester Lehrer und Vater für alle Novizen ist, diese unter sich Brüder werden. Da sie alle die Weihe empfangen haben, sind sie natürlich auch alle ὅσιοι oder ἅγιοι. Wenn Paulus seine Gemeinden als seine Kinder betrachtet, weil er sie gelehrt hat, und ihnen doch wehrt, sich nach ihm zu bezeichnen, wie hellenistische Gemeinden sich wohl nach dem ἱερεύς und πατήρ bezeichnen, so beruft er sich darauf, daß er nicht getauft habe, also nicht als ἱερεύς aufgetreten sei; ἱερεύς ist offenbar zunächst die größere, πατήρ die kleinere Würde; wenn der Kult zusammenschrumpft oder wegfällt, wird sich das freilich ändern müssen.

In der Gemeinde, in welche Apuleius tritt, sind beide Stellungen nicht fest, aber jedesmal in einer Hand. Einer ersten Belehrung aus heiligen, in Hieroglyphen geschriebenen Büchern über das zur Weihe Erforderliche folgt ein Reinigungsbad und, von ihm wie im Zauber unterschieden, eine Taufe, ein Überrieseln mit einzelnen Tropfen einer heiligen und heiligenden Flüssigkeit. Da in den Darstellungen der ägyptischen Königstaufe die einzelnen Tropfen als Symbole von Leben und Kraft (?) bezeichnet werden, dürfen wir uns nicht wundern, in anderen hellenistischen Urkunden die σωτηρία, d. h. das Heil in diesem wie in dem jenseitigen Leben, schon an die Taufe mit heiligem Wasser geknüpft zu sehen. Verschiedene symbolische Handlungen gleicher Bedeutung kumulieren sich in den Mysterien frühzeitig; andere lösen sich aus dem Zusammenhang einer

---

anderen Orten kann es sich um Familienkult handeln (vgl. den Senatsbeschluß über die Bacchanalien), und daß man ihn in der Diaspora künstlich nachahmt, ist begreiflich.

kunstvoll komponierten Handlung los und werden selbständig. Nach der Taufe bringt eine neue geheime Belehrung dem Apuleius die unaussprechlich beseligende Verheißung dessen, was er sehen wird; dann folgt nach zehntägiger strenger Askese ein feierlicher Abschied von der Gemeinde, deren einzelne Mitglieder ihm Scheidegaben[1] darbringen. Daß die Gemeinde schon am folgenden Morgen zu dem Schlußakt des Mysteriums wieder entboten wird und auch in dem entsprechenden phrygischen Brauch, den wir gleich betrachten werden, eine ähnliche Rolle spielt, legt die Vermutung nahe, daß dieses rein persönliche Weihefest zugleich Gegenbild eines älteren Gemeindefestes ist, in welchem die Erlebnisse des Gottes an seinem Priester dargestellt wurden. Nach Entlassung der Gemeinde geht Apuleius an der Hand des Oberpriesters in das Adyton hinein zu der eigentlichen Weihe, von der er nur verrät, bis über die Schwelle der Totenwelt sei er gekommen und durch alle Elemente getragen (oder gewandert) zum Licht zurückgekehrt. Aus mitternächtlichem Dunkel habe ihm leuchtende Sonne gestrahlt, die Götter der Totenwelt und des Himmels habe er geschaut und letztere aus unmittelbarer Nähe angebetet. Wir hören weiter, daß sein Leib durch zwölf Gewänder geheiligt worden ist; durch sie vollzog sich die Weihe (er wird *sacratus*: ἱερός; das Wort ist in Inschriften bekanntlich geradezu Standesbezeichnung); das versinnbildlicht, daß er zwölf verschiedene Gestalten angenommen hat. Als der Morgen erschienen ist, wird er dann mit dem 'Himmelsgewand' umkleidet und so, in der Rechten die brennende Fackel, auf dem Haupte den Kranz, aus dem strahlenartige Palmenzweige hervortreten, auf einem Postament vor der Göttin als Standbild des Sonnengottes aufgestellt und von der herbeigerufenen Gemeinde als Gott verehrt. Die Nennung des Sonnengottes allein, nicht des Osiris oder Horus, den wir nach ägyptischem Kult erwarten müßten, zeigt ebenso wie die

1) Als Totengaben möchte ich sie nicht fassen; sie sind verschieden.

Beschreibung der Tracht des Gottes, daß die korinthische Gemeinde Einzelheiten aus semitischem Sonnenkult und dem Mithraskult übernommen hat. Wohl trägt auch nach ägyptischem Glauben der Wiederauferstandene den Kopfschmuck des Sonnengottes Rē auf seinem Haupt und trägt das lichtfarbene Gewand des Osiris; aber sein Kranz ist ein anderer — die gebleichten Palmblätter sind syrisch —, und jene Durchwirkung des 'Himmelskleides' mit wunderbaren Tiergestalten entspricht der Tracht des 'Löwen' im Mithrasdienst.[1] Wenn ferner der Oberpriester der Isis zu Korinth den Namen Mithras trägt, wie der Priester der Attis selbst Attis heißt, so dürfen wir wohl schließen, daß Sarapis, der regelmäßige Tempelgenosse der Isis, hier nach dem alten Bekenntnis 'eins ist Sarapis, Helios und Mithras', mit dem persischen Gott identifiziert war. In rein ägyptischer Form wäre Apuleius, wie schon erwähnt, als Osiris oder Horus, der Gatte der Isis und der erste der Auferstandenen, verehrt worden.

Ein Festmahl feiert dann dies göttliche Geburtsfest[2], und einige Tage darf Apuleius die unnennbare Wonne genießen, des Gottes Abbild (εἰκών) zu sein. Dann läßt er das 'Himmelskleid' im Tempel, wo es für ihn verwahrt wird — er ist für den Ägypter immer das Bild des Himmels. Apuleius kehrt, wiewohl Bande unendlicher Liebe ihn halten wollen, in die Welt zurück mit

---

1) Vgl. Porphyrius, De abst. IV 16, wo die Verbindung des Gewandes mit dem Glauben an die Seelenwanderung nur der gelehrten Umdeutung durch Pallas verdankt wird. Das Osirisgewand beschreibt Plutarch, De Is. et Os. 77 (φωτοειδές), das der Ἰσιακοί cap. 3. Ein Mysteriengewand wird auch das Totengewand des Heraiskos sein (Photios, Bibl. cod. 242 p. 343a 29 Bek.); auch der christliche Mönch wird ja in dem Gewand begraben, das bei der Einweihung gedient hatte. Auf das Gewand in dem Seelenhymnus der Thomasakten und in den Totentexten der Mandäer (und Manichäer) verweise ich nur.

2) Ein Festmahl für die zum Himmel erhobene Seele ist im Grabe der Vibia (Maass, Orpheus 219) dargestellt. Die *Septem pii*, die dabei erscheinen, kehren auch im Manichäismus wieder (Bang, Manich. Beichtspiegel, Muséon 1924 S. 220). Ähnlich ist die Vorstellung im Martyrium der Agathonike und öfter. Doch läßt sich für das Festmahl der Gemeinde auch eine andere Deutung denken.

dem Gelöbnis, Antlitz und Wesen der Göttin in des Herzens innerstem Schrein wahren und sich stets vor dem geistigen Auge halten zu wollen. Wir erfahren später, daß das Mysterium, wenn die Gottheit es verlangt, erneuert werden muß und nur durch das Anlegen jenes Himmelskleides erneuert werden kann. Das Kleid oder, wie ich wohl gleich sagen darf, der himmlische Leib bewirkt das φωτίζεσθαι, das an der einen Stelle körperliche Verklärung, an einer andern Erleuchtung durch Wissen bedeutet — der νοῦς ist ja φῶς — und an wieder anderen schlechthin für Geweihtwerden eintritt, freilich mit einem deutlichen Hinweis auf den Lichtglanz bei einer nächtlichen Feier.

Wir hören durch Plutarch aus einer anderen Gemeinde, daß das lichtfarbene Osirisgewand dem Auserwählten, der es im Mysterium erlangt hat, nach dem Tode wieder angelegt wird; ebenso anderen ein einfacheres, schwarzweißes Gewand, das sie als den Logos, das Wort Gottes, kennzeichnet. Das Gewand soll andeuten, daß der Tote mit dem Gott vereint ist und er nur ihn, sonst nichts anhat, wenn er ins Jenseits eingeht.

Die gleiche Anschauung waltet natürlich im ägyptischen Zauber. Da bringt ein Myste, dem sein Gott erschienen ist, das Dankopfer und betet: mit deiner heiligen Gestalt bin ich zusammengekommen, durch deinen Namen habe ich Kraft erlangt, deine segensvollen Ausflüsse (oder Ausstrahlungen) in mich aufgenommen, Gott, mein Herr, und darf nun heimkehren 'im Besitz einer gottgleichen Natur' (ἰσόθεος φύσις). Da betet ein anderer die oft besprochenen Worte: 'Komm in mich, Hermes, wie die Kinder in den Mutterschoß', und beschreibt die Wirkung 'du bist ich und ich bin du, was dein ist ist mein und was mein ist, ist dein; denn ich bin dein Abbild' (εἴδωλον). Und an anderer Stelle heißt es: 'Tritt ein in die Seele dieses Kindes, damit sie sich forme (τυποῦσθαι) nach deiner unsterblichen Gestalt in dem kraftvollen, unvergänglichen Lichte.'[1] — Doch zurück zu den Mysterien.

1) Die erste Stelle vgl. Beigabe II S. 187. die zweite Kenyon, Greek Pap. I

Von dem Sterben seines alten Leibes, das doch vorausgehen muß, ehe er die zwölf Übergangsgestalten und endlich die Gestalt des Gottes annehmen kann, macht Apuleius nur eine kurze Andeutung: bis durch die Pforte der Unterwelt ist er geführt worden. Den Gedanken verdeutlicht das phrygische Mysterium der Wiedergeburt, der ἀναγέννησις, das wir freilich nur in einer Umgestaltung kennen, welche das Wasser durch Opferblut ersetzt. In ein Grab muß der Myste hinabsteigen, über ihm wird ein Stier oder Widder geschlachtet, dessen Blut durch eine Fülle feiner Röhren in das Grab geleitet wird und ihn überrieselt. Brauch und Worte entsprechen streng der ägyptischen Tropfentaufe. Zugrunde liegt die alte Vorstellung, daß das Blut, in dem ja die Seele liegt, den Toten neu belebt; so führen es im alten Grabkult Schächte auf den Toten herab. Der phrygische Myste füllt nun mit dem Blut alle Sinnesorgane, Mund, Augen, Nase und Ohren; ähnlicher Taufbrauch ist für Ägypten sicher, denn die hellenistische Theologie denkt später, daß der niedersteigende Gottesgeist die Sinnesorgane für alles Irdische verschließt.[1] Ursprünglich sollten sie natürlich zu neuem Leben dadurch erweckt werden.[2] Nun trägt auch der phrygische Myste dabei ein wundersames Festkleid und auf dem Haupte den Kranz. Sind Kleid und Kranz durch das Blut gefärbt, so steigt er empor und wird von der Gemeinde als Gott verehrt. Wieder wird das Kleid (sein Taufkleid) für ihn verwahrt; nach zwanzig Jahren muß er die Weihe erneuern, legt es wieder an und wird durch es wieder Gott. Der strenge Parallelismus, besonders in der Schlußhandlung, sichert vollständig die Deutung, die Dieterich rich-

p. 116, Poimandres S. 20, die dritte Kenyon, ebd. I p. 102 ἧκέ μοι, τὸ πνεῦμα τὸ ἀεροπετές, καλούμενον συμβόλοις καὶ ὀνόμασιν ἀφθέγκτοις ἐπὶ τὴν λυχνομαντίαν ταύτην, ἣν ποιῶ, καὶ ἔμβηθι αὐτοῦ εἰς τὴν ψυχήν, ἵνα τυπώσηται τὴν ἀθάνατον μορφὴν ἐν φωτὶ κραταιῷ καὶ ἀφθάρτῳ.

1) Vgl. Corp. herm. I. 22; VII 3.

2) So erschließt in Ägypten die Berührung mit dem blutigen Stierschenkel den Mund des Toten wieder, Wiedemann, Archiv f. Religionswissensch. XXII, 1924, S. 83f.

tiger als Hepding und Gruppe erkannt hat. Es ist ein Begraben des Menschen und Auferstehen eines Gottes, nicht Sühnritus, sondern wirkliche Wiedergeburt, ursprünglich entsprechend einem Gemeindefest, in welchem der Oberpriester für den Gott eintrat, und gefeiert auch als stellvertretendes Opfer für andere. Daß auch im Mithraskult wenigstens ähnliche Vorstellungen vorkamen, zeigt in der Weihe des Löwen das Himmelsgewand, dessen Stickereien von den einen auf die Gestalten des Tierkreises, von den anderen auf die Metempsychose oder Annahme bestimmter Tiergestalten gedeutet zu sein scheinen.[1] Wir verstehen jetzt, wie in der nur leicht ägyptisierten sogenannten Mithrasliturgie, die sich am besten aus manichäischen und mandäischen Texten verstehen läßt, der Myste, der durch eine Himmelswanderung wiedergeboren und der Sohn Gottes werden will, seinen eigenen himmlischen Leib anruft, den Gott selbst für ihn gebildet hat in der Welt des Lichtes wie der Erdenwelt.[2] Ihn muß er anlegen und den irdischen Leib zurücklassen, um ihn nach der heiligen Handlung wieder anzunehmen. Es ist ein pneumatischer Leib; nur als πνεῦμα kann man Gott schauen. Der Gedanke möchte unmittelbar zu Paulus abschweifen, der ja auch von einem himmlischen oder pneumatischen Leibe redet, welchen Gott für ihn im Himmel aufbewahrt und welchen er anziehen will, sei es, daß er den irdischen Leib schon vorher abgelegt hat, sei es, daß er in ihm damit überkleidet wird. Doch wird es besser sein, vorher jene Verinnerlichung und Individualisierung der Mysterien in der hellenistischen und spätorientalischen Literatur zu verfolgen, und zwar sowohl in den Lehrschriften wie in den Gemeindeliturgien. Nur sie lassen sich ja ihrem Charakter nach einigermaßen mit den paulinischen Schriften vergleichen.

Die Typen der Lehrschriften finden wir am vollständigsten

1) Ursprünglich ist es, wie indische Parallelen zeigen, wohl das Gewand des Weltgottes, des Aion.

2) Vgl. Beigabe II und XIII.

in jener hellenistisch-theologischen Literatur, die etwa in den drei ersten christlichen Jahrhunderten in Ägypten für griechisch gebildete Leser entstand. Die Schriften geben sich als Offenbarungen ägyptischer Götter, Hermes (Thot), Agathos Daimon, Asklepios (Imhotep), Tat (Thot) oder Isis und anderer, haben aber auch, entsprechend der synkretistischen Religiosität der Zeit, fremde Bestandteile aufgenommen, so unser Corpus drei wesentlich iranisch beeinflußte Schriften, Kap. I, den sogenannten Poimandres (vgl. oben S. 10), Kap. XI und Kap. XIII.[1] Eine vollere Sammlung, die unserem Corpus weit vorausliegt, hatte in den Schriften des Hermes an seinen Sohn Tat allgemeine Vorträge (γενικοὶ λόγοι) von spezielleren, offenbar für den engsten Kreis bestimmten (διεξοδικοὶ λόγοι) geschieden; den letzteren entsprach in einem Corpus der an Asklepios gerichteten Schriften der erhaltene λόγος τέλειος, der wie die τελεία τελετή, das höchste Mysterium, zur Vollkommenheit führen sollte; wir erkennen leicht die in den Mysteriengemeinden übliche Unterscheidung der Unterrichtsstoffe. Zu den spezielleren gehörte ein Vortrag des Hermes an Tat (Kap. XIII), den ich hier herausgreife. Er beruft sich auf drei offenbar in die allgemeinen Vorträge aufgenommene Schriften, den Poimandres (Kap. I), ferner Kap. XI eine Lehre des Νοῦς, bzw. Poimandres an Hermes, endlich auf einen uns verlorenen Allgemeinvortrag auf einem Berge über das Wesen der Gottheit, in dem Hermes gesagt hatte, niemand könne das Heil, die σωτηρία, erlangen ohne die Wiedergeburt (παλιγγενεσία).[2]

Hieran schließt die Ausführung. Schon auf dem Abstieg will Tat gebeten haben, die Lehre von der Wiedergeburt zu erfahren. Hermes habe damals geantwortet, er müsse sich vorher

1) In anderen, wie dem Asclepius oder λόγος τέλειος finden sich Einlagen derart wie die Apokalypse cap. 24—26, vgl. Reitzenstein-Schaeder I 2, S. 43f.

2) Lehren über sie kennt schon Philo; bei ihm vollzieht sich der Aufstieg in sieben Stufen, vgl. unten S. 270. Den Wortlaut des hermetischen Stückes bietet der Anhang meines Buches 'Poimandres'.

von dieser Welt des Truges loslösen. Das habe er jetzt getan, aber noch immer wisse er nicht, aus welchem Mutterschoß 'der Mensch' geboren sei und aus welchem Samen. Hermes weicht aus, er verrät nur, der Same ist das wahrhaft Gute, der Zeugende der Wille Gottes, der göttliche Sohn, der erzeugt wird, das All im All, aus allen Kräften Gottes bestehend. Dinge derart lassen sich nicht lehren; wenn Gott will, wird die Erinnerung im Herzen wach (die göttliche Seele im Menschen erwacht). Und doch gibt es einen Werkmeister der Wiedergeburt, γενεσιουργὸς τῆς παλιγγενεσίας,[1] welcher der Sohn Gottes, der eine 'Mensch' (also auch hier, wie in der Naassenerpredigt, derselbe, der in dem Menschen schon schlummert; ebenso bei den Mandäern) ist, nach dem Willen Gottes. Von seiner eigenen Wiedergeburt kann Hermes nur berichten, eine unsinnliche Schau habe er plötzlich in sich gesehen und sei durch Gottes Erbarmen durch den eigenen Leib hindurch entrückt worden in einen unsterblichen Leib.[2] Er ist nicht mehr, der er war, sondern ist geboren im Geist (νοῦς); die frühere, zusammengesetzte Erscheinungsform ist zerfallen; die neue hat nicht Farbe mehr noch Maß, noch läßt sie sich berühren. Wohl schaut der Sohn ihn noch mit irdischen Augen, aber was er sieht, ist nur ein Trugbild, was Hermes wirklich ist, kann niemand sehen, der mit dem Leib und menschlicher Sehkraft schaut. Während dieser Worte beginnt die Verwandlung in dem Sohne; er sieht plötzlich den eigenen Körper nicht mehr; den des Vaters sieht er noch, wird aber belehrt, daß das nur Täuschung ist; das Unsinnliche muß er schauen lernen, um die

1) Der Ausdruck ist gewiß befremdlich, aber nicht mit Scott zu ändern; vom Schaffen des 'neuen' Menschen gebraucht die alchemistische Mystik καινουργεῖν, in der Mithrasliturgie 4, 3 heißt das σῶμα τέλειον, unser himmlisches Selbst, διαπεπλασμένον ὑπὸ βραχίονος ἐντίμου. Betrachtet man es als den λόγος θεοῦ, so redet man von einer συνάρθρωσις τοῦ λόγου (so unser Traktat § 8, der in der Beschreibung des Vorgangs dann § 9 hinzufügt συνετέθη <ἡ> νοερὰ γένεσις; die Geburt ist ein Zusammenfügen der einzelnen schon fertigen Glieder. Dabei wird unmittelbar danach der 'Erzeuger' erwähnt).

2) Vgl. die Mithrasliturgie unten Beigabe II S. 174.

Geburt in Gott zu gewahren. Er verzweifelt, aber der Vater mahnt: ziehe ihn in dich ein, und er kommt; wolle, und es geschieht; reinige dich von den vernunftlosen (ἄλογος) Strafgeistern, die in der Materie walten.

Eine Frage des Sohnes, ob er denn solche in sich habe, führt nun zu einem Lehrstück: der Vater zählt zwölf böse Neigungen (Strafgeister) auf, die den im Leib wie in einem Gefängnis liegenden 'inneren Menschen' (ἐνδιάθετος ἄνθρωπος — nach ἐνδιάθετος λόγος gebildet) quälen und nur eine nach der anderen allmählich entweichen, verjagt von den zehn Kräften Gottes, die den Logos allmählich Glied für Glied zusammenfügen.[1] Der Vater sieht sie eine nach der anderen niedersteigen und das entsprechende Laster entweichen; er ruft jene und gebietet diesen zu fliehen. Als die letzten drei, die eigentlichen Wesenseigenschaften Gottes, das Gute, das Leben und das Licht, zusammen gekommen sind, ist jedes neue Nahen der Strafgeister unmöglich, die Geburt im Geist und als Gott vollendet (συνετέθη ἡ νοερὰ γένεσις καὶ ἐθεώθημεν[2] τῇ γενέσει). Jetzt kann Tat unsinnlich schauen und ruft: ich bin im Himmel, ich bin in der Erde, im Wasser bin ich, bin in der Luft — wir erinnern uns, daß auch der Isismyste bei Apuleius sich in allen Elementen gefühlt hat —, ich bin in den Tieren, in den Pflanzen, im Mutterleib, vor Mutterleib, nach Mutterleib, überall. Es ist das Empfinden als Aion, als der Weltgott[3], der ja 'der Mensch' oder 'die Seele' ist. Ein kurzes Lehrstück, das nun folgt, zeigt uns, daß der Verfasser wirklich hieran denkt. Tat muß noch fragen, wie denn zwölf Strafgeister (Laster) von nur zehn Gotteskräften verjagt werden können, und hört, daß die Zwölf eine Einheit

1) Wie bei Plutarch, De Is. et Os. c. 2 Isis den Logos im Herzen des Mysten zusammenfügt. Vgl. zu der Mysterienvorstellung Beigabe XIII.

2) Vgl. in dem aus dem Persischen entlehnten Traktat Corp. herm. I (26) τοῦτό ἐστι τὸ ἀγαθὸν τέλος τοῖς γνῶσιν ἐσχηκόσιν θεωθῆναι.

3) So wird es im XI. Traktat (p. 97 Parthey)geschildert. Zu beachten ist, daß auch dieser Traktat mit dem ersten innerlich zusammenhängt und iranisch beeinflußt scheint.

bilden — sie bedeutet offenbar den Leib, der ja nach chaldäischer, also jungpersischer Lehre mit den Tierkreiszeichen zusammenhängt —, die Zehnzahl aber seelezeugend (ψυχογόνος) ist; in ihr liegt die Eins (das πνεῦμα) beschlossen und in der Eins die Zehn.[1] Weiter muß Tat sich noch vergewissern, daß sich dieser geistige Leib nicht wieder auflösen kann, dann bittet er unter Verweis auf jene früher (S. 10) erwähnte, aus dem Persischen entlehnte Offenbarungsschrift das Lied zu hören, welches die Seele (hier der νοῦς) des Gestorbenen hört, wenn er, über die sieben Himmel herausgedrungen, in dem achten, der ὀγδοάς, die Kräfte Gottes singen hört. Es ist der wahre 'Lobgesang der Wiedergeburt'. Der Vater stimmt ihn an. Als der Wiedergeborene oder Auferstandene ist er nun der Weltgott, die Gott preisenden 'Kräfte', sind die Kräfte in ihm, Gottes Logos preist in ihm Gott und bringt ihm im Wort (λόγος) das All als geistiges Opfer (λογικὴ θυσία) dar: 'von dir dein Wille, zu dir das All!' Er ruft als 'der Mensch Gottes' dessen Preis durch die fünf (persischen) Elemente; denn aus dem Aion Gottes, dem Inbegriff dieser göttlichen Elemente, stammt sein Lied und in dem Willen Gottes hat sein Sehnen Ruhe gefunden.

Es berührt uns frostig, wenn nun noch ein zweiter, sehr kurzer und formelhafter Lobgesang von dem Sohn mit 'eigenen Worten' dargebracht wird und der Vater dann noch ihm einschärft, diese Lehre von der Wiedergeburt niemandem weiter zu verkünden und den Sinn des Ganzen in die Worte zusammenfaßt: 'im Geiste (νοερῶς) hast du dich und unseren Vater erkannt', d. h. du hast die Gnosis voll erworben, deren Anfang die Kenntnis des eigenen Selbst und deren Ende die Kenntnis Gottes ist. Die Sache wird klar, sobald wir auf die persische Urschrift

---

1) Das Zeichen des Aion ist der Buchstabe I, der die Zehn, aber auch die Eins bedeuten kann, vgl. Monoimos in Hippolyts Elenchos VIII 12—13 p. 232,20. Er ist zugleich 'der Mensch'. Der Vergleich mit der hermetischen Schrift und der Naassenerpredigt ist außerordentlich lehrreich. Man sieht, wie eine rein-heidnische Spekulation sich nachträglich christianisiert.

schauen, auf die der Verfasser verweist. Die nach dem Tode aufsteigende Seele muß, nachdem sie sich in dem achten Himmel, dem Garōδmān der Perser, mit den Kräften Gottes vereinigt und mit ihnen Gott gepriesen hat, von ihnen geleitet weiter zu dem 'ewigen Licht' emporsteigen, dort Gott selbst anbeten und dann in ihm aufgehen. Es ist eine Himmelfahrt, entsprechend der Himmelfahrt der Seele nach dem Tode. Die Anschauung dabei ist, daß die Seele nicht nur in jeder der sieben niederen Sphären einen lasterhaften Trieb verliert, sondern daß eine positive Kraft Gottes, eine Tugend sich ihr gesellt und jene Kraft des Bösen verdrängt. Diese sieben, nach dem Eintritt in die Ogdoas zehn, neuen Kräfte, bilden jetzt ihr Selbst und fügen den Gott in ihr zusammen. Das ist das Neue und Eigene an dieser Schrift.[1] Die Ähnlichkeit mit den Grundgedanken der Isismysterien einerseits, der Mithrasliturgie andrerseits liegt dabei klar zutage, zugleich aber auch eine überwältigende Ähnlichkeit mit den Totenliedern der Mandäer und einer uns wenigstens teilweise erhaltenen manichäischen Liturgie, endlich mit gewissen Vorstellungen der Mithrasmysterien. Daß auch sie sieben Grade haben, wird uns bedeutungsvoll erscheinen.

Allein, ehe ich auf sachliche Vergleiche eingehe, ein Wort über die Form der hermetischen Schrift! Ein Mysterium im

1) Mit Recht vergleicht Fr. Bräuninger in der Berliner Dissertation 'Untersuchungen zu den Schriften des Hermes Trismegistos', 1926, S. 14 f. mit dieser Schrift die vierte (Κρατὴρ ἢ Μονάς, die Bezeichnung für das πνεῦμα oder den νοῦς). Auch ihr liegt eine Mysterienhandlung (vgl. Iamblich, De myst. VIII 4 und mit diesem Porphyrios bei Augustin, De civ. dei X 28) zugrunde, aber als Bild, nicht als Erlebnis. Dann wird aber auch in den Worten IV 6 ἐὰν μὴ τὸ σῶμά σου (σου fehlt in M. und einer jungen Handschrift Scotts, steht aber im C A und den Excerpten des Neapolitanus) μισήσῃς, σαυτὸν φιλῆσαι οὐ δύνασαι wohl weniger von dem aristotelischen Begriff der φιλαυτία die Rede sein als von dem orientalischen Begriff des 'Selbst', der sonst durch πνεῦμα oder νοῦς oder τελεία φύσις (das geistige und himmlische Gegenbild) wiedergegeben wird. Dieser Begriff, den Bräuninger noch nicht kennen konnte, ermöglicht, auch in der zweiten, stärker hellenisierten Gruppe hermetischer Schriften mehr Berührungen mit orientalischer Religiosität nachzuweisen, als er anerkennen will.

strengen Sinn stellt sie nicht dar, wohl aber, vermischt mit einer Lehrschrift, die in Wechselreden sich vollziehende Beschreibung eines solchen. Der Verfasser, der die Rolle des Mystagogen spielt und die äußere Form des Mysteriums wahrt, kann sie buchmäßig veröffentlichen, weil die Formen des Totenkultes ja ohnedies bekannt sind und weil er hofft, daß seine Darstellung auf den Leser des Buches, wenn Gott will und der Leser von der Welt sich abgewendet hat, dieselbe Wirkung wie ein wirkliches Mysterium üben wird. In der Phantasie soll der Leser ein solches erleben. Dem Wort, auch dem geschriebenen, kann die Wunderkraft anhaften, die mit der Handlung sich verbindet. Wir empfinden ohne weiteres, daß die Loslösung des Mysteriums von der äußeren Handlung die Möglichkeit der Individualisierung und Differenzierung der Religionen erheblich steigert. Aber zugleich zeigt dies Beispiel auch die Beschränkung, welcher jene Individualisierung immer unterliegt. Religionen erfindet man nicht am Schreibtisch, sie wachsen bei der Berührung verschiedener Nationalitäten zusammen, weil eine die andere ergänzt und auf diesem oder jenem Gebiet das religiöse Bedürfnis des einzelnen besser befriedigt. Die religiösen Grundvorstellungen und entscheidenden Bilder, deren Zahl merkwürdig klein ist, erhalten sich dabei mit wunderbarer Lebenskraft; nur in ihrer Auswahl und in Einzelheiten der Ausgestaltung kann die Individualität sich äußern. Wohl können wir mit einem gewissen Recht behaupten, daß auf dieser Entwicklungsstufe der Lehrer und Gemeindegründer fast so frei wie die Zauberer geworden ist, aber wir dürfen dabei nicht vergessen, daß gerade der Zauber uns das eigentümliche Beharrungsvermögen ursprünglicher Vorstellungen am schlagendsten zeigt.

Die sachliche Erklärung des besprochenen 'Lese-Mysteriums' wird das deutlicher machen. Wir können sie nur durch Vergleiche gewinnen. Die Anschauung jenes eigentümlichen Gottwesens, welches der Sohn Gottes, der Logos, der 'eine' Mensch (oder Urmensch) und das All im All genannt wird und doch zugleich in dem Einzelmenschen entsteht und an seine Stelle tritt, und die Anschauung, daß es von einem ihm ganz gleichen Gottwesen, dem Lehrer der Religion, in gewissem Sinn geschaffen wird, finden wir in der oben (S. 12) charakterisierten Naassenerpredigt und in den mandäischen Totenliedern, die jetzt ja allgemein zugänglich sind, wieder. Mit letzteren aber hängen die manichäischen Vorstellungen von der Himmelfahrt der Seele auf das engste zusammen. Das Geleit, das ihr entgegenkommt, die Gaben, die es bringt, der geleitende Weise, der dem Mandā d' Haije (dem Wissen von Gott) entspricht und doch auch als die Jungfrau erscheint, die dieser Seele ähnlich, also ihr Abbild ist, wie in dem persischen Yašt 22, alles stimmt im wesentlichen überein. Hier haben wir auch als kosmologisches und mythologisches Gegenbild die Befreiung Adams oder des Ohrmadz oder Weltgottes (des Gottes der fünf himmlischen Elemente, bzw. der Weltseele) aus der Materie, und zwar sowohl in dem Referat Theodor bar Konis, als auch in den im Turfān gefundenen Resten manichäischer Schriften. Doch nicht auf dies mythologische Gegenbild, sondern auf eine große, vermutlich aus zwölf Teilen bestehende Liturgie wende ich hier den Blick, die uns zum kleinsten Teil im Wortlaut, zu einem größeren im Auszug erhalten ist, der wie die mandäischen Liturgien nur die Anfänge der verschiedenen in Responsoriengesang vorgetragenen Lieder angibt, welche die Einzelteile bilden. Auch hier haben wir, wie in jener hermetischen Schrift, von der ich ausging, die Beschreibung einer fortlaufenden Handlung, die in den mandäischen Totenliedern ganz ähnlich wiederkehrt[1] und daher für uns mit Wahrscheinlichkeit rekonstruierbar ist.[2] Im Himmel wird der Bote ausgewählt, der den in die Materie versunkenen Teil der Gottheit, welcher dort in

1) Freilich ist die Zahl der Teile in dem einzig vollerhaltenen Ritual (Genzā r. Buch II) anders (28 nach der Zahl der Mondstationen), ebenso die Anlage der einzelnen Lieder (jedes ist an sich eine Einheit und betont nur stärker, was es an Neuem bietet). Die manichäische Zwölfzahl wird mit dem Lauf der Sonne durch die Zodiakalzeichen, also den Doppelstunden eines Tages zusammen- hängen.

2) [Zu den Einwänden von Waldschmidt und Lentz, vgl. Beigabe XIV].

trunkenem Schlummer liegt, erwecken und zurückbringen soll. Er erklärt sich bereit, erwählt sich ein himmlisches Geleit und fährt in einem Lichtschiff — als solche gelten bekanntlich sowohl die Sonne wie der Mond — zur Erde nieder. Er erweckt die Seele mit einem Heilsgruß und ruft ihr die Erinnerung an ihre Abstammung und ursprüngliche Heimat zurück. Sie schaut sich um und klagt über das Todesgrauen, das sie umgibt, und fleht den Boten an, sie gleich hinwegzuführen. Aber der belehrt sie, das sei unmöglich, sie müsse ausharren, bis er, noch einmal wiederkehrend, sie rufe. Inzwischen müsse sie wach bleiben, immer des Endestages gedenken und zu ihm flehen; sie habe die Bürgschaft der Erlösung, solange sie ihn nicht vergesse. Sie handelt danach, löst sich immmer mehr von ihrem Leibe, dem widrigen Kerker, ja leibhaftigen Tode, in den sie eingeschlossen ist, und fleht immer wieder, ihr Erlöser möge bald kommen. Da erschallt vom Himmel her ein gewaltiger Schrei, jetzt gehe die Welt in unsäglichen Plagen zugrunde, zu Gott solle flehen, wer errettet werden wolle, und alsbald erscheint der Rufer selbst; es ist Mani, der sich in einem kurzen, vielleicht von ihm selbst gedichteten Liede als Gottes Gesandter vorstellt. Wir sehen aus mehreren anderen Fragmenten, daß die im Zarathustrismus andeutungsweise vorgebildete Vergöttlichung des Stifters[1] die gesamte Tätigkeit des Erlösers auch auf ihn übertragen ließ. Ob er freilich auch in dem folgenden Teil der Liturgie die Rolle des göttlichen Befreiers und Erlösers spielt, ist kaum zu sagen; die Schilderung schließt sich jedenfalls ganz an die mythologische Figur. Die Seele jauchzt: zu mir gekommen ist der Freund der Lichtwesen. Er begrüßt sie und spricht sie an als die Perle, nach der er gesandt ist, die Seele (das πνεῦμα?) des Mannes von gleicher Art; der

1) Schon Plato (Alcib. I p. 121 c.) hat gehört, daß Zarathustra auch als Gottessohn (Sohn des Ohrmazd) bezeichnet wurde, wie der Urmensch, der nach anderer Auffassung in ihm wiedererschienen ist und in dem Saoshyant, dem letzten Erlöser, wieder erscheinen soll. Da die Religion, das Wissen um Gott, selbst eine Art göttliches Wesen wird, ist diese Entwicklung begreiflich.

Redende ist ihr Selbst, ihr Wesen, ihr Ursprung. In einem anderen Liede, dessen Zugehörigkeit zu dieser Literatur freilich noch ganz unsicher ist[1], sagt er, er sei ihre Seele (*monuhmēd*), sie sein Körper, das Gewand, in das die 'Kräfte' hereingekommen seien. Der Erlöser verkündet dann in der Liturgie der Seele, um sie zu erretten, hätten die Götter die Vernichtung vernichtet und den Tod getötet; so wolle er sie nun von Leiden gesund machen, von allem Bösen befreien und zu ewigen Wonnen bei dem göttlichen Vater und der göttlichen Mutter führen. Das Lichtkleid bringt er ihr und den Kranz des Sieges (die Glorie). Ein weiterer Teil zeigt sie unter beständigen Mahnungen und Rufen des Gesandten (eingeleitet meist: 'Steig weiter, o Seele') emporsteigen, während um sie die Welt zusammenbricht und die Sterne vom Himmel fallen. Der Schluß, von dem wir bisher nichts besitzen, muß ihre Vereinigung mit Gott geschildert haben.

Ob dieses innerlich durch eine einheitliche Vorstellung, äußerlich durch die einheitliche kirchliche Vortragsform zusammengehaltene zwölfteilige Ganze ursprünglich mit einer kultischen Handlung verbunden war, läßt sich kaum sagen.[2] Eine Läuterung der Seele bei einer Wanderung durch zwölf Aione, in deren jedem sie eine Tugend empfängt — der letzte Aiọn ist das volle Licht —, kennt Mani in der Tat.[3] Die Geburt oder die Zusammensetzung des 'neuen Menschen', der das volle Licht ist, vollzieht sich für ihn in dem 'zweiten Tag' und seinen zwölf Stunden, in denen der siegreiche Erlöser (Jesus) der Lichtseele zwölf wun-

1) [Es gehört bestimmt einem andern Liederzyklus an, vgl. Beigabe XIV].

2) Später ist es das sicher nicht mehr; die erhaltenen Bruchstücke sind viel zu zahlreich und gehören ganz verschiedenen Handschriften an. Von Mysterien reden ausdrücklich die von Cotelier veröffentlichten Anathematismen (unten S. 57 A.) und Marius Victorinus, doch ist kaum zu ermitteln, wie weit oder eng sie das Wort fassen.

3) Es ist die Himmelswanderung durch die zwölf Zodiakalzeichen oder Tore. Wenn die Seele in jedem eine Gabe erhält, erinnert man sich an die babylonische Schilderung S. 162.

derwirkende Gewänder gibt und sie dadurch vollkommen macht.[1] Ausdrücklich wird dabei betont, daß er sie aufsteigen, fortschreiten und sich auf ewig von der Erde loslösen läßt — alles Gedanken, die in den Fragmenten der Liturgie wiederkehren, aber auch in dem hermetischen Text angedeutet sind. Wir erinnern uns sofort, daß Apuleius durch zwölf wirkliche Gewänder geweiht (*sacratus*) und zu Gott gemacht ist.[2] Andrerseits legen die mandäischen Parallelen nahe, an den Totenkult zu denken. Beidemal handelt es sich ja um die Vergottung, wie schon die hermetische Schrift zeigen konnte. Wichtiger als die Bestimmung der kultlichen Bedeutung scheint mir die Tatsache, daß wir die Vorstellungen und die Darstellungsformen heidnischer religiöser Literatur in solchem Umfange kennen lernen.

Weiter führen die Anfänge eines von Zarathustra handelnden Liedes, das zwar, wie ich bei der ersten Veröffentlichung schon betonte, sicher nicht der älteren iranischen Tradition angehört, ja in seiner jetzigen Form auf einen manichäischen Verfasser, vielleicht Mani selbst, zurückgehen wird, doch aber wiedergeben muß, was damals als zarathustrische Lehre galt. Mani wollte ja drei Religionen mit der seinen verschmelzen, die zarathustrische, buddhistische und christliche; ihre drei Stifter erkannte er als Gesandte Gottes an, deren Lehre er nur von den Entstellungen, die frühzeitig eingetreten seien, reinigen wolle. Daß er christliche Schriften überarbeitet hat, wissen wir längst und kennen Stücke von dem Evangelium; daß er nicht nur zarathustrische Legenden aufgenommen hat, sondern auch eine Sammlung 'zarathustrischer Gebete' könnten wir ebenfalls seit recht langer Zeit wissen.[3] Aus ihnen wird in einer Sammlung

1) Journal Asiatique Sér. X Tome 18, 1911, S. 566, unten S. 227, Das iranische Erlösungsmysterium S. 152f.

2) Allerdings in den zwölf Stunden der Nacht.

3) Windischmann, Zoroastrische Studien S. 264 hat in einem noch heute nützlichen Aufsatz die entscheidende Stelle aus den Anathematismen des Parisinus Reg. 1818 abgedruckt, welche Cotelier (Patrum Apost. op. I) als Anmerkung zu Clemens Recogn. IV 27 veröffentlicht hat. Keßler (Mani S. 403)

von Erlösungsliedern als Zeugnis der früheren Väter ein Lied angeführt, dessen in einem Turfān-Fragment erhaltenen An-

---

sagt, daß er sie abdruckt, bietet aber nur einen Auszug, in dem gerade das Wichtigste fehlt. Gleich im Beginn steht ἀναθεματίζω Ζαράδην, ὃν ὁ Μάνης θεὸν ἔλεγε πρὸ αὐτοῦ φανέντα παρ' Ἰνδοῖς καὶ Πέρσαις καὶ Ἥλιον ἀπεκάλει, σὺν αὐτῷ δὲ καὶ τὰς Ζαραδείους ὀνομαζομένας εὐχάς. ἀναθεματίζω πάντας οὓς ὁ Μάνης ἀνέπλασε θεούς (sie werden aufgezählt). Die Angabe ist verkürzt, sie lautete ursprünglich Βουδδᾶν καὶ Ζαράδην, οὓς ὁ Μάνης θεοὺς ἔλεγε πρὸ αὐτοῦ φανέντας παρ' Ἰνδοῖς καὶ Πέρσαις καὶ Ἥλιον ἀπεκάλει κτλ. Eine Abschwörung des Zarathustrismus enthält das nicht; ausschließlich um den Manichäismus und um das, was in ihm von Buddhismus und Zarathustrismus weiter lebt, handelt es sich. So ist es unmöglich, die Ζαράδειοι εὐχαί auf den Avesta oder einen Teil von ihm zu beziehen. Es ist ein Buchtitel, und nur bei den Manichäern gebrauchte Bücher werden erwähnt. Zu der Auffassung des Manichäismus vgl. Marius Victorinus Ad Iustinum Manichaeum (Migne, P. L. VIII 1003, Gallandi Bibl. patr. VIII 134): *Iam vidistine ergo, quot Manes, Zarades aut Buddas haec docendo deceperint?* Es handelt sich ausschließlich um eine These Manis, die mit Zarathustra oder Buddha nichts zu tun hat. Das Schriftchen Victorins berührt sich auch sonst aufs auffälligste mit dem alten Teil der Anathematismen. Was mit der manichäischen Behauptung über Christi Fleisch gemeint ist, lernen wir nur aus diesen. Die Mysterien der Manichäer sind in beiden erwähnt. Die Angaben Victorins und der Anathematismen, z. B. über die Verbindung Christi mit der παρθένος τοῦ φωτός, ergänzen sich gegenseitig; Mani gibt die Lehre der Perser und Inder, aber er ist der Gesandte für Babylon. Wir dürfen den älteren Teil der Anathematismen wohl noch ins vierte Jahrhundert versetzen, über den jüngeren urteilt richtig Brinkmann, Alexander Lycopolitanus p. XXIII. In den Anathematismen folgt nun später ἀναθεματίζω τοὺς τὸν Ζαράδην καὶ Βουδδᾶν καὶ τὸν Χριστὸν καὶ τὸν Μανιχαῖον καὶ τὸν Ἥλιον ἕνα καὶ τὸν αὐτὸν εἶναι λέγοντας, Erst hier haben wir die ursprüngliche liturgische Formel, die m. W. unbeachtet geblieben ist. Die Anlehnung an uralte Formen der Akklamation oder besser des Glaubensbekenntnisses der Gemeinde εἷς ἐστιν . . . erkennen wir ohne weiteres. Die Pentade, die den Welt- und Zeitgott ausdrückt, scheint mir wichtig. Bedenkt man, daß die von Lidzbarski entzifferte Münzlegende Mani als „Eingesetzten des Mithra" zu bezeichnen scheint, so darf man wohl annehmen, die vier zeitlich und räumlich verschiedenen Gesandten seien hier als Erscheinungsformen des einen göttlichen in dem Lichtschiff wohnenden „Mittlers" gedacht. Noch wichtiger ist natürlich die Verbürgung eines Corpus übersetzter „zarathustrischer" Texte im Gebrauch der Manichäer. Über das Alter der Texte ist damit natürlich nichts gesagt; Anpassungen sind nicht nur möglich, sondern wahrscheinlich; aber aus dem Zarathustrismus sind sie entnommen und sollen auch dafür gelten. Ob sich hierdurch auffällige Tatsachen, die Prof. Schaeder (Reitzenstein-Schaeder II, S. 275. 282) bemerkt hat, erklären, und ob wir bei Texten, die stark buddhistisch gefärbt sind, zu einer ähnlichen Erfang Prof. Andreas mir übersetzt und von den jüngeren (hier kursiv gedruckten) Erweiterungen gereinigt hat:

Str. 1 Wenn ihr wollt, werde ich euch belehren
durch [*das starke Zeugnis der*] frühere[*n*] Väter.
Der Erlöser, der wahrhaftige Zorohušt,
als er sich mit seinem Selbst besprach:

Str. 2 Schüttle ab[1] die Trunkenheit, in die du entschlummert bist,
wache auf und siehe auf mich.
Heil über dich aus der Welt der Freude,
aus der ich deinetwegen gesandt bin. —

Str. 3 Und jener antwortete [*(er), Sroš*] dem, der ohne Leid ist:
ich bin ich, der Sohn der Zarten.[2]
Vermischt bin ich und Wehklagen sehe ich,
führe mich hinaus aus der Umklammerung des Todes.

Zorohušt sagte zu ihm mit einem Heilgruß den uralten Spruch: (o) mein Körper,

Str. 4 Der Lebendigen Kraft und [*der größten Welt*] Heil
über dich aus deiner Heimat!
Folge mir, o Sohn der Sanftmut,
den Lichtkranz setze auf das Haupt.

[Von den Mächtigen Geborner, der du geachtet gemacht bist, auf daß du Ansehen verschenkest an allen Orten].[3]

Nicht für Manichäer scheint dies Lied erfunden, wohl aber in ihre religiöse Sprache übertragen. Zarathustras *daēna* oder

klärung greifen dürfen, muß noch dahingestellt bleiben. Wo so viel Quellen noch unerschlossen sind, ist es m. E. noch kaum möglich, über Urform und lokale Abwandlungen des Systems Manis einigermaßen Bestimmtes auszusagen. Einstweilen wird es nicht überflüssig sein festzustellen, was an jüngeren Fortbildungen zarathustrischer Lehren vor Manis Zeit wahrscheinlich zu machen ist.

1) Wörtlich: wecke auf.

2) Der Lichtwesen.

3) Aufgabe des Gesandten auch bei den Mandäern, Lidzbarski, Mand. Liturgien S. 249, Lied XXXII und XXXIII.

Fravaši, sein himmlisches oder, wie es in der Terminologie dieser Hymnen heißt, sein lebendiges Selbst, steigt hernieder, um das im Körper gefesselte Gegenbild[1] zu erwecken. Ob nur diese Belehrung, die ja später die Himmelfahrt nach sich zieht, oder die eigentliche Himmelfahrt beim Tode — man denke an den 22. Yast (oben S. 10) — gemeint ist, wird sich kaum entscheiden lassen. Der Glossator deutet es offenbar auf die Erweckung und Berufung zum Propheten[2]; die Aufforderung, den Lichtkranz, die göttliche Siegeskraft, welche die Seele des Toten empfängt, aufzusetzen, braucht dem nicht zu widersprechen. Die Unsterblichkeit glaubt auch der christliche Gnostiker schon mit der Erweckung empfangen zu haben; der Tod des Leibes ist für ihn bedeutungslos. Ich verweise wieder auf die hermetische Schrift. Jener Lichtkranz kann auch beim Propheten die Erhöhung in die neue göttliche Natur bedeuten. Der liturgische Charakter des Liedes ließe sich leicht durch den Vergleich mit den mythologischen Berichten über die Befreiung des Ohrmazd oder Adam noch klarer machen. Ob eine wirkliche Kulthandlung jemals dieser Liturgie entsprach, weiß ich nicht und frage ich nicht. In der Phantasie des Hörers soll sie wachgerufen werden und im antiken Sinne, dem ich hier folge, ist sie ein Mysterium.[3]

1) Natürlich kann es von seinem lichten Gegenbild auch als sein Körper bezeichnet werden, vgl. oben S. 55.

2) Dann wäre etwa der Poimandres vergleichbar.

3) Ich füge zum Vergleich das mythologische Gegenbild aus der manichäischen Weltschöpfungsgeschichte bei, das Prof. Schaeder aus dem Bericht des Theodor bar Koni hergestellt hat. Die Stimme des Lebendigen Geistes spricht zu dem gefesselten Urmenschen:

> Heil über dich, Guter inmitten der Bösen,
> Lichter inmitten der Finsternis,
> [Gott,] Der wohnt inmitten der Tiere des Zornes,
> Die seine Ehre nicht kennen.

Und der Urmensch antwortet:

> Komm zum Heil, bringend
> Die Schiffslast des Friedens und des Heils.

Ein Gegenbild bietet mit allen Formen der Mysterienliteratur der Gnostiker Justin[1]: Der zu dem Himmel und zum höchsten Gott, 'dem Guten,' emporgestiegene Weltgott Elohim hat sein Pneuma, sein Selbst, in der Materie zurückgelassen; es ist dort in die Menschen 'hineingebunden'[2] und Edem, die von Elohim verlassene Herrin der Materie, quält es. Er möchte, um es wiederzuerlangen, die Welt zerstören, aber 'der Gute' verwehrt es ihm. So sendet er Baruch, den dritten Gesandten (also den Mithras der Manichäer, den Enoš oder Menschen der Mandäer), er soll durch Moses und die Propheten versuchen, das in den Menschen ruhende Pneuma zur Flucht aus der Materie zu überreden, allein die Seelen jener Mittelsmänner widerstreben, und erst in Jesus findet Baruch den geeigneten Verkünder seiner Botschaft. Daß die Erfindung nicht christlich ist, liegt auf der Hand. Baruch ist tatsächlich in einem jüdisch-gnostischen Kreise dem Zarathustra gleichgesetzt und als 'der Gesandte' oder Gottessohn gefaßt worden.[3] Eine judenchristliche Gnosis hat diese Vorstellungen dann übernommen, erst bei ihrer Verbindung mit dem Christentum wurde Jesus hinzugefügt. Wir können das am klarsten erkennen, wenn wir einen anderen Typus dieser Literatur vergleichen. In den Thomas-Akten singt der ins Gefängnis geworfene Apostel, um sich und die Mitgefangenen zu ermutigen und die Befreiung zu erwirken, ein in der Farbenpracht orientalischer Märchen ausgeschmücktes Lied, dessen persischen Ursprung schon Cumont erkannt hat. Ein Königssohn im Ostreich erzählt von sich, als er noch ein kleines Kind

---

Wie befinden sich unsere Väter,
Die Söhne des Lichtes in ihrer Stadt?

Reitzenstein-Schaeder II 2, S. 263. Wer Empfindung für religiöse Texte hat, wird nicht zweifeln, wo die ursprünglichere Kraft ist.

1) Bei Hippolyt, Elenchos V 26, 15ff.

2) ἐνδέδεται (ganz manichäische Vorstellung).

3) Vgl. Das Iranische Erlösungsmysterium 99. Eine Art Gegenbild ist Henoch, dessen angebliche Schriften ja auch ganz auf iranischer Grundlage beruhen.

im Hause seiner Eltern war, hätten sie ihn nach Ägypten gesendet, um der furchtbaren Schlange, die dort im Meer liegt, die Perle (es ist nach festem Sprachgebrauch dieser Kreise 'die Seele') zu rauben und ihm zum Lohn verheißen, er solle dann mit seinem Bruder, jetzt dem Zweiten nach ihnen, Erbe des Reiches werden. Er legt sein königliches Gewand ab, macht sich mit zwei Boten auf die Reise durch die feindlichen Reiche und kommt nach Ägypten. Aber wie er dort in der Nähe der Schlange weilt, merken die unreinen Bewohner des Landes, daß er ein Fremdling ist, geben ihm von ihrer giftigen Nahrung und versenken ihn damit in Schlaf und Vergessenheit. Seine Eltern hören davon und senden ihm einen Brief — ein solcher vertritt auch in den mandäischen Totenliedern bisweilen den Gesandten—; er ist von allen Großen des Reiches unterzeichnet und bringt zunächst den Gruß 'Von deinem Vater, dem König der Könige, und von deiner Mutter, die den Osten beherrscht, dir unserm Sohn in Ägypten Heil! Erwach und stehe auf von deinem Schlaf. Erinnere dich, daß du ein Königssohn bist, sieh, wem du in Knechtschaft gedient hast.' Sein Auftrag und die an ihn geknüpften Verheißungen werden dann wiederholt. Der Brief, der ausdrücklich mit einem Gesandten verglichen wird, fliegt wie ein Adler (Geier) und wird, angelangt, ganz Rede, die den Schlafenden erweckt. Er versenkt durch Beschwörung bei dem Namen seines Vaters die furchtbare Schlange in Schlaf, erhascht die Perle und rüstet sich zur Heimkehr; das schmutzige Gewand der Ägypter legt er ab, und der Brief führt ihn und ermutigt ihn auf der langen Reise. An der Grenze der Heimat bringen ihm zwei Schatzmeister sein Königsgewand, das inzwischen gewachsen ist mit seinen Taten; wunderbare Figuren sind in es gewirkt und die Bewegungen der Gnosis zucken an ihm. Ganz als sein Spiegelbild erscheint es ihm; es eilt ihm entgegen und er eilt, es zu empfangen. Bekleidet mit ihm, steigt er empor zu den 'Toren der Begrüßung und Anbetung' und betet den Vater an, der seine Verheißungen (offenbar von Hilfe) ebenso erfüllt hat wie er dessen Gebote. Man hat das Lied hier schließen wollen. Aber ebenso wie in der hermetischen Schrift folgt noch ein Zusatz. Nur ein Großer seines Vaters waltet hier; der zieht jetzt herauf mit dem Königssohn und führt ihn in die Arme des Vaters. Aus dem Garōδmān, dem Götterhimmel der Perser, führt ein Weg noch höher hinauf ins ewige Licht, in Gott.

Auf die zahlreichen Berührungen mit mandäischen und manichäischen Liedern gehe ich hier nicht ein. Viel weiter reicht die Fernwirkung dieses Textes oder seines rein religiösen Vorbildes. In dem demotischen Zauberpapyrus von London und Leiden[1] findet sich ein Wundzauber mit mythologischer Einführung: 'Ich bin ein Königssohn, der erste Große des Anubis. Meine Mutter, Sechmet-Isis, sie kam hinter mir her in das Land Syrien, zu dem Hügel des Landes der Millionen (d. h. der Totenwelt), in den Gau dieser Menschenfresser, indem sie sprach: »Eile, eile, laufe, laufe, mein Sohn, Königssohn, erster Großer des Anubis«, indem sie sprach: »Erhebe dich, komme nach Ägypten zurück; denn dein Vater Osiris ist König (Pharao) von Ägypten, er ist Großer des ganzen Landes; alle Götter Ägyptens sind versammelt, um das Diadem von seiner Hand zu empfangen«'. Isis, die als Geier dargestellt wird, bringt dem Sohne einen belebenden Zauber, aber als er sich erhebt, empfängt er noch einmal eine Wunde, und Isis heißt ihn, sie durch Belecken zu heilen (Zusatz des Zauberers). Ein derartiger religiöser Text scheint griechischen Historikern schon im Anfang der Kaiserzeit bekannt.[2]

So ist es nicht wunderbar, daß auch in der strenger jüdischen Literatur in den Baruch-Apokalypsen Einwirkungen spürbar sind. Wenn in der syrischen Baruch-Apokalypse (77, 20) Baruch den verlorenen Teil des Stammes der Seelen (Israels) heimruft, so beauftragt er den Adler, den Brief hinzutragen; in dem äthiopischen Text ist der Vogel selbst der göttliche Gesandte und

1) Herausgegeben von Griffith, London 1904. Die Übersetzung hat Prof. Spiegelberg für meine 'Hellenistischen Wundererzählungen' revidiert.

2) Diodor I 25.

vermag als solcher selbst Tote zu erwecken, und in dem Gebet des Märtyrers Kyrikos (Quiricus)[1] erkennen wir den ganzen Gang des Liedes der Thomasakten und zugleich den Grundgedanken der Baruchliteratur wieder. Es beginnt mit der Verfertigung des Reisegewandes durch die Mutter, beschreibt die Zurückbringung des Stammes der Seelen aus dem Totenreich und endet mit der Anbetung im Königspalast. Daß der Brief von Anfang an dem Boten mitgegeben wird und alle Taten, zuletzt die Tötung des Todesdrachens, für ihn vollzieht, ist leicht begreifliche Fortbildung. Daß in jüdischen Kreisen die Polemik entstand, Baruch sei vom Judentum abgefallen und habe den Persern das Avesta-Buch geschrieben[2], darf nicht wundernehmen. Wenig genug ist uns von dieser offenbar einst weit verbreiteten Literatur erhalten, so die ebenfalls mit dem Martyrium von Anfang eng verbundene jüdische Quellschrift der Himmelfahrt des Jesaias. Mysterium und Offenbarung, ja selbst reine Lehrschrift fließen dabei immer unlöslicher zusammen.[3] Wir besitzen eine in arabischer Übersetzung erhaltene Mahnrede des Hermes an die Seele[4], die in ihrem Hauptteil etwa dem ersten oder beginnenden zweiten Jahrhundert n. Chr. entstammen mag und später von einem manichäischen (?) Autor erweitert scheint. Einkleidung und Grundgedanken stimmen vollständig zu der neugefundenen manichäischen Liturgie, nur sind alle mythologischen und kosmologischen Andeutungen so restlos abgestreift, daß wir nur eine recht banale Predigt vor uns zu haben glaubten, in der ein hervorragender Philologe dann die Einwirkungen griechischer Philosophie feststellen zu können meinte. Und wieder an anderen

---

1) Das iranische Erlösungsmysterium S. 77, 251, 264.

2) Ebd. S. 101.

3) Man denke etwa an das äthiopische Henochbuch.

4) Bardenhewer, Hermetis Trismegisti qui apud Arabas fertur de castigatione animae liber, Bonn 1873 (Fleischers Übersetzung Hermes Trismegistos an die Seele, Leipzig 1870 gibt nur den ersten Teil; ein griechisches Vorbild erwähnt Iamblich, De mysteriis VIII 5), von E. Norden, Agnostos Theos, S. 278A behandelt, eingehender analysiert von mir 'Die Göttin Psyche', S. 50f.

Stellen entspricht ein kurzes und gewaltiges Mahnwort der in jener Liturgie geschilderten Situation und ihren Anschauungen, wie das anonyme Zitat im Epheserbrief 5, 14: 'Wache auf, der du schläfst; erhebe dich von den Toten, dann wird dich Christus erleuchten' (zu Licht machen), dessen altes, heidnisches Vorbild eine sehr frühe alchemistische Schrift uns erraten läßt.[1]

Die innere Begründung der Verbindung von Lehre und Schau, die sich dann in allen Mysterien wiederholt, liegt in einer orientalischen Grundanschauung, die wir in Indien und Persien sehr hoch hinauf verfolgen können: die Offenbarung vollzieht sich nur in der Schau — besonders des Weltgottes —, aber diese Schau ist nicht an sich verständlich; der Gott selbst oder ein Lehrer muß sie deuten.[2] Die Schau aber kann in der Seele auch ohne kultische Darstellung wachgerufen werden.

Auf diese Überzeugung und Erfahrung gründen sich die literarischen Mysterien, für welche die hermetische Schrift von der Wiedergeburt eine Probe bot. Wer sie als Bücher veröffentlichte, erwartete zwar, daß der Leser, wenn Gott ihn begnaden will, dieselbe Wirkung beim Lesen empfinden werde, wie Tat angeblich beim Hören; die Wunderkraft der Gottesbotschaft wirkt auch in dem geschriebenen Wort: die Schau, das Erlebnis tritt ein. Aber ebenso erwartete er auch, daß der Ungläubige, dem das Buch etwa in die Hand fiele, es doch nicht verstehen werde, ja es für ihn tot bleiben müsse, eben weil die Schau nicht eintritt. Die Mahnungen oder gar Schwüre, diese Geheimnisse nicht zu verraten, oder die Behauptung, daß die Gotteskraft (ἐνέργεια) nur mit dem barbarischen Urtext verbunden sei und eine griechische Übersetzung nur leere Worte biete, bedeuten — zumal in einer solchen griechischen angeblichen Übersetzung wie Kap. XVI des hermetischen Corpus — nur stilistische Mittel den Ursprung zu beglaubigen und die Erwartung zu spannen. Es scheint mir sehr beachtenswert, daß

1) Vgl. Beigabe XV, S. 314.

2) Beispiele bei Reitzenstein-Schaeder I.

Philo, der sein höheres Wissen ja immer einem unmittelbaren Verkehr seiner Seele mit Gott, einem ὁμιλεῖν θεῷ, entnommen haben will, ganz ähnlich bestimmte Abschnitte seiner buchhändlerisch veröffentlichten Schriften als Mysterien bezeichnet, die nur der Geweihte lesen soll und jedenfalls nur er verstehen kann.[1] Konventionelle, etwa aus dem Platonismus weitergebildete Phrase, wie noch Bousset meinte, kann das nicht sein; Philo begründet offenbar darauf seine Selbsteinschätzung, seinen Anspruch auf eine bestimmte religiöse Stellung, welche sein Recht zur allegorischen Erklärung der Schrift begründet; diese Art Mystik ist ein durchaus wesenhafter Teil seiner Religiosität und der Religiosität seiner Kreise. Das eigentliche Judentum aber kennt keine derartigen 'Geweihten' und erkennt in der offiziellen Ausgestaltung seines Kultes ein derartiges ὁμιλεῖν θεῷ überhaupt nicht an. Da nun Philo die Hauptvorstellungen der Mysterienreligionen kennt und deren Sprache immer wieder spricht, kann man mit Sicherheit sagen, daß er jene literarische Form ihnen entnimmt. Er ist für deren Alter und Verbreitung ein geradezu klassischer Zeuge, den das Interesse christlicher Autoren uns erhalten hat, während seine heidnischen Gegenbilder, Prediger, Propheten, Zauberer, kurz jene θεῖοι ἄνθρωποι, von denen wir gelegentlich hören, für uns nicht mehr greifbar sind.[2]

1) Vgl. unten Beigabe X, S. 247.

2) Selbst eine Schrift, wie das VII. hermetische Kapitel, dessen ganz aus der griechischen Populärphilosophie entnommenen Eingang ich in den Gött. Gel. Anz. 1911 S. 555 erläutert habe, muß selbst oder im Urbild dem Philo schon vorgelegen haben, vgl. VII 1 Ποῖ φέρεσθε, ὦ ἄνθρωποι, τὸν τῆς ἀγνωσίας ἄκρατον [λόγον] ἐκπιόντες, ὃν οὐδὲ φέρειν δύνασθε, ἀλλ' ἤδη καὶ ἐμεῖτε mit Philo, De ebr. 95 τὸν . . . ὥσπερ ὑπ' οἴνου φλεγόμενον ἄληκτον καὶ ἐπίσχετον μέθην τοῦ βίου παντὸς καταμεθύοντα καὶ παροινοῦντα διὰ τὸ τοῦ τῆς ἀφροσύνης π όματος ἀκράτου καὶ πολλοῦ σπάσαι. Die ἀγνωσία ist, wie wir sehen werden, für die mystische Sprache dieser Zeit ein positiver Begriff; einen Trank der ἀγνωσία (Gifttrank oder Rauschtrank der Materie) erhält in dem Seelenhymnus der Thomasakten der Königssohn (das Gottwesen) in der Welt der Materie, wie umgekehrt nach altpersischer Überlieferung der Mensch Zarathustra die göttliche Allwissenheit (γνῶσις, die Fähigkeit zur Schau) in einem Becher zu trinken er-

Charakteristisch ist, daß in der uns erhaltenen hermetischen Literatur auch bei der reinen Lehrschrift, die nichts von einer heiligen Handlung mehr fingiert und kein inneres Erlebnis in der Phantasie des Lesers mehr wachrufen will, den Schluß der Hymnus oder das Dankgebet an Gott bildet, welches zeigt, wie fest der Verfasser auf die ἐνέργεια, die lebendige Kraft des Gotteswortes, das er bringt, vertraut. 'Wir danken dir, Höchster, daß wir durch deine Gnade dies Licht der γνῶσις empfangen haben; erlöst durch dich (oder in die σωτηρία versetzt), freuen wir uns, daß du dich uns ganz gezeigt hast, freuen uns, daß du uns in unserem irdischen Leibe zu Gott gemacht hast durch deinen Anblick; nur eine Bitte haben wir, laß uns bewahrt bleiben in deiner γνῶσις und dieses neuen Lebens in ihr nicht verlustig gehen'.[1] Überall in diesen Schriften klingt wieder: das Schauen Gottes, das immer ähnlich als unmittelbares Schauen und Empfinden des Alls beschrieben wird, macht zu Gott, gibt die σωτηρία. Und diese höchste Schau (θέα) heißt γνῶναι θεόν. Die γνῶσις ist unmittelbares Erleben und Erfahren, ist eine Gnadengabe Gottes (χάρισμα), sie erleuchtet den Menschen (φωτίζει) und ändert zugleich seine Substanz; sie zieht ihn durch den Körper hinauf in die Welt des Übersinnlichen, sie ist eine Art neuen Lebens, die höchste Vollkommenheit der Seele, die Befreiung vom Leibe, der Weg zum Himmel, das Mittel des Heils, die wahre Gottesverehrung und Frömmigkeit, wie die ἀγνωσία θεοῦ stets Liebe zum Leibe und Sünde ist. Wer die γνῶσις hat oder in der γνῶσις ist, ist schon als Mensch θεῖος. Daß das Wort γνῶσις dabei technischen Sinn hat, einen Sinn, den es in einer originell griechischen Entwicklung gar nicht erhalten konnte, zeigen die beiden letzten Ausdrücke οἱ ἐν γνώσει

hält und sie besitzt, so lange der Trank in seinem Leibe ist. Den Ursinn und die technische Bedeutung der Worte kennt Philo nicht mehr und entstellt sie — hier wie außerordentlich oft — durch eine sprachlich elegante Paraphrase zur Sinnlosigkeit.

1) Vgl. den griechischen Text Beigabe XV S. 285.

ὄντες oder ὁ γνῶσις ἐσχηκώς aufs deutlichste.[1] Einen Satz, wie er in der ältesten dieser Schriften steht, τοῦτό ἐστι τὸ ἀγαθὸν τέλος τοῖς γνῶσιν ἐσχηκόσιν θεωθῆναι hätte auch dem Wortlaut nach ein echter Grieche ebensowenig verstehen können wie die vielbesprochene Gegenüberstellung eines λόγος σοφίας und eines λόγος γνώσεως bei Paulus oder jene seltsame Abstufung gottbegeisterter und im Gottesdienst seiner Gemeinden üblicher Rede bei demselben γλώσσαις λαλῶν ... ἢ ἐν ἀποκαλύψει ἢ ἐν γνώσει ἢ ἐν προφητείᾳ ἢ ἐν διδαχῇ, die offenbar nach dem Maße der Verständlichkeit und der Höhe der Ekstase angeordnet ist. Daß Paulus den technischen Gebrauch des Wortes γνῶσις im Hellenismus kennt und nachahmt, sollte schon hiernach klar sein.

Für die Auffassung entscheidend ist eine weitere Beobachtung. Den zu Gott Erhobenen befreit schon im Isismysterium des Apuleius die Göttin von der Macht des Sternenzwanges, der εἱμαρμένη, und wenigstens von ihren psychischen Einwirkungen befreit in dem Mysterium der Wiedergeburt die Transfiguration unseres Wesens. Es ist voll begreiflich, daß es in anderen Schriften immer wieder heißt, daß der Offenbarungsgott die Seinen heraushebt über die εἱμαρμένη und ihr Reich; sie leben schon jetzt im Jenseits, in der σωτηρία, dem αἰὼν μέλλων oder der βασιλεία θεοῦ. Wohl wird vereinzelt noch betont, daß der irdische Leib und sein Geschick ihr doch unterworfen bleibt, dies aber den Pneumatiker (d. h. Gnostiker) nicht kümmert; ja einmal heißt es sogar, daß dieser irdische Leib unter jenem Sternenzwang noch sündigen, Mord oder Ehebruch begehen könne. Der von Gott mit seiner Offenbarung Begnadete sündigt dennoch nicht selbst, sondern scheint nur zu sündigen. Er ist eben nicht mehr sein Leib; sein eigentliches Ich steht über allem, über der εἱμαρμένη und über dem Gesetz.[2] Man kann das Bewußtsein einer vollständigen Verdoppelung der Persönlichkeit des Gottbegnadeten gar nicht schärfer zum Ausdruck bringen.

1) Vgl. hierzu Beigabe XV.
2) Corp. herm. Kap. XII 7.

Sie alle werden bei diesen Auszügen aus persischen oder ägyptisch-griechischen Schriften sich nicht nur hin und wieder an Paulus erinnert haben, sondern vor allem, wenn Sie sich auch nur ein wenig an die musterhaft sorgfältigen Sammlungen in Anrichs Buch über das antike Mysterienwesen in seinem Einfluß auf das Christentum erinnern, sofort empfunden haben, daß sich alles Wort für Wort auf jene Bewegung innerhalb des Christentums übertragen läßt, welche wir Gnostizismus nennen. Wir erweitern dabei bekanntlich einen Parteinamen, den sich einige der in Frage kommenden Sekten selbst gegeben haben, und werden dies unbedenklich tun dürfen, wenn bei den Sekten, welche wir hinzunehmen, die γνῶσις, welche jenen Männern als ihr charakteristisches Merkmal, ihr Eigenstes gegenüber der sie umgebenden Welt erschien, dieselbe Bedeutung hat. Aber wir werden dabei diese Bedeutung nicht von unseren Begriffen ausgehend feststellen und etwa sagen dürfen: 'γνῶσις heißt Erkenntnis, also sind die Gnostiker Religionsphilosophen; was zu dieser Definition nicht paßt, ist nicht wahrer und für uns in Frage kommender Gnostizismus'. Das gäbe nur willkürliche Konstruktionen und bestenfalls subjektive Werturteile statt einer Erkenntnis der Entwicklung. Wir würden dabei zudem voraussetzen, daß Namen und Begriff erst auf griechischem Boden entstanden sind, während doch die Selbstbezeichnung der Mandäer (γνωστικοί) und der Name ihres Offenbarungsgottes Mandā d'Haijē (γνῶσις der Leben, d. h. Gottes) es von Anfang an mindestens ebenso nahe legen, an orientalischen Ursprung der Bezeichnung zu denken. Wir müssen unbedingt aus dem Gebrauch jener γνωστικοὶ κατ' ἐξοχήν erst feststellen, welchen Sinn die Zeit mit dem früh technisch gewordenen Worte verband: unmittelbares, aus direktem Verkehr mit der Gottheit entnommenes Wissen ihrer Geheimnisse, die dem natürlichen Menschen und seinem Verstande verborgen bleiben müßten, ein Wissen zugleich, das auf unser Verhältnis zu Gott und selbst auf unsere eigene Beschaffenheit, unsere φύσις, entscheidende

Rückwirkungen übt, — kurz so ziemlich das gerade Gegenteil von Philosophie oder selbst Religionsphilosophie. Nicht ein intellektuelles oder gar wissenschaftliches Erkennen, sondern ein persönliches Bekanntwerden und Vertrautsein liegt in dem Wort, wie schon Minucius Felix[1] richtig gedeutet hat. Unter diesem Gesichtspunkt werden gerade jene phantastischen Systeme, für deren Begründung man sich nur auf Offenbarung berufen kann, und die Mittel, diese Offenbarung, d. h. eine unmittelbare Schau Gottes, zu gewinnen, die entscheidenden Merkmale werden, nach denen wir die übrigen Sekten beurteilen. Das Resultat ist, daß sich, eben weil dieser Begriff der γνῶσις allgemein ist, nur wenige Sekten als solche nach ihr nennen. Die übliche Terminologie besteht wesentlich zu Recht, weil für den einzelnen in den verschiedensten Sekten und trotz der verschiedensten Systeme die γνῶσις in dem eben näher bestimmten Sinne die entscheidende Rolle spielt. Daß jeder Schüler zu den Lehren seines Meisters immer neue Ergänzungen und Umgestaltungen bringen kann, daß uralte Volksanschauungen und individuellste Phantasie sich durchdringen, orientalischer Mysterienglaube und Zauber sich mit griechischer Philosophie umkleidet und versetzt, wird nur verständlich, wenn wir diese Bewegung, die wir schon jetzt in der ägyptischen, phrygischen, iranischen, jüdischen und christlichen Religion nachweisen können, und in der persischer Dualismus und babylonischer Sternenglaube entscheidende Rollen spielen, aus der Kirchengeschichte in eine allgemeine Religionsgeschichte herausrücken. Sie zeigt die notwendige Fortbildung der orientalischen Religionen in der Diaspora, den Höhepunkt ihrer individualistischen und zugleich universalistischen Entwicklung, die in gewissem Sinne letzte Stufe des Hellenismus und ist daher so allgemein, wie dieser selbst. Nicht einmal von gnostischen Religionen sollten wir reden. Mag man daher jene ägyptisch-hel-

---

1) Kap. 6 *nosse familiarius.*

lenistischen Schriften, von denen ich ausging, ruhig gnostisch nennen, wenn man sich nur klar hält, daß man mit dem Worte Gnostisch nur eine natürliche Entwicklungsphase, nicht ein fremdartiges, aus einer fernliegenden Entwicklung übertragenes Element meint, und wenn man nur zugibt, daß auch diese Schriften uns über Werden und Wesen des Gnostizismus belehren können.

Verbreiteter als das Wort γνωστικός, das charakteristischerweise eine feste Bezeichnung für seinen Gegensatz nicht veranlaßt und in der lateinischen Reichshälfte auch selbst keinen Terminus technicus gebildet hat, ist als Selbstbezeichnung in diesen Kreisen bekanntlich πνευματικός, der Geistesmensch, ein Wort, das umso mehr Verbreitung fand, als sich frühzeitig ein Gegensatz zu ihm, nämlich ψυχικός, der Seelenmensch, der rein natürliche Mensch, bildete; eine spätere Fortbildung, die von ihm noch wieder den σαρκικός, den Fleischesmenschen schied, braucht uns hier nicht zu beschäftigen. Der Psychiker hat die γνῶσις nicht und lebt in einer niederen Welt; der materiellen, psychischen Welt steht die pneumatische gegenüber. Diesem christlich-gnostischen Sprachgebrauch, der sich schon in den angeblichen Briefen des Jacobus und Judas vorfindet, entspricht in seltsamer Weise der Gebrauch des Wortes in jenem heidnischen Eingangsgebet der Mithrasliturgie[1], in welchem der Myste, wiedergeboren, d. h. in seinen himmlischen Leib erhoben, durch das πνεῦμα Gott schauen möchte, während seine menschliche und psychische Natur, die ἀνθρωπίνη καὶ ψυχικὴ φύσις, auf Erden zurückbleibt; denn was nur irdisch geboren ist, kann Gott nicht schauen. Daß alle Gedanken dieses Gebetes rein heidnisch sind, hat sich früher gezeigt; dennoch würde man es niemandem verargen, wenn er an eine wunderbare Übertragung dieses einen Wortes und Begriffes aus dem christlichen Gnostizismus dächte. Freilich wäre dieser Gedanke, wie sich leicht zeigen läßt, falsch.

1) Vgl. Beigabe II, S. 169 f.

Es ist bekannt, daß schon Paulus an den zwei Stellen, an welchen er das Wort ψυχικός gebraucht, es durchaus als bekannt und der Gemeinde ohne weiteres verständlich voraussetzt und denselben Doppelbegriff mit ihm verbindet: psychisch ist, wer die γνῶσις nicht hat, und psychisch ist, wer von irdischem Stoff ist. Den Gegensätzen ψυχικός und πνευματικός entsprechen ἐπίγειος und οὐράνιος, ἐκ γῆς und ἐκ θεοῦ, ἄνθρωπος und θεός. Das Wort ψυχικός blieb dabei bisher vollkommen unerklärbar; daß die technische Bedeutung zunächst nur an das Adjektiv schließt, macht jeden Gedanken an direkte Entlehnung aus dem Semitischen unmöglich. Im Gegensatz zu πνευματικός, wer πνεῦμα ist oder πνεῦμα hat, kann ψυχικός nur heißen, wer ψυχή ist oder ψυχή hat, nimmermehr aber, wer außer seiner ψυχή nicht noch ein πνεῦμα hat; dann hätte man bei diesen scharfen Gegensätzen dem πνευματικός ein ἀπνεύματος entgegengestellt.[1]

Aber weiter: es scheint noch nicht beobachtet, daß alle die verschiedenen Abtönungen, die das Wort πνεῦμα bei Paulus annimmt, sich in den Zauberpapyri in geradezu klassischen Beispielen wiederfinden. Paulus hat sich nicht etwa eine besondere Psychologie und eine dazu gehörige Geheimsprache zurecht gezimmert, sondern spricht das Griechisch seiner Zeit. Da ist πνεῦμα bald allgemeine Gottesbezeichnung, das πνεῦμα Ἄμμωνος im Grunde Ammon selbst, bald das Innerste der Gottheit, bald eine fast substantielle Gabe, ein Fluidum, das Gott in unser Herz legt, eine Kraft, und daneben wieder ohne jede übernatürliche und außermenschliche Bedeutung ganz einfach nur unser immaterieller, geistiger Teil, entgegengesetzt dem σῶμα oder σκῆνος, völlig gleichgestellt und nach Belieben wechselnd mit dem Wort ψυχή. Da auch Paulus gar nicht selten diesem allgemein hellenistischen Brauche folgt, so entsteht nicht die Frage, wie er πνευματικός für übersinnlich gebrauchen konnte — das ist durch jenen zuerst besprochenen Gebrauch erklärt, und auch der Zauber spricht von einer πνευματικὴ αἴσθησις,

1) Vgl. Beigabe XVI, S. 341.

einem geistigen Gewahren der Geheimnisse Gottes —, sondern die Frage: wie konnte Paulus auf den Einfall kommen, das Sinnliche, Materielle als ψυχικόν zu bezeichnen, wenn ihm doch in einer Fülle von Wendungen ψυχή und πνεῦμα als identisch gelten?

Die Antwort bieten vielleicht jene hellenistischen Wiedergeburtsmysterien, die wir schon so lange betrachten. Wer ist eigentlich jenes neue Ich, das die Himmel durchwandert und Gott schaut? Daß es seit Plato für den echten Hellenen nur die Seele, und zwar die Einzelseele sein kann oder könnte, ist klar.[1] Für den Orient müßte, wenigstens für das indisch-persische Gebiet, die Antwort viel schwerer sein. Nehmen wir einen griechischen Text wie das hermetische Wiedergeburtsmysterium: es meidet sorglich das Wort ψυχή. Aus den Gewalten Gottes besteht das neue Ich, und als der Sohn fragt: 'dann ist dies neue Ich von anderem Wesen und überhaupt ein anderer als ich selbst', hat der Vater keine Antwort. Ein wirklicher und bestimmter Gott entsteht, nicht eine irgendwie vergöttlichte Einzelseele; wieweit in diesem Gott die Person, das Ich, fortlebt, ist ein Mysterium, an das der Gedanke des Verfassers nur schüchtern rührt. In den orientalischen Texten können wir mit dem Einzelwort wenig machen. Gewiß, eine Vorstellung der Einzelseele besteht, sobald das ethische Bedürfnis die Vorstellung eines individuell verschiedenen Loses im Jenseits erzwungen hat. Von der Einzelseele spricht der persische Yašt 22; ihre eigenen Gedanken, Worte und Taten müssen ihr die göttliche Schönheit gegeben haben; aber der Schluß verbindet sie doch in für uns rätselhafter Weise mit Gott Ohrmazd, der einst in die Materie herabgestiegen ist. Ähnlich verbinden sich Ohrmazd und der 'letzte Gott' in manichäischen Urkunden.[2] Auch in den Toten-

---

1) Vgl. hierzu den Aufsatz 'Vorchristliche Erlösungslehren', Kyrkshistorisk Årsskrift, Uppsala 1922, S. 94f., der einzeln in jeder deutschen Universitätsbibliothek zu haben ist.

2) Turfanfragment M 2 (Die Göttin Psyche, S. 4) 'Gott Ohrmazd (zusammen) mit dem letzten Gott.'

liedern der Mandäer handelt es sich offenbar zunächst um ein mythologisches Wesen (den Mānā), das einst in die Welt gekommen ist, den Urmenschen, Adam; er steigt in jeder Menschenseele wieder empor. Wohl findet sich auch hier eine Individualisierung, in jüngeren Liedern wird von der bestimmten Einzelseele gesprochen. Die indische Vorstellung, daß unser innerstes Selbst das Weltselbst ist, das Göttliche in ihr, hilft uns die Vorstellung zu erklären, daß unserem in der Materie gebundenen Selbst ein Doppelgänger, ein himmlisches oder ursprüngliches Selbst entspricht; aber dieses Selbst ist vollkommen unindividuell das Gotteswissen (die Religion), der göttliche νοῦς. So atmet und lebt in dem Mysten der Mithrasliturgie der heilige Geist, nicht mehr seine ψυχή; seine Person hat er auf Erden zurückgelassen. Etwas anders und doch auch wieder ähnlich wird es bei den Religionen stehen, in denen eine Zauberhandlung mit den Göttern vereint, die einen Tod und eine Auferstehung erlebt haben. Auch hier lebt nicht eine unsterbliche Seele fort, sondern der bestimmte Gott ersteht wieder: 'dieser Osiris', wie der Ägypter sagt.

Wir müssen die ergänzende Vorstellung hinzunehmen, die bei den meisten Völkern mit der besprochenen wechselt und sich durchdringt, daß nicht der Mensch sich zu Gott erhebt, sondern der Gott in den Menschen niedersteigt und eintritt. Ich stelle zunächst die auffällige Tatsache fest, daß die Vorstellungen 'in Gott eingehen', und 'Gott oder den Geist oder den heiligen Geist in sich aufnehmen' in der heidnischen Literatur, und zwar nicht in der mystischen allein, ebenso beliebig wechseln wie bei Paulus die Vorstellungen 'in Christo sein' und 'Christum in sich tragen'. Der Dichter, der sich selbst gern mit dem Seher oder Propheten vergleicht, schildert mit Vorliebe das Eintreten des Gottes. Ich greife eine Schilderung aus der Zeit des Paulus heraus, der offenbar eine ältere hellenistische Schilderung zugrunde liegt. Der Dichter Lukan beschreibt die Verzückung der Pythia: der Gott tritt in sie ein *mentemque priorem expulit atque hominem toto sibi cedere iussit pectore,* er treibt ihre ψυχή und damit den eigentlichen Menschen, die Person, aus ihrer Brust; er lebt allein in ihr, und nun schaut sie, Zeit und Raum entrückt, alles Geschehen vom Urbeginne der Welt bis zum Ende. Es ist jene wunderbare Schau (θέα), die nur der Gott hat, und die zu Gott macht, dieselbe Schau, die in dem Mysterium der Wiedergeburt geschildert war; ein Doppelwesen entsteht ähnlich wie dort.

In dieser als hellenistisch und vorpaulinisch erwiesenen Anschauung bilden πνεῦμα und ψυχή direkte Gegensätze: wo die ψυχή ist, kann nicht das πνεῦμα, wo das πνεῦμα ist, nicht mehr die ψυχή sein. So ist aus dieser Anschauung schon vor Paulus das Begriffspaar 'pneumatisch' und 'psychisch' entstanden; daß der Gnostizismus in seinen Grundanschauungen schon vor Paulus fällt, ist auch lexikalisch erwiesen.

Das war nun freilich schon, als dies Buch zuerst erschien, Überzeugung vieler wissenschaftlich arbeitender Theologen. In seinem genialen Werk 'Hauptprobleme der Gnosis' hatte W. Bousset die Frage, ob die Gnosis der allgemeinen Religionsgeschichte oder der Kirchengeschichte allein angehöre, mit Nachdruck gestellt. Bald danach begann M. Lidzbarski die Urkunden der mandäischen Religion der Benutzung zu erschließen, während die Veröffentlichungen der Turfānfunde durch F. W. K. Müller, A. v. le Coq, Chavannes, Pelliot, Bang und andere uns die manichäischen Urkunden besser verstehen lehrten, Cumont setzte seine glänzend begonnenen Untersuchungen über vorderasiatische Religionen fort, Norden führte die lexikalischen Beobachtungen in breitem Umfang weiter und stellte die orientalischen Eigenheiten auch der christlichen Sakralsprache dar. Weitere Denkmäler eines rein heidnischen Gnostizismus wurden in der griechischen Literatur aufgewiesen und analysiert, ihre Grundvorstellungen und Art der Frömmigkeit bis in die volkstümliche ältere Mönchsliteratur verfolgt.[1] Demgegenüber steht

1) Historia monachorum und Historia Lausiaca, Forschungen zur Religion

im wesentlichen jetzt das Werk Ed. Meyers 'Ursprung und Anfänge des Christentums', das durch die geschlossene Einheitlichkeit einer staunenswerten Arbeitsleistung schon an sich größter Wirkung sicher ist. Der Versuch, das Christentum ausschließlich aus sich selbst, bzw. dem Judentum zu erklären und heidnische Parallelerscheinungen auf seinen Einfluß zurückzuführen, ist wohl nie nachdrücklicher und zuversichtlicher gemacht worden und gewinnt an Überzeugungskraft, weil der Leser immer empfindet, daß hierbei kein dogmatisches Interesse mitwirkt und der Verfasser seinem Stoff ganz objektiv gegenübersteht.[1] Wohl aber empfindet man stark das schriftstellerische Interesse, den ungeheuren Stoff einzuschränken und Fragen, die den Verfasser zu weit in ihm fremde Gebiete führen müßten, durch einen Machtspruch zu entscheiden. Das tritt gerade in der Behandlung der Gnosis und der mit ihr eng verbundenen Frage der Mysterienreligionen zutage. Und doch hängt von der Auffassung und zeitlichen Fixierung der Gnosis die Auffassung nicht des Ursprungs, wohl aber der Anfänge des Christentums ab. So möchte ich auch diesmal wieder versuchen, die Bedeutung der Behauptung daß Paulus das Wortpaar γνῶσις und πνεῦμα überwiegend hellenistischem religiösem Sprachgebrauch entnommen hat, für die Erkenntnis der Grundanschauungen des Apostels darzulegen. Ihre jüdischen Bestandteile, die früher etwas einseitig betont wurden, dann nochmals herauszuarbeiten, muß ich den Theologen als den dafür besser Gerüsteten überlassen. Ich versuche ausschließlich festzustellen, was das Wort πνευματικός bei Paulus als dem ältesten und wichtigsten Zeugen bedeutet und wie-

und Literatur des Alten und Neuen Testaments, Neue Folge Heft 7, Göttingen 1916.

1) Eher wird er vielleicht den Eindruck haben, daß es doch unwahrscheinlich ist, daß eine die Weltgeschichte derartig umgestaltende Bewegung von so schwachen und wenig eigenartigen Kräften ausgeht, wie es nach dieser Darstellung erscheint. Und vermissen wird er, wenn er die Literatur etwas kennt, die Objektivität gegenüber den 'liberalen Theologen', auf deren Arbeiten auch diese Darstellung viel stärker beruht, als dem Verfasser bewußt ist.

weit sich danach der ursprüngliche Sinn des aus dem Orientalischen übersetzten Wortes γνῶσις im frühchristlichen Gebrauch bestimmen läßt. Fragen, die hiermit nicht unmittelbar zusammenhängen, lasse ich für jetzt beiseite; ein einheitliches Bild des Apostels zu geben, versuche ich nicht, nur einen Beitrag dazu. Die Wortgeschichte, wenn sie sich zu einer Geschichte der Begriffe vertieft, kann uns noch immer reichen Aufschluß über Probleme geben, denen wir auf keinem anderen Wege nahekommen können; freilich ist wohl auf keinem Gebiet ein einträchtiges Zusammenwirken der Theologie und der verschiedenen Philologien so notwendig wie auf dem einer derartigen Geschichte der religiösen Sprache. Auch bei einem Schriftsteller wie Paulus muß die Sprache selbst, richtig verhört, uns wenigstens einen Teil seines sonst ja völlig unbekannten Werdeganges und der auf ihn einwirkenden Geistesmächte verraten, und dies Ziel ist lockend genug, um auch einen tastenden Versuch zu rechtfertigen. Es kommt dabei zunächst weit mehr auf ein richtiges Stellen der Frage als auf eine abschließende Antwort an. Gehen wir von den beiden Stellen des ersten Korintherbriefes aus, an denen das Wort ψυχικός erscheint. Die Auffassung der einzelnen Stelleaus dem Zusammenhange zu rechtfertigen, werde ich später[1] versuchen, deute aber hier schon Nötigste an.

Das Pneuma aus Gott hat Paulus empfangen, jenes Pneuma, das auch die innersten Tiefen der Gottheit kennt. So kann er bei jeder neuen Eingebung des Geistes Pneumatisches mit Pneumatischem vergleichen. Der psychische Mensch aber kann die Gaben des Gottesgeistes gar nicht aufnehmen, kann sie nicht erkennen; denn pneumatisch müssen sie beurteilt werden. Der Pneumatiker aber kann all und jedes beurteilen und kann selbst von niemand, wenigstens von keinem Nichtpneumatiker, beurteilt werden. Denn wer versteht den Geist des Herrn? und ihn hat Paulus empfangen. So haben die Korinther gar kein Urteil über seine Lehre; denn nicht wie zu

1) Vgl. Beigabe XVI.

Pneumatikern hat er zu ihnen geredet und redet er noch jetzt zu ihnen; sie sind noch Menschen. Das ist der Pneumatiker nicht mehr. An der zweiten Stelle setzt er bekanntlich dem psychischen Leib, der gesät wird, den pneumatischen entgegen, der auferstehen wird; denn wie wir das Abbild des ersten Menschen getragen haben, der eine lebende ψυχή ward, müssen wir auch das des zweiten tragen, der lebenspendendes πνεῦμα ward. Es ist, wie öfters erwähnt, jener himmlische Leib, den Gott für ihn bewahrt, und der einst, wenn er ihn überzieht, ihn völlig zum πνεῦμα machen wird. Und doch ist jener himmlische Leib schon in gewissem Sinne in ihm, weil er das Angeld des πνεῦμα schon empfangen hat. Weil er mit unverhülltem Antlitz Gott spiegelt und schaut, erlebt er an diesem σῶμα ἀσώματον, wie die hellenistische Mystik dies Spiegelbild des Himmlischen im Irdischen nennt, die Transfiguration (μεταμόρφωσις) von einer Verklärung zur andern; das πνεῦμα bewirkt sie. Und wie in Paulus, so soll in jedem Christen allmählich Christus zur Vollgestalt werden (μορφοῦσθαι), wie in dem früher erwähnten Zauberspruch die Seele die Gestalt des eintretenden Gottes annimmt durch schaffenskräftiges und verklärendes Licht.

Auf das Schauen des Auferstandenen begründet er das Apostolat der Jünger, wie das eigene, auf dieses Schauen seine Freiheit in der Lehre.[1] Den Inhalt seiner Botschaft hat er von keinem Menschen empfangen oder gelernt; so ist es nicht ein εὐαγγέλιον κατὰ Πέτρον oder überhaupt κατ' ἄνθρωπον. Nach jenem Bekehrungswunder hat er überhaupt nicht 'Fleisch und Blut' um Jesus befragt (wie das z. B. Apuleius bei den Erscheinungen tut, die ihm zuteil werden), noch ist er, wie man erwarten dürfte, nach Jerusalem gegangen, um sich bei möglichst vielen Jüngern nach Leben und Lehren seines Herrn zu erkundigen. Was er früher nach dieser Seite getan hat, erscheint ihm jetzt

1) Eine Anzahl Gegenbilder aus iranischer und indischer Literatur, in denen die Schau des Weltgottes die Botschaft begründet, bieten Reitzenstein-Schaeder Teil I.

als unbedeutend und nebensächlich; nicht einmal seine Taufe erwähnt er, so hoch er auch sonst die Wirkung dieses Mysteriums bewertet. Wer einmal Gott geschaut hat, muß nach der Anschauung seiner Gemeinden und seiner eigenen Überzeugung weiterer Tradition nicht bedürfen, sondern aus sich selbst imstande sein, alles zu erkennen, wie es von einem solchen Mann ausdrücklich in dem hermetischen Wiedergeburtsmysterium gesagt wird.[1]

Dieser unmittelbaren Erkenntnis, und nur ihrer, kann er felsenfest gewiß sein und, wenn ein Engel vom Himmel herniederstiege und eine andere Botschaft brächte, über ihn den Bannfluch aussprechen. Ihm sind ja die Geheimnisse offenbar, nach denen alle Gewalten des Zwischenreiches vergeblich streben. Und wie diese Erkenntnis Christi für ihn allein Wahrheit, so hat auch diese Bezogenheit auf ihn allein Wert. Er lebt ja in der übersinnlichen Welt und ist der alten erstorben; kein Mensch kann nach dem Fleisch für ihn mehr existieren, steht zu ihm in besonderer Beziehung. 'Und hätte ich Christum nach dem Fleisch gekannt' — der Gedanke streift offenbar die andern Apostel, welche sich ja auf dieses Band zwischen ihnen und dem lebenden Meister berufen konnten —, 'ich kenne ihn jetzt nicht mehr. Ist jemand «in Christo», so ist für ihn eine neue Welt geschaffen, das Alte vergangen, alles neu geworden.' Gewiß werden gegenüber diesem aufs höchste gesteigerten Empfinden der eigenen Autonomie und unmittelbaren Erkenntnis die hellenistischen, d. h. hermetischen Sprüche 'Nichts ist in der Welt des Körperlichen wahr, in der Welt des Unkörperlichen alles untrügerisch', 'Nichts ist im Himmel unerkennbar, nichts wirklich bekannt auf Erden', 'Nichts ist im Himmel unfrei, auf Erden nichts frei' matt und spielerisch erscheinen.[2] Dennoch tragen auch sie viel-

1) Corp. Herm. XIII 15 ὁ Ποιμάνδρης, ὁ τῆς αὐθεντίας νοῦς, πλέον μοι τῶν ἐγγεγραμμένων οὐ παρέδωκεν, εἰδὼς ὅτι ἀπ' ἐμαυτοῦ δυνήσομαι πάντα νοεῖν καὶ ἀκούειν ὧν βούλομαι καὶ ὁρᾶν τὰ πάντα.

2) Stobaios Ekl. I p. 275, 18 W.: οὐδὲν ἐν σώματι ἀληθές, ἐν ἀσωμάτῳ τὸ

leicht bei, uns in die allgemeine Stimmung der Zeit einzuführen, in der ein ungeheures Erlebnis eine religiös schöpferische Natur aus ihrer bisherigen Gebundenheit riß und sie im wesentlichen auf sich selbst stellte.

Ich kann nur andeuten und werde meine Auffassung der einzelnen Apostelworte gern später zu rechtfertigen suchen und noch lieber mir berichtigen lassen.[1] Aus ihr erklärt sich mir als beabsichtigt und notwendig, was oft Verwunderung hervorgerufen hat, daß nämlich Paulus sich nicht auf Jesu Leben und Taten beruft und dessen Worte nicht als solche seinen Gemeinden einprägt. Anklänge, die man so eifrig sucht, beweisen in der Regel nichts und verschwinden völlig gegenüber der seltsamen Tatsache. Die bekannten drei Ausnahmen aber sind erklärt, sobald man sie ernstlich ins Auge faßt, die Erlaubnis an die Apostel, vom Evangelium zu leben, die Paulus ihnen nicht bestreiten kann, während er doch selbst keinen Gebrauch davon macht und sich dessen rühmt, die Ehevorschrift, die auf dem sogenannten Apostelkonvent zur Sprache gekommen sein muß, zwei Fragen also der Gemeindeordnung, daneben die feierliche Erzählung der Einsetzung des Herrenmahles, eingeführt als Erinnerung an das, was Paulus auch mündlich der Gemeinde mitgeteilt hat. Das Mysterium verlangt natürlich die Formel. Aber aus vom Herrn irgendwie empfangenem Wissen scheint Paulus sie zu geben, und er hat zu den Worten, welche die Evangelien berichten, den Befehl der Wiederholung gefügt, der die Erzählung erst zur Einsetzung eines Mysteriums macht; eine Beobachtung stützt hier die andere. Wenn Paulus in dieser Umgestaltung die Zweckbestimmung εἰς τὴν ἐμὴν ἀνάμνησιν, 'zu meinem Gedächtnis', hinzufügt, so kann ich freilich diese Worte nimmermehr auf ein bloßes Erinnerungsmahl deuten, wie es der griechische Totenkult kennt. Dem widerspräche schon die Sakramentslehre, die Paulus

πᾶν ἀψευδές. 276, 5: οὐδὲν ἐν οὐρανῷ δοῦλον, οὐδὲν ἐπὶ γῆς ἐλεύθερον. 276, 6: οὐδὲν ἄγνωστον ἐν οὐρανῷ, οὐδὲν γνώριμον ἐπὶ τῆς γῆς.

1) Vgl. unten Beigabe XVI.

unmittelbar folgen läßt. Eher könnte man sie in mystischem Sinne, etwa entsprechend jener aus ungefähr paulinischer Zeit stammenden Erzählung eines Zaubertextes deuten, in welchem Osiris der Isis und dem Horus sein Blut in einem Becher Wein zu trinken gibt, damit sie nach seinem Tode ihn nicht vergessen, sondern in sehnsüchtiger Klage ihn suchen müssen, bis er neubelebt sich wieder mit ihnen vereint.[1] Der Bluttrank legt ja im Liebeszauber wie in den Freundschaftsbündnissen der meisten Völker einen magischen Bann auf die Seele des Trinkenden, und die Vorstellung ließe sich begreifen, daß auch die Christen durch die Wirkung dieses Trankes des Herren Tod nicht vergessen kön-

1) Griffith, Demotic magical papyrus of London and Leiden p. 107: *I am this figure of One Drowned* (Osiris, siehe unten S. 221), *that testifieth by writing, that rested on the other side (?) here under the great offering-table (?) of Abydos; as to which the blood of Osiris bore witness to her (?) name of Isis; when it (the blood) was poured into this cup, this wine. Give it, blood of Osiris (that?) he (?) gave to Isis to make her feel love in her heart for him night and day at any time, there not being time of deficiency. Give it, the blood of N. born of N. to give it to N. born of N. in this cup, this bowle of wine to-day, to cause her to feel a love for him in her heart, the love, that Isis felt for Osiris, when she was seeking after him everywhere, let N. the daughter of N. feel it, she seeking after N. the son of N. everywhere; the longing that Isis felt for Horus of Edfu let N. born of N. feel it, she loving him, mad after him, inflamed by him, seeking him everywhere, there being a flame of fire in her heart in her moment of not seeing him.* Vergleichbar ist der griechische Zauberspruch Wessely, Denkschr. d. Wiener Akad. 1893, S. 44, Z. 709, Kenyon Greek Papers I, S. 105: λόγος λεγόμενος εἰς τὸ ποτήριον: λέγε ἑπτάκις· σὺ εἶ οἶνος <καὶ> οὐκ εἶ οἶνος, ἀλλ' ἡ κεφαλὴ τῆς 'Αθηνᾶς. σὺ εἶ οἶνος <καὶ> οὐκ εἶ οἶνος, ἀλλὰ τὰ σπλάγχνα (das Innerste, das Wesen wie οὐρανοῦ σπλάγχνα καὶ γῆς ἔντερα Beigabe II, S. 177) τοῦ 'Οσίρεως, τὰ σπλάγχνα τοῦ 'Ιαώ ... ἐφ' ἧς ὥρας ἐὰν καταβῇ τόδ' εἰς τὰ σπλάγχνα τῆς δεῖνα, φιλησάτω με τὸν δεῖνα τὸν ἅπαντα τῆς ζωῆς αὐτῆς χρόνον. Freilich könnten diese Stellen Bedeutung nur gewinnen, wenn wir im Opferbrauch einmal Ähnliches nachweisen könnten. Die Folklore gibt hier wie meist nur Winke, nach welcher Seite wir die Aufmerksamkeit richten müssen. Wer würde aus dem oben S. 62 erwähnten Wundzauber wohl Schlüsse auf die religiöse Anschauung der Erweckung eines Gottwesens in uns gewagt haben ohne die Fülle der entsprechenden religiösen Texte? Daß die tief dringenden Untersuchungen H. Lietzmanns 'Messe und Herrenmahl' neben dem jüdischen Urbild schon frühe 'hellenistische' Ausgestaltung anerkennen, hat mich bestimmt, diese Verweisungen, die eine 'Erklärung' nicht bieten wollen oder können, wieder aufzunehmen.

nen, sondern — freilich nicht in leerer Klage — von ihm reden müssen, bis er selbst wieder erscheint. Die Wiederkunft hängt mit der Predigt in aller Welt zusammen. Eine gewisse Anknüpfung an die Evangelienworte von der Wiedervereinigung wäre dabei fühlbar. Doch bleibt das, wenn nicht ein günstiger Zufall uns neuen Aufschluß über Brauch und Deutung der in den meisten Kulten üblichen Mysterienmahle gibt, nur ein Spiel mit Möglichkeiten; nur die Taufe, nicht das Abendmahl läßt sich bisher mit nicht-christlichen Gegenbildern vergleichen. Nur soviel scheint sicher, daß Paulus gerade in dieser Anführung und Einrichtung seine Autonomie gegenüber der Tradition der ersten Gemeinde durchaus wahrt.

Beide Sakramente hat Paulus in der Gemeinde schon vorgefunden, und doch läßt sich aus dem Judentum keins von beiden erklären. Es ist Willkür, oder richtiger ein Notbehelf übelster Art, auch nur die Johannestaufe aus der flüchtig einmal bei Ezechiel (36, 29. 33) auftauchenden Vorstellung einer Reinigung etwa durch Kombination mit allgemeinen und blassen Bildern bei Jesaias (4, 4) und Jeremias (4, 14. 2, 22) herzuleiten und dabei ihre Verbindung mit der Botschaft hellenistischer σωτῆρες von dem nahen Weltuntergang und der Möglichkeit einer Errettung zu ignorieren. Bei Paulus selbst dürfen wir nicht in den Sakramenten an sich, sondern nur in der Bildersprache und einzelnen eigenartigen Worten das Verhältnis zu den Mysterienreligionen verfolgen. Daß er ihre Sprache kennt und diese Erkenntnis in wunderbar tiefen Bildern beständig benutzt, bedarf nach Dieterichs klassischem Buch 'Eine Mithrasliturgie' kaum neuer Beweise. Erinnern Sie sich an jenes Anziehen oder Darüberanziehen des himmlischen Leibes, das in ihnen kultlich dargestellt wurde und in ihrer Sprache so geläufig ist, daß das Verbum wie bei Paulus auf die himmlische oder irdische Wohnung übertragen wird, an Wendungen wie 'der Leib des Todes', die sich bei Mandäern und Manichäern wiederfinden und bei ihnen in der Gesamtauffassung der irdischen Welt verankert sind, an die bekannten Bilder 'in Christi Tod getauft werden' oder 'durch die Taufe mit Christus in den Tod begraben werden', die sich in allen diesen Religionen, am deutlichsten freilich wohl in der phrygischen Bluttaufe wiederfinden lassen. Aus iranischen Anschauungen läßt sich wohl ein anderes, beiläufig eingeführtes Bild erklären. Christus hat den Geruch seiner γνῶσις durch Paulus überall offenbar werden lassen; so ist der Aopstel selbst gewissermaßen der süße Duft Christi für Gott an allen denen, die gerettet werden und die verderben, den einen ein Duft aus dem Leben zum Leben, den anderen ein Duft aus dem Tode zum Tode. Ähnlich berichtet bei den Mandäern der 'Gesandte' von sich (Genzā r. S. 58, 23 Lidzb.) 'Der Gesandte des Lichtes bin ich; ein jeder, der seinen Duft riecht, erhält Leben; ein jeder, der seine Rede in sich aufnimmt, dessen Augen füllen sich mit Licht . . Die Ehebrecher rochen mich; da ließen sie eilig von ihrem Ehebruch . . .; sie kamen und umgaben sich mit meinem Geruch. Sie sprachen: als wir ohne Kenntnis (γνῶσις) waren, trieben wir Ehebruch; jetzt, wo wir Kenntnis haben, ehebrechen wir nicht mehr.' Noch enger fast mit Paulus berührt sich ein Lied auf den Dienstag (Liturgien S. 199 Lidzb.): 'Der Duft kam aus seiner Stätte, die Wahrheit kam aus ihrem Orte, der Duft kam aus seiner Stätte, er kam und ließ sich in dem Hause (der Welt) nieder. Er ruft und belebt die Toten, er rüttelt auf und bringt her die Daliegenden, er weckt die Seelen, die eifrig und des Lichtortes wert sind. Dies, dies tat der Gute (der Gesandte) und richtete des Lebens Zeichen auf.' Er heißt dabei in denselben Liedern der hohe Bote, der König der Uthras. Wäre es schon an sich für den Kenner dieser Literatur ganz unmöglich, eine Beeinflussung des mandäischen Textes durch Paulus anzunehmen, so sichern ähnliche Stellen der ältesten mandäischen Totentexte, die noch dazu im persischen Avesta[1] und in einem sehr alten,

---

1) Yašt 22. Vergleichbar ist die Schilderung des obersten Himmels, des Garōδmān, in dem sehr alten Dāmdāδ-Nask, vgl. Reitzenstein-Schaeder I S. 29. Zu dem Sprachcharakter vgl. Beigabe XVII.

ursprünglich aramäischen alchemistischen Text Gegenbilder haben, die Anschauung als iranisch: Der Duft des Lebens, d. h. hier Gottes, kündet immer das Nahen der göttlichen Boten und das kommende Heil, der üble Geruch die Sendlinge des Bösen und die nahende Verdammnis an; sie bilden geradezu das Wesen der beiden streitenden Mächte. So ist es nicht wunderbar, daß jene alchemistische heidnische Schrift dies Bringen des Lebens einem φάρμακον τῆς ἀθανασίας zuschreibt. Der Ausdruck, der auch in jungägyptischer Literatur wiederkehrt, ist offenbar formelhaft geworden und kann für Ignatius, der ja dem syrischen Gedankenkreis nahesteht, selbst das Brot des Abendmahles, also den Leib Christi, bedeuten. Vielleicht darf man, wenn man die Wandlungsfähigkeit solcher Vorstellungen bedenkt, selbst an jene früher erwähnte phrygische Weihehandlung erinnern, bei welcher man in der nächtlichen Feier der Auferstehung des Gottes den Hals des Gläubigen mit einer duftenden Salbe bestreicht und ihm die Verheißung der σωτηρία zuflüstert. Daß in demselben Kult der Myste nach der Wiedergeburt Milchnahrung empfängt, da der Gott in ihm oder er in dem Gott noch ein Kind ist, hat man längst damit verglichen, daß Paulus den Korinthern, denen er nicht alles sagen konnte, weil sie noch nicht πνευματικοί waren, nur Kinder in Christo, Milch statt fester Nahrung geboten haben will. Daß später der erste Petrusbrief den gleichen Kultbrauch als Bild verwendet, wird man nur als Bestätigung für diese Erklärung anführen dürfen. Aber wichtiger als all diese Einzelzüge, die sich mühelos vermehren ließen, wird natürlich die Frage sein, ob jener ganze eigenartige Gedankengang, daß in dem Einen alle sterben und auferstehen, ob die Vorstellung von dem Sein in Christus, die Auffassung der Vision als einer das Wesen ändernden Kraft, ja selbst jene Vorstellung von dem Schauen Gottes und der vollen Autonomie und Freiheit, die es bewirkt, mit dem Geist hellenistischer Mysterienreligionen zusammenhängen. Einzelne Bilder und Vorstellungen können ja gleichzeitig und doch unabhängig an verschiedenen Stellen ent-

6*

stehen, nicht aber eine einheitliche Gedankenreihe. Dies ist der Grund, warum ich versucht habe, die Zusammenhänge der verschiedenen Vorstellungen ein wenig schärfer, als es bisher geschehen ist, hervorzuheben.

Entscheidend für mich ist dabei ein seltsames, uns zunächst kaum verständliches Empfinden der Doppelheit der eigenen Persönlichkeit, das mir bei Paulus nicht selten durchzubrechen scheint. Ich meine damit nicht das Empfinden des Widerstreites eines Willens zum Guten und eines Zwanges zum Bösen in uns; jeder tiefer empfindende Mensch kennt das, und schon Seneca kann es schildern, ohne dabei den Boden antik griechischen Empfindens weit zu verlassen. Ebensowenig meine ich den Gegensatz eines unscheinbaren Außenlebens und reichen Innenlebens, den schon Plato an seinem Meister empfand und hervorhob. Allerdings steigert sich das Gefühl für diesen Gegensatz in einzelnen Zeiten zu eigenartiger Stärke und beschränkt sich durchaus nicht auf das religiöse Gebiet. Gewiß hat der Gedanke, äußerlich nur ein armes und kümmerliches, vielleicht krüppelhaftes Menschenkind zu sein und innerlich doch das Höchste und Glückseligste, was es geben kann, ein Gotteskind, Millionen von Herzen nicht im Christentum allein getröstet. Und etwas Ähnliches war es, wenn in der Zeit, da unsere Wissenschaft noch eine Herzenssache war, der wandernde Humanist oder der darbende Schulmeister in ärmlicher Kammer den Reichtum seines Innenlebens und seines Verkehrs mit den größten Geistern aller Zeiten so beglückend empfand, daß er denen, die nur das Äußere zu sehen vermochten, stolz sagen konnte: ihr wißt gar nicht, was ich bin. Aber solche Empfindungen, die wir alle wohl nachfühlen können und die zweifellos auch auf Paulus gewirkt haben, genügen doch nicht zur Erklärung eines Satzes wie 'ich lebe, doch nicht ich, Christus lebet in mir.' Daß er uns altvertraut und fast zur Formel geworden ist, darf das Empfinden für seine Eigenartigkeit nicht abstumpfen; wir müssen suchen, ihn zunächst wörtlich zu verstehen und aus ihm manches andere uns befremdende

Wort zu deuten. Es geht mir ähnlich mit jener eigenartigen Einkleidung der höchsten Vision, auf welche sich Paulus beruft: 'Ich kenne einen Menschen in Christus, der — ob in einem Leibe oder außerhalb des Leibes, ich weiß es nicht, Gott weiß es — entrückt ward . . . dieser Mensch ward hinaufgehoben, . . . dieser Mensch hörte . . . dieses Menschen will ich mich rühmen, meiner selbst aber mich nicht rühmen, es sei denn meiner Schwachheit.' Geschraubt und gesucht nennen einzelne Erklärer diese noch nach der Ekstase fortwirkende Scheidung zweier Personen in dem eigenen Ich oder suchen wohl um sie herumzukommen, indem sie eine sprachwidrige Ausdrucksform den einfachen und klaren Worten aufzwängen wollen und den Zusammenhang zerstören.[1] Aber dasselbe Doppelempfinden des schwachen Menschen und des Gottwesens in ihm, aus dem diese Worte sich allein leicht und ungezwungen erklären, kann mir überhaupt erst die wunderbare Vereinigung der großartigen Starrheit und fast übermenschlichen Selbstgewißheit des Pneumatikers und des Seufzens und Sehnens des armen Menschenherzens nach Erlösung von der Sünde in Paulus erklären. Gewiß, solch ein Empfinden erlernt man nicht oder überträgt es kurzweg aus einer fremden Religion in die eigene; dennoch wird es im einzelnen begreiflicher, wenn wir Ähnliches in der Stimmung seiner Zeit nachweisen können. Wir finden dies Gefühl eines Doppelseins im vollsten Wortsinn in der Mysterienliteratur und den Mysterienreligionen, und wir finden es weiter im Gnostizismus, der aus ihnen hervorwächst. Auch hier ist der Pneumatiker im Grunde ein göttliches Wesen und ist trotz seines irdischen Leibes in eine andere Welt entrückt, die allein Wert und Wahrheit hat. Die Autonomie ist zuletzt

1) Es ist nicht die Anschauung der Mithrasliturgie, nach der der Myste in seinem himmlischen Leibe und Doppelgänger die Himmel durchwandert, und läßt sich doch auch wieder von dieser Anschauung nicht ganz sondern; sie gibt in gewissem Sinne die Vorbedingung für die Entwicklung der paulinischen Vorstellung, und sie kann das, weil sie, tief in den religiösen Anschauungen der Iranier wie der Inder verwurzelt, sich durch die religiöse Literatur weit über die Welt des Hellenismus verbreitet hat.

bis zur Zügellosigkeit religiöser Phantasie gesteigert, und je bunter sie die zu Anfang wohl noch den umgedeuteten Volksreligionen entnommenen Elemente ausbildet und in immer neue Zusammensetzungen bringt, um so sicherer macht sie ihrer Zeit den Eindruck innerer Wahrheit. Man darf, wenn man Kleines mit Großem vergleichen will, vielleicht an jene Nachblüte der Romantik in E. T. A. Hoffmann erinnern.[1] Aus dem Gedanken, daß neben der nüchternen Alltagswelt noch eine zweite höhere besteht, in der das Kind und der Dichter leben, und daß diese zweite Welt nicht nur auch eine Art Wahrheit hat, sondern die allein wertvolle ist, erwachsen durch inneren Zwang die immer krauseren und bizarreren Phantasien, deren Reiz für ihre Zeit gerade darin liegt, daß sie dem Alltagsmenschen so fremdartig und unverständlich erscheinen und sich an höher Organisierte wenden.

Wohl trennt eine weite Kluft Paulus von dieser späteren Entwicklung; aber Anfänge jenes hellenistischen Grundempfindens treffen wir schon bei ihm, und die religionsgeschichtliche Betrachtung darf ihn in diese Entwicklungsreihe stellen nicht als den ersten, wohl aber als den größten aller Gnostiker. Jenes allgemeine Grundempfinden aber wird sie historisch verstehen können. Aus den Todes- und Unsterblichkeitsvorstellungen hatte uralter Volksglaube die Weihe des Lebenden abgeleitet; Zauberhandlungen, deren Bedeutung im Mutterlande kaum mehr verstanden wurde, dienten ursprünglich der Darstellung. Nun kam in der Propaganda der Zusammenstoß mit fremdem Volkstum und der Zwang zu erklären; die Religion war persönlich, die Priesterweihe die Begründung der Hoffnung des Gläubigen auf das Heil geworden; griechische Sprache und griechisches Denken zwang, Begriffe zu formulieren und Deutungen zu suchen. Widersprüche waren hier schon für den Heiden unvermeidlich und lassen sich z. B. in der hermetischen Literatur leicht verfolgen. Für

---

1) Vgl. Beigabe XVIII.

Paulus werden sie durch den tiefen sittlichen Ernst der jüdischen Religion, dem zauberhafte Verwandlung des sündigen Menschen in ein Gottwesen schroff widerspricht, noch schneidender. Überwunden hat er sie nicht, aber in dem Ringen um einen Ausgleich erwuchsen ihm die tiefsten religiösen Empfindungen und Erkenntnisse und schufen eine Sprache des Herzens auch für die Zeiten, denen die Empfindung für den Zwang, aus dem sie geboren ward, und damit das Verständnis für das einzelne Wort längst verloren war.

Der Gegensatz von Autonomie des religiösen Empfindens und Gebundenheit durch die Tradition, der die Entwicklung jeder höheren Religion bestimmt, ist für das nachexilische Judentum unendlich verschärft, zunächst durch die unmittelbaren Einwirkungen anderer orientalischer Religionen, bald auch durch den sie verstärkenden und zum Teil wiederholenden Einfluß des Hellenismus, der auf diesen Gebieten nach unserer Auffassung ja im wesentlichen orientalisches Edelmetall in griechischer Prägung bot. Die Frage, wieweit jene beiden Wellen der gleichen Flut auf Paulus schon durch jüdische Vermittlung gewirkt haben, muß gewiß einst aufgeworfen werden. Aber als entscheidend darf sie überhaupt nicht gelten, und ganz beantworten wird sie sich nie lassen. Daß Paulus auf die Anschauungen der Gemeinden, an die er schreibt, Rücksicht nimmt und sich müht, auf ihre Sprache und Vorstellungen einzugehen, sehen wir in den Korintherbriefen und müßte selbstverständlich sein. Insofern ist ein Zusammenwirken indirekter und direkter (also zunächst hellenistisch-jüdischer und später rein hellenistischer) Einflüsse von vornherein wahrscheinlich. Nur darf man das Innerste und Persönlichste in der Religiosität des Paulus nicht aus dem Glauben seiner späteren Gemeinden herleiten. Daß an der Peripherie des palästinensischen Judentums sich schon starke Einwirkungen anderer orientalischer Religionen fühlbar machen, zeigt die Predigt des Täufers, die durch eine wenig jüngere mandäische Schrift überraschend erläutert und ergänzt wird. Aber was wir von der Johannistaufe wissen, bleibt von der paulinischen Auffassung des mit Christus vereinigenden Sakramentes noch weit entfernt. Daß auch sonst im Judentum symbolische Handlungen wie das Reinigungsbad Wert gewinnen und einzelne an den Hellenismus anklingende Bilder vielleicht damals schon aufkommen, wie etwa, daß, wer sich von seinen Sünden bekehrt, einen Geist der Reinheit empfängt, der ihn antreibt, den Weg des Guten zu wandeln, und daß er so leben soll, als ob er eben erst geboren wäre, oder daß der durch die Taufe und Beschneidung hindurchgegangene Proselyt, der aus seinem Volkstum und allen Beziehungen gelöst ist, einem neugeborenen Kinde gleich ist, — all das kann man ruhig zugeben und es doch für viel zu wenig halten, um auch nur den Glauben an das Sterben des alten Menschen und die Schöpfung des neuen aus dem Jüdischen abzuleiten. Derartige religiöse Wirkungen üben nicht Einfälle, sondern Lebensüberzeugungen. Gewiß ist es wichtig, daß wie in der gesamten Umwelt, so auch im Judentum damals trotz der offiziellen Ablehnung der Glaube an die fortdauernden 'Wirkungen des Geistes', an Prophetentum, Wunderkraft und Zauber wieder zunimmt, aber man darf wohl fragen, wo denn auf jüdischem Boden diese 'Wirkungen des Geistes' ähnlich zentrale Bedeutung für die σωτηρία haben, daß sie eine völlige Änderung der ganzen Wesenheit und Natur bedeuten. Wo finden wir irgend etwas dem hellenistischen Mysterium Entsprechendes? Jene Vision ferner, die den Paulus oder sein zweites Ich zum dritten Himmel entrückt, ist gewiß 'jüdisch' empfunden. Sie nennt ja statt des 'Gefildes der Wahrheit', das der hellenistische Myste in der Himmelswanderung sucht, das Paradies und mag sich auch in der Zahl der Himmel von den hellenistischen Gegenbildern unterscheiden. Jüdische Apokalypsen und Himmelfahrten wird es jedenfalls auch schon gegeben haben, und Vorstellungen derart sind, allerdings völlig verblaßt und ohne jede religiöse Bedeutung, bis in die rabbinische Literatur gedrungen. Aber Himmelfahrten und Apokalypsen sind durch den Hellenismus zur Erbauungsliteratur geworden und werden am Schreibtisch erfunden oder umgebildet. Es ist etwas anderes, wenn ein Paulus solche Visionen erlebt; das setzt voraus, daß er schon vorher ganz in diesen Anschauungen gelebt hat, und die Art der Erzählung zeigt, daß auch seine Gemeinde diese Anschauungen kennt. Und auf diese Vision kann er seinen Anspruch, nicht unter, sondern eher über den Uraposteln zu stehen, nur gründen, wenn er selbst ebenso wie seine Gemeinde von der hellenistischen, also ursprünglich orientalischen, aber nicht jüdischen Wertung dieses unmittelbaren Schauens Gottes durchdrungen ist, und — wenn die Petrusgemeinde zu Korinth nichts Ähnliches von ihrem Meister zu berichten hat.

Aber wir haben ja einen absolut sicheren Beweis und zugleich einen Gradmesser für die Stärke sogar der unmittelbaren Einwirkung des Hellenismus auf den Apostel, ich meine die Sprache. Die Wörter, welche in einem derartigen, in seinem Ursprung fraglichen Zusammenhang technisch gebraucht sind, müssen befragt werden, also in unserem Falle etwa ψυχικός und πνευματικός, γνῶσις und ἀγνωσία, φωτίζειν und δόξα, μορφοῦσθαι und μεταμορφοῦσθαι, bzw. μορφή, σῴζεσθαι und σωτηρία, oder νοῦς in dem Sinne von πνεῦμα als jenes göttliche Fluidum, das dem Erwählten als Gnadengabe, als χάρισμα, verliehen wird. Die Vorstellung, die sich dem Apostel mit jedem von ihnen verbindet, darf doch nicht aus moderner Spekulation, sondern nur aus dem Gebrauche seiner Zeit gewonnen werden, und jedes dieser Wörter hat in ihm seine eigene Geschichte. Wer uns so mit einer Kenntnis beider Sprachen und Literaturen die Worte und Bilder der verschiedenen Gedankenkreise des Paulus und seiner Nachfolger erläuterte, würde uns erst wirklich in sein Denken einführen[1], und jene übergewaltige, religiös schöpferische Indivi-

1) Eine andere, nicht immer streng zu scheidende Reihe von Worten und Bildern bietet dann der Vergleich mit der mandäischen und, soweit sie übereinstimmt, manichäischen Literatur. Hier werden östliche Einwirkungen auf das palästinensische Judentum stärker als solche des eigentlichen Hellenismus in Frage kommen.

dualität würde nicht verlieren, wenn wir erkennten, was er aus dem tiefsten Empfinden der beiden ihn umgebenden Welten sich zu eigen gemacht und in sich umgebildet hat.

Die wenigen Tatsachen, die er uns aus seiner Entwicklungsgeschichte mitteilt, lassen sich jetzt etwas innerlicher miteinander verbinden.[1] Aufgewachsen in der Diaspora, also in der griechischen Weltsprache denkend, mit dem weiten Horizont, den die volle Zugehörigkeit zu dem Weltreiche gibt, teilnehmend an der Weltkultur mit ihren seltsamen Gegensätzen und Verbindungen, sucht er für ein ungewöhnlich tiefes religiöses Bedürfen zunächst in der Religion der Väter Befriedigung. Er ringt darum, in Jerusalem ganz 'Jude' zu werden. Daß er sich dabei den Pharisäern anschließt, die trotz des 'Eifers um das Gesetz' doch starke Einwirkungen von dem iranischen Unsterblichkeitsglauben erfahren haben und die eigentlichen Träger des Missionsgedankens in dem Stammland sind, ist gewiß begreiflich; die gleichen Einwirkungen haben ja, sogar noch stärker, das Diaspora-Judentum beeinflußt, hier durchsetzt mit den Elementen hellenistischer Mystik. Anders als Philo, den man vergleichen, aber nie zur genetischen Erklärung heranziehen kann, empfindet Paulus allmählich den inneren Gegensatz beider Elemente. Eine Gerechtigkeit, die wirklich zur Vereinigung mit Gott führen könnte, kann er in dem Gesetzesdienst des älteren Judentums nicht mehr finden; denn in seinem Vollsinn ist das Gesetz unerfüllbar. Es weckt in ihm nur das Empfinden der Sündhaftigkeit und Gottesferne. Der Kampf gegen die neuauftauchende Sekte, an dem er mit Eifer teilnimmt, zwingt zu weiterem Nachsinnen. Ein gewaltiges inneres Erlebnis, eine Vision, über die wir Näheres nie erraten werden, bringt mit der vollen Überzeugung von der Auferstehung zugleich den Bruch mit der Vergangenheit, den Anschluß an die Gegner, die er bisher bekämpft hat. In einer hellenistischen Gemeinde empfängt er die

---

1) Vgl. Beigabe XX.

erste Belehrung, in zwei Jahren einsamen inneren Ringens um eine neue religiöse Gesamtanschauung wird ihm aus der jüdischen Messiashoffnung der Glaube an einen die Menschheit erlösenden Gesandten Gottes, der erschienen ist und in den Seinen weiter wirkt. Daß Paulus für diesen Gedanken in einem orientalischen oder hellenistischen Glauben einen gewissen Anhalt und eine Art Vorbild gehabt hat, würde ich voraussetzen müssen, auch wenn mir die Religionsgeschichte nicht die Möglichkeit, ja die Wahrscheinlichkeit nachwiese. Daß er diese Vorstellung mit dem als Gotteslästerer gekreuzigten Jesus verband, ist dennoch eine ungeheure Glaubenstat, die sich nur aus der Überzeugung begreifen läßt, daß jene völlig neue Auffassung Gottes und seines Verhältnisses zu den Menschen, die Jesus verkündet hatte, die einzig wahre ist, weil nur sie der Seele Frieden bringt. Jesus muß 'der Gesandte' gewesen sein. Aber die Form, in der er sich sein inneres Erlebnis begreiflich macht, knüpft nicht an die jüdische Vorstellung vom Propheten, sondern an eine hellenistische an, und eine hellenistische Gemeinde ist es, in der er sich eine führende Stellung erringt und die ihn dann zuerst als Missionar entsendet. Und die Schau jenes göttlichen Gesandten gewinnt für ihn eine ganz andere Bedeutung als für die Fünfhundert in Jerusalem die Schau des auferstandenen Meisters. Sie gibt ihm nach seinem Empfinden eine ganz einzigartige religiöse Stellung und Unabhängigkeit. Der Gesamtheit der Apostel tritt er damit gleichberechtigt gegenüber. Läßt sich diese Wertung der Vision aus der hellenistischen Religiosität erklären, so haben wir ein Recht zu sagen: mag unendlich viel im Denken und Empfinden des Paulus jüdisch geblieben sein, dem Hellenismus verdankt er den Glauben an sein Apostolat und seine Freiheit. Hierin liegt die größte und für die Weltgeschichte bedeutsamste Wirkung der antiken Mysterienreligionen.

BEIGABEN UND AUSFÜHRUNGEN

I. BETRACHTUNGSART UND UMGRENZUNG DES STOFFES

Es handelt sich in den vorliegenden Untersuchungen nicht um die griechische Religion oder Religiosität, wie sie in den Stadtstaaten sich ausgebildet hat, und ebensowenig um die einzelnen orientalischen Volksreligionen als solche, wohl aber um eine allgemeine Religiosität, die sich auf Grund beider Faktoren entwickelt. Gewiß haben zu ihrer Bildung die einzelnen Völker in verschiedener Stärke beigetragen, aber reinlich auszusondern ist ihr Eigenbesitz schon, als das Griechentum die äußere Herrschaft übernimmt, nicht mehr. Die Volksreligionen bestehen fort, aber keine will und kann sich mehr auf ihr Volkstum beschränken. Sie müssen werben, schon um sich zu erhalten, und dieser Werbetätigkeit gibt die Zugehörigkeit zu den großen politischen Gebilden notwendig die Richtung, die Sprache und damit zum Teil auch die Begriffe. Nur auf das herrschende Griechentum und die hinter ihm liegende Welt des Westens kann ihre Missionstätigkeit sich richten[1]; hier findet sie zugleich die geringste Widerstandskraft. Notwendig treten dabei in diesem Kampf und bei dieser Mischung diejenigen heiligen Handlungen, welche die Zugehörigkeit zu der neuen Religion und die Verheißung, die sie bietet, zum Ausdruck bringen, in den Mittelpunkt: es sind die Mysterien. Bei ihrer Untersuchung werden wir also am besten die wesentlichen Züge oder G r u n d a n s c h a u u n g e n jener nicht mehr hellenischen, sondern h e l l e n i s t i s c h e n[2]

1) Auch für Paulus kommen außer den Juden nur die Ἕλληνες in Frage; es ist ein fester, einheitlicher Begriff, der sich an die Bildung heftet. Sie ist das Werbemittel des herrschenden Standes. Daß die völkische Werbetätigkeit in einzelnen Gebieten auch den religiösen Gegenstoß gegen eine politisch orientierte zwangsweise Ausbreitung griechischen Kultes darstellt, kommt weniger in Frage. Ihr scheint in der Regel eine starke Ausbreitung der griechischen Bildung vorauszugehen und. da der griechischen Religion die innere Kraft fehlt, bereitet sie mehr eine Orientalisierung der griechischen als eine Hellenisierung der orientalischen Religiosität vor.

2) Das Wort hat, wie ich zu allen Zeiten betont habe, für mich den Sinn

Religiosität erkennen, mit der die größte aller Missionsreligionen, das Christentum, jahrhundertelang kämpft und durch die es zugleich notwendig in vielem bestimmt wird. In ihm müssen wir ihre weltgeschichtlichen Wirkungen verfolgen.

Die Art jeder wissenschaftlichen Untersuchung muß sich aus der Beschaffenheit des Materials ergeben. Für die vorliegende ist es außerordentlich klein; es handelt sich ja um Geheimnisse. Nur in Umrissen werden uns einzelne heilige Handlungen angedeutet, und Widerspiegelungen lassen sich unter Umständen nachweisen; die religiöse Bedeutung wird öfter angegeben, und die dabei technisch verwendeten Worte gestatten Rückschlüsse auch auf die Handlungen. Aber welche Mysterienhandlungen bestimmten Religionen eigentümlich sind, können wir fast nie sagen und müssen, wo wir Übernahme ins Christentum annehmen, gerade auf das verzichten, was manchem Forscher noch jetzt als das wichtigste erscheint, den eigentlichen Herkunftsnachweis. Ich halte diesen Verlust nicht für entscheidend. Nie könnte nach Lage der Dinge der Herkunftsnachweis uns mehr als ein Zwischen- oder Scheinresultat ergeben. Ist die Tatsache der Entlehnung auch ohne ihn gesichert, hat er nur noch Nebenbedeutung. Wir sind bei religionsgeschichtlichen Untersuchungen ja nicht so glücklich gestellt und werden es niemals sein, daß wir von einer bestimmten Anzahl bekannter Urreligionen ausgehen und eine neu auftauchende analysieren können wie der Chemiker einen Mineralbrunnen, dessen Ingredienzien er nach Prozentenbruchteilen bestimmt. Nehmen wir nur einmal die beiden großen Religionen, über die wir am besten unterrichtet sind, die ägyptische, für deren Entwicklung uns unvergleichlich reiches Material vorliegt, und die persische, die an religionsgeschichtlicher Bedeutung alle anderen übertrifft: wieviel von dem, was wir im hellenistischen Ägypten nachweisen können, führen wir jetzt auf persischen Einfluß zurück, und wieviel können wir jetzt als iranisch be-

einer Wesensbezeichnung. Nur so kann man es in der Religionsgeschichte, für die der Eintritt der römischen Herrschaft doch keinerlei Einschnitt bedeutet, überhaupt gebrauchen. Daß damit nur der eine, an sich sogar der minder wichtige Bestandteil einer Mischung zum Ausdruck kommt, empfinde auch ich als Mangel, weiß aber dafür keine praktisch verwendbare Abhilfe.

zeichnen, was noch vor fünfzehn Jahren kein Mensch so zu nennen gewagt hätte! Überall suchen wir jetzt nach Vermittlungsgliedern und staunen, wieviel Aufschluß uns auch kleine und vergleichsweise junge Religionsbildungen wie die mandäische bieten können. So bietet sich für unsere Untersuchung nur ein anderes Verfahren, das ich nach der ersten Ausgabe dieses Buches in der Zeitschrift für Neutestamentliche Wissenschaft XIII, 1912, S. 14 darzulegen und theoretisch zu rechtfertigen versucht habe. Wir gehen nicht von den Religionen, sondern von den einzelnen Schriftwerken aus und vergleichen möglichst viele miteinander. Die Anschauungen und die religiöse Sprache der Einzelpersönlichkeit, die der hellenistischen Entwicklungsstufe angehört, ist das für uns wahrhaft Wertvolle; die Frage, ob wir sie ganz oder auch nur zum überwiegenden Teil einer bestimmten Religion zuweisen können, steht erst in zweiter Linie; wir fassen ja nicht diese Religion, sondern die Religiosität eines ganzen Zeit- und Entwicklungsabschnittes ins Auge. So haben die Anschauungen der sogenannten Mithrasliturgie für uns Bedeutung trotz der Erkenntnis, daß wir sicher nicht die Liturgie der offiziellen Mithrasmysterien vor uns haben und niemand sagen kann, wieviel Gläubige ihr Verfasser gefunden hat. Daß im Poimandres einer der nachweislich vielen Propheten zu uns spricht, die damals sich selbst als Gottwesen fühlten und durch ihre Lehre die Menschheit erlösen wollten, hätte für uns Wichtigkeit, auch wenn wir nicht neuerdings gelernt hätten, daß er eine altiranische Schrift zugrunde legt, und trotzdem wir immer noch nicht wissen, wie stark die Schar seiner Anhänger gewesen ist und wie sie organisiert war. Religiosität ist Sache der Einzelpersönlichkeit und muß an ihr zuerst erforscht werden. Durch den Vergleich einer Anzahl solcher Einzelbilder suchen wir dann ein Gesamtbild der Zeit zu erlangen. Das mag erklären, warum hier so viel scheinbar unzusammenhängende Schriftwerke und Tatsachen aneinandergereiht werden. Ob das Verfahren richtig ist, muß danach beurteilt werden, ob es zu wirklichen Ergebnissen führt.

Wer einen neuen Weg einschlägt, muß sich darauf gefaßt machen, daß man ihn meist ungehört verurteilt. Ich bin weder erstaunt noch entmutigt gewesen, wenn mir auch von hochverehrten Fachgenossen die Äußerung berichtet wurde: 'hellenistische Mysterienreligionen kenne ich nicht', also dem Wort Hellenistisch eine ganz andere Bedeutung beigelegt wurde. Seinen Lesern, hoffte ich, würde das Buch Beispiele genug bieten, in denen das religiöse Element offenbar altorientalisch ist und die griechische Beimischung lange vor Beginn unserer Ära eingetreten sein muß[1]; eine chronologische Abfolge, die ja nie durchzuführen gewesen wäre, hatte ich freilich nicht herzustellen versucht. Hiervon bis zu einem gewissen Grade abzugehen, ist meine Pflicht, weil ein so hervorragender Historiker wie Ed. Meyer in einem ungemein weit verbreiteten, der religiösen Entwicklung dieser Zeit gewidmeten Werk 'Ursprung und Anfänge des Christentums' (III S. 393), auf Grund einer Nachprüfung sein Urteil dahin abgegeben hat: 'Den Nachweis, daß «eine hellenistische Mysterienreligion» oder vielmehr mehrere derartige konkurrierende Religionen sich schon in vorchristlicher Zeit entwickelt und verbreitet hätten, kann ich nicht als geführt ansehen; ihre Entwicklung — auch die der Mithrasmysterien[2] — läuft vielmehr der des Christentums parallel und ist in ihrer weiteren Ausgestaltung vielfach von diesem beeinflußt.' Die letzte Behauptung, die in ihren Konsequenzen unsere Anschauung von

1) Suchen wir für die Datierung feste Zeugnisse, so müssen wir uns natürlich vergegenwärtigen, welcher Art und wie gering an Umfang die aus der Zeit zwischen Alexander und Augustus erhaltenen Literaturstücke sind. Ihre Zahl kann nur klein sein.

2) Hierin scheint angedeutet, daß Ed. Meyer dem bekannten Zeugnis des Plutarch (Pomp. 24) oder vielmehr seiner alten Quelle den Glauben versagt; sie spricht ausdrücklich von den Weihen. Ich kann mich nur auf das Urteil des besten Sachkenners, Cumont, berufen (siehe jetzt Cumont-Latte, Die Mysterien des Mithras, S. 83). Auch die anschließende Vermutung Plutarchs, die römische Mithrasgemeinde sei damals (i. J. 67 v. Chr.) entstanden, hält Cumont für durchaus möglich, von dem hohen Alter der Mysterien ist er fest überzeugt. Ich sehe nicht, was sich einwenden ließe. Dagegen kann ich die Nachricht des älteren Plinius (XXX 17), daß Tiridates den Nero durch *magicae cenae* geweiht habe, nicht mit der gleichen Zuversicht wie Cumont auf die eigentlichen Mithras-Mysterien beziehen. Eine Juvenalstelle wird uns später auf einen armenisch-iranischen Kult weisen, der zu dem ganzen Zusammenhang der Pliniusstelle besser paßt. Ein Mysterienkult ist es freilich auch und für Armenien damals offiziell; daher gehört der König ihm an. Ein gewisses Alter werden wir auch für ihn voraussetzen dürfen.

dem Verhältnis des jungen Christentums zu den umgebenden heidnischen Religionen vollkommen umgestalten müßte, bleibt leider ohne jeden Versuch, einen Beweis auch nur anzudeuten; ich darf nicht wagen, ihre Begründung zu erraten. Ebensowenig kann ich freilich sagen, wo Ed. Meyer jenen Nachweis gesucht und nicht erbracht gefunden hat. Eine polemische Anmerkung schließt ganz und schöpft einzig aus einer Stelle in Boussets Kyrios Christos[1] S. 295, die Ed. Meyer wohl mißverstanden hat. Bousset erwähnt eine Äußerung Wendlands (Ztschr. f. neutest. Wissenschaft V, 1904, S. 353), das Aufblühen der Mysterienkulte falle erst in die Romantik des zweiten nachchristlichen Jahrhunderts. Diesen Satz stellt Ed. Meyer als autorativ voraus, vergißt aber leider, daß Wendland, der ihn im Anfang seiner religionsgeschichtlichen Arbeiten zur Stütze seiner Herleitung des Soterbegriffes aus dem Kaiserkult gegen Wobbermins Herleitung aus dem Mysterienkult aufgestellt hatte, sich in seinem Hauptwerk, 'Die hellenistisch-römische Kultur'[2], 1912, im wesentlichen meiner Auffassung von Alter und Wirkung der Mysterienreligionen angeschlossen (S. 184 bis 186 u. sonst) und Paulus nicht ohne Beeinflussung durch sie verstehen zu können erklärt hat. Ed. Meyer, der nur über das Wort σωτήρ handelt, fährt dann fort: 'Wenn Bousset ... «zum Beweise dafür, daß Mysteriengötter auch in früherer Zeit den Titel σωτήρ erhalten haben» eine Inschrift aus der Zeit des Ptolemaios IV. anführt Σαράπιδι καὶ Ἴσιδι σωτῆρσιν, so ist in keiner Weise erweisbar, daß diese Götter hier als Mysteriengötter angerufen werden und daß der Beiname etwas anderes bedeutet als bei so zahlreichen anderen Göttern, die ihn auch erhalten.' Ziemlich dasselbe hat Bousset auf der nächsten Seite gesagt. Er hat ja auch von dem Alter der Mysterienreligionen als solcher weder gehandelt noch handeln wollen[1], sondern ausschließlich von zwei in ihrer Einseitigkeit sicher unrichtigen Herleitungen des σωτήρ-Titels für Christus.[2]

Aber wenn auch bei dieser Beschränkung der Begriffes My-

1) Wie er hierüber dachte, geht aus den 'Hauptproblemen der Gnosis' (Kap. VII) und dem Artikel Gnosis in der Realencyclopädie genügend hervor.

2) Noch weniger freilich hat er zugegeben, was Ed. Meyer ihn in der nächsten Anmerkung zugeben läßt.

sterienreligion mein Buch[1] ebensowenig berücksichtigt scheint wie Wendlands Hauptwerk, Cumonts Orientalische Religionen im römischen Heidentum, Dieterichs Mithrasliturgie u. a., wird es doch jetzt notwendig sein, im Eingang einmal an ausgewählten Beispielen die zeitliche Bezeugung zusammenfassend zu erörtern; ich beginne mit der Zeit, welche dem Entstehen des Christentums nahe vorausliegt.

Mit zelotischem Eifer wendet sich Philo von Alexandria (De spec. leg. I 319—325) gegen diejenigen Juden, die sich, um mit den Hellenen zu verschmelzen, einer der zahlreichen Mysteriengemeinden zuwenden;[2] er unterscheidet ihre geheimen Weihen dabei ausdrücklich von dem öffentlichen Kult der hellenischen Stadtgötter. Er beschreibt ferner Abtrünnige, die sich einem der vielen wundertuenden und wahrsagenden Propheten dieser öffentlich anerkannten Stadtgötter anschließen und schildert — was meist übersehen wird — diese Männer ganz ähnlich wie Lukian später den Alexander von Abonoteichos; wie Lukian will er sie nicht Propheten, sondern Goëten nennen. Ich betrachte das für ein 'Zeugnis', das für mich dadurch Bedeutung gewinnt, daß derselbe Philo doch schon die meisten Worte und Begriffe der späteren Mysteriensprache kennt, z. B. den so entscheidend wichtigen der Wiedergeburt. Daß man aus Philos Worten vielleicht schließen kann, daß es sich um kleinere Gemeinden privaten Charakters handelt, macht hier keinen Unterschied. So verbreiten sich Mysterienreligionen fast immer, und gerade von solchen Formen habe ich gehandelt; auch sie werden, wie wir gleich sehen werden, zu ernsten, selbst Staaten bedrohen-

1) Ich habe die Mithrasmysterien überhaupt nicht, die Attismysterien nur beiläufig besprochen, weil ich Cumonts und Hepdings Darstellungen voraussetzte; von dem, was ich als erweislich alt angeführt habe, begegnet nichts bei Ed. Meyer.

2) Ihre Absicht ist klar; nur sie begründen eine wirkliche Lebensgemeinschaft mit den Hellenen. Auch der später zu besprechende Erlaß des Ptolemaios Philopator erkennt den Juden, der in eine solche eingetreten ist, als Hellenen und Vollbürger an. Der Initiationseid wird dabei als Aufgabe des Judentums gefaßt. Die Begünstigung derartiger Sakralverbindungen, soweit sie 'Hellenen' zulassen, liegt in den Diadochenreichen im Staatsinteresse, im römischen Reich zunächst nicht.

den Mächten. So nehme ich gleich eine im letzten Dezennium viel besprochene Gemeinde hinzu, deren Entstehung wir einigermaßen datieren können, die von einem gewissen Dionysios im zweiten oder spätestens im Anfang des ersten Jahrhunderts vor Christus in Philadelpheia in Lydien begründete Gemeinde, deren Statut uns inschriftlich erhalten ist.[1] Einen älteren Kult der phrygischen Mysteriengöttin Agdistis, die als Hausherrin, bzw. Tempelherrin erscheint — der Tempel ist Privatbesitz und hat altüberlieferten Familienkult — hat er mit dem verschiedener hellenischer Götter (oder Personifikationen) verbunden auf Befehl des Zeus, vgl. Z. 12 τού[τῳ] δέδωκεν ὁ Ζεὺς παραγγέλ[ματα τούς τε ἁ]γνισμοὺς καὶ τοὺς καθαρμοὺς κα[ὶ τὰς θυσίας ἐπι]τελεῖν κατά τε τὰ πάτρια καὶ ὡς νῦν [εἴθισται], also phrygisch und griechisch, wie auch Weinreich deutet. Die eigentlichen Mysterien werden uns natürlich nicht verraten; die den Mitgliedern auferlegten sittlichen Verpflichtungen könnten Einfluß der Orphik, aber auch des Judentums vermuten lassen, doch läßt sich Sicheres nicht sagen. An die Zusammenkünfte der christlichen Gemeinden, zunächst in Privathäusern, und an ihre sittliche Zucht[2] denkt nach den Briefen des Paulus wohl jeder. Auch jene im bosporanischen Reich, allerdings in nachchristlicher Zeit, inschriftlich oft bezeugten Verehrer des Hypsistos[3] müssen eine ähnliche Organisation gehabt haben; in derselben Stadt finden sich verschiedene Gemeinden desselben Gottes, freilich nach 'Vater'

1) Dittenberger, Sylloge[3] III N. 985, vgl. Weinreich, Sitzungsber. d. Heidelberger Akad. 1919, Abh. 16.

2) Es gibt wenig verkehrtere Behauptungen als die unlängst vorgebrachte, die Mysterienreligionen wendeten sich nur an die Reinen, Gerechten oder Heiligen; darin bestände ihr Unterschied gegenüber dem Christentum. Das Gegenteil wird von den hellenistischen Mysterien immer wieder vorausgesetzt — auch in der besprochenen Stelle des Philo —: gerade die Sünder, ja die Verbrecher wenden sich ihnen zu. Natürlich werden sie vor der Weihe entsühnt und geloben, nun rein zu leben. Verstoßen sie gegen ihren Schwur, so sind sie bis zur Entsühnung von der Gemeinde ausgeschlossen. Wenn Philo die Mysteriengemeinden sich aus Räubern, Piraten und Schwärmen liederlicher Weiber rekrutieren läßt, weicht er nicht allzuweit von dem ab, was Paulus über das Vorleben der korinthischen Christen verrät. Und doch sind ihm die Christen als Gemeinde die ἅγιοι und ἐκλεκτοί.

3) Schürer, Sitzungsber. d. Preuß. Akad. 1897, S. 200f.

und Priester verschieden; auch finden wir hier ἀδελφοὶ εἰσποίητοι vereinigt mit und doch wieder getrennt von den γνήσιοι wie etwa die heidenchristlichen und judenchristlichen Gemeindeglieder in Antiochia. Der Vergleich ist berechtigt, denn frühzeitig in jene Gegenden gedrungener iranischer Glaube scheint sich dort mit dem jüdischen innig verbunden zu haben. Nun zeigt uns eine mysische Inschrift des zweiten oder ersten Jahrhunderts v. Chr. (Perdrizet, Bull. corresp. hell. XXIII, 1899, S. 592 u. Tafel IV) das Alter auch dieses Mischkultes und zugleich eine starke Ähnlichkeit mit den Dionysos- oder Sabazios-Mysterien, und ein Sabazios-Thiasos verehrt den Hypsistos in einer Altarinschrift auf thrakischem Gebiet.[1] Ein Forscher wie Cumont hat schon vor längerer Zeit darauf hingewiesen, daß in derartigen zwischen Judentum und Heidentum stehenden Gemeinden das junge Christentum wohl zunächst Boden und Verbreitung gefunden hat.[2] Doch gehe ich hierauf zunächst nicht ein und greife ein Zeugnis über die großen Mysterien heraus, das uns — wohl überflüssigerweise — bezeugt, daß Philo nicht von den großen und vornehmen, rein griechischen Mysterien in Alexandria, etwa den eleusinischen, sondern von wirklich 'hellenistischen' redet. Aus Rom, und zwar aus dem Jahre 19 n. Chr. berichtet Josephus Ant. XVIII 65 Na. die Feier eines ἱερὸς γάμος einer vornehmen Matrone mit Anubis, die zur zeitweisen Unterdrückung des Isiskultes durch Tiberius führt. Der von einem Liebhaber bestochene Priester hat der Frau die Aufforderung des Gottes, also ihre B e r u f u n g, mitgeteilt und

1) Oesterr. arch. epigr. Mitteilungen X, 1886, S. 238.

2) Die orientalischen Religionen im römischen Heidentum, 1914, S. XII. Ich hatte Cumonts Mahnung zunächst übersehen, kam aber später durch die Analyse heidnischer und gnostisch-christlicher Schriften selbst zu einer ähnlichen Betonung jenes im Heidentum zerflossenen Teiles des Judentums (Reitzenstein-Schaeder, Teil I). Daß Cumont a. a. O. nachdrücklich betont, daß in dem hellenistischen Orient, 'dessen religiöse Entwicklung in den drei letzten Jahrhunderten v. Chr. uns fast unbekannt ist', für das Abendland die nächsten Quellen liegen und daß er, wie ich, betont, bestimmend für die Religiosität sind die orientalischen Mysterienreligionen, sei beiläufig hervorgehoben. Der Versuch, uns zu einander in Gegensatz zu stellen, haftet an herausgegriffenen Einzelheiten aus früheren Arbeiten und — an der Verschiedenheit der Aufgaben, die wir uns gestellt haben.

dann in das Brautgemach zu ihr jenen Liebhaber eingelassen. Die Frau hat ihrem Gatten und ihren Freundinnen arglos ihr Erlebnis erzählt und sich ihrer Begnadigung gerühmt; nur die Frechheit des Liebhabers führt nachträglich zur Entdeckung des Sachverhalts. Man kann die Angaben des Josephus nicht dadurch verdächtigen, daß man das 'Motiv' eines solchen Betruges in der Unterhaltungsliteratur verfolgt. Der Ton ist nicht der einer Novelle oder eines Schwankes, sondern entspricht in den einzelnen Angaben dem einer gerichtsmäßigen Feststellung, die literarisch ausgeführt ist, etwa wie der Bericht des Livius über die Enthüllung der Bacchanalia. Josephus konnte auch vortrefflich unterrichtet sein, denn die Untersuchungen über orientalische Kulte beschränkten sich bekanntlich nicht auf den ägyptischen. Auch die jüdische Gemeinde wurde davon betroffen, und mehr als viertausend Juden, römische Bürger, büßten mit Verschickung nach Sardinien eine nach Josephus an sich sehr viel harmlosere, durch vier angebliche Priester verübte Prellerei. Auch die lateinischen Historiker erwähnen die Sache als einen bemerkenswerten Schritt der römischen Regierung. Nun kennt der ägypfische Glaube wirklich derartige Verbindungen eines Gottes mit einer verheirateten Frau: die Liebesvereinigung des Gottes Amon mit der Königin, die von ihm den zur Herrschaft bestimmten Sohn empfängt, wird im Tempel dargestellt, und Inschriften geben uns die Worte, die beide tauschen, den ἱερὸς λόγος des heiligen Berichtes.[1] Aber auch Frauen hoher Beamter erhalten frühzeitig den Ehrentitel, Nebenfrauen und Geliebte des Amon zu sein. Wenn griechisch geschriebene theologische Schriften, die noch Plutarch kennt und an mehreren Stellen zitiert, diese Vorstellung philosophisch rechtfertigen, so ist ihr Zweck sicher nicht, späten Griechen die Göttlichkeit der alten Pharaonen, sondern einen fortlebenden Mysterienbrauch zu rechtfertigen. Diese Rechtfertigungen nun benutzt Philo in seinen allegorischen Erklärungen, also an den Stellen, wo er die Mysteriensprache verwendet: für den sterblichen Vater zeugt der Gott

1) Auf die Bedeutung dieser ägyptischen Theologie hat soeben Norden in seinem schönen Buch 'Die Geburt des Kindes' hingewiesen. Ich werde auf sie und auf die im Text nicht angeführten Stellen später zurückkommen.

den Sohn, er öffnet den Mutterschoß, gibt die ἀρχαὶ γενέσεως, und während der sterbliche Mann eine Jungfrau zum Weibe macht, macht der Gott durch seine Umarmung ein Weib wieder zur Jungfrau. Für Ägypten bezeugt ein Fortleben dieser Mysterien noch Rufin in der Kirchengeschichte, für das Judentum Kenntnis dieser Anschauung der Midrasch von Aseneth, dem Weibe Josephs. Gnostische Mysterien wie die Taufe eines Teils der Valentinianer oder die Prophetenweihe des Gnostikers Markos bieten uns weitere Zeugnisse — das Christentum werden wir wohl hierfür nicht verantwortlich machen dürfen, — und Lukians Bericht, daß vornehme Männer in Rom dem Alexander von Abonoteichos, der ein solches Mysterium selbst zur Darstellung bringt, ihre Frauen zuführten, wird etwas glaubhafter, zumal wenn wir uns ähnlicher Verirrungen in der letzten Zeit des russischen Zarentums erinnern. Nach alledem sehe ich keinen Anlaß zu bestreiten, daß das ägyptische Mysterium, dessen schändlicher Mißbrauch im Jahre 19 zur Unterdrückung des Isiskultes führte, schon mit der Begründung des Isiskultes und der Einsetzung des Collegs der *pastophori* unter Sulla nach Rom gekommen ist; an sich reicht es bis in unbestimmbar frühe Zeit herauf.

Auf ein weiteres Zeugnis führt mich die naheliegende Frage, auf welches Präzedens sich die kaiserliche Regierung damals berufen konnte. Wenn Livius den ungemein genauen Bericht über die Unterdrückung der Bacchanalien, der ihm noch vorlag, in einer trotz starker Verkürzung noch immer ganz unverhältnismäßigen Breite wiedergibt[1], so kann ich als seinen Zweck nur vermuten, ein Vorbild für die Behandlung derartiger Fälle der eigenen Zeit und der Nachwelt zu bieten. Ist doch die augusteische Regierung dem Eindringen orientalischer Kulte mindestens seit dem Prinzipat abgeneigt. Tiberius setzte also auch hier nur die Tradition seines Vorgängers fort, freilich wohl in

---

1) Es ist beachtenswert, daß Cicero (De leg. II 37) den Hergang genau kennt und als seinen Lesern bekannt voraussetzt; es ist für ihn das älteste und maßgebende Beispiel für das Eindringen und die Unterdrückung eines Mysterienkultes. Man möchte vermuten, daß in letzter Linie die *annales maximi* zugrunde liegen.

schrofferer Form. Der Verdacht der Unsittlichkeit oder gar der Greueltaten liegt in Griechenland wie in Rom über den Geheimkulten; die Frage 'warum sind sie geheim, wenn sie nicht verbrecherisch sind?' stellt schon Philo, und der bekannte Brief des Plinius zeigt mir, daß sie schon zu seiner Zeit, wie später so unendlich oft, auch gegen das Christentum erhoben war. Lese ich ferner bei Livius die Rede des Consuls, so sehe ich, daß er sich ausdrücklich gegen ausländischen Kult[1] wendet. Daß die Bezeichnung seines Stifters als *Graeculus* echt hellenischen Ursprung nicht verbürgt, brauche ich kaum auszuführen. Livius bezeichnet ihn als Priester und Prophet; auch die Mysten reden in Verzückung. Was wir von dem Kult hören, schien mir schon in der ersten Auflage dieses Büchleins mehr auf orientalischen als reingriechischen Ursprung zu weisen; eine derartig wilde religiöse Massenbewegung schien mir im damaligen Griechenland kaum mehr denkbar.[2] Von dem Kult hören wir, daß der Initiationsritus ein ἱερὸς γάμος, ausgeführt durch den Priester, war — vorausgeht ein *castimonium* von zehn Tagen und eine Taufe wie bei Apuleius — und hören von heiligen Mahlen mit Speisen und Wein, an denen beide Geschlechter vereint teilnahmen. Endlich hören wir von einer Wertung der unmittelbaren Gottesoffenbarung an die Leiterin oder einen Priester, für die es mir wenigstens im hellenischen Kult an Beispielen fehlt[3],

1) Schwerlich hätte er einen reingriechischen Kult des nach Rom ja längst übernommenen Gottes so empfunden.

2) Vgl. die feine Studie von K. Latte in der Antike I, 1925, S. 146.

3) Dagegen empfängt, um nur ein Beispiel anzuführen, in der von Ramsay, Journ. of Hell. Stud. IV, p. 419 herausgegebenen phrygischen Inschrift der Oberpriester und πρῶτος ἀθάνατος der Hekate Epitynchanos auf Grund göttlicher Offenbarungen das Recht des χρησμοδοτεῖν wie des νομοθετεῖν, und zwar καὶ ἐν ὅροις καὶ ὑπὲρ ὅρων (so zu lesen). Dabei bezeichnet νομοθετεῖν die kultische Anordnung, vgl. in der Mithrasliturgie ὡς σὺ ἔκτισας, ὡς σὺ ἐνομοθέτησας καὶ ἐποίησας μυστήριον (Dieterich 14, 33) und ἀθάνατοι sind die Mysten, vgl. ebd. 2, 5 τὰ πρωτοπαράδοτα μυστήρια, μόνῳ δὲ τέκνῳ ἀθανασίαν, 4, 7 μεταπαραδῶναί με τῇ ἀθανάτῳ γενέσει, 12, 5 ἀπαθανατισθείς. Der Zusatz καὶ ὑπὲρ ὅρων setzt, wie ich späterer Untersuchungen halber erwähne, voraus, daß die Mehrzahl der ἀθάνατοι in ihrer Prophetentätigkeit auf das zum Tempel gehörige Gebiet, ihre πατρίς, wie die Inschrift sagt, beschränkt ist (vgl. die Inschrift Bull. de Corr. Hell. XX, p. 393 *Imp. Caesar Augustus fines Dianae restituit* — Αὐτοκράτωρ

ja wir hören von angeblichen Himmelfahrten (13,13). Die Vermutung wurde, noch ehe die zweite Auflage erschien, durch den Fund eines Erlasses des Ptolemaios Philopator gestützt[1]: kurz vorher hat eine ähnliche Bewegung in Ägypten stattgefunden, die zur Überwachung der Dionysosmysterien besonders ἐν τῇ χώρᾳ, also außerhalb Alexandrias, führte. Alle Mysterienpriester (Mysten) mußten sich persönlich vorstellen, die Herkunft ihrer Lehre durch drei Generationen nachweisen und den Wortlaut ihrer Liturgie einem Vertrauensmann der Regierung versiegelt einreichen.[2] So war man gegen willkürliche Umgestaltungen auf Grund angeblicher Offenbarungen geschützt. Der Anlaß ist durchsichtig. An Osiris war der griechische Gott schon längst angeglichen (vgl. Wilcken, Jahrb. d. Deutschen Archäol. Instituts XXXII, 1917, S. 149f.); andere Götter der Nachbarschaft traten bald hinzu[3]; die Gefahr willkürlich gebildeter Mischkulte lag nahe. Gegen sie soll der Erlaß sich wenden, ist also an und für sich schon ein Zeugnis für sie. Nun bietet die Geschichte der Verbreitung der Religionen, z. B. des Manichäismus, dafür Beispiele genug, daß, wenn sie an einer Stelle gewaltsam unterdrückt werden, hervorragende Priester bis in entfernte Länder missionierend wandern. Der Gedanke eines Zusammenhanges der zeitlich so nahestehenden ägyptischen und italischen Bewegung lag nahe und ist wie offenbar vielen anderen auch mir gekommen (Archiv f. Religionswiss. XIX, 1918, S. 191). Schon damals machte mich Prof. Cichorius brieflich darauf aufmerksam, wie eng gerade in dieser Zeit die Beziehungen zwischen Rom und Ägypten sind. Ihre Wirkung zeigt bald danach der Versuch, durch den Bücherfund im Grabe des Numa (Livius XL

Καῖσαρ Σεβαστὸς ὅρους Ἀρτέμιδι ἀποκατέστησεν). Werbetätigkeit in der Diaspora verlangt einen besonderen Auftrag und besondere Freiheit.

1) Vgl. Schubart, Amtliche Berichte aus den Kgl. Kunstsammlungen XXXVII Nr. 7.

2) Vorausgesetzt wird, daß jeder Mysterienkult schriftlich festgelegte Liturgien hat, wie jede etwas komplizierte Zauberhandlung. Die Quelle des Livius kennt noch die Gebete und den Eid, die bei den Bacchanalien dem Mysten von dem Priester vorgesprochen wurden (18, 3), wie sie auch den Namen des längst verstorbenen Propheten und Religionsgründers kennt (8, 3).

3) Man denke an Dusares und die Ba'alim verschiedener syrischer Städte.

29) religiöse Neuerungen in Rom einzuführen.[1] Cichorius (Römische Studien, 1922, S. 21f.) konnte dann meine Ausführungen durch den Nachweis ergänzen, daß offenbar M. Aemilius Lepidus, der als Vormund der Kinder des Philopator von 201 an in Alexandria residiert hatte und in Rom Pontifex maximus war, die ihm aus der Praxis bekannten Bestimmungen des Philopator auf die, wie auch Cichorius urteilt, 'orientalischen Bacchanalien' in Italien übertragen ließ. In jüngster Zeit hat uns dann die Aufdeckung der jedenfalls noch republikanischer Zeit angehörigen Casa dei misteri (Casa Item) in Pompeji den überraschenden Beweis für ein Fortleben dieser Mysterien gebracht; in Campanien scheinen sie auch besonders geblüht zu haben.[2] Wenn man einwenden will, zwingend sei hier orientalischer Einfluß doch nicht bewiesen, so könnte ich erwidern, wohl aber durch Livius barbarischer und modernisierender; hellenistische Mysterien seien es doch und genügten daher zum Beweis für die Existenz auch orientalisch beeinflußter. Doch brauche ich dies Argument nicht einmal. Livius selbst genügt, um zu zeigen, um was es sich gehandelt haben muß.

Zum Jahre 139 v. Chr. bemerkt die Epitome von Oxyrhynchos (col. VIII 2): *Chaldaei urbe (e)ti* . . ., und schon die ersten Herausgeber verbanden damit eine Angabe des Valerius Maximus I 3, 3, die uns nur in den beiden Exzerpten erhalten ist: I (Iulius Paris): *Cn. Cornelius Hispalus praetor peregrinus M. Pompilio Laenate L. Calpurnio consulibus edicto Chaldaeos citra decimum diem abire ex urbe atque Italia iussit, levibus et ineptis ingeniis fallaci siderum interpretatione quaestuosam mendaciis suis caliginem inicientes. idem Iudaeos, qui Sabazi Iovis cultu Romanos inficere*[3] *mores conati erant, repetere domos suas coegit.* — II (Nepotianus): *Chaldaeos Cornelius Hispalus urbe expulit et intra decem dies Italia abire iussit, ne peregrinam scientiam venditarent. Iudaeos quoque, qui Romanis tra-*

1) Auch dies kommt, wie ich des Folgenden halber betone, an den Senat.

2) Über die Gemälde bin ich nur durch mündliche Mitteilungen von Freunden unterrichtet und kann noch nicht überschauen, wie weit sie den Bericht des Livius bestätigen.

3) Formelhaft noch in Diokletions Edikt gegen Manichäer und Mathematiker (Chaldäer).

dere sacra sua conati erant, idem Hispalus urbe exterminavit arasque privatas e publicis locis abiecit. Beide Auszüge ergänzen sich gegenseitig.[1]

Valerius Maximus, der vorher die Unterdrückung der Bacchanalien erwähnt hat, benutzt offenbar, wie außerordentlich oft, den Livius. Es scheint, daß dieser, wie bei dem Bacchanalienprozeß, die Motive für die Ausweisung in einer Rede dargelegt hat; auch bei der Verbannung der Astrologen konnte es sich ihm darum handeln, ein für die eigene Zeit wichtiges Vorbild altrömischer Zucht der Vergessenheit zu entreißen. Daß man von dem Kult des Jupiter Sabazius eine Untergrabung der öffentlichen Sittlichkeit befürchtete[2] und daß Altäre errichtet waren, zeigt, daß es sich um einen orgiastischen und sicher nicht echt jüdischen Kult handelt; seinem Ursprung wird man auch in diesem Fall möglichst genau nachgegangen sein. Seine Sendboten erwiesen sich diesmal nicht als *Graeculi*, sondern als hellenisierte Juden, die in dem phrygisch-thrakischen Gott Sabazios ihren Sabaoth wiedergefunden hatten. Dazu paßt, daß eine bacchisch-orgiastische Szene auf dem ältesten Monument des Kultes des Ζεὺς ὕψιστος dargestellt ist (Perdrizet a. a. O.) und daß in dem späteren Sabazios-Dienst eine geschlechtliche Vereinigung des Mysten mit dem Gott symbolisch dargestellt wurde, wie in den jungorphischen Mysterien (Dieterich, Mithrasliturgie, S. 123). Ist doch der Gott in Asien auch dem Dionysos gleichgesetzt worden. Das hat fast alles schon Cumont in zwei feinen Aufsätzen (Acad. des Inscr. Comptes rendus, 1906, S. 63f. und Musée Belge XIV, 1910, S. 55f.) dargelegt, wichtige Ergänzungen Schubart (a. a. O.) und Kern hinzugefügt. Ersterer wies auf die Angaben, die III. Makkab. 2, 28 über den Erlaß des Ptolemaios Philopator

1) Ganz willkürlich ist die Behandlung bei Schürer, Geschichte des jüdischen Volkes[4], 1919, III, S. 57, der auf Valerius nur die Worte zurückführen will, die beide Exzerpte gemeinsam haben.

2) Der Ausdruck scheint später formelhaft geworden zu sein (vgl. Paulus sent. 5, 21: *vaticinatores qui se deo plenos adsimulant, idcirco civitate expelli placuit, ne humana credulitate publici mores ad spem alicuius* — d. h. für den erhofften Vorteil des Propheten — *corrumperentur*, vgl. Julius Paris). Männer derart schildert Philo De spec. leg. I 315. Den ursprünglichen Sinn zeigt gerade der Bacchanalienprozeß.

gegen die Juden macht: als Zeichen der Volkszugehörigkeit soll allen, die im Judentum verharren, das Epheublatt des Dionysos (Sabazios) eingebrannt werden, wie das an einzelnen Orten mit den Hierodulen eines Gottes geschieht, die ja auch an manchen Stellen einen besonderen Stadtteil bewohnen und neben den Bürgern genannt werden; wer sich freiwillig einer Dionysos-Mysterien-Gemeinde anschließt, wird Vollbürger und gilt als Hellene. Kern (Archiv f. Religionswiss. XXII, 1923/24, S. 198) weist auf eine bei Hippolyt (περὶ Χριστοῦ καὶ ἀντιχρίστου 49) erhaltene Notiz aus Iason von Kyrene(?) über Antiochos Epiphanes τοῖς τότε ἐπαρθεὶς τῇ καρδίᾳ ἔγραψε ψήφισμα βωμοὺς πρὸ τῶν θυρῶν τιθέντας (die Juden) ἐπιθύσειν καὶ κισσοῖς ἐστεφανωμένους πομπεύειν τῷ Διονύσῳ (auf Unterlassung steht Todestrafe).[1]

1) Antiochos will nicht im geringsten damit den Juden einen neuen Gott aufzwingen, sondern nur den Begriff und die Kultform, die dem hellenisierten Judentum der Diaspora schon vertraut war. Es faßte, wie der hellenisierte Syrer an vielen Orten seinen Ba'al, Jahve als Spender der Fruchtbarkeit. Auf die interessante, noch dem vierten Jahrhundert v. Chr. entstammende Tetradrachme von Askalon (R. Weil, Ztschr. f. Numismatik XXVIII, 1910, S. 28, bessere Abbildung bei Regling, Die antike Münze als Kunstwerk, 1924, Tafel XIX, N. 416) machte mich Prof. Willrich gütig aufmerksam, die Jahû (die in Elephantine bezeugte Namensform) als Triptolemos darstellt, freilich zugleich in der äußeren Erscheinungsform des Aion oder Ba'altars, des Jahresgottes. Nichts anderes meint der gesetzestreue Jude, der auf einem später zu besprechenden römischen Sarkophag unter dem siebenarmigen Leuchter den ἁβρὸς Ἰαώ des Orakels von Klaros mit der Weinkelter in Verbindung bringt. Auch bei dem Erlaß des Philopator wird die Gleichsetzung des Jahve und des Dionysos als in weiten jüdischen Kreisen bekannt vorausgesetzt; sie sollen nur auch die echt-hellenischen Dionysos-Mysterien annehmen; dann sind sie Vollbürger. Wenn Juden statt des Dionysos sein Gegenbild, den thrakischen Sabazios, einsetzen, so leitet sie natürlich der Anklang an Sabaoth. Ganz verfehlt ist es, diese Gleichsetzung der Willkür später Philosophen zuzuschreiben, wie dies Ganschinietz (Realencyklopädie IX 715) oder einem törichten Mißverständnis später Autoren, wie dies Schürer a. a. O. annimmt. Wen sollten wir auch dafür verantwortlich machen? Livius wäre ausgeschlossen; er hat den Gott der Juden anders betrachtet (Norden, Agnostos Theos, S. 59f.). Für Valerius oder Julius Paris wäre es mindestens seltsam und durchaus unwahrscheinlich; auch müßten wir dann annehmen, daß Nepotianus die Angabe über die Altäre erfunden hat. Lehnen wir das ab, so fällt die ganze Annahme dahin, daß die Gesandtschaft des makkabäschen Hohenpriesters Simon oder, wie sich Schürer vorsichtiger ausdrückt, Leute aus ihrem Gefolge in Rom Proselyten gemacht haben und daher

Die Angabe wird einerseits durch Iohannes Lydus (De mens. IV 53, p. 109, 18 W.), andererseits durch I. Makkab. 1, 55 bestätigt: καὶ ἐπὶ τῶν θυρῶν τῶν οἰκιῶν καὶ ἐν ταῖς πλατείαις ἐθυμίων. Hier haben wir also in dem selten geübten Sakralbrauche, der die feierliche Zustimmung aller Bewohner zu dem Kult bezeugen soll, die volle Übereinstimmung mit Valerius Maximus, bzw. Nepotianus *arasque privatas e publicis locis abiecit*. Diese hellenisierten Judengemeinden gelten als Diener des (Dionysos) Sabazios. Schon damals entfalten sie Missionstätigkeit bis nach Rom hin. Aber — so wird man einwenden — sie nennen ihren Gott doch hier Iupiter Sabazius, und diese freilich auch im Osten auch sonst übliche Gleichung wird auf lateinischem Boden herrschend. Gewiß! Aber einerseits verbürgt uns niemand, daß diese hellenisierten Juden aus dem Stammland oder Ägypten gekommen sind — Valerius Maximus scheint sich sehr vorsichtig ausgedrückt zu haben —, andererseits konnten sie sich in Rom nicht nach Dionysos nennen, weil Dionysos-Mysterien bei Todesstrafe verboten waren. Da der Kult des Sabazios auch eng mit dem Kult der *Magna mater* verbunden scheint — selbst der Beiname Μητρικός kommt vor —, und da phrygische Judenkolonien sich frühzeitig hellenisiert haben[1], sehe ich nichts, was die Angaben des Valerius verdächtigen könnte. Wenn Wissowa (Religion und Kultus der Römer², S. 376)[2] dennoch ausschließ-

ausgewiesen seien, und damit die Behauptung Ed. Meyers, die Judengemeinde Roms sei im Jahre 139 entstanden. Sie ist älter und geht von dem hellenisierten Diaspora-Judentum aus. Das zeitliche Zusammentreffen der nationaljüdischen Gesandtschaft und der Austreibung der hellenistischen missionierenden Kaufleute kann höchstens die Annahme nahelegen, daß gerade jene gesetzesstrengen Männer darauf aufmerksam machten, daß es sich hier nicht um einen echten Volkskult, sondern um eine hassenswerte Mischbildung und Neuerung handle. Nicht durchsichtig ist mir, wie sich Ed. Meyer a. a. O. II 262, 264, III 460 den Hergang denkt und auf wen er die Gleichsetzung des Jupiter Sabazius mit dem Jahve Ṡebaot zurückführt. Ob Livius bei dieser Gelegenheit oder bei der Eroberung Jerusalems durch Pompeius über den Judengott sprach, ist unsicher. [Eine Bestätigung bietet Lydus, auch wenn Willrich Archiv XXIV 171 recht hat].

1) Über den Einfluß, den sie übten, bietet einiges Adolphe Reinach, Noé Sangariou, Étude sur le déluge en Phrygie et le syncrétisme judéo phrygien, Paris 1913 (vgl. Schürer a. a. O. III 17f.).

2) Die beiden Aufsätze Cumonts werden in Anm. 4 angeführt, sind aber offen-

lich betont, daß sich in Italien und Rom erst vom Ende des zweiten nachchristlichen Jahrhunderts an Sabazios-Kult nachweisen lasse, so übersieht er, daß das ganz begreiflich ist; er ist einmal als die öffentliche Moral gefährdend staatlich verboten worden. Daß er im geheimen weiter gelebt hat, müßten wir vermuten und können es beweisen. Noch unter Trajan ist die römische Judengemeinde nicht streng orthodox[1], sondern verehrt, ganz oder in großen Teilen mit Jahve zusammen den Ζεὺς Ὕψιστος Οὐράνιος und den phrygischen Attis. Ich werde den Beweis dieser für die Urgeschichte des Christentums außerordentlich wichtigen Tatsache, da er in andere Zusammenhänge führt, in Beigabe II nachbringen. Für jetzt erwähne ich nur, daß, wenn Attis hier offenbar für den vom Staat verbotenen Sabazios eingetreten ist — er ist ja ebenfalls mit dem Kult der Kybele verbunden —, ein Mysterienkult des Attis damals schon wahrscheinlich ist. Freilich sind wir gerade über diesen Kult am schlechtesten unterrichtet. Wieweit bei den attischen Orgeonen im zweiten vorchristlichen Jahrhundert schon persönliche Mysterien (Initiationsritus, Schweigegelöbnis u. a.) bestanden haben, ist m. W. noch nicht aufgeklärt. Alle Analogien sprechen freilich dafür, die Grundzüge des Kults bis in frühe Zeit heraufzurücken, und Einflüsse des Christentums sind auch hier, oder vielmehr gerade hier, mehr als unwahrscheinlich; für die Behauptung, der Kult sei längst da, aber die Mysterien seien erst in christlicher Zeit hinzugekommen, würde selbst der Schatten eines Anhalts fehlen.

---

bar mißverstanden. Wie unsicher die Schlüsse aus dem Fehlen von 'Zeugnissen' sind, zeigt die von Wissowa selbst (S. 323) hervorgehobene Tatsache, daß keine stadtrömische Inschrift vor Diokletian ein Taurobolium bezeugt, während doch eine Inschrift von Lyon aus dem Jahre 160 den dortigen Kult ausdrücklich von dem römischen herleitet. An Zufallsfunde neuester Zeit wie den Nachweis eines Mithrastempels in Ägypten in frühptolemäischer Zeit, den Fund des Grabes einer mithräischen 'Löwin' im afrikanischen Tripoli oder anderes brauche ich kaum zu erinnern. Die indirekte Bezeugung gewinnt dadurch um so höhere Bedeutung.

1) Daß sie es unter Tiberius nicht gewesen ist, zeigt der sehr gewundene Bericht des Josephus. Er gibt die Leiter preis, aber hält sich, wie in der Diaspora begreiflich ist, an das *nomen* und die Anerkennung Jerusalems.

Ich gebe der Untersuchung lieber eine andere Bahn und verfolge die Praxis der römischen Regierung. Dem Verfahren des Praetors Cornelius Hispalus dient offenbar die Behandlung des Bacchanalien-Kultes zum Vorbild[1], während es seinerseits von Tiberius nachgeahmt wird: ein sittlich empörender Mysterienkult wird Anlaß, zugleich auch andere als schädlich geltende orientalische Lehren zu treffen. Denn wir dürfen weiter gehen: das Juden und 'Mathematiker' in der gleichen Weise behandelnde Edikt des Tiberius ist überhaupt nur die Wiederholung und zeitgemäße Ausgestaltung des Edikts des Cornelius Hispalus; das zeigt Sueton Tib. 36, wenn er nach Erwähnung der Juden sagt: *expulit et mathematicos, sed deprecantibus ac se artem desituros promittentibus veniam dedit.* Wir dürfen jetzt auf Grund des taciteischen Berichtes (An. II 85) sagen: die Anhänger der jüdischen wie der astrologischen Religion werden gezwungen, der Ausübung ihrer Religion feierlich abzusagen oder binnen einer bestimmten Frist Italien zu räumen.[2] Ein für später ungemein wichtiges Präzedens.

Daß in erster Linie nicht die Lehren, sondern die Mysterien den Anstoß gegeben haben, zeigt der vollständigste Bericht, also der des Josephus. An sich sind alle Religionen verdächtig, die einen Initiationsritus (τελετή) haben, weil sich mit einem solchen ein Eid oder irgendwelcher Ersatz für einen Eid verbindet.[3] Ich möchte soweit gehen, zu fragen, ob man die be-

1) Die Bestrafung der verführten Bürger wird milder gewesen sein oder sie alle sich unterworfen haben; die Epitome schweigt darüber.

2) Die Freigelassenen (also römische Bürger), die aus religiösen Bedenken den Heerdienst verweigerten, scheinen nach Josephus sogar hingerichtet zu sein.

3) Nicht Livius nur nennt die Bacchanalien eine *clandestina coniuratio:* durch vier Synonyme will das bekannte *senatus consultum* jede Art bindender Verpflichtung unter Strafe stellen. Noch Dio läßt aus bester Kenntnis der offiziellen Sakralpolitik Maecen dem Augustus raten, alle religiösen Neuerungen zu bestrafen: die συνωμοσίαι καὶ συστάσεις ἑταιρεῖαί τε, die aus ihnen entstehen, gefährden den Staat. Plinius (ep. X 96, 6) lehrt uns, daß der letzte Ausdruck ins offizielle Latein übernommen ist und daß *hetaeria* nicht den religiösen Verein an sich bedeutet — den gestatten die Gesetze —, sondern den eidlich verbundenen Verein, der Geheimfeiern abhält (*clandestina coniuratio*). Beides trifft nach Plinius auf das Christentum eigentlich nicht zu. Darüber,

kannten, bis in die Spätzeit wiederholten Anschuldigungen gegen die Christen, die so auffällig den Verdächtigungen christlicher Gemeinden und Kreise gegeneinander entsprechen[1], überhaupt verstehen kann ohne einen stark entwickelten und dabei zunächst vom Staate argwöhnisch überwachten und in einzelnen Fällen unterdrückten Mysterienkult. Ich meinerseits kann ohne diese Voraussetzung nicht einmal den Bericht über die erste Christenverfolgung irgendwie verstehen. So kann diese Untersuchung nicht an einer großen, weltgeschichtlich bedeutsamen Frage vorübergehen, die sich nicht in Kürze erledigen läßt. Sie kann es umso weniger, als der einzige uns erhaltene Bericht soeben von einem so hervorragenden Historiker wie Ed. Meyer

---

ob ihr gemeinsames Mahl im gesetzlichen Sinne ein Mysterium ist, haben die Christen selbst sich Gedanken gemacht: es ist ja allen zugänglich. Plinius ist geneigt, diesen Unterschied von den an bestimmte Grade gebundenen Einzelweihen anzuerkennen. Juristisch bedeutsam ist, daß das Edikt der Statthalter noch zu Plinius' Zeit keine Religion nennt, sondern nur 'die eidlich verbundenen Vereine.' Es war die Vereinsordnung.

1) Ich habe auf die nach meinem Empfinden unbestreitbaren Zusammenhänge beider schon in den 'Hellenistischen Wundererzählungen' S. 143 A. 2 hingewiesen und füge hier nur die Erklärung des einzigen Vorwurfs hinzu, der dort unerledigt blieb. Auch die 'thyesteischen Mahlzeiten' scheinen in einem Vorwurf gegen bestimmte 'Gnostiker' eine Art Anhalt gehabt zu haben. Ich könnte mir sonst das Geschichtchen von dem Mönch Daniel (Apophthegmata patrum bei Cotelerius, Eccles. graecae mon. I 421) nicht erklären: ein großer Asket will nicht glauben, daß das Brot im Abendmahl wirklich Christi Leib wird. Zwei fromme Brüder fasten mit ihm eine Woche und beten um Offenbarung. Als am nächsten Sonntag der Priester das Brot nimmt, werden ihre Augen geöffent: sie sehen es als kleines Kind. Als er die Hand erhebt, um es zu brechen, sehen sie einen Engel mit einem Messer vom Himmel kommen, das Kind durchstoßen und sein Blut in dem Kelch auffangen. Als der Priester es dann bricht, sehen sie den Engel den Leib in kleine Stücke zerschneiden. Ein solches blutiges Stück empfängt der Asket und ruft überwältigt: ich glaube, Herr! Da ist die Vision verschwunden, das Stück wieder Brot. Ein Zusammenhang der hier als christlich bezeugten Vorstellung mit der heidnischen Anklage (vgl. den Wortlaut bei Minucius Felix c. 9) muß bestehen. Das setzt nicht mehr voraus, als daß die Epiphanie Christi, die man im Meßopfer zu erleben glaubte, frühzeitig in einem Kreise mit der in der Frühzeit besonders beliebten Vorstellung Christi als Kind verbunden war. Dunkle Gerüchte darüber ließen dann auf das christliche Mysterium den Verdacht der *magica sacra* übertragen (vgl. unten S. 154 f.). Sie gelten als todeswürdig.

als bewußte und beabsichtigte Entstellung der Tatsachen oder ihres inneren Zusammenhangs charakterisiert ist. Die Lage des Philologen, der hiergegen für seinen Tacitus eintritt, ist gewiß nicht neidenswert, da er als Parteivertreter erscheint; um so mehr hat er die Pflicht, die Forderungen seiner Wissenschaft scharf zur Geltung zu bringen, um zu zeigen, ob der Gegner hier wirklich Richter oder auch Anwalt einer Partei gewesen ist.

Die bekannte Sachlage ist: die Christenverfolgung bringt einzig der Bericht des Tacitus mit dem Brande Roms in Zusammenhang; das dient zweifellos bei ihm dazu, die Schuld des Kaisers an dem Brande wahrscheinlicher zu machen. Denn im Gegensatz zu allen uns erhaltenen Quellen — darunter das Urteil eines gleichzeitigen, zwar gegen Nero erbitterten, aber doch im allgemeinen gewissenhaften Historikers, Plinius — läßt Tacitus an dieser Schuld Zweifel offen, indem er vorausschickt, daß einzelne oder einer seiner Vorgänger auch zufällige Entstehung des Brandes angenommen haben. Von Dio und Sueton[1] berichtete, den Kaiser aufs schwerste belastende Einzelzüge schwächt er ab oder erwähnt sie nur als Gerücht und beschreibt die kaiserliche Fürsorge für die des Obdachs und der Existenzmittel Beraubten.[2] Andererseits schildert er, was der Kaiser bei dem Wiederaufbau für sich und was er für die Stadt an Vorteilen erreichte. Den Schluß der gegen ihn sprechenden Momente bildet die Anklage und Verurteilung der Christen.[3] Daß Tacitus sie, trotzdem der

1) Beide möchte Gercke (Seneca-Studien, Jahrbücher, Supplement XXII, 1896, S. 213f.) aus Plinius herleiten. Beweisbar ist es nicht, nach meiner Überzeugung sogar unmöglich. Schon für Tacitus ist die Beschränkung auf wenige Quellen nicht durchführbar, und Ed. Meyer hat mit Recht diese Beweisführung beiseite geschoben.

2) Daß am sechsten Tage endlich, als Nero schon längst zurückgekehrt war, der Brand durch Niederlegung der ganzen umgebenden Gebäudezone zum Stehen gebracht wurde, hat Tacitus sicher nicht als Entlastungsmoment angeführt. Seine Absicht hätte der Kaiser, wenn er wirklich schuldig war, damit ebenso erreicht.

3) Abweichen muß ich hier auch von Leo (Tacitus, Kaisergeburtstagsrede 1896, S. 13): 'Tacitus behandelt die Fabel, daß Nero die Stadt in Brand gesteckt habe, selbst als unglaubwürdig; und doch läßt er den Verdacht nicht fallen und deutet ihn wieder und wieder an, wie er denn nirgend eine Verdächtigung unerwähnt, den Zweifel, ob nicht ein Feind im Spiel sei, unausgesprochen

Prozeß einige Zeit in Anspruch nahm, hierher stellt, entspricht seiner Gewohnheit, in kleineren Fällen des sachlichen Zusammenhanges halber die chronologische Abfolge zu vernachlässigen. Auch hat er von dem Rest des Jahres datierte Ereignisse nicht mehr zu berichten. Jeder überlegsame Schriftsteller würde so verfahren.

Nach Ed. Meyer und vielen Historikern und Philologen[1] ist der Verdacht gegen den Kaiser widers nnig; die von Tacitus angegebenen Entlastungsmomente genügen, das zu zeigen. Wenn dennoch die Mehrzahl der modernen Darstellungen den Kaiser belastet, trägt nach Ed. Meyer allein die raffinierte Kunst der taciteischen Darstellung daran Schuld, die, scheinbar ganz objektiv und unparteiisch, dem Leser unmerklich die dem Kaiser ungünstige Auffassung zur Überzeugung macht. Daß nur Tacitus die Christenverfolgung mit dem Brand in Verbindung bringt, findet er auffällig (S. 501), erklärt freilich aber auch wieder (S. 506), daß er sie einer seiner Quellen entnommen haben werde; sie werde auch an sich nicht unrichtig sein, rücke aber den Hergang in unrichtige Beleuchtung. Bisher würde also nichts gegen die Gewissenhaftigkeit des Tacitus sprechen; denn die Beleuchtung, d. h. doch wohl die Verbindung der einzelnen bezeugten Tatsachen muß auch der moderne Historiker dem eigenen Urteil entnehmen. Ed. Meyer gibt zu, die Anschuldigung der Christen

läßt.' Dem widerstreitet die von Leo selbst (S. 12) angeführte Erwähnung der 'eigenen Worte' des tapferen Tribunen Subrius Flavus '*odisse coepi, postquam parricida matris et uxoris, auriga et histrio et incendiarius extitisti*' und der Zusatz des Schriftstellers: *nihil in illa coniuratione gravius auribus Neronis accidisse constitit, qui ut faciendis sceleribus promptus, ita audiendi quae faceret insolens erat.* Tacitus ist innerlich von der Schuld Neros überzeugt, gibt aber offen zu, daß ein zwingender Beweis sich nicht führen läßt. Ähnlich in den übrigen Fällen, die Leo anführt. Auf Dessaus nüchterneres, dem Tacitus sehr viel günstigeres Urteil sei beiläufig verwiesen.

1) Von Theologen erwähne ich E. Th. Klette (Die Christenkatastrophe unter Nero, Tübingen 1907), weil Ed. Meyer sich ihm in den Hauptpunkten anschließt. Nur die Zweiheit der Verhandlungen ersetzt er durch einen mir unverständlichen 'Umbruch' einer einzigen. Klettes Hauptfehler scheint mir, daß er den einzigen Bericht (Tacitus) nicht zum Ausgang nimmt, sondern ans Ende rückt und daher nicht interpretiert, sondern gewaltsam dem anpaßt, was er aus ganz unzulänglichem Material gewonnen zu haben glaubt.

als Urheber des Brandes werde wirklich vorgebracht und — von Nero? — begierig aufgegriffen sein (S. 507); aber Tacitus sage selbst, daß dieser Grund alsbald fallen gelassen wurde.[1] 'Er drückt sich, offenbar mit vollem Bewußtsein[2], sehr zweideutig aus: »Somit wurden zuerst die ergriffen, welche bekannten« (*qui fatebantur*) — ob die Brandstiftung oder das Christentum, darüber wird man sich immer wieder streiten, er hat das mit Absicht[2] in der Schwebe gelassen, um so den Übergang dazu zu finden, daß aus der von Nero beabsichtigten Aufdeckung der Brandstifter ein Prozeß gegen die Christen als solche wird: «darauf wurde auf ihre Anzeige hin eine ungeheure Menge nicht so sehr wegen des Verbrechens der Brandstiftung als durch den Haß des Menschengeschlechts hinzugefügt«.' Wie sie das konnten, wird uns nicht gesagt, nur mit höchstem Nachdruck versichert, die Christen seien nicht als Brandstifter, also gewöhnliche Verbrecher, sondern wie Tacitus selbst in voller Übereinstimmung mit allen anderen Berichten ausdrücklich sage, um ihrer Religion willen, als Christen verurteilt. Das ist zweifellos richtig, aber wie es mit der dem Tacitus zugeschriebenen Absicht, den Leser von der Schuld des Kaisers an dem Brande zu überzeugen, und mit seinen einleitenden Worten in Einklang gebracht werden kann, sehe ich nicht. Einen Widerspruch beider Angaben scheint auch Ed. Meyer zu empfinden und daher dem Tacitus vorzuwerfen, er habe, um den zu verschleiern, mit vollem Bewußtsein unklar geredet. Das heißt: Tacitus wollte den Kaiser verdächtigen und einen falschen Eindruck erwecken, wählte aber aus Gewissenhaftigkeit die Worte so, daß man sie auch richtig verstehen konnte, ja sagte daneben auch ausdrücklich das Richtige.

Das Verfahren kann ich psychologisch nicht verstehen, die Worte noch weniger. Nach Ed. Meyer hat Tacitus die Worte

1) Er hätte, wenn er das wirklich gesagt hätte, allerdings den von Ed. Meyer angenommenen Zweck seiner Darstellung vollkommen zerstört und nicht arglistig, sondern sinnlos gehandelt. So nimmt denn auch Gercke nicht eine Absicht, sondern eine Nachlässigkeit des Tacitus an, der aus zwei sich widersprechenden Berichten ein Mosaik zusammensetzte, ohne die Unstimmigkeiten zu bemerken.

2) Von mir gesperrt.

qui fatebantur mit Absicht zweideutig gewählt; der Leser sollte ebensogut verstehen können 'die sich als Brandstifter bekannten' wie 'die sich als Christen bekannten'. Verstand er das erste, wie nach dem vorausgehenden non *decedebat infamia, quin iussum incendium crederetur; igitur abolendo rumori Nero subdidit reos* (also *incendii*) fast notwendig scheint, so konnte er nicht erkennen, daß die auf ihre Denunziation hin verhaftete 'ungeheure Menge' nur Christen waren, und muß notwendig staunen, daß sie nicht wegen Brandstiftung, sondern 'durch den Haß des Menschengeschlechtes beigefügt wird' (Ed. Meyer übersetzt so die Lesung der Handschrift *odio humani generis coniuncti*, die er beibehalten will). Wem auch beigefügt? Den Denunzianten, die durch ihre Angaben selbst freikamen? [1] Durch den Haß des Menschengeschlechts? Wie paßt das zu *eorum indicio* und zu dem Wort *vulgus?* Versuchte, von solchen Widersprüchen abgeschreckt, der Leser nun, *fatebantur* auf das Bekenntnis zum Christentum zu beziehen, so ist dieser Ausdruck für die, die als Christen bekannt waren, mindestens befremdlich[2], die Fortsetzung unterliegt denselben Schwierigkeiten, ja sie steigern sich noch, denn, wenn das *fateri* sich nicht auf die Brandstiftung bezieht, werden die Worte *haud proinde in crimine incendii*[3] ganz sinnlos, der Zusammenhang der Sätze ist völlig aufgehoben.[4]

1) Vgl. Juvenal VI 552 *faciet, quae deferat, ipse*, Tacitus An. VI 3.

2) Die von Andresen angeführte Stelle An. XI 1 *fateri gloriamque facinoris ultro petere* paßt wenig. Es handelt sich da um ein Verbrechen, ein *crimen;* das ist die Zugehörigkeit zum Christentum zur Zeit in Rom noch nicht.

3) Die Übersetzung 'wegen des Verbrechens der Brandstiftung' verschleiert etwas, daß *in crimine coniuncti* nur bedeuten könnte: 'in die Anschuldigung mit hineingezogen' und zu dem Causalablativ *odio* keinen Gegensatz bilden könnte.

4) Das wird nicht etwa besser, sondern schlimmer, wenn dieser römische Leser *quam odio humani generis* richtiger als Ed. Meyer deutete *in odio . . . coniuncti* oder hier *convicti* einsetzte. Dann ergab sich für ihn: die überwiegende Mehrheit leugnete ihr Christentum ab (!) und wurde nur infolge ihres Hasses gegen das Menschengeschlecht beigefügt (oder des Hasses überführt, aber wodurch?). Dann wäre die Verurteilung der Christen heller Wahnsinn gewesen. Klar ist, wie ich beiläufig bemerke, daß *odium humani generis* hier mehr bedeuten muß als die Absonderung, die der Jude übt; sie ist nie bestraft worden (zu Unrecht behauptet Zeller, Ztschr. f. wissensch. Theologie 1891, p. 356f., es könne nur μισανθρωπία bedeuten); es ist hier Wille zu schaden, wirklicher

Nicht doppelsinnig sondern unsinnig hätte der Schriftsteller sich ausgedrückt. Er hat das nach Ed. Meyer getan, um so den Übergang dazu zu finden, daß aus der von Nero beabsichtigten Aufdeckung der Brandstifter ein Prozeß gegen die Christen als solche wird. Aber nach Tacitus will Nero ja von Anfang an die Christen als solche für die Brandstiftung verantwortlich machen. Wie kann er dann hier in absichtlich doppeldeutigen Worten einen Übergang dazu suchen? Ferner: Tacitus will den Nero belasten — gerade das Unterschieben falscher Angeklagter zeigt, daß er der Schuldige war —, und er entlastet ihn durch den Zusatz, daß der allgemeine Haß des Menschengeschlechts die Verurteilung der Christen als solcher von dem Kaiser erzwungen habe! Ich kann hier nicht die raffinierte Kunst der Darstellung finden, die, scheinbar ganz objektiv und unparteiisch, doch dem Leser die volle Überzeugung aufnötigt, die ungünstige Auffassung sei die allein zutreffende (Ed. Meyer, S. 502). Daß es Mode geworden ist, dem Tacitus absichtliche Entstellung der Wahrheit vorzuwerfen, hat Ed. Meyer zu seinem Deutungsversuch verführt. Der Hauptfrage, auf welchen Rechtsgrund hin die Christen verurteilt wurden, ist er darum völlig aus dem Wege gegangen. Er erklärt den allgemeinen Haß gegen das Christentum psychologisch und versichert — offenbar gegen Mommsen —, auch ohne den Brand Roms hätte die Christenverfolgung binnen kurzem ausbrechen müssen. Man mag solchen unbeweisbaren Behauptungen beitreten oder nicht: überflüssig ist die Frage nach der rechtlichen Begründung bei Maßnahmen, deren Wirkung über Jahrhunderte geht, niemals.

Unsere bisherigen Erklärungsversuche haben ein mich befriedigendes Resultat nicht ergeben. Die Einwände, die gegen Mommsens glänzenden Aufsatz 'Der Religionsfrevel im römischen Recht' (Histor. Ztschr. LXIV, S. 389, Juristische Schriften III 389) von Guérin (Nouvelle Revue historique de droit français et étranger XIX, 1895, 601) und von Heinze, Ber.

Haß, dem man Brandstiftung zutrauen kann. Aber weder die Tat noch die Zugehörigkeit zum Christentum ist ihnen nachgewiesen, so wurden sie den Bekennern der Christentums beigefügt (oder für überführt erklärt), denen die Tat auch nicht nachgewiesen war! Wer konnte das verstehen?

d. Sächs. Ges. d. Wiss. LXII, 1910, S. 292 u. 332) erhoben sind, scheinen mir geradezu zwingend, die eigenen Versuche beider Gelehrter freilich noch nicht überzeugend. Mommsen hat für die juristisch sicher vorzüglichen Ausführungen den Rahmen zu weit gespannt, um für die Behandlung des Christentums eine genügende Grundlage zu gewinnen. Für sie darf die Frage nicht einfach lauten 'wie stellt sich der Staat zu der fremden Religion?', sondern 'wie stellt er sich zu der Geheimreligion?'. Naturgemäß wird das meist eine fremde sein, aber nicht jede fremde unter diesen Begriff fallen.[1] Eine gewisse Überwachung verlangt selbst der hellenistische Staat, in dem doch griechische wie orientalische Geheimdienste althergebracht sind (vgl. für letzteres die Inschrift von Philadelpheia, für das Überwachungsrecht den Erlaß des Philopator). Auch in ihm wird der Verdacht ausgesprochen, daß verbrecherisch ist, was Geheimnis verlangt, und gelten nächtliche Weihen als sittenlos und darum lichtscheu (Philo, De spec. leg. I 320). Für Rom ist der Grund zur Überwachung noch dringender. Heimische Mysterien gibt es nicht; das Weiberfest der Bona Dea kann, als allgemein zugänglich, nicht dafür gelten. Dem römischen Brauch entspricht, wie Cicero ausdrücklich feststellt, sein Gesetz (De leg. II 21) *nocturna mulierum sacrificia ne sunto, praeter olla, quae pro populo rite fient, neve quem initianto, nisi, ut adsolet, Cereri Graeco sacro.*[2] Alle Mysterien sind verboten, ebenso, wie die Fortsetzung zeigt, alle nicht von einem römischen staatlichen Priester befohlenen καθαρμοί. Die Begründung hebt die Gefahr für die öffentliche Sittlichkeit hervor und beruft sich ausdrücklich auf das *senatus consultum de Bacchanalibus* als auf das erste Präzedens. Als staatsgefährlich gilt besonders der Mysterieneid. Das zeigt, wie ich schon hervorhob, der Senatsbeschluß, zeigt das Gerede, das sich an Catilina und seine Bande heftet (Sallust cap. 22)[3],

1) Der eigentliche Religionsfrevel, d. h. Störung des staatlichen Kultes (Clodius am Fest der Bona Dea, vgl. Heinze), hat damit natürlich nichts zu tun.

2) Eine Nachahmung griechischer Mysterien (auch die Priesterin muß ja Griechin sein) liegt in der Tat vor (Wissowa, Religion und Kult der Römer², S. 300). Aber sie entwickelt sich so wenig wie das Opfer an die Bona Dea.

3) Ed. Meyer verweist darauf mit Recht; vergleichbar ist bei Minucius

zeigt aber auch die unter römischer Herrschaft gegründete Mysteriengemeinde von Philadelpheia, die ihren zur strengen Sittlichkeit verpflichtenden Eid aus Vorsicht an zugänglichem Orte ausstellt. Eine ähnliche Vorsichtsmaßregel gebrauchen, wie Nock[1] beobachtet hat, die bithynischen Christen, und sie hat den Eindruck auf Plinius nicht verfehlt. So muß auch Mommsen (Strafrecht S. 641) zugeben, daß bestimmte Sacralformen und bestimmte Zwecke festgelegt werden, die von Rechts wegen die Strafbarkeit begründen. Von diesen gilt es auszugehen.

Legen wir nun den Bericht des Tacitus über den ersten und folgenschwersten Zusammenstoß der Staatsgewalt und des Christentums zugrunde und vergleichen den des Livius über die Bacchanalia, so wird der Hergang ohne alle künstlichen Konstruktionen verständlich. Livius erzählt (XXXIX 14, 10), sofort nach Aufdeckung des Mysterienkultes wird die Stadt nachts militärisch bewacht: *ne qui nocturni coetus fierent utque ab incendiis caveretur.* Man erwartet von diesen 'Verschwörungen' wie alle anderen (besonders sexuelle) Verbrechen so auch Brandstiftung (vgl. Catilina). Die Verschwörung einer Verbrecherbande schien bei dem Brande vorzuliegen; die Schuldigen zu ermitteln lag im öffentlichen Interesse; daß man an die neue Geheimreligion dachte, war nicht wunderbar. Als Verbrecherbund betrachtete sie nicht nur der Pöbel, sondern auch Männer wie später Sueton und Tacitus. Was man zunächst leicht ermitteln konnte, war geeignet, dem Verdacht Nahrung zu geben: die Christen, die sich nach der Wiederkunft ihres Herren sehnten, erwarteten den damit verbundenen Weltbrand; der heidnischen Umwelt und dem heidnischen Staat standen die Eifrigen unter ihnen feindlich, die Gemäßigten teilnahmslos gegenüber. Wie das empfunden wurde, sehen wir noch in späten heidnischen Äußerungen wie bei Minucius (11, 1): *quid quod toto orbi et ipsi mundo . . . minantur incendium, ruinam moliuntur!*[2] Aus

Felix 9, 5 *hac foederantur hostia, hac conscientia sceleris ad silentium mutuum pignerantur* (für den Ausdruck vgl. das Senatus-consultum).

1) Classical Review 1924 S. 58.

2) Stilistische Beeinflussung durch Seneca, Ad Polyb. 1, 2 ist allerdings wahrscheinlich. Dennoch bleibt die Äußerung charakteristisch für die Empfindung der Zeit gegenüber der Lehre vom Weltbrand.

einer Untersuchung, ob die Christen wirklich den Brand verschuldet hätten, kann man daher kaum der römischen Regierung einen Vorwurf machen. Wohl aber scheint mir danach die oft behandelte Frage, ob die Christen als Brandstifter oder als Christen hingerichtet sind, vollkommen abwegig. Tacitus läßt gar keinen Zweifel daran: beides ist geschehen. Nicht Brandstifter sind gesucht worden, die sich später als Christen erwiesen, sondern 'die Christen' sind auf den Verdacht der Brandstiftung gefangen gesetzt worden, und 'die Christen' oder, wenn man will, 'das Christentum' ist verurteilt worden, aber — weil es Schuld trage an dem Brande. Verurteilt und damit natürlich für die Zukunft verboten[1], falls nicht ein Nachfolger die Bestimmung aufhebt.

Sehen wir den Wortlaut des Tacitus an, den zu erklären wir schon begonnen hatten: um den Verdacht der Brandstiftung von sich abzulenken, läßt Nero anklagen und zu dem schrecklichsten Tode verurteilen — Anklage und Verurteilung müssen sich also auf dasselbe Verbrechen beziehen, sonst wird die ganze Erzählungsform widersinnig — diejenigen *quos per flagitia invisos vulgus Christianos appellabat.* So würde Tacitus selbst nicht reden; für seine Zeit ist zweifellos die Bezeichnung *Christianus* so fest und selbstverständlich auch im Munde der Christen gewesen, wie das Plinius, Sueton und Ignatius noch zeigen. Die Übereinstimmung mit Apostelgesch. 11, 26[2] zeigt zwingend, daß diese Wendung aus Neros Zeit stammt; sie selbst werden sich ἅγιοι oder ἐκλεκτοί genannt haben; das Volk, das sie für Frevler hielt, nannte sie nach dem unter Pontius Pilatus gekreuzigten Verbrecher Χριστιανοί. Müssen wir die erste Angabe mittelbar oder unmittelbar auf die Akten zurückführen, so natürlich auch die zweite. Es ist unnötig, von einem Zusatz des

1) Sueton, der nicht den Tacitus benutzt, bestätigt dessen Darstellung, wenn er eine Unterdrückung des Christentums zu den rühmlichen, echt römischen Handlungen Neros zählt.

2) Der Name kam bei den Gegnern in Antiochia auf; klar folgt auch Apg. 26, 28 diesem Gebrauch: Agrippa sagt ἐν ὀλίγῳ με πείθεις Χριστιανὸν εἶναι, Paulus meidet das Wort (γενέσθαι τοιούτους ὁποῖος κἀγώ εἰμι). Die Überlieferung *Chrestianos*, die sich nur scheinbar durch den Gegensatz zu *per flagitia* empfiehlt, würde die Aufmerksamkeit des Lesers nur ablenken und stören.

Tacitus zu reden oder gar auf die selbstverständliche Übereinstimmung mit Timoth. I 6, 13 ἐνώπιον τοῦ θεοῦ τοῦ ζωογονοῦντος τὰ πάντα καὶ Χριστοῦ Ἰησοῦ τοῦ μαρτυρήσαντος ἐπὶ Ποντίου Πιλάτου τὴν καλὴν ὁμολογίαν Schlüsse zu bauen. Der Name des längst verstorbenen Religionsstifters wird auch im Bacchanalienprozeß festgestellt; es ist für die Richter hier durchaus nicht gleichgültig, daß schon der Urheber[1] von einem römischen Beamten als Verbrecher hingerichtet und das verachtete Judenland die Heimat dieser Religion ist; auch das gehört in die Akten. Ebenso natürlich das Ergebnis der Verhöre. Der Wortlaut des Tacitus bietet Schwierigkeiten, die man freilich übertrieben hat: *igitur primum correpti qui fatebantur, deinde indicio eorum multitudo ingens haud proinde in crimine incendii quam odio humani generis convicti sunt.* Das echt taciteische Streben nach Kürze und Ungleichheit der gleichartig gedachten Glieder läßt uns als Grundgedanken erkennen: *primum correpti pauci*[2], *qui fatebantur, deinde eorum indicio multitudo ingens, quae non fatebatur, sed convicta est*[3], *non quidem in crimine incendii sed in odio humani generis.* Sobald man diesen Satz sich herstellt, wird klar, daß die Lesung *coniuncti* ganz unmöglich ist. Den Worten *reos* (*incendii accusatos*), *fassi* muß ein *convicti* entsprechen; daß ihm in der Reihe folgende *damnati* hat Tacitus vorausgenommen: hier ergibt es sich aus den sofort erwähnten Strafen von selbst. Der Verlauf ist klar: die ersten machen keine Schwierigkeit; römischer Rechtsgrundsatz ist ja: *confessus pro damnato est;* man braucht ihn nicht mehr zu fragen; wer nicht gesteht, muß überführt werden. Hieraus folgt, daß *odio humani generis* den Worten *in crimine incendii* entspricht. Es sind ganz genaue und scharfe Angaben über das Resultat der Verhöre: dem vollen Bekenntnis einiger weniger folgte das Scheitern der Überführungsversuche bei der überwiegenden Zahl: keine Straftat, nur eine weltfeindliche Gesinnung war zu erweisen. Daraufhin wurden alle zum

1) In den Worten *auctor nominis* spricht Tacitus nach dem Gebrauch seiner Zeit; *nomen* ist zugleich die Sekte, wie bei Plinius.

2) Das ist aus dem folgenden Gegensatz *ingens multitudo* mit Notwendigkeit hinzuzuhören.

3) Konstruiert nach *prehendere in.*

Tode verurteilt. Man würde diesen Sachverhalt schwerlich verkannt haben, wenn das auffällige Imperfektum *qui fatebantur* nicht Bedenken erregt hätte; so entstand die seltsame Behauptung, dies *fateri* müsse der Verhaftung vorausliegen[1], könne also nur bedeuten 'die ihr Christentum zu bekennen gewohnt waren', unbedacht blieb dabei, daß dann von der *ingens multitudo* gelten muß: sie bekannten ihr Christentum nicht, während die kühnen Bekenner sofort alle Christen denunzierten. Wodurch sie dann des *odium humani generis* überführt wurde und warum sie zum Verbrechertode verurteilt wurde, bleibt vollkommen unverständlich, die ganze Erzählung ist zerrissen und sinnlos, während sie bei der andern Deutung klar und planvoll fortschreitet. Ich würde in solchem Fall zunächst fragen: welches Tempus hätte Tacitus sonst wählen können? Ausgeschlossen war *qui fassi erant:* die ihre Schuld an dem Brande schon gestanden hatten. Das Perfektum *qui fassi sunt* war mißverständlich und stilwidrig; es blieb kaum etwas als das Imperfektum der Schilderung, bzw. des begleitenden, nebensächlicheren Umstandes.[2] Der wahre Anstoß liegt in einer logischen Verschiebung; jeder erwartet von der einfachen Erzählung: *qui primum corripiebantur, fassi sunt.* In den Hauptsatz mußte, wie jeder empfindet, was uns die Hauptsache scheint und jetzt im Nebensatz steht; sonst stutzt der Leser. Sollte Tacitus vielleicht gerade das beabsichtigt haben? Er legt allen Ton auf *primum correpti (sunt),* und mit ähnlichem Ton stellt er ihm gegenüber: *haud proinde in crimine incendii quam odio humani generis convicti sunt:* böse Gesinnung konnte festgestellt werden, keine Tat, und nur eine solche ist strafbar. Diese sachlichen Angaben müssen ja jeden achtsamen Leser nachdenklich stimmen. Wie seltsam: gerade die ersten Verhafteten bekennen die Brandstiftung und nennen die Namen

1) Haases falsche Ansicht, das Imperfektum sei ein rein relatives, also auf ein anderwärts gegebenes Präteritum bezügliches Tempus, wirkt immer noch nach. Es tritt in Wahrheit oft ein, wo der Redende kein Interesse hat, die Handlung noch in der Phase des Vollzugs darzustellen.

2) Tacitus ist, schon um zu wechseln, in seiner Verwendung ziemlich frei; vgl. etwa XI 19: *sed caede eius motae Chaucorum mentes, et Corbulo semina rebellionis praebebat;* XII 6: *Postquam haec favorabili oratione praemisit multaque patrum assentatio sequebatur* u. dgl.

aller Christen; alle andern bekennen wohl ihre Gesinnung, aber von keinem ist ein Geständnis der eigentlichen Schuldhandlung zu erpressen, keiner zu überführen. Wenn nicht ein für den Kaiser wunderbar günstiger Zufall gewaltet hat, so hat die Polizei zunächst diejenigen ergriffen, von denen sie wußte, daß sie bekennen würden, weil sie als Spione in die Gemeinden geschickt waren.[1] Ich denke, ein mit den Verhältnissen vertrauter Leser konnte kaum anders urteilen, zumal er gleich etwas las, was sich inhaltlich wiedergeben ließ *qui indicium profitebantur* (vgl. An. VI 3). Nun fragt sich, welches sind die vorbildlichen Fälle, also die Rechtsnormen. Im Bacchanalienprozeß handelt es sich um eine Religionsübung, die nachweislich zu den schwersten Verbrechen geführt hatte, ja deren Eid zu solchen verpflichtete. Alle Teilnehmer werden gefangen gesetzt, hingerichtet nur, wem eine verbrecherische Handlung nachgewiesen werden kann. Nicht einmal der Eid, der dazu verpflichtet, also die Gesinnung klar dartut, genügt dafür. Die Gefängnishaft genügt hier als Strafe. Dann wird die Kultübung selbst verboten; von nun an wird jeder, der sie übt, mit dem Tode bestraft; sie ist jetzt das Verbrechen. Da das Christentum noch nicht verboten war, mußte man ähnlich verfahren. Ein Verbot des Christentums hielt Tacitus offenbar ebenso wie Sueton für nötig; er glaubte, wie er ausdrücklich versichert, dem allgemeinen Gerede, daß es eine Verbrecherreligion ist, deren Anhänger den Tod verdienen. Aber das Verbrechen, dessen man sie damals anklagte, ist nicht erwiesen; man hätte andere suchen, sie deren überführen und dann die Religion unter Strafe stellen müssen. Die Grau-

1) Das Bekenntnis ist ähnlich zu werten wie das des Anicetus, mit Octavia die Ehe gebrochen zu haben. Dem widerspricht nicht, wie Gercke anzunehmen scheint, daß er bei dem Berichte über den gräßlichen Tod sagt *quamquam adversus sontes et novissima exempla meritos.* Tacitus würde den eigenen Bericht und dessen Stellung unsinnig machen, wenn er das auf die Brandstiftung bezöge. Er verlangt, daß sein Leser ohne weiteres heraushört: Verbrecher waren es trotzdem (vgl. oben *per flagitia*) und verdient hatten sie jede Strafe. Er will verhindern, daß seine Entscheidung als ein Protest gegen die damals noch zu Recht bestehende Strafwürdigkeit des *nomen Christianum* gefaßt wird. Der gleich zu besprechende Brief des Plinius an Trajan war damals wahrscheinlich schon publiziert.

samkeit der Strafe und ihre Umbildung zur Volksbelustigung mißbilligt er durchaus: so etwas erweckt nur unnützes Mitleid mit Leuten, die im Staatsinteresse beseitigt werden müssen. Die Härte des Römers klingt uns da entgegen, aber auch der ausgeprägte Sinn für die Rechtstradition, deren schamlose Verletzung den Richter als den eigentlich Schuldigen erweist.

Ob wir mit unserem Material wirklich noch erweisen können, daß der irrsinnige Kaiser, der doch seine Verbrechen noch schlau zu bemänteln suchte, an dem Brande unschuldig sein muß, ist mir zweifelhaft. Was man — gerade aus Tacitus — dafür anführt, genügt sicher nicht. Daß er zunächst abwesend war, ist, gerade wenn er die Brandstiftung veranlaßt hat, begreiflich, daß er die Not der Geschädigten zu lindern suchte, auch dann notwendig. Wie stark die Übereinstimmung der zeitgenössischen Quellen war, der Tacitus in seinem Urteil folgt, wissen wir nicht; daß sie nicht vollkommen war, erfahren wir nur durch ihn, und nur er deutet an, daß nur psychologische Gründe für ihn den Ausschlag geben. Mag man sie billigen oder nicht, ein Anhalt, ihn der absichtlichen Irreführung zu beschuldigen, liegt nicht vor. Die Verbindung des Brandes und des Christenprozesses, die bei ihm allein begegnet — Dios Bericht ist nämlich gerade hier nur lückenhaft bekannt, und Sueton muß nach seinem Kompositionsschema und seinem Urteil beides voneinander trennen[1] —, darf wenigstens bei dem keinen Argwohn erregen, der sie für sachlich richtig hält. So scheint mir Ed. Meyers Vorwurf gegen Tacitus lediglich auf seiner Interpretation der taciteischen Worte zu beruhen und diese Interpretation durch ihre inneren Widersprüche vollkommen unmöglich zu sein.

Sehen wir, wie weit die nächste Entwicklung unsere Konstruktion bestätigt. Vorauszuschicken habe ich nur, daß, wie

1) Auch die späteren christlichen Autoren hätten schwerlich klug gehandelt, wenn sie auf eine Schuld zurückgegriffen hätten, die ihnen nicht mehr vorgeworfen wurde und die durch ein gerichtliches Urteil einmal als erwiesen festgestellt war, auch wenn namhafte Historiker es nachträglich als Fehlurteil bezeichnet hatten. Weit wirksamer war es, wenn sie sich an die wirklich gegen sie erhobenen Anschuldigungen hielten, die überhaupt niemals untersucht waren, ja, nach denen der Richter, da die *confessio* (das *nomen*) genügt, nicht einmal fragen durfte. Hierin sehen sie das Empörende und Unerhörte.

Guérin richtig betont, die Entscheidung über solche generelle Bestimmungen über eine Religion in der Regel vor den Senat gebracht wurde und daß das auch in Neros Interesse liegen mußte und das Fortbestehen der Entscheidung am besten erklärt. Aber auch wenn diese Sanktionierung erst unter Domitian erfolgte, über dessen Behandlung dieser Frage ich leider zu wenig weiß: das entscheidende Präzedens war jedenfalls durch Nero geschaffen: zugrunde liegen *crimina,* aber unter Strafe gestellt wird das *nomen.* Die Folgen, die sich hieraus ergeben müssen, zeigt zuerst Plinius (ep. X 96, 97). Ein ehrliches Erschrecken über sie läßt ihn, der zunächst dem allgemeinen Brauch streng gefolgt ist, dem Kaiser drei Fragen vorlegen. Den Anlaß dazu gibt die Tatsache, daß er eine Anzahl Christen als römische Bürger an das Kaisergericht hat übersenden müssen; es liegt in seinem Interesse, dieses zu informieren, welche Praxis er geübt hat und wie stark die neue Sekte in seiner Provinz ist. Auch Rat will er nach seiner Kenntnis der Lage geben, kann das aber natürlich nur in der Form, daß er unsicher zu sein erklärt und um Belehrung bittet. Den Rat nimmt der Kaiser zum Teil auch an: die volle Straflosigkeit auf Grund des Austritts aus dem Christentum wird verordnet und ist in Geltung geblieben.[1] Es fand sich für sie, wie wir sehen werden, ein Praezedens. Die erste Frage lautet: Wird das *nomen ipsum* bestraft oder die *flagitia cohaerentia nomini?*[2] Man sieht, auf bürgerliche Verbrechen hin ist die Verurteilung der Religion erfolgt. Auch Tacitus glaubt ja zu wissen, daß sie solche hervorruft (vgl. die Worte *atrocia aut pudenda;* er wird an das Abendmahl gedacht haben). Plinius hat sorgfältig nach solchen Verbrechen gesucht und sie nicht gefunden. Auch der Kult enthält, abgesehen von seiner Torheit, nichts Anstößiges. Einen Eid (*sacramentum*) hat er nachweisen können, aber der verpflichtet nicht, wie bei den Mysterieneiden vorausgesetzt wird (Bacchanalieneid), zu Verbrechen, sondern zu ihrer Vermeidung; auch ein heiliges Mahl, aber es ist sittlich un-

1) Allerdings als Gnade. Die Worte des Kaisers schließen die gleiche Milde im Wiederholungsfall fast aus, doch meidet er eine feste Vorschrift.

2) Man beachte den Begriff, der von vornherein befremden muß. Er setzt eine allgemeine Norm, wie ich sie früher nach Mommsen andeutete, voraus.

anstößig und nicht eigentlich geheim, sondern der ganzen Gemeinde zugänglich. Auch das haben viele Christen unterlassen: *post edictum meum, quo secundum mandata tua hetaerias esse vetueram.* Das Christentum ist also in dem Edikt nicht namentlich und nicht allein verboten; es ist unter die Geheimbünde subsumiert, mit denen man die religiösen besonders meint. Plinius hat daher die verklagten Christen dreimal — offenbar in Abständen — unter Hinweis auf die darauf gesetzte Strafe befragt, ob sie Christen sind. Erst wenn sie beharrten, hat er sie, wie er überzeugt ist, nach Recht und Pflicht hinrichten lassen. Es ist offene Auflehnung gegen das Staatsgebot wie die Beteiligung an einem Bacchanal nach dem Senatsbeschluß. Plinius fragt zweitens: Gibt es eine Differenzierung der Strafen? Trotz der furchtbaren Strenge des Bacchanalienprozesses ist sie dort gemacht worden; Nero hat sie nicht gemacht. Endlich, was in der Schilderung seines Verfahrens eigentlich schon liegt, fragt er drittens: Gibt es eine Möglichkeit, den Reuigen zu begnadigen? Er würde aus politischem Interesse dringend empfehlen, eine solche zu schaffen. Er hat schon danach gehandelt: den sein Christentum Ableugnenden läßt er den Göttern opfern — und *maledicere Christo* (es gibt also ein Vorbild für die später kirchlich verlangten Anathematismen). Die juristische Fiktion ist dabei: das kann kein Christ tun, also ist, wer es getan hat, mag sonst alles gegen ihn sprechen, kein Christ. Das Recht des Staates wird aufs schärfste betont. Man empfindet es als eine tragische Ironie, daß gerade durch diesen Versuch der Milde der innere Widerspruch des Christentums und des römischen Staats- und Religionsgedankens ans Licht treten muß. Wer zwischen den Zeilen zu lesen versteht, empfindet: Plinius will mehr. Verhüllt wirft er die Frage auf, ob die Torheit eines Glaubens zur Strafwürdigkeit genügt, ob die Bezeichnung Christi als Gott Kapitalverbrechen ist. Jeder Römer muß sie verneinen. Plinius wünscht, daß das *nomen* straffrei bleibt, die *crimina*, die etwa mit ihm verbunden sind, bestraft werden. Das aber wäre ein Zurückweichen des Staates und würde bei Männern wie Tacitus und Sueton helle Entrüstung hervorrufen. Trajan lehnt das stillschweigend ab, indem er die bisherige Praxis des Plinius vollständig billigt; die Härten will er weitgehend abschwächen. Man soll nicht nach den Christen forschen (*anquirendi non sunt*), Anzeigen nicht annehmen, sondern nur Klagen(?). Hierin liegt der volle Gegensatz zu Neros Vorgehen, eine starke Milderung gegenüber der Praxis des Bacchanalienprozesses. Kommt der Christ mit der Staatsgewalt in Konflikt, so soll das *odium* auf keinen Fall diese treffen. Der Grundsatz *nomen puniendum esse* wird festgehalten, nur soll er möglichst selten angewendet werden.[1] In der generellen Festsetzung voller Begnadigung des offiziell vom Christentum Zurücktretenden zeigt sich, daß es dem Staate nur noch um eine äußere Anerkennung seines Rechts zu tun ist.

So ungeheuer für römisches Empfinden diese Konzession ist, Trajan hatte hierfür ein Präzedens in dem Verfahren des Tiberius gegen die jüdische Propaganda in Rom und wird es in seiner offensichtlichen Verlegenheit benutzt haben, wenn auch die beiden Fälle etwas verschieden lagen. In der Untersuchung und dem Verbot der Isismysterien und der jüdischen Propaganda unter römischen Bürgern i. J. 19 hatte Tiberius vom Senat den Beschluß annehmen lassen: *ut quattuor milia libertini generis ea superstitione infecta, quis idonea aetas, in insulam Sardiniam veherentur, coercendis illic latrociniis et, si ob gravitatem caeli interissent, vile damnum; ceteri cederent Italia, n i s i c e r t a m a n t e d i e m p r o f a n o s r i t u s e x u i s s e n t* (Tacitus An. II 85 über die Ergänzung aus Sueton, vgl. oben S. 109). Man mochte aus Billigkeitsgründen hier nach Erleichterungen der alten Bestimmung suchen. Daß es sich im wesentlichen um kultliche Verbote handelte, könnte man aus den Worten des Tacitus und der An-

1) Nicht viele Ankläger werden sich finden, die vor einem widerwilligen Richter eine Klage (worauf?) erheben, die der Beschuldigte einfach dadurch illusorisch machen kann, daß er leugnet. Ein Verbrechen empfindet man nicht mehr. Kein Wort von den *crimina*, keins von *maiestas* oder Kaiserkult. Dabei wird, wie Guérin mit Recht betont, der Charakter des Strafprozesses, der *cognitio*, aufrecht erhalten, wenn auch zu seiner Erledigung eine Frage und eine Antwort genügen: *confessus pro damnato est.* Nicht um die *coercitio* handelt es sich, und dennoch soll dem Takt des Beamten möglichst viel überlassen bleiben: *neque enim in universum aliquid, quod quasi certam formam habeat, constitui potest.* Es ist eine Halbheit, die sich furchtbar rächt, gerade weil sie von einem wohlgesinnten und kräftigen Herrscher ausgeht.

gabe Suetons schließen *coactis qui superstitione ea tenebantur religiosas vestes cum instrumento omni comburere,* und soweit es sich um Gebräuche aus dem alten hellenistisch-jüdischen Sabazios-Kult handelte, konnten die Juden leicht nachgeben. Die Astrologie, die mit einem gewissen Recht ebenfalls als eine Art Religion gefaßt war, wurde gleicherweise nur in der praktischen Ausübung untersagt. Die ganze, von Philo auf Sejans Einfluß zurückgeführte Maßregel hatte nur ephemere Bedeutung. Aber ein Vorbild war tatsächlich damit gegeben, die Zugehörigkeit zu einer früher als sittenschädigend erklärten Religion, wenn sie in bindender Form aufgegeben wurde, nicht mehr zu bestrafen, und dies Vorbild scheint mir Trajan auf das Christentum angewendet zu haben. Dem Rückfälligen mußte diese Gnade versagt werden. Immer mehr weicht in der Folgezeit der Staat zurück; er will mit der äußerlichen Anerkennung auch seiner Götter zufrieden sein; aber das Christentum kann sie nicht gewähren, der furchtbare Entscheidungskampf beginnt. Den rechtlichen Untergrund für die Subsumierung des Christentums unter den durch die Bacchanalien geschaffenen Begriff der Verbrecherreligionen und für deren weltgeschichtliche Folgen hat das eine Fehlurteil über die Schuld am Brande Roms gegeben. Darum dürfen wir auch von dem Historiker eine genaue Interpretation des einzig vorliegenden Berichtes verlangen.

Wir sehen das Walten einer festen Tradition, die wir ja auch in kleineren Fragen verfolgen können — so, wenn neupythagoreische Wundertäter von Caesar, Tiberius und Domitian mit der gleichen Strafe, der Verbannung aus Italien, belegt werden. Für die armenische μαγεία, die Zauberreligion, ist der gleiche Grundsatz befolgt worden, und zwar, wie ich später zeigen werde, hier immer in der alten Strenge: der Staat hat das Recht, Kulthandlungen und Kultformen, die zu bürgerlichen Verbrechen führen müssen oder können, zu verbieten und den Ungehorsamen kriminell zu bestrafen. Ob er an Verbrechen teilgenommen hat, macht keinen Unterschied: gefragt wird nur nach der Teilnahme an dem Kult. Daß die Voraussetzung auf das Christentum — wenigstens seiner Hauptform nach — nicht zutraf, ward erst bemerkt, als es zur Umkehr zu spät schien und man nur noch dem einzelnen Oberbeamten möglichste Zurückhaltung empfehlen konnte. Sieht man von dem verhängnisvollen ersten Fehlurteil ab, so ist es nicht anders behandelt worden als einzelne einmal beanstandete Mysterienreligionen. Es ist begreiflich, daß etwa von Anfang des zweiten Jahrhunderts n. Chr. ab einige große Mysterien eine Art genereller staatlicher Anerkennung erlangt haben und für sie nun zahlreiche 'Zeugnisse' vorliegen; aber das rechtfertigt in keiner Weise den Schluß, daß sie vorher nicht bestanden haben und neben ihnen nicht auch andere bestehen, oder gar den, daß 'die Mysterienreligionen' erst mit dem Christentum entstanden und vorher für die allgemeine Religiosität bedeutungslos gewesen sind. Wir haben die Pflicht, nach Indizien für ihr Bestehen zu suchen.

Zu ihnen rechne ich vor allem mysterienhafte Vorstellungen. Sie berühren sich, wie sich bald zeigen wird, eng mit den zauberhaften; die Grenzen zwischen Kult und Zauber lassen sich ja nie klar ziehen. Noch engere Beziehungen haben sie zu der sogenannten Geheimliteratur, die uns freilich nur ganz selten chronologisch fixierbare Schriften bietet. Ich greife beispielshalber einen neueren, reizenden Fund Cumonts heraus, für den das zutrifft und der gewiß mit keinem wirklichen Mysterium zusammenhängt, wohl aber mit der Grundanschauung aller.

Von dem Arzt und Astrologen Thessalos von Tralles, der nach den Zeugnissen des Galen und Plinius unter Kaiser Nero in Rom in höchstem Ansehen stand, ist ein Schriftchen teils in griechischem Wortlaut, teils in mittelalterlicher lateinischer Übersetzung erhalten (Catalogus cod. astrol. graec. VIII 3, 134. 4, 253). In dem an den Kaiser — eher Nero als Claudius[1] — gerichteten Vorwort rühmt er sich, von seinem Studienort Alexandria ins

1) Nero ist durch seinen Lehrer Chairemon für Astrologie und ägyptische Geheimliteratur besonders empfänglich gemacht. Er gibt dem Zauberer, der sich vermißt, sichtbar zum Himmel emporzufliegen, in seinem Palast Wohnung (unten S. 188). In seiner letzten Zeit übernimmt er dann armenische Zauberkunst und Götterzwang (Plinius XXX 14—17). Alles, was Magie betrifft, interessiert ihn lebhaft. [Cumonts Aufsatz Revue de philologie XLII, 1918, 85f. ist mir leider unzugänglich. Ich benutze außer dem Catalogus seine Darstellung Le culte égyptien et le mysticisme de Plotin, Fondation Eugene Piot, Monuments et mémoires XXV 77f.].

Innere Ägyptens gereist zu sein: τῆς ψυχῆς προμαντευομένης θεοῖς ὁμιλῆσαι, συνεχῶς εἰς οὐρανὸν τὰς χεῖρας ἐκτείνων ἐλιτάνευον, δι' ὀνείρου φαντασίας ἢ διὰ πνεύματος θείου χαρίσασθαί μοί τι τοιοῦτο, δι' οὗ γαυριάσας ἱλαρὸς εἰς τὴν Ἀλεξάνδρειαν καὶ τὴν πατρίδα κατελθεῖν δυνηθῶ. Überall fragt er, εἴ τι τῆς μαγικῆς ἐνεργείας σῴζεται, und findet endlich in Diospolis (Theben) einen ehrwürdigen alten Priester des Asklepios[1], der ihm verheißt, ihn mit einem Gott oder dem Geist eines Abgeschiedenen zusammenzubringen. Beide halten drei Tage des Wartens in strenger Askese[2] am Morgen des vierten eilt er zu dem Priester, der schon ein reines Tempelchen (οἶκος) gerüstet hat, und bittet, den Asklepios sehen und mit ihm unter vier Augen (μόνος πρὸς μόνον) reden zu dürfen. Widerwillig gewährt das der Priester. Er läßt ihn sich gegenüber dem Lehrsitz, auf dem der Gott zu sitzen pflegt, niedersetzen, geht hinaus und schließt ihn ein. Alsbald ist der Gott da — unbeschreiblich ist seine Schönheit und der Schmuck seines Gewandes — und begrüßt die Rechte erhebend den Hörer mit Namen: 'Glückseliger Thessalos, der du schon jetzt bei Gott geehrt bist[3] und den in Zukunft, wenn deine Erfolge bekannt werden, die Menschen wie einen Gott verehren werden. Frage, was du willst; gern will ich dir alles gewähren.' Thessalos, der vorsichtigerweise Schreibmaterial eingeschmuggelt hat[4], fragt, warum er mit den Angaben des Nechepso über die Kräfte der Kräuter keine Erfolge erzielt hat, und hört, sie hat Nechepso nicht aus göttlicher Offenbarung, sondern nur aus eigenen, allerdings trefflichen Kenntnissen angegeben; nur wußte er nicht, wann und wo man sie sammeln solle. Asklepios offenbart dies, und Thessalos schreibt seinen Vortrag getreulich nach.

Zeit und Persönlichkeit des Verfassers geben dem Schriftchen

1) Das Heiligtum heißt hier wirklich offiziell Ἀσκληπιεῖον, doch wird ursprünglich Imuthes gemeint sein. Er erscheint auch in der religiösen Literatur als Offenbarungsgott.

2) Das ἁγνεύειν erwähnt auch Apuleius. Dem ungeduldigen Thessalos scheint diese Wartezeit wie drei Jahre. Für die Mysterienhandlung vgl. unten S. 246.

3) So ungefähr der Sinn; die Überlieferung ist verdorben. Die Vision ist die Ehrung (τιμή).

4) ἐγὼ δὲ κατὰ προμήθειαν τῆς ψυχῆς εἶχον ἀγνοοῦντος τοῦ ἀρχιερέως χάρτην καὶ μέλαν.

ein ungewöhnliches Interesse; die Berührungen mit den Zauberpapyri sind auffällig[1], unverkennbar aber auch die Berührungen mit Apuleius. Mag Thessalos das Erlebnis selbst erschwindelt haben, Vorbilder hat er sicher gehabt, und ein Wunder dieser Art ließ sich leicht vortäuschen; die religiösen Anschauungen gibt er trefflich wieder und bezeugt außerdem das Alter dieser mystischen Literatur. Wir besitzen ja noch den Anfang einer sehr alten alchemistischen Schrift[2], Βίβλος περιέχουσα τῶν φώτων καὶ οὐσιῶν τὰς ἀποδείξεις διδασκάλου Κομαρίου τοῦ φιλοσόφου [ἀρχιερέως][3] πρὸς Κλεοπάτραν τὴν σοφήν. ἐν ταύτῃ τῇ βίβλῳ Κομάριος ὁ φιλόσοφος τὴν μυστικὴν φιλοσοφίαν τὴν Κλεοπάτραν διδάσκει ἐπὶ θρόνου καθήμενος καὶ ἐκ τῆς ⟨πολ⟩λῆς εὐμενείας αὐτοῦ τῆς φιλοσοφίας ἐφαψάμενος. ἐπεὶ οὖν μυστικὴν τὴν γνῶσιν τοῖς νεύμασιν ⟨ἐμυσταγώγ⟩ησέν τε καὶ τῇ χειρὶ ὑπέδειξεν ⟨εἰς τρεῖς⟩ τοπάσας μονὰς καὶ διὰ τεσσάρων στοιχείων γυμνάσας καὶ ἔλεγεν ...... λαβοῦσα ἡ Κλεοπάτρα τὸ ὑπὸ Κομαρίου γραφὲν ἤρξατο παρεμβολὴν ποιεῖσθαι χρήσεων ἑτέρων φιλοσόφων. Genau so setzt Thessalos die Schrift Nechepsos voraus. Die Namen begegnen in dem Verzeichnis der Ärzte im cod. Laur. 71, 3 wieder: *Escolapius. Podalirius et Machaon eius filii, Asclepius eius nepos Escolapi*[4], *Hermes Trismegistus, Manetho, Nechepso, Cleopatra regina* (wohl die Isis benannte dritte Trägerin des Namens). Daß der *komar* hier das fertige Buch übergibt, während Thessalos den Vortrag heimlich nachschreibt, macht ebensowenig aus, wie daß in der alchemistischen Schrift des Krates[5] der Autor sich in den Himmel entrückt fühlt, dort Hermes auf einer καθέδρα sitzend

1) Die Polemik ähnelt der in den religiösen hermetischen Schriften.

2) Von mir hergestellt Nachr. d. Ges. d. Wissensch., Göttingen 1919, S. 24.

3) Das Wort ist wohl erklärendes Glossem zu dem Namen (*komar*, aramäisch: Oberpriester), das in der alten Ausgabe zu dem Bilde beigefügt war, das hier beschrieben wird.

4) Der mit Hermes Trismegistos verbundene Asklepios ist der Enkel des Erfinders der Heilkunde auch bei Pseudoapuleius Asclepius cap. 37: *Avus enim tuus, Asclepi, medicinae primus inventor, cui templum consecratum est in monte Libyae circa litus crocodillorum* Gemeint wird das oben (S. 128) erwähnte Ἀσκληπιεῖον in Theben sein, das auch Thesalos aufgesucht hat. Zielinski dachte an Kyrene, aber da gibt es keine Krokodile. *Libyae* deutet nur auf das westliche Nilufer.

5) Berthelot, La chimie au moyen âge III 44. Poimandres S. 361, vgl. die

in einem Buch lesen sieht und ein Engel ihm den Inhalt dieses Buches vorträgt. Wellmann behält Recht, wenn er (Hermes 35, 1900, 367) jene medizinischen Fälschungen zum Teil schon der Ptolemäerzeit zuschreibt[1], Cumont, wenn er auch hieraus auf das religiöse Empfinden der Orientalen — freilich nicht nur der Ägypter, wie ich hinzufüge — Schlüsse macht. Durch die ganze 'hellenistische' magische und religiöse Literatur geht ja dieser Offenbarungsglaube und Offenbarungstypus. Die literarischen Parallelen, die Boll (Zeitschr. f. neutestam. Wissensch. 17, 1916, 129f.) anführt[2], lassen sich leicht vermehren und führen von dem Timarchos-Epigramm des Kallimachos bis hinunter zu der mittelalterlichen Novelle von dem Alchemisten-Eremiten Marianus, der angeblich Lehrer des Omaijaden-Prinzen Châlid gewesen ist, ja bis in ein Märchen in dem türkischen Volksbuch von den vierzig Wesiren.[3] Literarische Abhängigkeit läßt sich fast niemals nachweisen, weil der Glaube und der Zauberbrauch so allgemein verbreitet sind. So geht Cumont mit Recht auf die psychologischen Voraussetzungen ein. Die Übereinstimmung mit dem Mysterienglauben ist oft ganz überraschend. Was Thessalos schildert oder Lukian in der von ihm selbst eingelegten[4] Beschreibung des Zauberers (Mithrobuzanes: der von Mithras Erlöste?) bietet, ist dasselbe, was Apuleius erlebt haben will, nur abgekürzt und vereinfacht.[5] Wenn schon in der frühen oder mittleren Ptolemäer-

---

'Vision' des Mönches Saba bei Hebbelynck, Le Museon, Nouv. Sér. I p. 20. Auf die Vision des Hermes (Hirt I 2, 2) βλέπω κατέναντί μου κάθεδραν λευκήν ... καὶ ἦλθεν γυνὴ πρεσβῦτις ἐν ἱματισμῷ λαμπροτάτῳ, ἔχουσα βιβλίον εἰς τὰς χεῖρας habe ich schon früher verwiesen.

1) Schon dem Lexikographen Pamphilos ist es begegnet, aus einer hermetischen Schrift, welche der des Thessalos ähnelte, einen mystischen Pflanzennamen (Decknamen) in sein Lexikon aufzunehmen (Galen Tom. IX 758K.).

2) Hauptsächlich aus dem Eingang der Recognitionen des Clemens und Lukians Menippos.

3) Religionsgeschichtliche Versuche und Vorbarbeiten XIX 2, 1922, S. 76f.

4) Vgl. meine hellenistischen Wundererzählungen S. 20, Boll a. a. O. 146.

5) Der οἰκεῖος δαίμων, den nach Porphyrios Vit. Plotini 10 der ägyptische Priester dem Plotin im Isis-Tempel zeigen will, ist der ἴδιος δαίμων des Zaubers, die vollkommene eigene Natur, das himmlische Selbst der iranisch beeinflußten religiösen Texte. Mit dem persönlichen Ἀγαθὸς δαίμων (Laum, Stiftungen II N. 117) hat er nichts zu tun.

zeit Petosiris-Nechepso die Mysterienanschauungen voraussetzt und in Neros Zeit Thessalos[1] einem gebildeten Publikum, ja dem Kaiser selbst durch einen derartigen Schwindel imponieren will, so meine ich, dürfen wir schließen, daß die Mysterien schon früher im Orient bestanden haben und in ihren Grundanschauungen einigermaßen bekannt sind. Wie lange sich in Ägypten diese Anschauungen halten und was sie hier dem Frommen bedeuteten, habe ich schon vor mehr als 20 Jahren durch eine kurze Mönchserzählung zu zeigen versucht, die ich hier wiederhole (Cotelerius Eccles. graec. mon. I 582): εἶπεν ὁ ἀββᾶς Ὀλύμπιος ὅτι κατέβη ποτὲ ἱερεὺς τῶν Ἑλλήνων (der Heiden) εἰς Σκῆτιν καὶ ἦλθεν εἰς τὸ κελλίον μου καὶ ἐκοιμήθη. καὶ θεασάμενος τὴν διαγωγὴν τῶν μοναχῶν λέγει μοι· οὕτως διάγοντες οὐδὲν θεωρεῖτε παρὰ τῷ θεῷ ὑμῶν; καὶ λέγω αὐτῷ· οὐχί. καὶ λέγει μοι ὁ ἱερεύς· τέως ἡμῶν ἱερουργούντων τῷ θεῷ ἡμῶν οὐδὲν κρύπτει ἀφ' ἡμῶν, ἀλλὰ ἀποκαλύπτει ἡμῖν τὰ μυστήρια αὐτοῦ. καὶ ὑμεῖς τοσούτους κόπους ποιοῦντες, ἀγρυπνίας, ἡσυχίας (Beschränkung auf die Zelle), ἀσκήσεις λέγεις ὅτι οὐδὲν θεωροῦμεν; πάντως οὖν, εἰ οὐδὲν θεωρεῖτε, λογισμοὺς πονηροὺς ἔχετε εἰς τὰς καρδίας ὑμῶν τοὺς χωρίζοντας ὑμᾶς ἀπὸ τοῦ θεοῦ ὑμῶν καὶ διὰ τοῦτο οὐκ ἀποκαλύπτεται ὑμῖν τὰ μυστήρια αὐτοῦ. καὶ ἀπῆλθον καὶ ἀνήγγειλα τοῖς γέρουσι τὰ ῥήματα τοῦ ἱερέως, καὶ ἐθαύμασαν καὶ εἶπαν ὅτι οὕτως ἔστιν· οἱ γὰρ ἀκάθαρτοι λογισμοὶ χωρίζουσιν τὸν θεὸν ἀπὸ τοῦ ἀνθρώπου. Das Geschichtchen macht durchaus den Eindruck des Erlebten und hat für die Spätzeit eine gewisse Bedeutung, weil es zeigt, unter welcher Konkurrenz das Mönchsleben stand und die Mönchserzählung sich ausbildete. Aber auch für die Frühzeit scheint es mir nicht völlig bedeutungslos. Es veranschaulicht trefflich, wie selbstverständlich für orientalisches Empfinden jede Art der ἁγνεία und ἄσκησις Anspruch auf Offenbarung gibt. Daß die Träume der κάτοχοι im Sarapieion zu Memphis bedeutungsvoll sein können oder müssen, folgt aus ihrer Gotteshaft. Doch hierüber später mehr.

Für den Indizienbeweis müßte ja eigentlich die Sprache genügen; sie gibt hier wie immer für den Philologen das sicherste

---

1) Daß er sich in seiner Grabschrift Ἰατρονίκης (wie Ὀλυμπιονίκης) nennt, charakterisiert den Charlatan noch weiter.

Zeugnis.[1] Ich habe die Frage gestellt, ob man die Sprache des Neuen Testaments überhaupt ohne die Mysteriensprache verstehen kann. Der Hauptteil des Buches war von jeher der Beantwortung dieser Frage gewidmet. Wird sie auch nur für einen kleinen Teil der von mir angeführten, aus Paulus entlehnten Beispiele verneint, so ist die Priorität des Heidentums erwiesen und ergibt sich für den Philologen die Pflicht gegen seine eigene Wissenschaft, mitzuarbeiten, um diese Sprache zu erklären.[2] Der Theologe ist leicht dadurch behemmt, daß ihm diese Sprach- und Gedankenwelt vom Beginn seiner Studien an zu bekannt und gegeben ist und er das Fremde in ihr daher wenig empfindet. Dem Philologen, der von dauernder Beschäftigung mit der Profangräcität an die neutestamentliche herantritt, sollte das leichter werden. So werden gerade diejenigen Theologen, die sich selbst trefflich in die Profangräcität eingelebt haben, unsere Mitarbeit am wenigsten zurückweisen.

1) Sie kann das allerdings erst bei Vergleichen; sie sind ja die Voraussetzung für jede Annahme einer Entlehnung, und die Voraussetzung der Möglichkeit einer solchen ist Vorbedingung jeder Konstruktion eines geschichtlichen Zusammenhanges. Wer sie mit ungenügenden Gründen von vornherein ausschließt, gibt der eigenen Konstruktion die entscheidende Richtung nach Willkür. Gewiß können wir infolge jahrhundertelanger Tradition Gedanken und Sprache der urchristlichen Literatur auch rein aus dem Judentum und innerchristlicher Entwicklung verstehen, denn wir kennen sie von Kindheit an, die Gedanken nach dem Katechismus dogmatisch umgedeutet, zu Erbauungszwecken zurechtgebogen, die Worte verblaßt und entseelt. Die Frage, warum das einzelne Wort oder Bild gewählt ist, was es ursprünglich bedeutete und was der gleichzeitige Leser empfinden mußte, kommt uns gar nicht mehr; wir hören für seltsame Worte wie 'der Leib dieses Todes' oder 'durch die Taufe begraben in den Tod' nur noch 'der Körper' und 'getauft'. Der sprachliche Beweis entfällt damit für uns. Wenn die ganze moderne, d. h. philologische Schriftinterpretation die Wortgeschichte besonders ausbaut, so ist sie damit — der einzelne mag es wollen oder nicht — religionsgeschichtlich orientiert, und nur, wenn man die wirkliche Interpretation der Texte verböte, könnte man die Religionsgeschichte wieder aus der Geschichte unserer Religion verbannen. Ich hoffe, daß umgekehrt ein stärkeres Eingreifen der orientalischen Philologien ihre Einwirkung steigern wird.

2) Daß er, wenn er religiös empfindet, das auch als Pflicht gegen sich selbst fühlen muß, lasse ich hier beiseite: hat er auch nur das historische Interesse an der Geistesgeschichte des Abendlandes, so kann er an dieser Frage gar nicht vorübergehen oder ihre Berechtigung bestreiten.

Als allgemeine Norm für meine Untersuchung habe ich früher aufgestellt, daß für die Zeit, die hier allein in Frage kommt, bei Handlungen und Anschauungen, in denen das Christentum mit mehreren verschiedenen heidnischen Mysterienreligionen übereinstimmt, letzteren die Priorität wahrscheinlich zuzusprechen sei. Eine Entlehnung kultlicher Worte aus dem Christentum ins Heidentum sei schwerer denkbar; die Beweislast falle hier allemal dem zu, der die Priorität des Christentums behaupte. Was an Einzelfällen noch strittig bleibe, müsse nach dem Charakter der Schrift und dem Zusammenhang der Worte individuell beurteilt werden. Ich füge zur Begründung nur bei, daß wohl die meisten christlichen Schriftsteller etwas von heidnischer Literatur kennen, nur sehr wenig heidnische etwas von christlicher, und daß der Übergang vom Heidentum zum Christentum im allgemeinen häufiger gewesen ist als der vom Christentum zum Heidentum. Bis mir dies als Irrtum erwiesen ist, werde ich kaum von jenen Richtlinien abgehen können und muß die Beweise für die Beeinflussung der heidnischen Mysterien durch das Christentum erwarten.[1]

Die Frage, wie weit die kultlichen Termini auch der hellenistischen Religionen von den älteren griechischen Mysterien, die überwiegend ihre Bedeutung verloren haben, beeinflußt sind, darf für diese Untersuchungen wohl ausscheiden. Sie beeinflussen nicht direkt das Christentum. Gewiß wird die ältere Literatur einzelne Worte vermittelt haben, aber innere Wirkung haben jene lokalgebundenen Mysterien kaum noch; fehlt ihnen doch die Werbetätigkeit der Propheten und Missionare und der Rückhalt an festen Gemeinden. Es überrascht fast, daß noch Epikur stärker auf die Mysterien Bezug nimmt und ihnen z. B. den Gebrauch des Wortes τέλειος entlehnt, wie Diels, Abh. d. Berliner Akad. 1915, S. 41 und 93 an Philodem περὶ θεῶν α' col. 24, 12 erwiesen hat: οὐδὲ τὸν τε[λείως] τέλειο[ν οἱ θεοὶ π]άντες ἅμα [φοβεῖν] γε [ν]ομίζονται). Bringt man diese Stelle mit Lukrez I 80f. in Verbindung, so wird man das großartige Bild, wie dieser τέλειος die Pforten des Himmelstempels sprengt und die Erkennt-

1) Wenn christliche Autoren von Nachbildungen des Satans reden, ist das für mich allerdings kein Beweis.

nis seinen Jüngern als Beute zurückbringt (vgl. Lukrez III 14, Heinze S. 52) Epikur selbst oder einem seiner nächsten Schüler lassen müssen. Gerade dann freilich steigt mir die Frage auf, ob nicht schon Epikur von orientalischen Anschauungen derart gehört hat. Die Übereinstimmung mit den Lehrschriften, die ihre Helden in den von einem gräßlichen Ungeheuer bewachten Götterhimmel steigen und von dort untrügliche Wahrheit niederbringen lassen, sind ja ganz auffällig.[1]

Mag das zweifelhaft bleiben; für Poseidonios möchte ich Kenntnis orientalischer Mysterienanschauungen jedenfalls annehmen. Ich habe schon früher auf eine Stelle des neunzigsten Briefes Senecas verwiesen, in dem er bekämpft, aber auch besonders stark benutzt wird (§ 27—30): *non est, inquam, (philosophia) instrumentorum ad usus necessarios opifex. quid illi tam parvola adsignas? artificem vides vitae; illas* (Codd: *alias*) *quidem artes sub dominio habet — nam cui vita, illi vitae quoque ornantia serviunt —, ceterum ad beatum statum tendit, illo ducit, illo vias aperit. quae sint mala, quae videantur ostendit, vanitatem exuit mentibus, dat magnitudinem solidam, inflatam vero et ex inani speciosam reprimit, nec ignorari sinit, inter magna quid intersit et tumida. totius naturae notitiam ac suae tradit: quid sint dii qualesque declarat, quid inferi, quid lares et genii, quid in secundam numinum formam animae perpetitae*[2], *ubi consistant, quid agant, quid possint, quid velint. haec eius initiamenta* (τελεταί) *sunt, per quae non municipale sacrum*[3], *sed ingens deorum omnium templum, mundus ipse, reseratur, cuius vera simulacra verasque facies cernendas mentibus protulit. nam ad spectacula tam magna hebes visus est.* § 29. *ad initia deinde rerum redit aeternamque rationem toti inditam et vim omnium seminum ⟨se in⟩ singula proprie* (ἰδίως)

---

1) Man vergleiche etwa jene in der Geheimliteratur üblichen Einleitungserzählungen, die ich in der Festschrift für F. C. Andreas 1916, S. 33f. und z. T. schon im Poimandres S. 361—64 besprochen habe. Die Übereinstimmung scheint mir zwingend.

2) ἀπαθανατισθεῖσαι (*perpetuatae*). Bücheler bemerkt: *novum vocabulum tum fortasse ex apotheoseon ritibus increbruerat.* Möglich, nur nicht aus der einen Kaiserapotheose allein, sondern aus dem sie beeinflussenden Glauben an die Himmelfahrt der Seelen.

3) Μιᾶς τινος πόλεως ἱερόν.

figurantem.[1] *tum de animo coepit inquirere, unde esset, ubi, quamdiu, in quot membra divisus. deinde a corporibus se ad incorporalia transtulit veritatemque et argumenta eius excussit. post haec quemadmodum discernerentur vitae aut vocis ambigua; in utraque enim falsa veris immixta sunt. non abduxit, inquam, se, ut Posidonio videtur, ab istis artibus sapiens, sed ad illas omnino non venit.* Daß die Charakteristik der Hauptaufgabe der Philosophie aus Poseidonios entnommen ist, sagt Seneca im Grunde selbst und wird durch ihre Eigenheit bestätigt. Ihm ist die Philosophie die Wissenschaft von den menschlichen und von den göttlichen Dingen und ihrem Zusammenhang; er begründet die Religion auf die innere Erfahrung. Von ihm haben wir eine Art Definition der Gottheit (Stobaios I p. 34, 26 Wachsm.): πνεῦμα νοερὸν καὶ πυρῶδες, οὐκ ἔχον μὲν μορφήν, μεταβάλλον δὲ εἰς ὃ βούλεται καὶ συνεξομοιούμενον πᾶσιν. Das klingt an eine Formel orientalischer Mystik an, die von Gott immer betont: 'er wird, was er will, und bleibt, was er ist.' Sie findet später im Kult des Aion als des παντόμορφος θεός oder *omniformis deus* ihren Ausdruck. In der Naassenerpredigt nimmt sie die Form an: er ist die Lebenskraft, an sich ἀχαρακτήριστος, aber im Samen des Einzelwesens oder Dinges κεχαρακτηρισμένος. Auf diese Fassung scheinen mir die in der Überlieferung kaum verständlichen Worte Senecas zu deuten. Auch später werden wir noch bei Seneca Mysterienworte und Bilder finden, die wir auf Poseidonios und bei ihm auf orientalische oder besser hellenistische Mysterien zurückführen müssen. Hier scheint mir schon die von Seneca nicht ganz verstandene[2] Anordnung (zunächst Schau des Himmels, der Götter und gottähnlichen Wesen, dann der wahren ἀρχή) auf denselben Ursprung zu weisen. Es ist nicht unwichtig, daß das Bild bei Plotin öfter wiederkehrt, besonders VI 9, 11: οὐδὲ τῶν καλῶν, ἀλλὰ καὶ τὸ καλὸν ἤδη ὑπερθέων, ὑπερβὰς ἤδη καὶ

1) So möchte ich schreiben. An Cicero, De nat. d. II 81 erinnert mich M. Pohlenz.

2) Er müßte § 29 statt *redit* sagen *transit,* denkt aber wohl schon an *tum de animo coepit inquirere;* von der Schau der ἀρχή führt der Weg zu dem Menschen zurück.

τὸν τῶν ἀρετῶν χορόν, ὥσπερ τις εἰς τὸ εἴσω τοῦ ἀδύτου εἰσδὺς εἰς τοὐπίσω καταλιπὼν τὰ ἐν τῷ ναῷ ἀγάλματα, ἃ ἐξελθόντι τοῦ ἀδύτου πάλιν γίνεται πρῶτα μετὰ τὸ ἔνδον θέαμα καὶ τὴν ἐκεῖ συνουσίαν πρὸς οὐκ ἄγαλμα οὐδ' εἰκόνα, ἀλλ' αὐτό· ἃ δὴ γίνεται δεύτερα θεάματα, τὸ δὲ ἴσως ἦν οὐ θέαμα, ἀλλὰ ἄλλος τρόπος τοῦ ἰδεῖν, ἔκστασις καὶ ἅπλωσις καὶ ἐπίδοσις αὐτοῦ καὶ ἔφεσις πρὸς ἁφὴν καὶ στάσις καὶ περινόησις πρὸς ἐφαρμογήν, εἴπερ τις τὸ ἐν τῷ ἀδύτῳ θεάσεται.[1] Gewiß werden wir das übersteigerte mystische Empfinden des Neuplatonikers nicht ohne weiteres auf Poseidonios übertragen können, aber dasselbe Bild dürfen wir bei ihm erkennen, den Eintritt in einen Tempel mit den verschiedenen Götterbildern und das Hinaustreten auch aus diesem Raum in einen noch heiligeren Raum, der nur das Empfinden der unpersönlichen, alldurchdringenden Gotteskraft gestattet. Damit aber bietet sich von selbst ein Vergleich einerseits z. B. mit iranischen Himmelfahrtsvorstellungen — etwa dem ἐν θεῷ γίγνεσθαι des Poimandres —, andererseits mit dem mächtigen Bilde des Lukrez. Letzteres erscheint mir wie eine Umbildung und Umkehrung der bei Poseidonios vorliegenden Vorstellung.[2] Griechischer Tempeleinrichtung oder Götteranschauung entspricht keine von beiden. So

1) Die Fortsetzung zeigt noch deutlicher, daß eine Mysterienordnung nachgeahmt ist. Auch das Dekret über das Abaton zu Philae (H. Junker, Denkschr. d. Wiener Akad. 1913) kann uns das fühlbar machen.

2) Daß wir nicht mehr mit Poseidonios als einer Quelle des Lukrez rechnen dürfen, hat mir zu meiner Überraschung Erich Reitzenstein in seiner Schrift 'Theophrast bei Epikur und Lukrez', Heidelberg 1924, gezeigt. Was sich für Poseidonios aus dieser eigenartigen Umformung der stoischen Gottesvorstellung ergibt, kann ich hier nicht verfolgen, sondern nur andeuten, daß wir gerade bei ihm am wenigsten die Verbindung orientalischen und griechischen Empfindungslebens verkennen dürfen, die man neuerdings bei Plotin wieder sucht. [Mit Recht betont E. Peterson (Theolog. Blätter, herausgegeb. v. K. L. Schmidt, 1926, S. 291), daß Reinhardt auch in den neuen Untersuchungen über Poseidonios diesem Zeugnis nicht gerecht geworden ist, weil er das eigentlich Religiöse und vor allem das Orientalische in Poseidonios ignoriert. Auch der Mythos bei Plutarch De facie in orbe lunae berührt sich so eng mit orientalischen Vorstellungen, daß, wer ihn mit Poseidonios zusammenbringt, auf sie eingehen muß. Ähnlich die Charakteristik der Elemente in der Κόρη κόσμου, die aus einer älteren hermetischen Schrift stammt, vgl. Reitzenstein-Schaeder I 138. Korrekturzusatz.]

halte ich sogar für möglich, daß schon in Epikurs Zeit oder kurz nachher Widerspiegelungen orientalischer Mysterienfrömmigkeit bis nach Athen gedrungen sind und führe diese Stellen an, nicht um durch sie die Priorität hellenistischer Mysterien gegenüber dem Christentum weiter zu beweisen — sie steht durch ganz anders zwingende Zeugnisse unbedingt sicher und wird sich, wie ich vertraue, im weiteren Verlauf des Buches immer klarer herausstellen —, sondern, um das Verständnis für ihre Empfindungsart vorzubereiten. Dem diene zugleich die folgende Beigabe.

II. ORIENTALISCHER UND HELLENISTISCHER KULT

Ich fasse im folgenden einige kleine Untersuchungen zusammen über hellenistischen Kultbrauch, der sich nur aus dem Orient herleiten läßt. Es handelt sich dabei zuerst um einen Kultbrauch, der notwendig geschlossene und eng verbundene Gemeinden voraussetzt, wie sie die Mysteriengemeinden ja auch sind. Doch verbinde ich damit keineswegs die Behauptung, daß in all diesen Gemeinden notwendig Mysterien bestanden haben müssen. Die Frage würde meist gar nicht entscheidbar und für den Hauptzweck gleichgültig sein. Wir müssen zunächst versuchen, uns an möglichst reichem Material in die Art orientalischer Frömmigkeit einzufühlen.

Ich wähle zum Ausgangspunkt die Einrichtung der Beichte und Buße, die in ihrer Urform wohl den meisten Religionen eignet, in Griechenland wie in Rom aber frühzeitig die Bedeutung verloren hat[1]; die Entwicklung eines bürgerlichen Rechts beschränkt sie auf kultliche Verstöße, die nur noch lockere Bindung an den staatlichen Kult entkräftet sie auch auf diesem Gebiet.[2] Meine Betrachtung möchte ich an eine eigentümliche orientalische Form schließen, die Franz Steinleitner in einer trefflichen Dissertation 'Die Beichte im Zusammenhang mit der sakralen Rechtspflege

1) In den samothrakischen Mysterien, die freilich phrygisch beeinflußt scheinen, haben wir noch im Ausgang des fünften Jahrhunderts Spuren (Plutarch, Apophth. Lac. 217 D, 229 D), in Rom noch bis in Ciceros Zeit.

2) Wo in geschlossenen Gemeinden wie der Mysteriengemeinde zu Philadelpheia (oben S. 98f.) auch sittliche Gebote beschworen werden, muß das natürlich anders sein; hier wird die christliche Kirchenzucht ihre Vorbilder haben (vgl. Plinius ep. X 96).

in der Antike', München 1913[1], besprochen hat. Er geht von einer Anzahl lydischer und phrygischer Inschriften des zweiten und dritten Jahrhunderts n. Chr. aus, welche in schauerlichem Griechisch Bekenntnisse ritueller Verfehlungen und göttlicher Strafen enthalten, die dann durch Gottes Wunderkraft wieder von dem Büßer genommen sind. Literarische Zeugnisse aus anderen Gegenden und andern Religionen bringt dann ein Nachtrag, der freilich der Ergänzung bedarf. Wohl erwähnt er Menanders Zeugnis über einen ganz entsprechenden syrischen Gebrauch (Porphyrius De abst. IV 15, p. 253 Nauck, Meineke, Fr. com. IV, p. 102), nicht aber den gleich zu besprechenden ägyptischen — den babylonischen konnte Steinleitner noch nicht kennen — und hat zwei wichtige lateinische Zeugnisse übersehen, die uns gestatten, was in weltfernen Gegenden Kleinasiens zwei Jahrhunderte später bezeugt ist, ohne weiteres auf Rom zu übertragen. Es ist ein wesentlich methodologisches Interesse, das mich veranlaßt, seine in jeder Hinsicht dankenswerten Ausführungen hier zu ergänzen.

Den gleichen Brauch wie jene Inschriften schildert in Rom Tibull an einer Stelle, auf die ich mehrfach aufmerksam gemacht habe, weil ich die religiösen Voraussetzungen nicht genügend erklären konnte:

I 2, 79 *Num Veneris magnae violavi numina* v e r b o,
et mea nunc poenas impia lingua luit?
num feror i n c e s t u s *sedes adiisse deorum*
s e r t a q u e *de sanctis* d e r i p u i s s e *focis?*
non ego, si merui, dubitem procumbere templis
et dare sacratis oscula liminibus,
non ego tellurem genibus perrepere supplex
et miserum sancto tundere poste caput.

1) Auch als Buch in Leipzig erschienen. Ein Zufall fügte, daß ich es auf wiederholte Bestellungen nicht erhielt und daher in dem 'Iranischen Erlösungsmysterium' S. 251f. nicht benutzen konnte. [Die Ausführungen E. Petersons in seinem ungemein reichhaltigen und nützlichen Buch Εἷς θεός S. 200f. kann ich hier nur erwähnen. Seine feine Erklärung der Confessiones Augustins hat inzwischen schon wieder durch M. Zepf 'Augustins Confessiones' (Heidelberger Abh. zur Philosophie u. ihrer Geschichte, Heft 9) eine interessante Fortführung und Erweiterung erfahren. Korrekturzusatz.]

Daß es sich um orientalische Bußvorstellungen handelt, ist wohl ohne weiteres klar, eigentümlich dabei, daß alle drei Sünden unter den wenigen auf Inschriften genannten wiederkehren, zunächst die Wortsünde bei Steinleitner N. 12 ἐκολάσθη Ἀμμιὰς ὑπὸ Μητρὸς Φιλείδος εἰς τοὺς μαστοὺς δι' ἁμαρτίαν λόγον λαλήσασα, dann die erste Tatsünde Tibulls N. 29 Σώσανδρος Ἱεραπολείτης ἐπιορκήσας καὶ ἄναγνος εἰςῆλθα εἰς τὸ σύνβωμον.[1] παραγγέλλω μηδένα καταφρονεῖν τῷ Λαιρμηνῷ, ἐπεὶ ἕξει τὴν ἐμὴν στήλην ἐξένπλον (*exemplum*).[2] Mit der zweiten Tatsünde vgl. N. 16 Μητρόδωρος Γλύκωνος παιδίον ὢν ἀκουσίως κατεάξας στηλλάριον τῆς θεοῦ (ein Priester wird ihm die offenbar weit zurückliegende Schuld als Erklärung für sein körperliches Leiden offenbart haben). Es handelt sich dabei immer um Ritualverstöße bis herab zum Umdrehen oder Zuspätkommen beim Gottesdienst. Besonderen Wert lege ich dabei auf Tibulls Worte *feror* und *si merui:* es könnte sein, daß er wegen dieser ihm unbewußten Tatsünden vor der Gottheit verklagt ist; hat er sie wirklich begangen, so will er sich der Buße unterwerfen. Eine solche Ankündigung der Schuld an die Gottheit ist ja gerade in diesen Kulten üblich; die Gottheit entscheidet dann, ob die Beschuldigung wahr ist, indem sie gegebenenfalls die κόλασις verhängt, die den Beschuldigten dazu treibt, Reinigungs- und Sühneopfer zu übernehmen und vor allem sich durch das Bekenntnis zu der Schuld vor der Gemeinde zu demütigen.[3] Die göttliche Wundertat, die sich in der Aufhebung der κόλασις an ihm vollzogen hat, gibt ihm dann die frühere Stellung in der Gemeinde wieder; die Sünde ist mit dieser Anerkennung der Macht der Gottheit und durch das Bekenntnis zu dem Glauben an sie vollkommen aufgehoben. Zum Ruhme der Gottheit wird über den Hergang ein kurzes Protokoll aufgenommen und öffentlich ausgestellt. Ich führe zum Beleg nur Inschrift 10 an: [Μη]νὶ Ἀξιοττ(η)νῷ.

---

1) Man denke an das Agdistis-Heiligtum mit seinen vielen Altären in Philadelpheia.

2) Zwei weitere Belege für ἄναγνος bieten N. 24, 26, dieselbe Verschuldung 22. 23.

3) Auch Tibulls Bußübungen sind öffentlich gedacht, vgl. Seneca, De vit. beata 26, 8 *cum aliquis genibus per viam repens ululat . . . concurritis.*

Ἐπ(ε)ὶ Ἑρμογένης Γλύκωνος καὶ Νιτωνὶς Φιλοξένου ἐλοιδόρησαν Ἀρτεμίδωρον περὶ οἴνου, Ἀρτεμίδωρος πιττάκιον ἔδωκεν (eine Klageschrift an den Gott Men; es handelt sich offenbar um beim Kult gebrauchten Wein, der von Artemidoros geliefert oder verteilt ist). ὁ θεὸς ἐκολάσετο τὸν Ἑρμογένην, καὶ εἱλάσετο τὸν θεόν, καὶ ἀπὸ νῦν εὐδοκεῖ (er steht im alten Ansehen, hat seine Stellung in der Gemeinde wieder). Da eine solche Angabe an den Gott die κόλασις durch ihn bewirken will, kann sie natürlich als Schadenzauber gefaßt werden. So ist die διαβολὴ πρὸς Σελήνην in dem großen Zauberpapyrus der Pariser Nationalbibliothek die Angabe einer Wortsünde gegen die Göttin.[1] Das ist nicht verwunderlich; die Urform der lydischen und phrygischen Inschriften stimmt auffällig zu der viel älteren ägyptischen Steintafel des Nefer-abu (Erman, Ägyptische Religion², S. 92): 'Ich war ein unwissender Mann, ein thörichter, und wußte nicht, was gut und böse ist. Ich tat (redete?) Sündhaftes gegen die Bergspitze (die Göttin der Gräberstadt Merit-seger, die Geliebte des Osiris). Sie züchtigte mich, und ich war in ihrer Hand bei Nacht und bei Tag und saß da . . . wie die Schwangere. Ich schrie nach Luft, aber sie kam nicht zu mir . . . Seht, ich sage zu groß und klein in der Arbeiterschaft: hütet euch vor der Westspitze, denn ein Löwe ist in der Spitze. Sie schlägt, wie ein wilder Löwe schlägt, und verfolgt den, der sich gegen sie vergeht. Als ich dann zu meiner Herrin rief, fand ich, daß sie zu mir kam mit süßer Luft, und sie war mir gnädig, als sie mich ihre Hand hatte sehen lassen, und wandte sich mir friedlich zu. Sie ließ mich meine Krankheit vergessen, die an mir gewesen war. Ja die Westspitze ist gnädig, wenn man sie anruft. Hört, alle ihr Ohren auf Erden: hütet euch vor der Westspitze'. Das Empfinden ist allgemein menschlich. Wir werden uns nicht wundern, wenn wir ähnlichen Glauben und ähnlichen Brauch an weit entfernten Stellen finden. Nur wo die gottesdienstliche Verwendung und kultliche Ordnung so genau übereinstimmt, wie in den von Steinleitner gesammelten Inschriften und dem mit Recht von

1) διαβάλλειν heißt in der Sakralsprache 'anzeigen, verbreiten', vgl. Corp. herm. XIII 22 (Poimandres 348) μηδενί, τέκνον, ἐκφαίνων τῆς παλιγγενεσίας τὴν παράδοσιν, ἵνα μὴ ὡς διάβολοι λογισθῶμεν.

ihm verglichenen libellus, den Augustin (Sermo 322) in der Kirche verliest, werden wir an eine direkte Nachahmung und Übernahme eines heidnischen Brauches in den damals sich ausbreitenden Mirtyrerkult denken müssen.

In einem engen Verhältnis scheinen die von den lydischen und phrygischen Inschriften erwähnten Leute zu der jeweiligen Gottheit zu stehen; einzelne bezeichnen sich als ἱερός. Dem Wort entspricht der lateinische Titel *sacratus*, der auch die Mysterienweihe bedeuten kann (Apuleius XI 24) und der griechische ἀθάνατος (oben S. 102 A. 3), der sie sicher bedeutet. Jener Sosandros in N. 29 hat, wie Steinleitner richtig deutet, nicht durch den Meineid die ἁγνεία verscherzt, sondern hat Keuschheit für eine bestimmte Zeit oder Feier geschworen, aber nicht eingehalten; wir werden, wenn nicht an Mysten, so wenigstens an Kreise wie die der *religiosi* oder προσήλυτοι der Isis denken dürfen. Tatsächlich finden wir auch ähnlichen Brauch in den alten (also nicht persönlichen) Mysterien der Isis, bzw. des Osiris zu Philae. Das zeigt uns der von Junker a. a. O. S. 81 f. besprochene Papyrus Dodgson, der eine Aufzählung von Kultsünden mit nachfolgenden Drohungen enthält. Es heißt darin: 'Du weißt, was du getan hast, du hast Wein getrunken in dem Hain und Garten, die doch dem König Osiris Onnophris geweiht sind, du hast getan, was Isis verabscheut, du hast Wein getrunken in der Nacht, da die weiblichen Gottheiten die Trauerkleider trugen.' Auch geschlechtlicher Verkehr mit seiner Gattin während der heiligen Zeit scheint dem Sünder, der auf den Schutz der Göttin Tefnut baute, vorgeworfen, und daß er mit den Blemmyern, also den vom Fest ausgeschlossenen Fremden, gezecht und im Rausch den Gang zum Abaton verschlafen hat. Ob die Strafpredigt individuell oder formelhaft ist, weiß ich nicht, ebensowenig, ob die Namensänderung den Sünder nur beschimpfen oder ihn aus der Gemeinde der Osiris-Diener ausschließen soll; ein enger Zusammenhang mit den kleinasiatischen Inschriften scheint mir klar.

Sehr viel weiter führt uns die berühmte Stelle Juvenals (VI 511—552) über den Aberglauben der römischen Damen, aus der Steinleitner nur einen kleinen Teil herausnimmt und nicht ganz richtig erklärt. Nacheinander in wohl überlegter Ordnung führt der Dichter phrygische, ägyptische, jüdische, endlich armenische oder kommagenische 'Propheten' vor; dann geht er zu den Astrologen über. Leitender Gesichtspunkt ist, daß all dieser Aberglaube — außer dem jüdischen — sehr kostspielig ist.

(I) *Ecce furentis*
Bellonae matrisque deum chorus[1] *intrat et ingens*
semivir, obscaeno facies reverenda minori,
mollia qui rapta secuit genitalia testa
iam pridem, cui rauca cohors, cui tympana cedunt,
plebeia et Phrygia vestitur bucca tiara.[2]
grande sonat[3] *metuique iubet Septembris et austri*
adventum, nisi se centum lustraverit ovis —
et xerampelinas veteres donaverit ipsi.[4]
ut quidquid subiti et magni discriminis instat,
in tunicas eat et totum semel expiet annum,
hibernum fracta glacie descendet in amnem;
ter matutino Tiberi mergetur et ipsis
verticibus timidum caput abluet, inde superbi
totum regis agrum nuda ac tremebunda cruentis
erepet genibus. (II) *Si candida iusserit Io,*
ibit ad Aegypti finem calidaque petitas
a Meroe portabit aquas, ut spargat in aedem
Isidis, antiquo quae proxima surgit ovili.
credit enim ipsius dominae se voce moneri:
en animam et mentem, cum qua di nocte loquantur!
ergo hic praecipuum summumque meretur honorem,
qui grege linigero circumdatus et grege calvo
plangentis populi currit derisor Anubis.

1) Sie scheinen schon vereinigt aufzutreten.

2) Vgl. das Relief eines Archigallus bei Wendland, Die hellenistisch-römische Kultur^{2}, Tafel VII. Es ist fast eine Illustration zu Juvenal.

3) Er hält ihr, wie wir aus dem Papyrus lernen, ihre Sünden vor.

4) Auf ähnlichem Glauben könnte jene Stiftung von πορφύρα (Purpurkleid) καὶ χρυσός an dem Tempel zu Jerusalem beruhen, die nach Josephus, Ant. XVIII 81 ein jüdischer Schwindler von der Matrone Fulvia erpreßt. Nach V. 519 ist schwer zu interpungieren. Die Sünden des ganzen Jahrs büßt die Frau durch die Taufe.

ille petit veniam, quotiens non abstinet uxor
concubitu sacris observandisque diebus
magnaque debetur violato poena cadurco.
ut (*et* Hss.) *movisse caput visa est argentea serpens,*
illius lacrimae meditataque murmura praestant,
ut veniam culpae non abnuat ansere magno
scilicet et tenui popano corruptus Osiris.
(III) *Cum dedit ille locum, cophino faenoque relicto*[1]
arcanam Iudaea tremens mendicat in aurem,
interpres legum Solymarum et magna sacerdos
arboris ac Summi fida internuntia Caeli.
implet et illa manum, sed parcius; aere minuto
qualiacumque voles Iudaei somnia vendunt.
(IV) *Spondet amatorem tenerum vel divitis orbi*
testamentum ingens calidae pulmone columbae
tractato Armenius vel Commagenus haruspex;
pectora pullorum rimabitur, exta catelli,
interdum et pueri; faciet quod deferat ipse.

Bußhandlungen werden hier nur in I und II erwähnt, doch muß ich den Abschnitt im Zusammenhang ganz erklären. Der Archigallus verlangt um Jahresbeginn — den Tiber sieht der übertreibende Dichter gefroren — ein Sühnopfer für das verflossene Jahr. Sonst droht in der Fieberzeit die κόλασις, die ja in den Inschriften in der Regel im Fieber gesehen wird. Das Sühnopfer selbst ist klein und wertlos — hundert Eier; aber die im vorigen Jahre getragenen (*veteres*) Prachtgewänder muß die vornehme Frau hergeben. Ob sie nicht auch hier das Bild ihres früheren Leibes bedeuten? Soll doch die folgende Handlung bewirken, daß die κόλασις sich an diese heftet, sie selbst ist eine andere geworden. In der Handlung erkennen wir sofort die Mysterientaufe, eine ἀνακαίνισις: dreimal im Tiber bis über das Haupt untertauchen, dann im Untergewand auf Knien das heilige Gebiet[2] umrutschen. Das führt zu den ägyptischen Weihen. Isis

1) Daß die Kochkiste im Altertum schon bekannt war, zeigen die Scholien zu IV 14 (vgl. Friedländer).

2) Der übertreibende Dichter sagt: das ganze Marsfeld. Ursprünglich wohl nur den Tempel.

verlangt nicht minder Schweres. Echtes Wasser von der fiktiven Nilquelle[1] soll sie holen. Das bedeutet eine Pilgerfahrt nach Ägypten. Den Befehl dazu glaubt sie von der Göttin selbst empfangen zu haben; man denke an den Traum des Apuleius (XI 3). Das ὁμιλεῖν θεοῖς wird im ägyptischen Kult ja besonders betont. Auch bei Juvenal ist es als τιμή (*dignatio*) gefaßt; denn bewundernd — nicht verächtlich, wozu die vorausgehende Schilderung ja keinen Anlaß böte — sollen die Worte *en animam et mentem, cum qua di nocte loquantur* klingen; auch Philo brüstet sich geradezu damit (De Cherubim § 27 ἤκουσα... παρὰ ψυχῆς ἐμῆς εἰωθυίας τὰ πολλὰ θεοληπτεῖσθαι). Die Verspottung folgt erst: wenn sie so also der Gemeinde gewonnen ist, gibt es hier (*hic*) wieder einen Priester, der besondere Ehren und Belohnung verlangt; es ist der *Anubophorus* oder *Anubiacus*, der seinen Gott, den Diener des Osiris, vertritt. Denn dieser gegen vornehme Proselyten weitherzige Kult verlangt zwar auch Beichte und Buße, läßt aber zu, daß ein Priester stellvertretend beides auf sich nimmt[2]; er spricht an Stelle der Frau in studierter Zer-

1) Bei Assuan, dem Eintritt des Nils in Ägypten (vgl. die Beschreibung der Totentaufe im Pap. Rhind I unten S. 220. Diese angebliche Quelle ist noch am Hadrianstor zu Philae entsprechend dargestellt worden, W. Spiegelberg, Die Glaubwürdigkeit von Herodots Bericht über Ägypten, Orient u. Antike Heft 3, 1926, S. 19); Meroe ist wieder Übertreibung. Das braucht man an sich zur Taufe, und es ist mir wahrscheinlich, daß diese von Apuleius geschilderte Kulthandlung gemeint ist und *spargat* bedeutet *spargi faciat*, denkbar freilich auch, daß Juvenal von den Waschungen des Tempels gehört hat, zu denen fiktives Nilwasser (Tiberwasser) benutzt wird.

2) Es handelt sich wieder um eine auch in den Inschriften (N. 22 bei Steinleitner) erwähnte Ritualsünde: Ἀτθὶς ἡ Ἀγαθημέρου ἱερὰ βιασθεῖσα ὑπὸ αὐτοῦ (von dem Gatten). Auch Juvenal deutet das kurz durch das Wort *uxor* an. Die notwendig folgende Strafe (*poena*, κόλασις) wäre schwere Krankheit. Das Sühnopfer ist gering, um so höher natürlich die Belohnung des Priesters, der die peinliche Bußzeremonie auf sich übernimmt. An sich kennt die Stellvertretung auch der phrygisch-lydische Kult (Inschrift 17). Man wird demnach die Schilderung einer 'erlogenen' Beichte und Selbstgeißelung bei Apuleius, Met. VIII 28 als Stellvertretung fassen dürfen. Wichtig ist, daß sie einen Teil des Gottesdienstes ausmacht, ja diesen ersetzt. So trägt in der christlichen Nachahmung nicht der Begnadete selbst, sondern der Priester dessen *libellus* vor, und während zweier Jahre hat der Gottesdienst in Augustins Gemeinde etwa siebzigmal in der Verlesung und Besprechung solcher *libelli* bestanden

knirschung die demütigen Bußgebete, wenn die silberne Schlange, in der Agathos Daimon, Sarapis oder Osiris dargestellt ist, sich von der sündhaften Dienerin abgewendet hat, und bringt das auch hier bescheidene Sühnopfer (nicht, wie Steinleitner meint, die Bußezahlung): eine Gans und einen Kuchen. Auch Inschrift 32 scheidet deutlich καθαρμοῖς καὶ θυσίαις εἱλασάμην τὸν κύριον.

Besonders wichtig ist für uns die Schilderung der Jüdin, die von den Erklärern bisher nicht verstanden scheint. Das 'Gesetz' lehrt natürlich der orthodoxe wie der hellenistische Jude; auch von jenem Schwindler, über den Josephus a. a. O. spricht, heißt es προσεποιεῖτο μὲν ἐξηγεῖσθαι σοφίαν νόμων Μωυσέος. Aber ist eine *magna sacerdos arboris* im echten Judentum überhaupt denkbar? Den altsemitischen Baumkult wird man hierfür doch nicht anführen, und daß in der Nähe von Synagogen auch einmal Bäume erwähnt werden, erklärt gar nichts. Wir müssen zunächst von dem wunderlichen Ausdruck ausgehen: *arboris* steht wie ein Göttername. Dafür bietet nur ein Kult die Erklärung, der des Attis. Das mit den Worten *arbor intrat* bezeichnete Fest deutet Ovid, Met. X 105 auf die Einbringung des Attis und lehrt daher, Attis ist in den Baum verwandelt worden, und Attis hat tatsächlich — man erinnere sich der attischen Orgeoneninschriften — Oberpriesterinnen. Inhalt und Sprache der Metamorphosen setzt Juvenal an zahlreichen Stellen als bekannt voraus; der Ausdruck zeigt bei dieser Deutung erst ganz die Prägung seines Stils. Damit tritt auch die folgende Bezeichnung προφῆτις τοῦ Οὐρανοῦ τοῦ Ὑψίστου in ein neues Licht. Die Gottesbezeichnung hat diesmal Friedländer durch den Verweis auf Hekataios und Strabo (Poseidonios) sowie durch den Verweis auf Juvenal XIV 96 erklären können, nicht aber die Bezeichnung als προφῆτις und nicht das bezeichnende Beiwort *summi*. Beide erklären sich sofort durch jene phrygischen Mischkulte des Ζεύς oder θεὸς ὕψιστος, der auch Ζεὺς Ὕψιστος Οὐράνιος heißt (Cumont, Pauly-Wissowa IX 444) und in seinem Kult προφῆται hat. Er konnte sich mit Attis, der als 'Hirt der

(De civ. dei XXII 8), selbst wenn Augustin jedem nur eine Predigt widmete (in besonderen Fällen wurden es nachweislich mehr).

weißen Sterne' und Mondgott über Werden und Vergehen auf Erden waltet (Damascius περὶ ἀρχῶν II 214, 4 Ruelle), verbinden. Eigene gottgesandte Träume verkündet diese Prophetin und tut das für ein Billiges.[1] Juvenal hat wohl bei dem Hohn über die Juden zugleich dem Leser das römische Sprichwort *anus quod vult somniat* in Erinnerung rufen wollen. Es ist wichtig, festzustellen, wieviel man zu Trajans Zeit schon im großen Publikum von diesen Geheimkulten wußte. Denn Juvenals Angaben bestätigen sich ja in allem durch das, was ich, z. T. Cumont folgend, über die Entstehung der römischen Judengemeinde aus den Berichten der Historiker erschlossen habe; die Spuren ihrer Herkunft sind in ihr in den zweieinhalb Jahrhunderten, die dazwischen liegen, nicht erloschen. Sie halten sich sogar noch länger.

Das beweist uns das Bruchstück eines späten römischen Sarkophags, das Cumont in der Revue Archéologique (Ser. V Tom. IV, 1916, p. 1) außerordentlich fein besprochen hat. Er nennt ihn mit Recht 'jüdisch-heidnisch'. Es befindet sich jetzt im Thermen-Museum, früher im Kircherianum, wird also wohl römischen Ursprungs sein (Garrucci, Storia dell' arte cristiana I 12, VI tav. 491 n. 19). Auf dem Medaillon der Vorderseite, wo wir das Porträt des Verstorbenen erwarten, das dem Juden ja verboten ist, sehen wir den siebenarmigen Leuchter; aber dies Medaillon wird gehalten von denselben beiden beflügelten Siegesgöttinnen, die uns auf heidnischen Sarkophagen oft begegnen, und unter ihm ist eine bacchische Szene dargestellt: durch das Lagobolon gekennzeichnete Satyrn keltern den Wein. Rechts und links stehen die beflügelten Genien der vier Jahreszeiten. Zunächst den Kelternden steht natürlich der Herbst, ein weichlicher Bacchusknabe nach rechts gewendet, im rechten Arm einen Korb mit Früchten, mit dem linken zwei tote Vögel (Gänse?) emporhaltend, zu seinen Füßen eine kleine Figur, die Cumont als Kind, auf einem Pferde reitend, deutet; hinter ihm eilt der Winter herbei, mit der Rechten eine Jagdbeute erhebend, doch ist nur die rechte Hand, ein Stück des vom Mantel

1) Auch die *vates* des Memmius bei Lukrez (I 103 f.) verkünden ihm ihre *somnia*. Die kulturgeschichtlich wichtige Stelle wurde früher arg mißdeutet.

umflatterten Armes und der ausgestreckte linke Fuß zu sehen; der Rest ist weggebrochen, ebenso auf der anderen Sarkophagseite Frühling und Sommer. Das Bild hat eine wunderliche Entstehungsgeschichte, die Cumont leider entgangen ist, weil er die Arbeiten von P. Savignac und E. Michon in der Revue biblique 1913 S. 106 u. 111 und von H. Thiersch in der Zeitschrift des Deutschen Palästina-Vereins 1914 übersehen hat, in dem die genannten Forscher über einen doch wahrscheinlich jüdischen Sarkophag im Museum zu Jerusalem eingehend beberichten, der die Vorlage des römischen Steinmetzen zeigt und von Thiersch in die beste antoninische Zeit datiert wird. Gefunden ist er bei einer Raubgrabung in einem Arcosoliengrabe bei dem Dorfe *turmus 'aija* (dem alten Silo). Ich gebe die Beschreibung von Thiersch: 'Dargestellt ist in der Mitte der jugendliche Bacchus[1], umgeben paarweis von erosartig geflügelten Genien der vier Jahreszeiten mit ihren charakteristischen Attributen. Zwischen diesen locker verteilten Hauptfiguren hindurch ziehen sich in der unteren Frieshälfte Satyrn, Silen auf dem Maultier (Cumonts reitender Knabe), Putten und an den beiden Enden ganz rechts und links die symbolischen Gestalten der Erde (mit Herdentieren) und des Meeres (mit Fischer im Nachen). Die Schmalseiten zeigen Putten bei der Obst- und Traubenernte.' Vergleicht der Leser die Abbildungen in der diesem Buch beigegebenen Tafel, so erkennt er wohl die volle Übereinstimmung der Komposition in der Verbindung großer und kleiner Figuren bis herab in die Gesten. Nur das Mittelstück hat der Schöpfer des Cumontschen Typus willkürlich abgeändert, offenbar, weil es ihm widerstrebte, den Gott darzustellen: das von den Siegesgöttinnen getragene Medaillon stellt die jüdische Religion dar.[2]

1) Über ihm als Symbol die *mystica vitis* (Lygdamus 6,1, vgl. Josephus Ant. XV 295).

2) Denkbar auch: den Entschlafenen als Juden; wird doch der siebenarmige Leuchter ähnlich wie das christliche Kreuz auch zur Bezeichnung der Wohnung des Juden oder Christen verwendet, vgl. Kohl-Watzinger, Antike Synagogen in Galilaea, 1916, S. 191. Das Vorbild des Steinmetz erkennen wir aus dem von Cumont abgebildeten Sarkophag des Palazzo Barberini, wo die Träger des Medaillons wohl selbst als Jahreszeiten zu deuten sind. Andere Beispiele in Fülle gibt E. Michon in seinen Anmerkungen. Den Leuchter im Kranz finde

Die Anschauung, die dem Ganzen zugrunde liegt, erkennen wir am besten in dem berühmten, von Cornelius Labeo besprochenen Orakel des Apollo von Klaros (Macrobius I 18, 20), das seinerseits mit dem bekannten Sarapis-Orakel an König Nikokreon (ebd. I 20, 17) verglichen werden muß[1]: der Fragende hat von 'Mysten' des Ὕψιστος θεός über dessen Wesen nichts Näheres erfahren können, sie durften nicht reden, so wendet er sich an Apollo, und dieser belehrt ihn:

ὄργια μὲν δεδαῶτας ἐχρῆν νηπεύθεα κεύθειν·
εἰ δ' ἄρα τοι παύρη σύνεσις καὶ νοῦς ἀλαπαδνός,
φράζεο τὸν πάντων ὕπατον θεὸν ἔμμεν 'Ιαώ,
χείματι μέντ' 'Αίδην, Δία δ' εἴαρος ἀρχομένοιο,
'Ηέλιον δὲ θέρευς, μετοπώρου δ' ἁβρὸν 'Ιαώ.

Der Judengott ist der Jahresgott, also der Aion, der Welt- und Ewigkeitsgott, der im Herbst in seiner wahren Erscheinungsform als ἁβρὸς 'Ιαώ (Ἴακχος und Αἰών) herrscht; er ist der ὕψιστος θεός. Das ist begreiflich. Schon Volz hat in seiner Schrift 'Das Neujahrsfest Iahves', 1912, das Laubhüttenfest, also das Herbstfest, als das alte Neujahrsfest erklärt, Mohwinckel und neuerdings A. v. Gall (Βασιλεία θεοῦ, Heidelberg, 1926, S. 19f.) dies weitergeführt. Bleibt für mich hier vieles aus Mangel an Sprach- und Sachkenntnis unentscheidbar, so kann ich doch aus den Gebeten die Grundanschauung für die hellenistische Zeit mit Sicherheit nachweisen. Das alte Gebet beim Neumondsmahl, das P. Fiebig (Die Mischna, Text, Übersetzung und ausführliche Erklärung 8. Traktat Rosch ha-schana, 1914) bis in die Zeit Jesu verlegt, beginnt (Fiebig, S. 27): 'Gepriesen seist du, Iahve, unser Gott, König der Welt (βασιλεὺς τοῦ αἰῶνος), der da schafft die Frucht des Weinstocks, gepriesen seist du, Jahve, unser Gott, König der Welt, der im Kreise heranbildete Forscher, sie unterwies und sie lehrte die Zeiten der Monate' (der folgende

ich noch bei P. Gaudence Orfali, Capharnaüm, 1922, S. 93 als Dekorationsstück der Synagoge (?) von Tiberias.

1) In die gleiche Reihe gehören die von Augustin (De civ. dei XIX 23) aus Porphyrios angeführten Orakel. Sie stammen wohl aus Kleinasien (dort ist Hekate Orakelgöttin) und sind dem Judentum, das dort ja mit dem Heidentum z. T. zusammengeflossen war, ebenfalls günstig; ihre Zeit ist unbestimmbar.

Text preist Iahve als Zeitgott, Aion, und erwähnt ausdrücklich die στιγμὴ ἀμέριστος, auf welche die Naassener-Predigt — Reitzenstein-Schaeder I 172 — die Entwicklung des Aion zurückführt). In dem heutigen deutschen Ritual des Sabbatheingangs, das ich Lietzmanns schönem Buch 'Messe und Herrenmahl' S. 203 entnehme, ist die Ausführung des Aion-Gedankens geschwunden, aber der Eingang lautet noch: 'Gesegnet seist du, Ieja, unser Gott, König der Ewigkeit, der die Frucht des Weinstocks geschaffen hat, gesegnet seist du, Ieja, unser Gott, König der Ewigkeit'. Wir sehen, wie der Gott Abrasax oder Abraxas mit Iahve und dieser mit Dionysos oder Iakchos zusammenhängt. Eine syrische umgebildete, ursprünglich wohl iranische Aion-Auffassung[1] tritt uns in dem Orakel entgegen, das einem hellenistisch-jüdischen Kult entspricht.[2]

Dieselbe Auffassung Iahves zeigt uns die oben (S. 106 A. 1) erwähnte Tetradrachme von Askalon, die ihn als Aion (Ba'altars, Zeus) darstellt, und zeigt in der Gleichung des Aion mit Dionysos, freilich in etwas anderer Wendung, nämlich das Ganze zu den vier Teilen hinzugezählt und in ihrer Mitte abgebildet, der Sarkophag von Jerusalem bzw. *turmus 'aija.* Auch diesen Typus finden wir in Rom. Prof. Thiersch, der mich in diesen Fragen gütig beraten hat, wies auf einen früher in der Villa Carpegna befindlichen, jetzt leider nicht mehr nachweisbaren römischen Sarkophag hin, dessen Beschreibung bei Matz und Duhn N. 2355 (II S. 94) Zug um Zug dem jerusalemitischen Sarkophag entspricht; nur ganz unbedeutende Änderungen zeigen ein Selbständigkeitsbedürfnis des Steinmetzen[3], der doch nach

1) Ich muß für sie auf den zweiten Teil meines Buches 'Das iranische Erlösungsmysterium' verweisen.

2) Es war verfehlt, wenn Ganschinietz (Realenzyklopädie IX 708) es auf die 'nach neuplatonischem Schema alles nivellierende Theologie' Labeos zurückführen wollte. Die Voraussetzung, daß Labeo das Orakel erfunden hat, ist ganz unwahrscheinlich, die Vermutung nur ein Versuch, einer Erklärung aus dem Wege zu gehen.

3) In der Mitte steht Dionysos im umgeschlagenen Himation, das den Leib frei läßt; den linken Arm hat er um einen vom Boden aufwachsenden großen Weinstock gelegt, in der Rechten hält er einen Kantharos, so daß der Wein ausfließt; dieser wird von einem kleinen Satyr aufgefangen, der mit der Rechten

einer festen Vorlage arbeitete. Hier ist uns noch die Inschrift überliefert: *Aur. Agapetilla / ancilla dei que / dormit in pace vixit annis XXI / menses III dies III / pater fecit.* Den Gedanken, daß wir es hier mit einer Christin zu tun haben, unterstützen auf dem Deckel, der die Inschrift trägt, zwei Frauen in Halbfigur, die Matz-Duhn als *orantes* bezeichnen. Doch wage ich nicht zu entscheiden[1]; *dormit in pace* ist auch jüdische Formel (Garrucci, Dissertationi archéologique II 154), und eine *ancilla dei* wäre gerade nach der Stelle Juvenals auch im römischen Judentum denkbar; der Sarkophag-Typus ist jedenfalls ihm entnommen. Andere Monumente, die E. Michon und H. Thiersch an den genannten Stellen heranziehen, lasse ich hier beiseite, weil ihre Verbindung mit dem Judentum unsicher ist. Nur gegen die Behauptung von Kohl-Watzinger (S. 200), daß die dionysischen Elemente in dem jüdischen Synagogen- und Sargschmuck bedeutungslos seien[2] und erst im Christentum die

---

einen Becher hochhält, während er im linken Arm ein Lagobolon hält. In ebenso kleiner Figur ist auf der anderen Seite Silen auf einem stürzenden Eselchen von einem Satyr unterstützt dargestellt. Links und rechts Knabengestalten als Jahreszeiten: links der Winter nackt bis auf die vorn auf der Brust zusammengeknotete Chlamys, im rechten Arm einen Schilfstengel, in der Linken Gänse, dann der Frühling, gleichfalls nackt bis auf die Chlamys, im rechten Arm einen Zweig, im linken einen Korb mit Blumen; rechts der Sommer mit Chlamys, in der Rechten eine Sichel, in der Linken einen Korb mit überfallenden Ähren haltend; dann der Herbst mit der Rechten einen Hasen erhebend, in der Linken einen Thyrsos; rechts unten sitzt ein Panther (der Panther neben dem Herbst begegnet auch auf dem Sarkophag des Palazzo Barberini). Zwischen Winter und Frühling gelagert Tellus, mit Ähren bekränzt, in der Hand einen Zweig; zwischen Sommer und Herbst gelagert Oceanus, ebenfalls das Haupt bekränzt. An den gerundeten Ecken Löwen, welche Hirsche zerreißen und ins Horn stoßende Jäger.

1) Auch Kohl-Watzinger urteilen (a. a. O. S. 187): die christliche Kunst knüpft an die jüdische Kunst des Ostens an. Daß diese selbst von der hellenistisch-syrischen Kunst abhängt, liegt in der Natur der Sache und wird durch die Dekoration der galiläischen Synagogen bestätigt. Unabhängig davon wirkt die hellenistisch-syrische Kunst natürlich auch auf die Heiden des Westens.

2) Die Kelterung des Weins, die auf Cumonts Sarkophag unter dem siebenarmigen Leuchter dargestellt ist, kehrt in der Dekoration der galiläischen Synagoge in Chorazin wieder (Kohl-Watzinger, S. 50, Abb. 99b). [Das von Peterson a. a. O. S. 37 besprochene Bild in einem Grabe bei Jerusalem, in welchem zwei Sirenen (Engel? Oranten?) in Halbfigur den Kranz der Siege für

Beziehung auf das Fortleben im Jenseits bekommen haben, möchte ich nachdrücklich Einspruch erheben.[1] Sie berücksichtigt jenen Hellenisierungsprozeß des Judentums zu wenig, der an den Außenpunkten bis zum völligen Zerfließen ins Heidentum und die Mysterienreligionen führt, aber auch das Stammland nicht unberührt läßt. Für die römische Gemeinde ist das Beweismaterial, wie ich meine, schon jetzt stark genug, daß man die Frage neu erwägen muß, ob nicht selbst nach der später erfolgten Absonderung der Sabazios-Gemeinde noch Beziehungen zu dem Judentum geblieben sind.[2] Jedenfalls haben Cumonts Beobachtungen über die Verehrer des Hypsistos und des Sabazios starke Bestätigung gefunden. Seine Auffassung der durch Valerius Maximus erhaltenen Angabe des Livius über den i. J. 139 unterdrückten Kult des Jupiter Sabazius in Rom ist völlig unbestreitbar geworden. So mag zum Schluß ein von ihm übersehenes 'Zeugnis' angeführt werden. Sein Verbot aller Mysterien belegt, wie ich früher erwähnte, Cicero (De leg. II 37) als römische Tradition durch den Hinweis auf die allbekannte Unterdrückung der Bacchanalien und rechtfertigt es damit, daß ein ähnliches Verbot, 'mitten in Griechenland' ein weiser Gesetzgeber erlassen habe, dann fährt er fort: *novos verò deos et in his colendis nocturnas pervigilationes sic Aristophanes, facetissumus poëta veteris comoediae, vexat, ut aput eum Sabazius et quidam alii dei peregrini iudicati e civitate eiciantur.* Das hatte für seine Leser Beziehung und Zweck, wenn sie wußten, daß es in Rom und Italien noch immer Diener dieses Sabazios gab, und rechtfertigte durch die Äußerung des griechischen Dichters seine offizielle Verbannung aus Rom, die der Unter-

einen Mann Namens Baruch halten, kann ebensowohl einen Judenchristen wie einen Heidenchristen gehört haben. [Korrekturzusatz.]

1) Das soll natürlich nicht besagen, daß an den zahllosen Stellen, wo in Rom ein oder mehrere Genien oder Eroten mit den Symbolen von Jahreszeiten erscheinen, bewußt Unsterblichkeitsglaube oder auch nur ein Bekenntnis zu dem Jahres- oder Weltgott zugrunde liegt. Was im Osten ursprünglich religiöse Bedeutung hatte, hat oft genug rein dekorativen Wert erhalten. Aber nicht von ihm geht die religiöse Verwendung aus.

2) Die Lage des bekannten Grabes des Sabaziospriesters Vincentius legt die Vermutung wenigstens nahe.

drückung der Bacchanalien einst gefolgt war und die Cicero kennt und billigt.

Ein Wort verdient noch das Orakel, auf das sich Labeo beruft. Es will das Wesen des Ὕψιστος θεός erklären und identifiziert ihn mit den vier Jahreszeiten. Daß dabei Zeus den Frühling bedeutet, ist seltsam genug und legt von Anfang an die Vermutung nahe, daß jene göttliche Vierheit zugleich die vier Hauptreligionen vertreten soll, die im Grunde doch nur den einen Gott verkünden: Zeus die hellenische, der Sonnengott die syrische (persische?), der Unterweltsgott Sarapis die ägyptische,[1] Iao (der Name, der Anfang, Mitte und Ende der Vokalreihe in sich vereint) die jüdische. Ein solches System lehnte formell an uralte Tetradenformeln an, die wir von der Orphik bis herab zum Manichäismus, ja über ihn hinaus verfolgen können und die immer neue Gestaltung annehmen; immer handelt es sich um den Weltgott, der ja auch auf den Sarkophagen durch Erde und Meer angedeutet ist.[2] Das entspricht der später noch eingehender zu behandelnden Tendenz aller hellenistischen Mysterienreligionen, entspricht aber auch einer Neigung, die sich im Judentum früh geltend macht. Nicht aufgeben will man den eigenen Gott, im Gegenteil ihn zum wahren Weltherrn machen, indem man ihn in den Göttern der anderen Völker wiederfindet. Ein klassisches Zeugnis für dies Bestreben finden wir in einer dem Osten entstammenden Religionsurkunde, die der Satire Juvenals, von der wir ausgingen und zu der wir wieder jetzt zurückkehren, gleichzeitig ist, einer Predigt aus einer ganz hellenisierten phrygischen Mysteriengemeinde, die der Göttermutter und dem Attis dient, sich aber zugleich auf die jüdischen Propheten und Psalmendichter beruft und die Septuaginta als heiligen Text anerkennt. Eine bessere Bestätigung der Zusammenhänge können wir wohl kaum erwarten. Freilich, wir kennen diese Predigt, die so-

1) Denkbar wäre auch: Attis die phrygische, da auf dem Sarkophag des Palazzo Barberini der Winter als Attis personifiziert scheint. Doch fehlt den anderen Jahreszeiten eine ähnliche Charakterisierung.

2) Vgl. Reitzenstein-Schaeder I Kap. II und III, für Mani oben S. 57 A. Die Bekenntnisse εἷς ἐστιν Ζεύς, Ἥλιος, Ἅιδης, Σάραπις u.dgl. sind ja auch allgemein bekannt.

genannte Naassenerpredigt[1], jetzt nur in einer christlichen Bearbeitung, aber alle christlichen Zusätze verraten sich bald durch die verkehrte Stellung, bald durch das Verkennen des Sinns; kein philologischer Bearbeiter hält sie für echt. Wir können hier gar nicht anders als annehmen, daß die relativ ursprüngliche Mischung in jenen Gemeinden sich weiter erhalten hat; aber die Verwebung verschiedener Elemente ist stärker geworden: die eine große Religion glaubt man zu besitzen, die sich verdunkelt bei allen großen Nationen findet; Ägypter, Assyrer, Griechen, Thraker, alle teilen sie, und überwiegend bestimmt sie persische Spekulation; von ihr ist auch das jüdische Element stark beeinflußt und bewahrt die im Stammland verdunkelte persisch-jüdische Hoffnung auf den Gesandten Gottes in reinerer Form, als sie uns im Stammland begegnet. Freilich ist er mit Attis gleichgesetzt. Nichts haben diese Leute aufgegeben, als sie Christus den anderen Namen dieses Gesandten beifügten und christliche Schriften mit übernahmen. Wie soll ich da annehmen, daß das Christentum, wie Ed. Meyer beweislos behauptet, den Synkretismus eigentlich ausgebildet habe? Seinem Ursprung und seiner Natur nach ist es exklusiv, verkündet nur einen Herrn und kämpft gegen alle heidnischen Religionen. Und wie soll es die Mysterien geschaffen haben, wo es doch, wie wir sahen, damals nur in ganz beschränktem Sinn selbst eine Mysterienreligion ist? Hat das Christentum von sich aus anhaltslos die Worte gebildet und das Heidentum aus ihnen dann Kulthandlungen gemacht? Man braucht diese Annahme nur einmal an bestimmten Beispielen wie etwa der Gottesbrautschaft oder der Himmelfahrt der Seele nachzuprüfen, um zu empfinden, wie unnatürlich und in sich widerspruchsvoll sie wäre, und kann, indem man die der Kulthandlung zugrunde liegende Vorstellung im Heidentum verfolgt, wo sie sich immer als älter erweisen läßt, sich leicht überzeugen, daß sie auch unhistorisch wäre. Freilich würde eine solche Untersuchung auch zwingend ergeben, daß über

1) Vgl. über das einzigartige Dokument, das ich in meinem Poimandres noch nur halb richtig behandelt habe, jetzt Reitzenstein-Schaeder Teil I cap. IV und die Nachträge.

Mysterienkulte nur urteilen kann, wer die Grundanschauungen und das Wesen der Gnosis wirklich kennt.

Der Vergleich mit der Naassenerpredigt hat dabei für die Juvenalstelle noch eine andere Bedeutung. Die Mysterien aller Völker erkennt jene Predigt an; ihr Verfasser will den Anschein erwecken, in eine ganze Anzahl eingeweiht zu sein. Genau dasselbe sollen wir von der vornehmen Dame, die Iuvenal schildert, annehmen: in ihrem Boudoir erscheinen nacheinander die Sendboten der verschiedenen Religionen. So wird er uns zum Zeugen für eine Auffassung und einen Brauch, den wir bei vornehmen Männern erst sehr viel später inschriftlich nachweisen können. Man wagt solchen Glauben eben früher nicht öffentlich zu bekunden.

Eng an diese Schilderung schließt bei Juvenal die des gefährlichsten und kostspieligsten Verfahrens, die Zukunft zu ergründen; einen Gegensatz sollen die beiden letzten Darstellungen bilden, wie es in gewissem Sinne schon die ersten beiden taten. Das Wort *haruspex* soll natürlich nur die Art der Prophetie bezeichnen; es handelt sich offenbar um *magica sacra*, ein wirkliches ἀπόρρητον, auf dessen Ausübung Todesstrafe steht. Juvenal deutet das selbst an, hätte also genauere Angaben, auch wenn er gekonnt hätte, gar nicht machen dürfen. Von einem Kult scheint er auch hier zu reden und hat eine gewisse Vorstellung von dessen Herkunft: *Armenius vel Commagenus*. Das stimmt auffällig zu der Beschreibung, die Plinius XXX 14—17 von den magischen Künsten des Nero macht; seine Lehrer sind armenische 'Magier', die König Tiridates mit sich nach Rom gebracht hat[1]; auch Plinius weiß, daß es sich um eine bestimmte Religion handelt und spricht von dem Initiationsritus, den *magicae cenae*. Daß ein Historiker den Tiridates bei der Huldigung an Nero Mithras als seinen Gott bezeichnen läßt und Mithras in Kappadokien von Magiern verehrt wird, berechtigt uns wohl

1) Nach iranischem Brauche muß er selbst in ihr Wissen eingeweiht sein (Philo, De spec. leg. III 100). Für die verderbliche Magie erwähnt Philo natürlich auch Liebeszauber. Daß die Ausübenden bei ihm Leute aus der Hefe des Volkes sind, spricht nicht dagegen, daß Priester eines Barbarenvolkes dasselbe tun.

nicht mehr, in diesen *cenae* den Initiationsritus der eigentlichen Mithrasmysterien zu sehen. Heilige Mahlzeiten sind für fast alle orientalischen Mysterien nachweisbar. Auf bestimmte, zu seiner Zeit viel besprochene Scheußlichkeiten scheint Plinius hinzuweisen, als charakteristisch hebt er den Gedanken des Götterzwanges hervor, der uns durch die Zauberpapyri bekannt ist, und er erwähnt nichts vom Mithraskult; das Wort *magus* bedeutet bei ihm hauptsächlich den Zauberer, zugleich aber auch den Priester.

An sich ist die zarathustrische Religion wie später der Manichäismus der Zauberkunst feindlich; nur der Gott oder Priester der Gegner heißt ‘der Zauberer’ (vgl. die zarathustrische Legende bei A. v. Le Coq, Sitzungsber. d. Preuß. Akad., 1908, S. 398)[1]; aber ganz ausgestorben ist vorzarathustrischer Zauberkult nie und hat sich in einzelnen Gegenden offenbar lange erhalten.[2] Solche μάγοι müssen die Griechen, wie der Wortgebrauch zeigt, sehr früh kennen gelernt haben; das Wort, das Zimmern für ursprünglich babylonisch hält, verallgemeinert sich zur Gewerbebezeichnung wie *Chaldaeus* (und *Babylonius*). Als sie die zarathustrische Religion einigermaßen kennen lernten, entdeckten sie mit einem gewissen Erstaunen, daß deren Magier keine ‘Magie’ trieben (Deinon, Pseudo-Aristoteles im Μαγικός und vor ihnen offenbar Plato, Alcibiad. 122a, der durch die Erklärung θρησκεία θεῶν das Mißverständnis ausschließen will, endlich Aristoteles selbst). Die Philosophengeschichte wahrt diese richtige Anschauung; aus einer solchen hat Philo, *Quod omnis probus liber* § 74 Cohn-Reiter die Angabe ἐν Πέρσαις μὲν τὸ μάγων (στίφος) οἳ τὰ φύσεως ἔργα διερευνώμενοι πρὸς ἐπίγνωσιν τῆς ἀληθείας καθ' ἡσυχίαν τὰς θείας ἀρετὰς τρανοτέραις ἐμφάσεσιν ἱεροφαντοῦνταί τε καὶ ἱεροφαντοῦσιν, ἐν Ἰνδοῖς δὲ τὸ γυμνοσοφιστῶν, οἳ πρὸς τῇ φυσικῇ καὶ τὴν ἠθικὴν φιλοσοφίαν διαπονοῦντες ὅλον ἐπίδειξιν ἀρετῆς πεποίηνται τὸν βίον. Er benutzt dieselbe Quelle auch De spec. legibus III 100 Cohn: τὴν μὲν οὖν ἀληθῆ μαγικήν,

1) Nur in der seltsamerweise geretteten gegnerischen Tradition ist Zarathustra der Zauberer, der von Ninos überwunden wird.

2) Wieweit er sich mit babylonischem Zauberkult gemischt hat, ist nicht zu sagen.

ὀπτικὴν ἐπιστήμην οὖσαν, ἢ τὰ τῆς φύσεως ἔργα τρανοτέραις φαντασίαις αὐγάζεται (vgl. Apuleius, De mag. 26).[1] Aber er setzt ihr hier als παράκομμα die zauberhafte Magie entgegen. Auch sie wird später in Persien selbst betrieben; Strabo (762) kennt dort neben den Μάγοι auch νεκυομάντεις, λεκανομάντεις und ὑδρομάντεις, deren Künste der jüngere, d. h. angebliche Ostanes Περὶ μαγείας offenbar berücksichtigte; auch von Zoroaster wollte man ja später Zauberbücher kennen. Um diese priesterliche Zauberkunst handelt es sich bei den römischen Autoren; sie erscheint bei ihnen mit einer orientalischen, aber nicht zarathustrischen Religionsform verbunden. Den Beweis finde ich bei Tacitus. Die Anklage gegen Libo (An. II 27) nennt *magorum sacra* neben *Chaldaeorum responsa* und *somniorum interpretes*, ja sogar geschieden von der Totenbeschwörung, die freilich ein Römer vollzieht. Bei Statilius Taurus (An. XII 59) geht die Anklage auf *magicae superstitiones*, also Zugehörigkeit zu einem Glauben. Am deutlichsten ist die Sachlage bei Servilia, der Tochter des Soranus (An. XVI 31): sie hat ihre ganze Habe den Leitern dieses Kults geopfert, aber dabei nie Devotionszauber geübt; Mitgliedern des Kultes, die ihr gegenübergestellt werden, erwidert sie: *viderint isti, antehac mihi ignoti, quo nomine sint, quas artes exerceant; nulla mihi principis mentio nisi inter numina fuit.* Daß sie an dem Kult teilgenommen hat, gibt sie zu, aber schwört: *nullos impios deos, nullas devotiones* (sie waren dem Libo vorgeworfen worden) *nec aliud infelicibus precibus invocavi, quam ut hunc optimum patrem tu, Caesar, vos, patres, servaretis incolumem.*[2] Dennoch genügt die Teilnahme an dem Kult zum Todesurteil. Sie ist, weil in ihm diese Verbrechen vorkommen sollen, unter diese Strafe gestellt; wie viele dem einzelnen Angeklagten nachgewiesen werden können, macht nichts aus

1) Seit wir den Damdaδ-Nask einigermaßen kennen, empfinden wir das Treffende dieser Charakteristik. Der Besitz einer durch Vision offenbarten Weltschöpfungslehre und Welterklärung mußte den Griechen als das Eigentümlichste dieser Religion erscheinen.

2) Diese 'Magier' verheißen ja nach Philo, De spec. leg. III 101 μισοῦντας εἰς ὑπερβάλλουσαν εὔνοιαν ἄξειν. Gebete darum gibt Servilia zu. Gerade für diese Prozesse standen genaue Berichte zur Verfügung (Plinius, ep. 5,5); Tacitus greift nur die wirksamsten Momente heraus. Ein Opfer beschreibt schon Tibull I 2, 62.

(s. oben S. 121). Daß ein derartiger *magus* erwünschte Todesfälle voraussagt und bewirkt, meint auch Juvenal, erwähnt das Opfer eines Kindes — ein gegen alle *magi* immer erhobener Vorwurf — und das Opfer eines Hundes.

Es wäre sehr schön, wenn die blendende Vermutung Fornaris (Notizie delle Scavi 1918, p. 51) sich wirklich beweisen ließe, daß die im Jahre 1917 bei der Porta Maggiore in Rom aufgedeckte unterirdische Basilika in den Gärten jenes von Tacitus erwähnten Statilius Taurus gestanden hat. Wir hätten dann sogar das Kultlokal einer dieser Magier-Mysteriengemeinden. Allein gerade diese Behauptung scheint mir durch Lanciani (Bulletino della Commiss. arch. comunale di Roma, 1920, S. 70f.) schwer erschüttert. Zweck und Alter[1] der Basilika mag Fornari freilich richtig bestimmt haben, und daß unter der Apsis Knochen eines Hundes (und eines Schweinchens) gefunden sind und eine der Wanddekorationen die Zauberin Medea zeigt, wie sie dem Jason den Raub des goldenen Vließes ermöglicht[2], könnte man dafür anführen. Aber zwingend wäre beides nicht; das bunte Durcheinander der Wanddarstellungen spottet, wie Lanciani mit Recht betont, jeder einheitlichen Erklärung. Das Hauptgewicht müßte jedenfalls auf das Bild in der Apsis gelegt werden, und dies hat eine sichere Deutung noch nicht gefunden. Den Sprung der Sappho vom 'leukadischen' Fels könnte es wohl nur darstellen, wenn der Künstler einen abweichenden Typus, die in den Hochzeitsliedern geschilderte Meerfahrt der Aphrodite, zugrunde gelegt hätte.[3] So verzichte ich lieber darauf, Namen und Art jener Mysteriengemeinde zu bestimmen. Gerade die neusten Funde, auf die auch Lanciani verweist, zeigen, wie wenig unser Wissen für solche Bestimmung ausreicht; die verschiedensten Kulte können in Frage kommen. Die Tatsache, daß wir jetzt schon so viel solcher Bauten kennen, scheint mir den Behauptungen Ed. Meyers nicht eben günstig. Mehr oder minder zeigen sie alle neben dem Typen-

1) Vgl. hierzu v. Duhn, Archäolog. Anz. 1921, S. 106.

2) Einer riesigen Schlange raubt der Königssohn in dem Seelenhymnus der Thomasakten die Perle; er hat das Untier vorher durch Bezauberung in Schlaf versetzt.

3) [Vgl. jetzt Kerényi, Archiv f. Religionsw. XXIV 61. Korrekturzusatz].

zwang, der eine handwerksmäßig geübte Kunst immer beherrscht, ein eigentümliches Zusammenempfinden zweier Vorstellungswelten und Religionen, das im Orient schon begonnen hat und sich im Okzident natürlich noch steigert. Nur in den altgewohnten Anschauungen können sich Menschen zwischen zwei Religionen die Gedanken der neuen innerlich faßbar machen und übernehmen daher die ihnen geläufige bildliche Darstellungsform, weil sie für sie noch immer einen Gefühlswert hat, auch in Fällen, wo die Einzelzüge widerstreben.[1]

Man darf wohl fragen, ob nicht ein solches Zusammenempfinden oder besser Mischempfinden auch bei Tibull schon fühlbar ist. Die ausführlicheren Schilderungen Juvenals geben uns ein gewisses Recht, die bei ihm beschriebenen Bußübungen entweder auf phrygischen oder auf ägyptischen Kult zu beziehen; beide erwähnt Tibull ja auch in seinen Gedichten. Und doch will er sich nicht als Mysten der Isis oder irgend welcher Form der *Magna mater* darstellen, und erwähnt, wenn er die δεισιδαιμονία schildern will, die sich seiner in der Verzweiflung bemächtigt hat, doch als Gottheit nur die Venus. Man erinnert sich sofort, daß er an anderer Stelle, den Tod erwartend, sagt:

I 3, 51 *parce, pater. timidum non me periuria terrent,*
non dicta in sanctos impia verba deos . . . . .
57 *sed me, quod facilis tenero sum semper Amori,*
ipsa Venus campos ducet in Elysios.

Es ist die Hoffnung, die in den Isis-Mysterien diese Göttin ihren Dienern gibt (Apuleius XI 6 *me . . . campos Elysios incolens ipse tibi propitiam frequens adorabis*). Aber sie knüpft nicht mehr ausschließlich an Isis.[2] Das zeigt die etwa flavischer

---

1) Eine Fülle von Beispielen für diesen psychologisch interessanten Hergang habe ich aus der nordischen Kunst etwa des zehnten Jahrhunderts n. Chr. in meinen 'Weltuntergangsvorstellungen' erläutert und auf Mißverständnisse hingewiesen, die uns jetzt drollig erscheinen. Die Deutung war dort leicht, weil die neue Religion uns bis in die Einzelheiten bekannt war. Ist das nicht der Fall, versagt fast notwendig unsere Kunst.

2) Auch Isis ist ja Liebesgöttin, aber jeder empfindet, daß ihre Erwähnung

Zeit angehörige, wie es scheint, vom Tibull-Corpus beeinflußte Inschrift C. I. VI 21521 = Bücheler Carm. ep. II 1109 (v. 27 *nam me sancta Venus sedes non nosse silentum iussit et in caeli lucida templa tulit*) und die sehr viel jüngere C. I. III 686 = Bücheler II 1233 (v. 5 *te sortita Paphon pulchro minus ore notabat diva, set in toto corde plicata inerat* — v. 12 *et reparatus item vivis in Elysiis*). Aber klar scheint mir: nur die orientalischen Weihen haben diese Mysterienhoffnungen wiederbelebt und auf Venus übertragen lassen. Aus einer allgemeinen Kenntnis dieser Weihen redet Tibull.[1] Auch er bezeugt in gewisser Weise Alter und Wirkung einer hellenistischen Mysterienreligion.

Ob wir versuchen dürfen, noch etwas weiter vorzudringen? Ich bin mir der Gefahr dabei wohl bewußt und habe gegen eine Darstellung, die sich begnügen will, sicher überlieferte Tatsachen festzustellen — also hier etwa: in ein paar kleinen Kultgemeinschaften Vorderasiens herrscht dieselbe Sitte, die Augustin im christlichen Kult uns schildert — an sich nichts einzuwenden. Sie dient der Wissenschaft, ja ist für sie unentbehrlich, wie etwa die musterhafte Darstellung der Tatsachen in Wissowas vorzüglichem Werk 'Religion und Kultus der Römer'. Nur als letztes Ziel unserer Forschung würde ich sie so wenig anerkennen, wie Usener seinerzeit Wissowas Buch anerkennen konnte. Auch wer, im vollen Bewußtsein der Gefahren, versucht, durch beständiges Vergleichen Zusammenhang und Urbedeutung jener Tatsachen zu erraten, arbeitet wissenschaftlich.[2] Je weiter wir dabei unser Gesichtsfeld ausdehnen und je sorgsamer wir auch auf Kleinigkeiten achten, um so leichter werden wir den Irrtümern entgehen, denen auch ein Usener nicht selten nachweislich erlegen ist. Ganz zu vermeiden werden sie freilich nie sein; aber

---

hier für den Römer alles Pathos zerstören müßte. Nur Delia darf Isis-Gläubige sein (v. 23 *tua . . . Isis*).

1) Das dichterische Empfinden, daß der Verliebte rein und sündenfrei lebt, habe ich im Hermes 57, S. 357f. zu erklären versucht. In reinster Form liegt es uns in der viel mißhandelten Ode *Integer vitae* vor.

2) Nur weil er es tat, konnte ja Steinleitner die Bedeutung jener Inschriften überhaupt erkennen. Wo das ganz fehlt, kommen wir nicht über eine bloße Sammlung von Kuriositäten hinaus. An Beispielen dafür ist kein Mangel.

der von dem geistreichsten griechischen Ästhetiker verfochtene Satz, daß fehlerlos sein noch nicht das höchste Lob bedeutet, gilt mehr als vom Kunstwerk auch von dem wissenschaftlichen Werk, und immer wieder sehen wir, daß, wer bloß 'sicher bezeugte Tatsachen' anerkennen will, selbst in die willkürlichsten Konstruktionen verfällt. Wie leicht ist es, bei dem angeführten Beispiel zu behaupten: zu der Zeit, als jene Inschriften in Lydien und Phrygien gesetzt wurden, ist das Christentum dort schon ziemlich verbreitet; die zugrunde liegende Anschauung können wir in den Psalmen, ja selbst im Evangelium nachweisen; also hat Augustin eine altchristliche Sitte erneuert, die auch das Heidentum weithin beeinflußt hat!

So wende ich den Blick noch einmal dem Kult und dem Empfinden zu, aus dem jene Inschriften entsprungen sind. Das uralte und weitverbreitete Empfinden, daß jedes Unglück und besonders jede Krankheit von Gott gesendet, Zeichen seines Zornes, Strafe für eine Verschuldung ist, brauche ich nicht zu erläutern. Das Eigentümliche dieser Bußinschriften liegt in ihrer Auffassung als eine Art Predigt; sie heißen geradezu εὐλογίαι (vgl. 13 ἀνέθηκα εὐλογίαν, 14 εὐχαριστήριον ἀνέστησα 3 καὶ ἀπὸ τοῦ νῦν εὐλογοῦμεν, εὐλογῶν (εὐχαριστῶν) ἀνέθηκα oder 18. 9. εὐλογῶν σου τὰς δυνάμεις, d. h. die Wunder, vgl. 31 εὐχαριστῶ Μητρὶ Λητῷ ὅτι ἐξ ἀδυνάτων δυνατὰ πυεῖ. Sie gehören also ebenso wie die allgemeinen Dankgebete für Errettung unter den Begriff der Aretalogie. Sie bezeugen, was einmal im Kult an dem betreffenden Heiligtum in vollerer Form vorgetragen ist. Das Sündenbekenntnis selbst soll dabei zur Warnung der Gläubigen dienen; darum heißt es immer wieder: ich verkünde allen, die Kraft des oder des Gottes nicht gering zu schätzen, oder: die und die Sünde nicht zu tun. Die eigene Züchtigung, ja selbst die Stele, die ihr Gedächtnis verewigt, wird als ἐξένπλον oder ἐξενπλάριον für alle Gemeindemitglieder bezeichnet.

Ich führe, um diesen gottesdienstlichen Charakter der zugrunde liegenden Handlung hervorzuheben, nur eine leider verstümmelte Inschrift (N. 32) an: καθαρμοῖς κε θυσίαις ε[ἱλασάμην τὸν Κ]ύριον, ἵνα μυ τὸ ἐμὸν σῶ[μα σώ]σι, κὲ ΜΟΠΣ (wohl αὖθις) μὲ ἀποκαθέστησε [τῷ ἐμ]ῷ σώματι. διὸ παραγγέλλω μηθένα ἄθυτον αἰγοτόμιον

(Fleisch von einer nicht geopferten Ziege) ἔσθειν, ἐπεὶ παθῖτε (παθεῖται) τὰς ἐμὰς κολάσεις.[1]

Mit dieser Inschrift vergleiche ich ein wirkliches Literaturdenkmal älterer Zeit, nämlich das Danklied eines altbabylonischen Königs, das wir spätestens um das Jahr 1000 v. Chr. ansetzen können. Ich kann es jetzt nach gütigen Mitteilungen von Prof. Zimmern etwas voller als früher[2] bieten. Nur das Mittelstück ist erhalten; Überschrift und Motto ist 'Ich will huldigen dem Herrn der Weisheit.' Der Betende erzählt sein früheres Elend in schwerer Krankheit; geöffnet war schon sein Grab, die Wehklage wurde angestimmt, die Neider freuten sich. Da erlebt er in schlafgleichem Dämmerzustand drei Visionen: ein gottgesendeter Jüngling verscheucht die schlimmsten Leiden, ein von Lal-ur-Alimma entsendeter zweiter bringt das zum Gebet notwendige Tamariskenreisbündel[3] und das Wasser des Lebens, ein dritter Gesandter spendet ihm Trost. Dann erscheint der Bote Marduks 'der Knecht der Herrin der Totenbelebung', und die Krankheitsdämonen entweichen. Das Sklavenmal wird von seiner Stirne gewischt, die Kette ihm gelöst. Marduk hat die Faust seines Widersachers zerschlagen und seine Waffe zerschmettert, Marduk in den Mund des Löwen, der ihn fressen

---

1) Vgl. die schon von Steinleitner angeführte Stelle aus Menanders Δεισιδαίμων (fr. 4 Mein.)

παράδειγμα τοὺς Σύρους λαβέ·
ὅταν φάγωσ' ἰχθῦν ἐκεῖνοι διά τινα
αὐτῶν ἀκρασίαν, τοὺς πόδας καὶ γαστέρα
οἰδοῦσιν· ἔλαβον σάκιον, εἶτ' εἰς τὴν ὁδὸν
ἐκάθισαν αὐτοὺς ἐπὶ κόπρου, καὶ τὴν θεὸν
ἐξιλάσαντο τῷ τεταπεινῶσθαι σφόδρα.

2) Das iranische Erlösungsmysterium S. 157 und 253, vgl. jetzt B. Landsberger in dem 'Textbuch zur Religionsgeschichte' von Ed. v. Lehmann und H. Haas, S. 311.

3) Wenn die Übersetzung richtig ist, könnten wir hier das Urbild der Barsomzweige im persischen Kult finden. Sie sind nach Anquetils Zeugnis (Windischmann, Zoroastrische Studien S. 276) vom Holz der Tamariske, und diese (griech. μυρίκη) nennt Strabo XV 733 als Material dieser Bündel bei den Magiern. Das gleiche wunderkräftige Zweigbündel kann ich 2000 Jahre später bei den Manichäern nachweisen (unten S. 217).

wollte, Zaumzeug gelegt. Der Gerettete zieht nach Babylon und zum Tempel Esagila

'Um Prostration und Gebet zu verrichten,/trat ich in Esagila
ein
[Der ich hi]nabgestiegen war ins Grab,/bin ich wieder gekehrt
nach Babylon:
[Im Tor] der Lebensfülle (Wonne)/wurde ich mit Lebensfülle
besch[enkt][1],
[Im T]or des großen Schutzgeistes/kam [mir] mein Schutzgeist
wieder nahe,
Im Tor des Wohlbehaltenseins (Heils)/erblickte ich Wohl-
behaltensein (Heil, *salus*),
Im Tor des Lebens/wurde mir Leben zuteil,
Im Tor des Sonnenaufgangs/wurde ich (wieder) unter die Leben-
den gerechnet,
Im Tor der hellen Vorzeichen (Vorzeichenserklärung)/wurden
meine Vorzeichen hell,
Im Tor der Sündenlösung/wurde mein Bann gelöst,
Im Tor der Mundbefragung/befragte mein Mund,
Im Tor der Seufzerlösung/wurde mein Seufzen gelöst,
Im Tor der Wasserreinigung/wurde ich mit Reinigungswasser
besprengt,
Im Tor der Versöhnung/wurde ich zur Seite Marduks[2] erblickt,
Im Tor der Fülleausschüttung/war ich zu Füßen der Sarpanitu
niedergelegt,
In Gebet und Flehen/seufzte ich vor ihnen,
Gutes Räucherwerk/legte ich vor ihnen nieder.'

Es folgt eine Aufzählung der Opfer, dann heißt es, daß die Leute von Babel, die schon das Begräbnis gerüstet hatten, beim Freudenmahl saßen:

---

1) Die Tornamen sind alle sumerisch und werden durch die entsprechende Handlung interpretiert; zum Namen des elften vgl. Zimmern in meinem Buch 'Das iranische Erlösungsmysterium' S. 254 A. 3 und jetzt Ztschr. d. Deutschen Morgenländischen Ges. LXXVI, 1922, S. 49.

2) Auch Marduk ist ja nach dem Mythos schwer verwundet und gefangen gewesen, aber wieder befreit und geheilt worden (Zimmern).

'Es sahen die Leute von Babel,/wie (oder: daß) er [ihn] lebendig
macht,
Aller Münder/priesen die Hoheit (Marduks):
«Wer befahl denn,/daß er die Sonne(?) schauen sollte,
In wessen Sinn war es,/daß er wieder seines Weges ziehen sollte?
Wer, wenn nicht Marduk/hat ihn vom Tode (wieder) zum
Leben gebracht?
Was für eine Göttin außer Erua (Sarpanitu, Landsberger)/hat
ihm (wieder) seinen Odem geschenkt?
Marduk vermag es,/aus dem Grabe aufzuerwecken (lebendig zu
machen),
Sarpanitu ist darauf bedacht,/aus der Vernichtung zu erretten.
Wo immer die Erde hingestellt ist,/der Himmel weit ist,
Die Sonne erglänzt, Feuer aufleuchtet,
Alle die, welche Aruru/geschaffen hat (ihre Lehmstücke ab-
gekniffen hat),
Die mit Lebensodem erfüllt sind,/dahinschreiten (die Beine
geöffnet sind)
Alle Länder (? Menschen?) insgesamt/huldiget Marduk!»'

Von dem Schluß des Hymnus, der schwerlich mehr lang war, sind nur noch Trümmer erhalten.

Es ist nicht das für die Dankfeier selbst bestimmte Lied, wohl aber eine literarische Widerspiegelung einer solchen Feier. So weicht es von dem eigentlichen Kultlied in der Form ab. Sonst nimmt nach Zimmern in den babylonischen Erlösungsliedern zwar die Schilderung des Leidens und die Bitte um Befreiung einen sehr breiten Raum ein, aber die Befreiung selbst und der Dank an die Gottheit wird gewöhnlich mit wenigen typischen Wendungen abgemacht. Nun ist der Redende in diesem Liede sich freilich einer besonderen Sünde nicht bewußt: den Kult der Götter hat er nicht vernachlässigt, ihren Namen beim Schwur nicht mißbraucht, stets sich bemüht, fromm zu handeln. Aber, indem er hinzufügt, daß der Mensch nicht weiß, was vor Gott gut und was sündhaft ist, verrät er doch dieselbe Anschauung der Krankheit und des Übels als Strafe; wo wir den Grund nicht erkennen können, müssen wir an die Weisheit der

Götter glauben. Es ist eine religiöse Entwicklung, die sich fast notwendig vollzieht und in den Evangelienerzählungen widerspiegelt: aus der einfachen Mahnung an den Geheilten, 'sündige hinfort nicht mehr, auf daß dir nicht Ärgeres widerfahre', wird die didaktisch-theologische Wundererzählung (Joh. c. 9): 'Krankheit und Heilung können auch lediglich den Zweck haben, Gottes Wundermacht zu offenbaren und ihn zu preisen.' Die Aretalogie ist immer der Zweck, das Wesentliche; sie bestimmt den Kultbrauch; aber herausgewachsen ist er aus dem Gefühl der Sünde und dem Drang zur Buße, und bei wenig antiken Völkern ist beides stärker als bei dem babylonischen.[1]

Auch bei den Israeliten besteht bekanntlich dieser Kultbrauch; das bezeugen die Dankpsalmen. Ja, wir haben ein Lied, das genau wie das babylonische nicht für das Fest gedichtet ist, sondern eine dramatische Beschreibung des Festes enthält. Es ist der Psalm 21: Ὁ θεός, ὁ θεός μου, πρόσχες μοι, ἵνα τί με κατέλιπες; Zunächst die Schilderung des Elends und des dennoch felsenfesten Glaubens, dann die Verheißung διηγήσομαι τὸ ὄνομά σου τοῖς ἀδελφοῖς μου· ἐν μέσῳ ἐκκλησίας ὑμνήσω σε, . . . τὰς εὐχάς μου ἀποδώσω ἐνώπιον τῶν φοβουμένων αὐτόν[2], endlich die Erwähnung des Festmahls und des Lobpreises des ganzen Volkes. Ich glaube an eine direkte Einwirkung babylonischer Sakralpoesie auf Grund eines ähnlichen Kultbrauches. Daß eine Sünde auch hier nicht erwähnt wird, kann nicht mehr befremden. Das Bewußtsein des Zusammenhangs von Sünde und Strafe lebt auch hier im Volke. Aber der Festbrauch knüpft nicht mehr hieran an.

---

1) Beiläufig verweise ich dabei auf die Bedeutung der Buße bei den Mandäern, wo sie mit dem Mysterium der Taufe verbunden erscheint (Genza r. II 2, S. 54 Lidzb.) und wo wir eine geordnete Kirchenzucht finden, die bis zum Ausschluß aus der Gemeinde führen kann (Genza r. I 161, S. 24, 9 Lidzb.). Weiter auf den Beichtspiegel der Manichäer, dessen inneren Bau und religiöse Bedeutung uns W. Bang (Muséon XXXVI, 1923, S. 137f.) durch den Vergleich mit christlichen Beichtspiegeln erklärt hat (geradezu vorbildlich in der Vereinigung von Philologie und Religionswissenschaft). Über die Beichte im Buddhismus weiß ich leider zu wenig.

2) Selbst die Mahnung, den Herrn zu fürchten, die Behandlung des Einzelfalles als *exemplum* fehlt nicht.

Indessen nicht jener Beichtinschriften halber habe ich den babylonischen Text in einem Buche über hellenistische Mysterien so breit besprochen. Er bietet auch für sie viel, wenn er auch ein Mysterium im strengen Sinne nicht berichtet.[1] Ein Zusammenhang der Mysterien mit älterem Allgemeinkult scheint mir hier entgegenzutreten. Es kann doch gar nicht zufällig sein, daß eine Anzahl wirklicher Mysterien, vor allem das von Apuleius geschilderte Isismysterium, aber auch die ägyptische Königsweihe, genau dieselbe Abfolge — z. B. der καϑαρμοί und der ϑυσίαι —, denselben Aufbau heiliger Handlungen zeigen: Taufe, Umwandlung des Tempels, der den Himmel oder die Welt bedeudet, Festmahl. Die Zahl der Tore (Stationen?), in deren jedem die göttliche Gabe, nach der es benannt ist, dem Beter zuteil wird, zeigt noch deutlicher, daß eine bestimmte Theologie zugrunde liegt, die vielleicht sogar schon beim Bau des Tempels mitgewirkt hat; man denke an die sieben Tore der Unterwelt, in deren jedem Ištar einen Teil ihres Schmuckes bei der Niederfahrt verliert, bei der Auffahrt wiederempfängt. Daß die Namen der zwölf Tore sumerisch sind, macht die Annahme möglich, daß die heilige Handlung, die mit ihnen verbunden ist, bei den Sumerern schon bestand, nur scheint es nach Zimmern kaum zu erwarten, daß hier die Handlung schon eine noch tiefere Bedeutung hatte. Daß sie, in andere Zusammenhänge übertragen, zu andern Völkern übergeht, wäre begreiflich. So wenig wir hier Sicheres sagen können[2], so wertvoll scheint mir doch dies

1) Daß es sich nicht um das Seelenheil, die σωτηρία im Sinne eines Fortlebens im Jenseits handelt, ist weniger entscheidend — so kann man, wie gerade Apuleius zeigt, auch ein hellenistisches Mysterium auffassen —, wohl aber, daß das Empfinden des Geheimnisses offenbar fehlt.

2) Wir stehen zur Zeit noch vor dem Anfang einer wissenschaftlichen Erforschung der Wanderungen der Kultbräuche; daß solche in weitem Umfange stattgefunden haben, steht freilich schon sicher. Der Austauschprozeß dauert bis in verhältnismäßig junge Zeit; wir sehen ja eine Handlung wie das Taurobolium oder wie die Taufe von einer Mysterienreligion in die andere übergehen. Schon daraus folgt für mich, daß für unsere Betrachtung und für die religionsgeschichtliche Arbeit am Christentum die Bestimmung, wenn nicht des Ursinns, so doch des zu einer bestimmten Zeit einer Kulthandlung beigelegten Sinnes an sich höhere Bedeutung hat als die Bestimmung ihres letzten völkischen Ausgangspunktes (vgl. oben S. 93).

Beispiel, wie alter Allgemeinkult in anderer Umgebung zum Mysterium werden und noch die hellenistische Zeit beeinflussen kann.

Wer das Wesen hellenistischer Mysterienreligionen erkennen will, muß auf die Ähnlichkeiten ihrer Kultbräuche und Anschauungen mit altorientalischem Volkskult und Allgemeinanschauungen besonders achten. Sind sie erweisbar, so sind Altersnachweise für die Mysterien fast überflüssig. So bespreche ich in möglichster Kürze noch ein paar Beispiele und wähle zum Ausgangspunkt eine komplizierte Kulthandlung, für die uns alte, im Priesterstande überlieferte Deutungen vorliegen. In dem Archiv f. Religionswissensch. XXII, 1924, S. 87f. hat Frau Luise Troje ein altindisches Opferritual für den Bau des Feueraltars (Agnicayana)[1] verständlich gemacht, das in seinem Ursprung in frühste, vielleicht noch vorvedische Zeit hinaufreicht und dessen priesterliche Deutung im Śatapatha-Brāhmaṇa immer noch vor Buddha fällt. An den ursprünglichen Leitgedanken, den Altar als Bild des Kosmos in fünf Schichten aufzubauen und auf ihm als Symbol der im Kosmos waltenden Lebenskraft das weltschaffende Prinzip, den heiligen Feuerbrand (Agni), niederzulegen, schließen eine Menge von Erweiterungen und Ausgestaltungen; verschiedene Kulthandlungen, die ursprünglich dasselbe bedeuten, werden nebeneinandergerückt. Wir können Ähnliches auch in anderen Kulten nachweisen; die meisten sich in festen Organisationen entfaltenden Mysterien neigen ihrer Natur nach dazu. Dabei durchdringen sich kosmische und soteriologische Bedeutung: der Opferherr schafft den gealterten Zeit- und Weltgott wieder oder erzeugt ihn in sich neu: er trägt als Sinnbild des Makrokosmos dessen Lebenskraft (das Feuer) in seinem Mutterschoß, der um den Leib gebundenen Feuerschüssel, ein Jahr lang und läßt ihn dann zur Erscheinung kommen, aber er wird dadurch zugleich selbst dieser Gott oder vielmehr sein inneres Selbst wird dessen inneres Selbst, seine Lebenskraft, Agni. Sie trägt ihn dereinst zum Himmel empor. Die Kulthandlung ist zum Mysterium in vollem Sinne geworden und beeinflußt kultliche

1) Wer sich eine Anschauung davon bilden will, wie viel weiter die religionsgeschichtliche Betrachtung uns in diesen Dingen geführt hat, vergleiche die von ihr noch fast unberührten Ausführungen A. Webers, Indische Studien XIII.

Mysterien der hellenistischen Welt. Aber auch, wo die kultlichen Züge ganz weggefallen sind, hält sich die religiöse Vorstellung, und wir hören in einem iranisch beeinflußten Traktat die Vorschrift (Corp. herm. XI 20): τοῦτον οὖν τὸν τρόπον νόησον τὸν θεὸν ὥσπερ νοήματα πάντα ἐν ἑαυτῷ ἔχειν τὸν κόσμον ἑαυτόν ⟨τε⟩ ὅλον. συναύξησον σεαυτὸν τῷ ἀμετρήτῳ μεγέθει· παντὸς σώματος ἐκπηδήσας καὶ πάντα χρόνον ὑπεράρας Αἰὼν γενοῦ, καὶ νοήσεις τὸν θεόν. μηδὲν ἀδύνατον σεαυτῷ ὑποστησάμενος σεαυτὸν ἥγησαι ἀθάνατον καὶ πάντα δυνάμενον νοῆσαι, πᾶσαν μὲν τέχνην, πᾶσαν δὲ ἐπιστήμην, παντὸς ζῴου ἦθος. παντὸς δὲ ὕψους ὑψηλότερος γενοῦ καὶ παντὸς βάθους ταπεινότερος. πάσας δὲ αἰσθήσεις τῶν ποιητῶν σύλλαβε ἐν σεαυτῷ, πυρός, ὕδατος, ξηροῦ καὶ ὑγροῦ· καὶ ὁμοῦ πανταχῇ εἶναι, ἐν γῇ, ἐν θαλάττῃ, ἐν οὐρανῷ· μηδέπω γεγενῆσθαι, ἐν τῇ γαστρὶ εἶναι, νέος, γέρων, τεθνηκέναι, τὰ μετὰ τὸν θάνατον. κἂν ταῦτα πάντα ὁμοῦ νοήσῃς, χρόνους, τόπους, πράγματα, ποιότητας, ποσότητας, δύνασαι νοῆσαι τὸν θεόν. Gewiß ist das keinerlei Mysterium mehr, aber die gleiche orientalische Vorstellung von der Welt als Menschen oder als Gott, die ich früher[1] von Indien bis in die Orphik verfolgt habe, liegt auch hier zugrunde, und der soteriologische Gedanke, daß der Mensch, wenn er erkennt, daß sein Bewußtseins-Selbst das Selbst des Weltgotts ist oder zu diesem wird, schimmert auch hier noch durch.[2]

---

1) Reitzenstein-Schaeder, I 3.

2) Man sollte es vermeiden, ein derartiges religiöses Empfinden mit dem Schlagwort Pantheismus abzutun. Seine Entstehung liegt jenseits aller Philosophie. Das zeigen so unphilosophische Religionen wie z. B. die ägyptische, und Spuren eines derartigen Natur- oder Gottesgefühls wahren auch sonst die Zaubervorstellungen vieler Völker. Man vergleiche mit dem hermetischen Text die Beschreibung eines Zaubertextes bei Griffith, Stories of the High Priest of Memphis, I 3, 13 p. 92: *reading the first formula, thou wilt charm the heaven, the earth, the underworld, the mountains, the seas. Thou wilt discern what the birds of heaven, and the creeping things shall say, all. Thou shall see the fish of the deep, there being power of god resting upon water over them. Reading the second formula if it be that thou art in Amenti, thou art again on earth in thy (usual) form; thou wilt see the Sun rising in heaven with his cycle of deities, and the Moon in his form of shining.* Man empfindet, wie sich in der ursprünglichen Vorstellung das Schauen (γνῶσις) mit der Empfindung des Machthabens über die Schöpfung verbindet; so bedeutet ἐξουσία beides.

Unter den vielen sehr altertümlichen Kulthandlungen und Kultvorstellungen dieses Rituals begegnet nun eine, die besonders geeignet ist, spätere aufzuklären: als Sinnbild des Welt-Selbst wird in der Mitte des Altars eine goldene Mannesfigur eingemauert und als der 'himmlische (göttliche) Körper' des Opferherrn gedeutet, als 'seine unsterbliche, seine göttliche Form'. Neben ihn wird ein Backstein gelegt, der seinen irdischen Körper darstellen und verhüten soll, daß der Opferherr zu früh den Weg seines himmlischen Körpers gehe. Diese Deutung ist, so alt sie ist, schwerlich ursprünglich. Seinem Ursinn nach ist das Gold wohl wieder nur die Darstellung Agnis, also des Feuers und der Lebenskraft; ich erinnere daran, daß in der iranischen Kosmogonie die Kräfte des zur Erde gesandten und in ihr vergehenden Urmenschen als Metalle in sie fließen; die eigentliche Lebenskraft, der Same, ist dabei das Gold. Eine rohere Form, bei der man noch besser von einem Bauopfer reden kann, steht in dem indischen Ritual daneben: fünf verschiedene Lebewesen — sie werden ja in fünf Klassen zerlegt — werden geopfert und in diesen Bau, den Weltbau, eingemauert, so hat er das Leben und die Gesamtseele in sich. Aber auch jene priesterliche Deutung des Goldmannes verdient, wenn sie auch jünger ist, noch nähere Betrachtung. Ich kann die spekulative Ausbildung der Vorstellung eines zweiten, immateriellen Leibes im Indischen leider nicht verfolgen. Aber allbekannt ist aus der iranischen Liturgik (Yašt 22) der Glaube, daß der Seele des Frommen nach dem Tode ihr eigenes Selbst in Gestalt einer schönen Jungfrau entgegentritt, die durch seine guten Gedanken, Worte und Werke (persische wie indische Grundscheidung) so schön geworden ist. Mit ihr vereint schreitet sie dann zum Himmel empor und wird verehrt wie Ohrmazd (der ins Ethische umgebildete alte Weltgott). Über die Bezeichnung (hier: *daēna*), die bald Religion (religiöses Wissen), bald Persönlichkeit zu bedeuten scheint, habe ich früher[1] wohl genug gesprochen und aus der fast vollen Gleichheit der mandäischen und der manichäischen Himmelfahrtslehre den Schluß gezogen, daß der manichäische Ausdruck *grēv* (das Selbst) dabei dem zarathustrischen *daēna* irgendwie entspricht. Ich

1) Das iranische Erlösungsmysterium S. 30f. Reitzenstein-Schaeder Teil I.

kann jetzt den vollen Beweis dafür bieten. Der Urmensch Gayōmard (sterbliches Leben) ist nicht nur die Seele (das Leben) der Welt, sondern zugleich die wahre Religion, das richtige Wissen von Gott. Selbst chronologisch wird nach ihm der Anfang 'der Religion' berechnet.[1] Dem entspricht es, daß nur die Anhänger der rechten Religion 'Leben' haben; Leben und Wissen hängen unlöslich zusammen. Die soteriologische Bedeutung der Vorstellung mußte sich daraus von selbst ergeben. Die durchaus ähnliche Entwicklung im Indischen zu verfolgen, würde zu weit führen; nur möchte ich, gerade weil ich im einzelnen oft widersprechen muß, mit besonderem Dank hervorheben, wie stark Frau Luise Troje durch die beständige Vergleichung indischer Lehren und Kulte die Forschung gefördert hat.

Die volle Vergottung erlangt die Seele im Tode, sie erlangt sie aber auch in der Offenbarung, die danach bald als ein Sterben, bald als Vorstufe dafür gefaßt wird. Hier setzen die Mysterien ein, deren typische Formen wir untersuchen. Wenn ich in der kurzen Auswahl arische Formen bevorzuge, so geschieht es deswegen, weil man auf sie am wenigsten geachtet, ja ihr Vorhandensein bestritten hat.

Jenen himmlischen Körper erwähnt ein durch Dieterich unter dem Namen Mithras-Liturgie bekannter Zaubertext in seinem Eingang, den ich darum hier voll gebe. Zu dem Ganzen bemerke ich nur, daß es den ἱερὸς λόγος zu einer geheimen Kulthandlung vorstellt und daß solche ἱεροὶ λόγοι auch für alle eigentlichen Mysterien bestanden haben (vgl. den von Schubart veröffentlichten Erlaß des Ptolemaios Philopator, oben S. 103). Doch trägt dieser ἱερὸς λόγος stark literarische Züge; stellt sich doch der Verfasser im Eingang gewissermaßen selbst vor, wie er sein Werk beginnt. Es soll nicht bloß Vorschrift, sondern ganz allgemein Vorbereitung für den Initianden sein und schildert ihm darum, was er erleben und was er empfinden wird. Die Sprache ist feierlich — man vergleiche nach dem kurzen Vorwort des Schreibers die große Periode des ersten Gebets mit dem Gebet in dem ersten Prooemium des Lukrez —, der Schluß fein be-

1) Denkard IX 53, 18 vgl. Reitzenstein-Schaeder I S. 4f.

rechnet. Voraussetzung ist dabei, daß die Gottheit den Willen, den Initianden wiedergeboren werden zu lassen, wirklich gefaßt hat. Sie muß ihm diesen Willen also irgendwie kundgetan haben, mit anderem Wort ihn 'berufen' haben. Als Gegenstand ihres Willens aber wird nicht irgend ein äußerer Zweck angegeben, sondern die Vergottung. Schon das unterscheidet diesen Text von allen anderen Zaubertexten, in denen der Wille des Menschen immer betont und ein bestimmter äußerer Zweck angegeben, wird, mag auch als Folge der heiligen Handlung zugleich eine Steigerung der religiösen Stellung des Zaubernden gelegentlich erwähnt werden. Hier ist die magische Handlung Gottes Wille und Gottesdienst und endet in dem ersten Gebet wie in dem Schlußwort der 'Handlung' mit der Erklärung des Handelnden, sich diesem Willen zu unterwerfen. Wir können gar nicht anders als das Wort μυστήριον in Eingang und Schluß in rein religiösem Sinn verstehen. Daß Dieterich das empfunden hat, ist hier seine erste große philologische Leistung.[1] Der Text in seiner Gesamtheit bietet nun die Unterweisung vor dem Mysterium, wie sie uns Apuleius schildert. Sie ist bei jedem Mysterium, in dem der Myste selbst handeln und erleben, nicht nur schauen soll, notwendig; insofern gleicht sie natürlich der Anweisung zum Zaubern. Sie wird auch in den Isis-Mysterien bei Apuleius aus einem in Hieroglyphen geschriebenen Buch von dem Mystagogen erteilt; man könnte also die Einleitung von hier verstehen wollen. Nur paßt sie, wie schon Dieterich empfand, doch auch wieder nicht dafür. Denn jene Vorbereitung des Mysten kann sich ihrem ganzen Wesen nach nur im mündlichen Unterricht vollziehen. Eine buchmäßige oder briefliche Einführung in die eigentlichen Mysterien gibt es nicht; die Anwesenheit des Lehrers, der ja die Weihen erteilt oder den Initianden führt, ist notwendig. So bieten schon die Worte ἵλαθί μοι, Πρόνοια καὶ Ψυχή, τάδε γράφοντι τὰ πρωτοπαράδοτα μυστήρια μόνῳ δὲ τέκνῳ ἀθανασίαν ein Rätsel, das sich freilich löst, wenn wir daran denken, daß es in

1) Man macht sie sich am besten klar, wenn man sieht, wie völlig verständnislos Gruppe (Bursians Jahresber. 137, 1908, 229f.) ihr gegenüberstand. Ich bedaure, daß ein so feinsinniger Gelehrter wie Cumont bis in seine neusten Veröffentlichungen hinein Dieterichs Verdienst verkennt.

hellenistischer Erbauungsliteratur, z. B. bei Philo, ganz üblich ist, einen Abschnitt eines Buches als nur für die Geweihten bestimmt zu bezeichnen.[1] Ich werde an anderem Ort darauf zurückkommen. Hier hilft uns zur richtigen Würdigung vielleicht ein moderner Vergleich, der freilich unsere ganz geänderten Verhältnisse voraussetzt. 'Nur für meinen Sohn ist diese Beichte bestimmt', so kann ein Vater wohl seine Aufzeichnungen beginnen; fängt ein allgemein zugänglicher Roman so an, so erkenne ich sofort die literarische Form, die zu bestimmtem Zweck gewählt ist. Hier glaube ich sie noch aus anderen Anzeichen zu erkennen.

Die im Erlaß des Ptolemaios Philopator erwähnten Dionysos-Priester müssen durch drei Generationen nachweisen, von wem sie die Weihen und die damit verbundenen ἱεροὶ λόγοι empfangen haben; dem entspricht in der Einleitung die Bezeichnung τάδε τὰ πρωτοπαράδοτα μυστήρια, welche erklärt wird durch die Bemerkung, Mithras selbst habe sie und die mit ihnen verbundene Kraft durch seinen obersten Gesandten *tarkumān*)[2] dem Schrei-

1) In der astrologischen, alchemistischen und sonstigen Geheimliteratur als nur für den Sohn bestimmt.

2) Das Wort ἀρχάγγελος berechtigt, wie vielleicht nicht überflüssig ist zu bemerken, in keiner Weise, an jüdischen oder christlichen Einfluß zu denken. In griechischen Wiedergaben persischer Anschauungen ist ἄγγελος fester Terminus, und mit vollem Recht hat Cumont (Cumont-Gehrich, Die orient. Rel. im röm. Heidentum², 1914, S. 309) eine Weihinschrift *Diis angelis* für den Mithrasglauben in Anspruch genommen. Den zahlreichen Stellen, die er anführt, füge ich eine für Philologen und Iranisten besonders lehrreiche bei: in den *Theologumena arithmetica* (p. 41 Ast) wird aus Nikomachos von Gerasa der epische Beiname der Athene (der Siebenzahl) 'Αγελεία erklärt: ἢ μᾶλλον — ὃ καὶ Πυθαγορικώτερον (die Pythagoreer betrachten ihren Meister ja als Schüler Zoroasters)— ἐπειδὴ καὶ Βαβυλωνίων (in Babylon soll Z. den P. gelehrt haben) οἱ δοκιμώτατοι καὶ 'Οστάνης καὶ Ζωροάστρης (d. h. Z. bei O.) ἀγέλας κυρίως καλοῦσι τὰς ἀστρικὰς σφαίρας . . . ἀπὸ τοῦ σύνδεσμοί πως καὶ συναγωγαὶ χρηματίζειν δογματίζεσθαι παρ' αὐτῶν τῶν φυσικῶν λόγων, ἃς ἀγέλους κατὰ τὰ αὐτὰ καλοῦσι ἐν τοῖς ἱεροῖς λόγοις, κατὰ παρέμπτωσιν δὲ τοῦ γάμμα ἐφθαρμένως ἀγγέλους· διὸ καὶ τοὺς καθ' ἑκάστην τούτων τῶν ἀγελῶν ἐξάρχοντας ἀστέρας καὶ δαίμονας ὁμοίως ἀγγέλους καὶ ἀρχαγγέλλους προσαγορεύεσθαι, οἵπερ εἰσὶν ἑπτὰ τὸν ἀριθμόν, ὥστε 'Αγελεία (ἀγγελία Ast) κατὰ τοῦτο ἐτυμότατα ἡ ἑβδομάς. Die ἱεροὶ λόγοι können wohl nur theologische (nicht zauberhafte) Schriften sein; daß 'Οστάνης καὶ Ζωροάστρης zitiert wird (sonst meist nur 'Οστάνης) erklärt sich durch Plinius

benden übergeben, damit er allein die Himmelswanderung machen kann (ἀλήτης οὐρανὸν βαίνω, vgl. S. 8, 5 Dietr. ἐγώ εἰμι

XXX 8 *primus ... commentatus est de ea* (über die Lehre Zoroasters) *Ostanes Xerxen regem Persarum bello ... comitatus* (die von Cicero, De Leg. II 26 angeführte Lehre der den Xerxes begleitenden Magier könnte durch irgendwelche Mittelquelle auf Ostanes zurückgehen). Gemeint sind die sieben Amesaspentas, wie Minucius Felix 26 zeigt: *Magorum et eloquio et negotio primus Hostanes angelos, id est ministros et nuntios dei, eius venerationi novit assistere.* Die astrologischen Angaben sind also ebenso wie die von ihnen unzertrennlichen etymologischen Bemerkungen jüngere griechische Zutat, wohl aus 'pythagoreischer' Quelle; sehr möglich, daß das auf Aristoxenos zurückgeht, der ja für uns zuerst Pythagoras zum Schüler des Zarathustra macht und Näheres über dessen Lehren mitteilt. Was bleibt, ist wichtig genug, nur unklar, ob Ostanes Ohrmazd und sechs Engel die heilige Zahl ergeben läßt, wie der dem fünften Jahrhundert angehörige Damdaδ-Nask und die Quelle Theopomps, oder schon sieben Engel neben dem Gott kennt. Den Philologen interessiert vielleicht mehr, daß wir die Tradition der alten Akademie über die Lehrhäupter der persischen Religion jetzt klarer erkennen können. Diogenes Laertius (prooem. § 2) bezeugt bekanntlich: ἀπὸ δὲ τῶν Μάγων, ὧν ἄρξαι Ζωροάστρην τὸν Πέρσην, Ἑρμόδωρος μὲν ὁ Πλατωνικὸς ἐν τῷ περὶ μαθημάτων φησὶν εἰς τὴν Τροίας ἅλωσιν ἔτη πεντακισχίλια — Ξάνθος δὲ ὁ Λυδὸς εἰς τὴν Ξέρξου διάβασιν ἀπὸ τοῦ Ζωροάστρου ἑξακισχίλιά φησι — καὶ μετ' αὐτὸν πολλούς τινας μάγους κατὰ διαδοχήν, Ὀστάνας καὶ Ἀστραμψύχους καὶ Γωβρύας καὶ Παζάτας, μέχρι τῆς τῶν Περσῶν ὑπ' Ἀλεξάνδρου καταλύσεως. Uns interessiert zunächst die διαδοχή, von der wir sonst ja gar nichts wissen (der Vergleich mit den philosophischen διαδοχαί mußte nahe liegen, seit Eudoxos den Zarathustrismus als Philosophie bezeichnet hatte). Der 'Magier' Gobryas erscheint als Zeitgenosse des Sokrates in dem in der älteren Akademie verfaßten Axiochos (vgl. über das Alter Immisch, Philologische Studien zu Platon I); sein Großvater hat an dem Kriege des Xerxes gegen Griechenland teilgenommen, ist also Zeitgenosse des Ostanes. Das bedeutet: Der Verfasser hat für seine Erfindung Hermodors Angaben über die διαδοχή zugrunde gelegt; ihnen entstammt also auch die Bestimmung für das Alter des Ostanes bei Plinius XXX 8. Er, nicht der später erwähnte Zauberer aus der Zeit Alexanders ist historische Persönlichkeit. Das muß nun auch von Astrampsuchos gelten, dessen Name ebenfalls in die Zauberliteratur übergegangen ist; Pazates ist mir in ihr nicht erinnerlich. Die Lücke zwischen dem nachträglich vordatierten Zoroaster und Ostanes füllt Hermodor durch die allgemeinen Worte πολλοί τινες μάγοι aus; das berechtigt den Plinius, der von einer διαδοχή liest und nur ihren Ersten anführt, von der Lehre Zoroasters zu sagen: *nec claris nec continuis successionibus custoditam primus ... Ostanes* (außerdem versucht er aus eigener Gelehrsamkeit, die Lücke auszufüllen); er formt um, verrät aber gerade durch das Wort *successio* seine Abhängigkeit von dem aus Hermipp entnommenen Haupttext des Hermodor (vgl. Reitzenstein-Schaeder I, S. 4). Wir scheinen hiermit eine ganz neue Kenntnis von zara-

σύμπλανος ὑμῖν ἀστὴρ καὶ ἐκ βάθους ἀναλάμπων). Wenn der Schreibende sie jetzt seinem Sohne weitergibt — nur ihm darf er es ja —, so sind sie πρωτοπαράδοτα.[1] Das folgende Mysterium ist also neu, ist von ihm konstituiert. Ob in allen Stücken neu, ist damit natürlich nicht gesagt. Daß die einzelnen Leiter der Dionysos-Mysterien 'auf Grund göttlicher Offenbarung' Änderungen vornehmen konnten, zeigt uns ja Livius. Für Ägypten können wir Mithraskult bekanntlich jetzt schon im dritten vorchristlichen Jahrhundert nachweisen; das ist nach der persischen Herrschaft und bei dem Weiterbestehen der Πέρσαι τῆς ἐπιγονῆς nicht wunderbar, beweist aber an sich nichts für die späteren offiziellen Mithrasmysterien, die in der Kaiserzeit freilich auch in Ägypten nachweisbar sind. Dieterichs Vorstellung, wir hätten hier wirklich den offiziellen ἱερὸς λόγος der höchsten der späteren Mystenklassen, scheint mir mindestens unbeweisbar. Daß die Himmelsreise in ihnen anders beschrieben war, hat schon Cumont mit Recht betont. Die hier wie in den meisten Zaubertexten mit ἐν ἄλλῳ oder οἱ δὲ eingeführten Varianten zeigen ferner, daß der Text in verschiedenen Zauberbüchern umlief: ein solcher Bruch der Verschwiegenheitspflicht wäre beispiellos und kaum begreiflich. Auch darin muß ich Cumont recht geben, daß Kap. XIII des hermetischen Corpus (siehe oben S. 47 f.) eine gewisse Ähnlichkeit zeigt. Auch dort wird — freilich in der Form der Erzählung — ein Wiedergeburtsmysterium beschrieben, dort freilich ein rein gedachtes, ohne allen äußeren Apparat. Aber ob dieser äußere Apparat in dem Mithrastext je an einer Stelle in Wirklichkeit bestand, die Beschreibung also mehr als eine Form, die Phantasie anzuregen, war? Mir scheint er selbst an unsere Bühnen- oder Kino-Technik zu große Anforderungen zu stellen und die Art, wie dabei die Empfindungen des Initianden mitbeschrieben werden, eher geeignet, die Illusion zu hindern als

---

thustrischen Schulhäuptern (und Schriftstellern?) vor Alexander zu gewinnen außerdem aber einen genaueren Einblick in die Quellen des Diogenes Laertius und Plinius, endlich die griechische, der persischen genau ensprechende Bezeichnung des Avesta.

1) So Wendland; Useners Vermutung πατροπαράδοτα widerstreitet dem Zusammenhang, nach dem der Schreibende der einzige sein muß, der diese Weihen und diese Kraft von dem Gesandten des Mithras empfangen hat.

sie hervorzubringen. Mag das unentschieden bleiben und unentscheidbar sein; die Bedeutung des Fundes und des Buches Dieterichs wird nicht davon berührt, wieviel oder wie wenig Gläubige diese religiöse Schrift gefunden hat. Wie die religiöse Phantasie des Verfassers arbeitete und wie Mysterienbilder entstehen, hat Dieterich — und das ist die zweite, noch größere philologische Leistung — in wundervoller Schärfe gezeigt, auch in der Erkenntnis iranischer Elemente durchaus Recht behalten, die Einwirkungen auch fremder selbst zugegeben. Wer hier Einzelheiten hinzufügt, streitet nicht, sondern erfüllt nur die Pflicht, wirklich und in seinem Sinne zu danken.

Mustern wir das erste Gebet samt der Einleitung einmal durch. Ich setze beim Abdruck des Textes mystische Buchstabenverbindungen in eckige Klammern, die andern Zusätze und Varianten, die in der Zaubertradition nötig oder üblich sind, in runde Klammern, Ergänzungen in gebrochene. Der von mir durch Gedankenstriche angedeutete Bau des Hauptgebetes ist: nach der Anrufung (Z. 5—13) folgt die Voraussetzung des ganzen Gebetes: 'wenn es denn euer Wille ist' (13—23), hierauf, auf den Schluß bezogen, ein doppelter Begründungssatz: 'da ich folgender Offenbarung gewürdigt werden soll' (23—31) und 'da ich das als Mensch nicht erlangen kann' (31—33), hierauf der Hauptsatz 'so bleibe einstweilen zurück, meine Menschennatur' (33—35). Ein neuer, kurzer Satz begründet dann: er kann ihr derartig gebieten, denn er ist nicht nur Mensch, sondern zugleich der Sohn (Gottes).

῞Ιλαθί μοι, Πρόνοια καὶ Ψυχή[1], τάδε γράφοντι[2] τὰ πρωτοπαράδοτα μυστήρια, μόνῳ δὲ τέκνῳ ἀθανασίαν, ἀξίῳ μύστῃ τῆς ἡμετέρας δυνάμεως, ἣν ὁ μέγας θεὸς ῞Ηλιος Μίθρας ἐκέλευσέν μοι μεταδοθῆναι ὑπὸ τοῦ ἀρχαγγέλου αὐτοῦ, ὅπως ἐγὼ μόνος ἀλήτης[3] οὐρανὸν, βαίνω καὶ κατοπτεύω πάντα. — Γένεσις πρώτη τῆς ἐμῆς γενέσεως

1) Τύχη Diet., vgl. Preisendanz, Deutsche Literaturztg. 1917, Sp. 1433 (seine weiteren Schlüsse kann ich nicht annehmen; für Psyche verweise ich noch auf die seltsame Stelle des Martianus Capella II 142; an die Darstellung auf einem noch ungedeuteten Grabrelief früherer Zeit, Hermes 37, 121, erinnerte mich gütig Hiller v. Gärtringen). Beide Gottheiten bilden eine Einheit.

2) γραφεντι Pap. verb. Diet. πραταπαραδοτα Pap. verb. Wendland.

3) αιητης Pap. αἰητὸς (für ἀετὸς) Diet., doch paßt βαίνω nicht dazu.

[αεηιουω], Ἀρχὴ τῆς ἐμῆς ἀρχῆς[1] πρώτη [πππσοοφρ], πνεῦμα πνεύματος τοῦ ἐν ἐμοὶ πνεύματος πρῶτον [μμμ], πῦρ τὸ εἰς ἐμὴν κρᾶσιν (τῶν ἐν ἐμοὶ κράσεων) θεοδώρητον τοῦ ἐν ἐμοὶ πυρὸς πρῶτον[ηυηιαεη], ὕδωρ ὕδατος τοῦ ἐν ἐμοὶ ὕδατος πρῶτον [ωωωαααεεε], οὐσία γεώδης τῆς ἐν ἐμοὶ οὐσίας γεώδους πρώτη [υηυωη], σῶμα τέλειον (ἐμοῦ τοῦ δεῖνα τῆς δεῖνα) διαπεπλασμένον ὑπὸ βραχίονος ἐντίμου καὶ δεξιᾶς χειρὸς ἀφθάρτου ἐν ἀφωτίστῳ καὶ διαυγεῖ κόσμῳ ἔν τε ἀψύχῳ καὶ ἐψυχωμένῳ [υηιαυιευωιε] — ἐὰν δή[2] ὑμῖν δόξῃ [μετερταφωθ μεθαρθαφηριν· ἐν ἄλλῳ· ιερεζαθ] μεταπαραδῶναί με τῇ ἀθανάτῳ γενέσει ἐχόμενος[3] τῇ ὑποκειμένῃ μου φύσει, ἵνα μετὰ τὴν ἐνεστῶσαν καὶ σφόδρα κατεπείγουσάν με χρείαν ἐποπτεύσω τὴν ἀθάνατον Ἀρχὴν τῷ ἀθανάτῳ πνεύματι [ανχρε φρενες ουφιριγχ] (τῷ ἀθανάτῳ ὕδατι) [ερονουιπαρακουνηθ] (τῷ στερεοτάτῳ ἀέρι)[4] [ειοαηψεναβωθ], ἵνα νοήματι μεταγεννηθῶ [κραοχραξροιμ][5] ἐναρχόμενος καὶ πνεύσῃ ἐν ἐμοὶ τὸ ἱερὸν πνεῦμα [νεχθεν απο του νεχθιναρπιηθ], ἵνα θαυμάσω τὸ ἱερὸν πῦρ [κυφε], ἵνα θεάσωμαι τὸ ἄβυσσον τῆς ἀνατολῆς φρικτὸν ὕδωρ [νυω θεγω εχω ουχιεχωα] καὶ ἀκούσῃ μου ὁ ζῳογόνος καὶ περικεχυμένος αἰθήρ [αρνομηθφ], — ἐπεὶ μέλλω κατοπτεύειν σήμερον τοῖς ἀθανάτοις ὄμμασι, θνητὸς γεννηθεὶς ἐκ θνητῆς ὑστέρας[6], βεβελτιωμένος ὑπὸ κράτους μεγαλοδυνάμου καὶ δεξιᾶς χειρὸς ἀφθάρτου, ἀθανάτῳ πνεύματι τὸν ἀθάνατον Αἰῶνα καὶ δεσπότην τῶν πυρίνων

1) ἀρχῆς] αρχη Pap. verb. Wendland.

2) δή] δε Pap. verb. Usener.

3) ἐχόμενον Dieterich; aber das Partizip ist wohl absolut gesetzt; es gehört zu dem vorausgehenden με, 'mich, der ich noch festgehalten bin,' vgl. Blaß-Debrunner S. 84, Radermacher S. 86, Crönert, Nachr. d. Gött. Ges. d. Wissenschaften, 1922, S. 42.

4) τῷ στερεῷ καὶ τῷ ἀέρι Dieterich, der S. 56 an Poseidonios erinnert und darum eine neue Aufzählung der Elemente hereinbringen will. Richtig ist nur πνεύματι, vgl. Z. 26; aber der Interpolator mißverstand es und wollte in der Tat hereinbringen, was Dieterich richtig aus orphischen Formeln erklärt.

5) κραοχραξροιμεναρχομαι Pap. ἵνα ἐνάρχωμαι Dieterich. Mich bestimmt ein Vergleich von Platons Gebrauch (Sympos. 210a und 211c) des ἄρχεσθαι im Mysterium (Gegensatz zu τελευτᾶν) mit Paulus' Wort (Gal. 3, 3): οὕτως ἀνόητοί ἐστε; ἐναρξάμενοι πνεύματι νῦν σαρκὶ ἐπιτελεῖσθε. Die Worte νόημα und πνεῦμα entsprechen sich, wie νοῦς und πνεῦμα bei Paulus.

6) Vgl. die Wiederholung in dem Gebet 12, 2 Diet.: ἄνθρωπος ἐγώ, γενόμενος ἐκ θνητῆς ὑστέρας καὶ ἰχῶρος σπερματικοῦ καὶ σήμερον τούτου ὑπό σου μεταγεννηθέντος, ἐκ τοσούτων μυριάδων ἀπαθανατισθεὶς ἐν ταύτῃ τῇ ὥρᾳ κατὰ δόκησιν θεοῦ ὑπερβαλλόντως ἀγαθοῦ.

διαδημάτων, ἁγίοις ἁγιασθεὶς ἁγιάσμασι, ἀρτίας[1] ὑπεστώσης μου πρὸς ὀλίγον τῆς ἀνθρωπίνης μου ψυχικῆς δυνάμεως, ἣν ἐγὼ πάλιν μεταπαραλήμψομαι μετὰ τὴν ἐνεστῶσαν καὶ κατεπείγουσάν με πικρὰν ἀνάγκην ἀχρεοκόπητον[2] (ἐγὼ ὁ δεῖνα ὃν ἡ δεῖνα) κατὰ δόγμα θεοῦ ἀμετάθετον[3] [ευηυϊαεηια ωειανιυαιεω], — ἐπεὶ οὐκ ἔστιν μοι ἐφικτὸν θνητὸν γεγῶτα συνανιέναι ταῖς χρυσοειδέσιν μαρμαρυγαῖς τῆς ἀθανάτου λαμπηδόνος [ωηυ αεω ηυα εωη υαε ωιαε], ἕσταθι, φθαρτὴ[4] βροτῶν φύσι, καὶ αὐτίκα ⟨ἀποδέχου⟩ με ὑγιῆ[5] μετὰ τὴν ἀπαραίτητον καὶ κατεπείγουσαν χρείαν. ἐγὼ γάρ εἰμι ὁ υἱός [ψυχω δε μου προχω πρωα ἐγὼ εἰμι μαχαρφν μου πρω ψυχων[6] πρωε].

Das kurze Einleitungsgebet des Verfassers erläutert sich einerseits durch die Verschwiegenheitspflicht des Mysten und das Bewußtsein dieser religiösen Schriftsteller, nur unter der Inspiration ihres Gottes schreiben zu können[7], andererseits durch formelle Vorbilder in der Zauberliteratur. Ich hebe hier nur ein auch inhaltlich wichtiges Stück aus Pap. Lond. 121 (Kenyon, Greek Pap. in the Brit. Mus. I p. 100 l. 505) hervor, das σύστασις ἰδίου δαίμονος überschrieben ist: Χαίρετε, Τύχη καὶ δαῖμον τοῦ τόπου τούτου καὶ ⟨ἡ⟩ ἐνεστῶσα ὥρα καὶ ἡ ἐνεστῶσα ἡμέρα καὶ πᾶσα ἡμέρα, χαῖρε τὸ περιέχον, ὅ ἐστιν γῆ καὶ οὐρανός. Soweit scheint das Einleitungsgebet zu reichen. Die Vergöttlichung des bestimmten Ortes und der bestimmten Zeit führt in ihrer Verall-

---

1) αγιασμασι αγιας Pap. Die Verschreibung ist nach den drei Worten des gleichen Stammes begreiflich; verbessert habe ich nach Wessely, Denkschr. 1888, S. 94, Z. 1975: ἀλλὰ φύλαξον ἅπαν μου δέμας ἄρτιον εἰς φάος ἐλθεῖν (der Sinn ist: ungeschädigt). Zu der nicht aspirierten Form ὑπεστώσης vgl. Dieterich.

2) ἀχρεοκόπητον hier wie oft: unverkürzt und daher ungeschädigt.

3) αμεταθετου Pap., verb. Dieterich.

4) φθρατη Pap. in der bekannten Metathese.

5) Für ὑγιῆ schreibt Dieterich ὑπίει (= ὑφίει), mir unverständlich. Der Sinn muß dem ἀχρεοκόπητον entsprechen. Beim Zaubern trägt man φυλακτήρια mit der Formel διαφύλαξόν με ὑγιῆ, ἀσινῆ, ἀνειδωλόπληκτον (Wessely, Denkschr. 1888, S. 71, Z. 1079, vgl. 1062).

6) Die Worte ψύχω δέ, ἐγώ εἰμι und ψύχων hält Diederich noch für den Urtext. Nach festem Stil muß der Zauberer den Gott, der zu sein er vorgibt, mystisch bezeichnen. Daß das für den Urtext nicht nötig war, zeigt das hermetische Wiedergeburtsmysterium; ἐγὼ γάρ εἰμι ὁ υἱὸς θεοῦ oder kurz ὁ υἱός genügte völlig, vgl. für diesen Titel auch Zosimos (Poimandres, S. 105).

7) Es tritt uns jetzt in dem Pap. Oxyrh. 1381 besonders klar vor Augen.

gemeinerung zu dem Gebet an Erde und Himmel. Nun beginnt die eigentliche Zauberanrufung: Χαῖρε, Ἥλιε, σὺ γὰρ εἶ ὁ ἐπὶ τοῦ ἁγίου στηρίγματος σεαυτὸν ἱδρύσας ἀοράτῳ φάει. σὺ εἶ ὁ πατὴρ τοῦ παλινγενοῦς Αἰῶνος, σὺ εἶ ὁ πατὴρ τῆς ἀπλάτου Φύσεως· σὺ εἶ ὁ ἔχων ἐν σεαυτῷ τὴν τῆς κοσμικῆς φύσεως σύγκρασιν καὶ γεννήσας τοὺς ε' πλάνετας ἀστέρας, οἵ εἰσιν οὐρανοῦ σπλάγχνα καὶ γῆς ἔντερα καὶ ὕδατος χύσις καὶ πυρὸς θράσος.[1] Über Aion und Φύσις, die oft miteinander verbunden und durch Sonne und Mond bezeichnet werden, tritt hier als höhere Einheit ein Gott des unsichtbaren, immateriellen Lichtes, der den Kosmos in sich enthält.[2] Den vier (ursprünglich fünf) Elementen jenes in Gott ruhenden Kosmos entsprechen die fünf Planeten, freilich eigentlich nicht ihnen in ihrer materiellen Erscheinung, sondern ihrem Innersten, ihrem Wesen, dem, was der Verfasser der Mithrasliturgie πῦρ πυρός, πνεῦμα πνεύματος nennt. Die Bestimmung unseres inneren Menschen, des Charakters, wird ja durch die Planeten gegeben, und der dem fünften Jahrhundert v. Chr. angehörige Dāmdād-Nask drückt das so aus, das beim Vergehen des göttlichen Urmenschen, der ihr Innerstes, ihr Wesen in sich trug, dies als Metall und Same in die Erde floß, aus der dann sieben Menschenpaare entsprechend dem Wesen der (dort nach jüngerer Rechnung sieben) Planeten emporwuchsen.[3] So hat jedes Land, jedes Volk und jeder Mensch tatsächlich seinen ἴδιος δαίμων. Eine hermetische Schrift, die diesen Nask benutzt, uns aber leider nur in langen Auszügen in einer arabischen Zauberschrift erhalten ist, bezeichnet ihn als die 'vollkommene Natur', die φύσις τελεία, oder als das 'vollkommene Ich'. Es ist im Grunde ein einheitliches Gottwesen, aber für jeden doch wieder anders, und anders zu berufen, je nach dem Planeten, dessen Wesen in ihm überwiegt. Von ihm empfängt der Mann der Tat das Gelingen, die Siegeskraft, der Forscher die Offenbarung der Wahr-

1) Ein Glied scheint ausgeschaltet oder mit Absicht fortgelassen zu sein. Die Fortsetzung weicht weit ab und ist stärker ägyptisiert.

2) Also ursprünglich sicher nicht Helios; auch οὐρανός steht ja offenbar im Schluß für das indische *akása*, den nur mit Luft erfüllten Raum.

3) Es ist ganz verständlich, ja vielleicht schon im Orient vorgebildet, daß die griechische Medizin hieraus eine Bestimmung des Charakters durch die wirklichen vier Elemente macht, die in dem menschlichen Leibe vereinigt sind.

heit (vgl. Reitzenstein-Schaeder I cap. 3 und 4). Blicken wir nun auf den Londoner Papyrus, so erkennen wir einen gewissen Zusammenhang zwischen dem Einleitungsgebet und dem Hauptgebet: von der jedem antiken Menschen verständlichen Anrufung des Dämons dieses Orts und dieser Stunde geht jenes über zu der Anrufung des Gottes von Raum und Zeit und an diese Vorstellung schließt der Anfang des Hauptgebetes. Ist es in der Mithrasliturgie vielleicht ähnlich? In der Πρόνοια erkennen wir wohl den προὼν (νοῦς) der Naassenerpredigt, für die ich nur auf jenes Buch verweisen kann, in der Ψυχή[1] aber den die Welt belebenden Gott, der jenem ersten 'Menschen', der in sie herabgestiegen ist, ja gleichgesetzt wird und die Weltseele ist, zugleich aber in jedem von uns ruht. Dann aber verbindet sich auch in der Mithrasliturgie das Einführungsgebet mit dem Hauptgebet. Ich lasse die Erklärung von 'Αρχή und Γένεσις zunächst beiseite. Es folgt die Aufzählung der vier Elemente oder vielmehr ihres innersten Wesens, das vorausliegt dem zum Leibe des Betenden verwendeten Element, und ihrer Zusammenfassung in dem σῶμα τέλειον. Von Gott selbst gebildet, weilt es in der Lichtwelt und zugleich in dem Dunkel der materiellen Welt; der Gegensatz ist der körperliche Leib, die φθαρτὴ βροτῶν φύσις (oder ἀνθρωπίνη ψυχικὴ δύναμις). So kann das σῶμα τέλειον nur der himmlische Doppelgänger, die φύσις τελεία des Zaubers sein. Wir dürfen uns jetzt erinnern, dass dieser himmlische Doppelgänger ja im 22. Yašt die Seele zu Gott emporführt. Wenn er dort sich als das (religiöse) Selbst der Seele bezeichnet, so hören wir bei den Mandäern in fast allen Totenliturgien, das heißt Himmelfahrtsliturgien dasselbe (z. B. Lidzbarski Genza l. III 31, S. 559, 29):

Ich gehe meinem A b b i l d entgegen,
und mein Abbild geht mir entgegen;
Er kost mich und umarmt mich,
als kehrte ich aus der G e f a n g e n s c h a f t zurück.

1) Um eine Individualseele kann es sich ja gar nicht handeln, nur um das indische *ātman*, ursprünglich der Hauch, dann das Geistige und zugleich das Wesenhafte, das Selbst. Dabei lassen sich νοῦς und ψυχή getrennt, aber auch vereinigt denken. In dem System des Poimandres ist Gott beides, weil er φῶς καὶ ζωή ist.

Wir können eine dritte Bezeichnung sofort hinzufügen. In dem sicher ursprünglich iranischen Seelenhymnus der Thomasakten (oben S. 60f.) kommt dem Königssohn (der Seele) auf der Heimkehr aus dem Totenreich (der materiellen Welt) sein himmlisches Gewand entgegen, das dort verwahrt und dabei gewachsen ist mit seinen Taten in der Welt. Mit ihm umkleidet, steigt er zum Himmel empor. Das Gewand als Bild für den Körper ist so allgemein üblich in allem Mysterienkult und in fast jeder religiösen Sprache, daß ich darauf nicht näher eingehe. Ganz ebenso geht nach dem Glauben der Manichäer (Flügel, Mani S. 100) der Seele des Frommen die Jungfrau, welche dieser Seele ähnlich ist, entgegen[1]; ihr göttliches Geleit bringt dabei der Seele das Gewand. Im Himmel wird es, wie auch die Mandäer lehren, für sie verwahrt. Wir verstehen jetzt ohne weiteres, daß Apuleius, wenn er in Korinth bliebe, dort an Festtagen zu seinem Himmelsgewand, das er nach dem Mysterium im Tempel — nach ägyptischer Anschauung dem Bilde des Himmels — deponiert hat, beten müßte. Genau so betet ja der Mithrasmyste zu seinem σῶμα τέλειον. Würde dem Apuleius befohlen, nach Ablauf einer bestimmten Zeit, wie das bei der phrygischen Bluttaufe und der altägyptischen Königsweihe üblich ist, die schon erworbene Weihe zu wiederholen, also noch einmal den Himmel zu durchwandern, so könnte das nur in diesem Lichtgewand geschehen. Da er jetzt zu Rom weilt, soll er lieber eine ganz neue Weihe auf sich nehmen.[2]

Außerordentlich wichtig ist, daß auch die manichäischen Hymnen den Begriff des 'Selbst' oder der 'Persönlichkeit' kennen und durch Beiworte unterscheiden, was sie damit meinen. Die Seele im Körper ist das gefangene Selbst, und von dieser Gefangenschaft des Selbst oder der (gottgegebenen) Seele in der

1) Die Ähnlichkeit der Schilderung in den Turfanfragmenten — ebenso freilich auch in den mandäischen Liedern — mit der des Yašt 22 (und des Vendidad) ist ungemein stark.

2) Metam. XI 29 *si tecum nunc saltem reputaveris exuvias deae, quas in provincia sumpsisti, in eodem fano depositas perseverare nec te Romae diebus sollemnibus vel supplicare iis vel, cum praeceptum fuerit, felici illo amictu illustrari posse.*

Materie oder dem Körper redet ausführlich die in chinesischer Übersetzung erhaltene Schrift.[1] Diesem gefangenen Teil steht in den Hymnen das 'lebendige Selbst' oder das Lichtselbst oder das ursprüngliche Selbst gegenüber wie eine selbständig handelnde Person — man denke an das Zarathustralied oben S. 58 — und heißt auch unsere ursprüngliche Lichtnatur, die unser Vater und unsere Mutter ist.[2] Das ist zugleich die stehende Prädikation des Gottes Aion, des Weltgottes, der Mann und Weib ist und durch Sonne und Mond dargestellt wird, nach der indisch-persischen Gleichsetzung des Makrokosmos und Mikrokosmos der Urmensch oder die Seele, d. h. die Weltseele, das Weltselbst. So bieten sich die verschiedensten Möglichkeiten, sein Wesen formelhaft zu bezeichnen: in den indisch-persischen Elementenlisten[3] durch den Gottesnamen und Sonne, Mond und die fünf stofflichen Elemente, astrologisch gewendet durch den Gottesnamen und die fünf (mit Sonne und Mond sieben) Wandelsterne, die mit jenen stofflichen Elementen in Verbindung gebracht werden (oben S. 177), begrifflich gedacht ψυχή (als Gottesname), νοῦς, ἔννοια, φρόνησις, ἐνθύμησις, λογισμός (Acta Archelai 10). Soll die letzte Reihe von der alten Fünfzahl auf die Siebenzahl erhöht werden, so fügt man 'Αρχή und Γένεσις ein, wie in die vorletzte Sonne und Mond. Nun verbinden sich, wie die Mithrasliturgie zeigt, die verschiedenen Systeme: Ψυχή (als Gottesname) und 'Αρχή und Γένεσις nehmen als Fortsetzung statt der begrifflichen Teile (νοῦς ἔννοια usw.) die geistig-stofflichen Elemente, oder diese werden einfach fortgelassen und nur gesagt, daß der Urmensch, d. h. die Weltseele in sich 'Αρχή und Γένεσις vereinigt, wie in der lehrreichen Stelle im Martyrium Petri cap. 9 (Bonnet, Act. Apost. apocr. I 94, 4): "Ανδρες, οἷς ἐστιν ἴδιον τὸ ἀκούειν (vgl. die ἄνδρες ὁρατικοί Philos, die mit visionärer Kraft Begabten) ἐνωτίσασθε ἃ νῦν μάλιστα ὑμῖν ἀναγγελῶ ἀποκρεμάμενος· γινώσκετε τῆς ἁπάσης φύσεως τὸ μυστήριον καὶ τὴν τῶν πάντων ἀρχὴν ἥτις γέγονεν. ὁ γὰρ πρῶτος ἄνθρωπος, οὗ γένος ἐν εἴδει ἔχω ἐγώ, κατὰ κεφαλὴν ἐνεχθείς (von oben; er ist der κορύβας, d. h.

1) Vgl. L. Troje, 'Die Zwölf und die Dreizehn im Traktat Pelliot', S. 134 f.
2) Bang, Manichäische Hymnen, Muséon XXXVIII, 1925, S. 14.
3) Vgl. Reitzenstein-Schaeder, S. 75 unten S. 224.

ἀπὸ κορυφῆς βάς der Naassener-Predigt[1], die hier die judaisierte und hellenisierte persische Gayomardlehre bietet) ἔδειξεν Γένεσιν τὴν οὐκ οὖσαν ‹ἐν τῇ φύσει› πάλαι· νεκρὰ γὰρ ἦν αὕτη μὴ κίνησιν ἔχουσα. κατασυρεὶς οὖν ἐκεῖνος ὁ καὶ τὴν 'Αρχὴν τὴν ἑαυτοῦ εἰς γῆν ῥίψας τὸ πᾶν τοῦτο τῆς διακοσμήσεως συνεστήσατο. Wir erkennen hier noch ganz klar die judenchristliche Gnosis, der Christus fast immer die Weltseele ist, weil er dem πρῶτος 'Αδάμ, der als das göttliche Weltselbst für sie schon vor der Annahme des Christusglaubens ein fester Begriff war, und damit dem göttlichen πνεῦμα in der Materie gleichgesetzt ist. So verstehen wir das Denken des Verfassers der Mithrasliturgie und erkennen, daß das ganze erste Gebet dieser Ψυχή oder diesem Selbst gilt, das schon in dem Vorwort angerufen war.

Dem Eingangsgebet entspricht das Schlußgebet nach der Schau dieses Gottwesens: κύριε, χαῖρε, δέσποτα ὕδατος, χαῖρε, κατάρχα γῆς, χαῖρε, δυνάστα πνεύματος (magische Worte haben die Aufzählung des vierten Elementes verdrängt). κύριε, πάλιν γινόμενος (γενόμενος Pap.) ἀπογίγνομαι αὐξόμενος, καὶ αὐξηθεὶς τελευτῶ, ἀπὸ γενέσεως ζωογόνου γενόμενος εἰς ἀπογενεσίαν ἀναλυθεὶς πορεύομαι[2], ὡς σὺ ἔκτισας, ὡς σὺ ἐνομοθέτησας καὶ ἐποίησας μυστήριον.[3] Eine Auflösung, ein Vergehen wird hier bezeichnet. Nicht auf den irdischen Leib kann es sich hier beziehen — den hat der Myste ja schon vor beträchtlicher Zeit verlassen und wird ihn sofort heil und unversehrt wieder annehmen —, wohl aber auf sein 'Selbst'. Der M e n s c h in ihm muß vergehen, wenn der Gott geboren wird oder er als Gott geboren wird. Vergleichbar ist natürlich der indische Gedanke einer völligen Loslösung

1) Vgl. Reitzenstein-Schaeder, S. 168,1 111 und 192 f.

2) Geworden aus lebenspendender Geburt (also aus irdischer), jetzt aufgelöst in das Nichtmehrgeborenwerden (das Sein) kehre ich in die Welt zurück. Vgl. den XIII hermetischen Traktat. Bedeutsam, auch für die Auffassung des indischen Nirwana ist der neugebildete Terminus ἀπογενεσία.

3) Ich empfinde einen deutlichen Verweis auf das Vorwort: von Mithras selbst hat durch den obersten Boten der Schreibende dies Mysterium empfangen und nur seinem Sohne gibt er es weiter; er ist noch der einzige aus vielen Millionen (oben S. 175 A. 6). Das ganze Schriftstück ist vollkommen einheitlich, irgendwelche Einwirkungen des Christentums kann man nirgends empfinden oder gar nachweisen.

von dem vermeintlichen Ich; nur ist er hier positiv, ins Ethische gewendet und geht auf die Erwerbung eines neuen, des göttlichen Ichs. Es ist von höchster Bedeutung, daß wir eine derartige Vorstellung schon im Heidentum nachweisen können. Wenn der so Umgeschaffene auch wieder in seinen Leib zurückkehrt, so ist er doch ein andrer, von diesem Leibe innerlich ganz Gelöster. Er hat, wie wir in der Analyse des XIII. hermetischen Kapitels sahen, auch die inneren Bestandteile seines Doppelgängers, bzw. Gottes, in sich aufgenommen, die in sittlichen oder intellektuellen Gaben bestehen. Den gleichen Gedanken, der also jedenfalls älter als Mani ist, hat dieser in seinem System zu rechtfertigen versucht: fünf Tugenden sind die Gaben von νοῦς, ἔννοια, φρόνησις, ἐνθύμησις, λογισμός, also den Teilen oder Gliedern oder Elementen Gottes; doch werde ich hierüber in der Beigabe XV über Tugenden und Laster als Glieder ausführlicher zu handeln haben; hier möchte ich nur noch auf ein in soghdischer Sprache trümmerhaft erhaltenes manichäisches Fragment, M 133, verweisen, das ich durch die Güte von Prof. Andreas kennen und durch Prof. Bangs Entdeckung eines Begriffs 'ursprüngliche Lichtnatur' verstehen gelernt habe. Die Seelenkräfte, wie Wissen, Meditieren, Verstehen u. a. werden aufgezählt und als aus dem 'eigenen' Wissen, Meditieren u. s. w. stammend bezeichnet. Das Wort Eigen bezieht sich dabei immer auf den ἴδιος δαίμων, jenes himmlische Selbst, unsere Urnatur oder vollkommene Natur, aus deren Elementen die Mithrasliturgie ja auch die Elemente in uns ableitet.

Zu seinem göttlichen Urbild, das in der übersinnlichen, also für iranisches Denken der lichten, gotterfüllten (ἐψυχωμένος) Welt lebt, betet der Myste, der eigenen, sterblichen Natur befiehlt er. Während er den Himmel durchwandert, soll sie einstweilen zurückbleiben und ruhen; er wird sie nach Gottes Ratschluß wieder anlegen, und zwar unbeschädigt und unverkürzt, μετὰ τὴν ἀπαραίτητον καὶ κατεπείγουσαν χρείαν (34, vgl. 29 μετὰ τὴν ἐνεστῶσαν καὶ κατεπείγουσάν με πικρὰν ἀνάγκην, vgl. auch Z. 17). Das kann nur bedeuten: nach der Todesnot, die auch diese selbstgewählte Trennung vom Leibe, die *voluntaria mors* des Isis-Mysten, immer mit sich bringt. Die beste Erklärung bietet die persische Apokalypse des Ardā Virāf, deren zweites Kapitel ich ganz hierher setzen müßte. Als Virāf zur Himmelswanderung bestimmt ist, legt er Wert darauf, freiwillig zu gehen; die Schwestern jammern über sein sicheres Verderben; die Priester trösten sie, nach sieben Tagen wollen sie ihnen Virāf heil und gesund zurückgeben, und halten sieben Tage und Nächte Gottesdienst um den leblos daliegenden Leib. Der Zusammenhang von Erzählung und Mysterienvorschrift ist hier wundervoll klar; aus der Mysterienanschauung wächst die religiöse Erzählung, die Prophetie hervor; wir dürfen wirklich Schlüsse aus der einen auf die andere machen. Ganz demselben Schema folgt das mandäische Buch Dīnānūkht[1] (Lidzbarski, Genzā r. VI, S. 205), nur sind die Einzelheiten phantastisch ausgestaltet. Auch hier wird der Prophet zum Himmel erhoben, um gegen die falschen Lehren, die Platz gegriffen haben, die reine Wahrheit wiederzubringen; auch hier findet er sich bei der Rückkehr als tot beklagt. Er verbrennt die falschen Bücher, sammelt Jünger und lehrt noch eine ihm vorher verkündete Zahl von Jahren die wahre Religion. Ob nicht ursprünglich die Himmelfahrt des Johannes auch so gemeint war?[2] Dabei berühren sich die Einzelheiten der Schilderung trotz der phantastischen Übermalung eng mit dem, was wir von Grabsteinen oder aus Schriftstellerzeugnissen über Vorstellungen der Mithrasmysten wissen: Stürme tragen ihn empor, auf Leitern klimmt er von einem Sphärentor zum andern. Etwas anders ist die Vorstellung in dem oben erläuterten Gebet der Liturgie: ἐπεὶ οὐκ ἔστιν ἐφικτὸν θνητὸν γεγῶτα (d. h. als Mensch, nur auf Grund der Geburt in die Sterblichkeit) συνανιέναι ταῖς χρυσοειδέσιν μαρμαρυγαῖς τῆς ἀθατάτου λαμπηδόνος. Man kann sich an die ägyptische Vorstellung einer Wanderung durch die zwölf Stunden der Nacht und das Aufgehen der Seele des toten Königs mit der Sonne erinnern; auch daß der Isis-Myste nach Vollzug seiner Wanderung als Sonnengott dargestellt und verehrt wird,

---

1) Der persische Name 'derjenige, der der Religion entsprechend redet' (Andreas), ließe sich in griechischer Formelsprache etwa ὁ λέγων τὴν ἀλήθειαν wiedergeben.

2) Auch er bringt nach mandäischer Tradition eine Erneuerung der Religion. Wichtig ist in Genza r. VI das Verbrennen der früheren Bücher.

kann man vergleichen. Aber jene Vorstellung kehrt in anderer Ausmalung auch bei andern Völkern wieder. Schwerlich ägyptisch, wenn auch sicher orientalisch ist in einem Gießener Papyrus die Anschauung, daß der vergöttlichte Herrscher mit dem Sonnenwagen zum Himmel emporfährt (Klio VII 278, vgl. Neue Jahrbücher f. d. klass. Altertum XXI 365). Klar ist nur, daß die Vorstellung des ekstatischen Eingehens in Gott ganz nach der Auferstehungsvorstellung gebildet[1], das Mysterium dem Totenkult entnommen ist. — Endlich noch eine rein sprachliche Bemerkung, ehe ich das religionsgeschichtlich so wichtige, uns von Dieterich erschlossene Dokument verlasse. Das Gebet ist durchaus einheitlich empfunden; die Sprache ist es nicht. Ich wies schon darauf hin, daß die göttliche Lichtwelt und die materielle Welt einander als διαυγὴς καὶ ἐψυχωμένος und ἀφώτιστος καὶ ἄψυχος κόσμος entgegengestellt sind; hier sind Seele und Licht das Göttliche. Wenn den Worten ἕσταθι, φθαρτὴ βροτῶν φύσι (Z. 39) entspricht ἀρτίας ὑπεστώσης μου πρὸς ὀλίγον τῆς ἀνθρωπίνης μου ψυχικῆς δυνάμεως (Z. 27), so ist ψυχικός offenbar ʻmenschlichʼ, die göttliche Kraft in uns wird Z. 19 πνεύσῃ ἐν ἐμοὶ τὸ ἱερὸν πνεῦμα[2] bezeichnet, und wenn es Z. 21 νοήματι μεταγεννηθῶ heißt, so erwarten wir eigentlich πνεύματι. Ganz ähnlich verwendet auch Paulus νοῦς und πνεῦμα I. Kor. 2, 11 und 15, 16. Dabei ist an andern Stellen der Liturgie πνεῦμα nur der Atem oder gar die Luft. Dem, der die Unbestimmtheit der entsprechenden Bezeichnungen in den orientalischen Sprachen kennt, ist das ganz begreiflich; was für den Griechen das Wort ψυχή geworden ist, das deckt sich mit keinem orientalischen Worte ganz; andrerseits läßt ein Begriff wie ʻdas Selbst, das Ichʼ sich griechisch gar nicht ausdrücken und verlangt einen andersartigen Ersatz.[3] Eine feste Terminologie könnten wir nur erwarten, wenn diese Mystik

---

1) Beides bedeuten ja die Worte εἰς θεὸν χωρεῖν.

2) Vgl. später 10, 22 Diet. πνεῦμα für die den Himmel durchwandernde Seele: ὥστε ἀπὸ τῆς τοῦ θεάματος ἡδονῆς καὶ τῆς χαρᾶς τὸ πνεῦμά σου συντρέχειν καὶ συναναβαίνειν.

3) Es ist ein Ausnahmefall, wenn Porphyrius De abst. I, 29 zu sagen wagt: εἰς τὸν ὄντως ἑαυτὸν ἡ ἀναδρομή und πρὸς τὸν ὄντως ἑαυτὸν ἡ σύμφυσις. Der ganze Abschnitt zeigt starke Benutzung östlicher religiöser Begriffe.

aus dem griechischen Geistesleben stammte; daß eine solche gänzlich fehlt und griechischer und offenbar nicht griechischer Gebrauch durcheinander gehen, verbürgt für mein Empfinden, daß orientalisches Denken ohne besondere philosophische Durcharbeitung von griechisch redenden Männern übernommen ist.[1] Doch hierüber wird später noch eingehender zu handeln sein.

Mit der Mithrasliturgie möchte ich einen aus einem ganz andern Glauben und Volkstum stammenden Zauberbrauch vergleichen, um zu sehen, ob auch ihm eine kultische Quelle zugrunde liegt. In dem großen Pariser Zauberpapyrus finden wir (Wessely, Denkschr. d. Wiener Akademie 1888, S. 48, Z. 154f.) die angebliche Schrift eines Priesters Nephotes an den letzten König des freien Ägyptens, den 'weisen', d. h. zauberkundigen Psammetich, der ebenso wie im Alexanderroman sein Spiegelbild Nektanebos Lekanomantie betreibt. Der Zauberer, der einen Führer (μυσταγωγός) bei sich hat, soll sich nackt, aber doch wie zum Begräbnis zugerüstet, mit verbundenen Augen hinlegen, sie außerdem fest schließend. So soll er das Gebet an Seth oder Typhon richten (Z. 179f.): Κραταιὲ Τύφων, τῆς ἄνω σκηπτουχίας σκηπτοῦχε καὶ δυνάστα, θεὲ θεῶν, ἄναξ, ἐγὼ [εἰμὶ] ὁ σύν σοὶ τὴν ὅλην οἰκουμένην ἀνασκαλεύσας [καὶ] ἐξευρὼν ⟨τε⟩ τὸν μέγαν Ὄσιριν, ὅν σοι δέσμιον ⟨προσ⟩ήνεγκα, ἐγὼ [εἰμὶ] ὁ σὺν σοὶ συμμαχήσας τοῖς θεοῖς — οἱ δὲ (d. h. andere Exemplare): πρὸς τοὺς θεούς —, ἐγὼ [εἰμὶ] ὁ κλείσας (ῥαίσας?) οὐρανοῦ δισσὰς πτύχας καὶ κοιμίσας δράκοντα τὸν ἀθεώρητον, στήσας θαλάσσης (θάλασσαν Pap.) ῥεῖθρα, ποταμῶν νάματα, ἄχρις οὗ κυριεύσῃς τῆσδε τῆς σκηπτουχίας, ὁ σὸς στρατιώτης ὑπὸ θεῶν νενίκημαι (νικώμενος?), πρηνὴς ῥέριμμαι μήνιδος ἕνεκεν (εἵνεκεν Pap.) κενῆς· ἐγείρου, ἱκετῶ, τὸν σόν, ἱκνοῦμαι, φίλον καὶ μή με ῥίψῃς χθονοριφῆ, ἄναξ θεῶν. δυνάμωσον, ἱκετῶ, δὸς δέ μοι ταύτην [τὴν] χάριν, ἵν' ὅταν τινα αὐτῶν τῶν θεῶν φράσω μολεῖν ἐμαῖς ἀοιδαῖς, θᾶττον ὀφθῇ μοι μολών. Die Vorstellung ist klar: als Krieger des Seth hat der Myste für seinen Gott gegen die andern Götter gefochten, damit Seth Ägypten, bzw. die Erde beherrsche. Jetzt liegt er verwundet oder vielmehr gestorben da; sein Gott soll ihn erwecken. Sicher liegen dem die alten My-

1) Schon darum kann ich nicht einen Begriff wie πνεῦμα aus der Sprache eines Autors wie Philo erklären.

sterien des Osiris zugrunde, in denen der Götterkampf wirklich aufgeführt wurde (noch die Quelle Plutarchs, De Is. et Os. 19 weiß davon, vgl. Wiedemann, Mélanges Nicole p. 574 und jetzt H. Schaefer, Die Mysterien des Osiris in Abydos, Sethes Untersuchungen zur Geschichte und Altertumskunde Ägyptens IV 2, 1904). Den Kampf schildert bekanntlich Herodot (II 63) ἐνταῦθα μάχη ξύλοισι καρτερὴ γίνεται, κεφαλάς τε συναράσσονται καί, ὡς ἐγὼ δοκέω, πολλοὶ καὶ ἀποθνήσκουσι ἐκ τῶν τρωμάτων· οὐ μέντοι οἱ Αἰγύπτιοι ἔφασαν ἀποθνήσκειν οὐδένα. Das erklärt sich uns jetzt: die Ägypter glauben, daß der Gott die Toten wieder belebt; die Mehrzahl der durch den Schlag der Holzkeulen Betäubten wird ja auch tatsächlich wieder erwacht sein. Etwas weiter führt uns der Name des Priesters, der ja selbst diese Weihe empfangen haben muß. Professor Spiegelberg hat (Zeitschr. f. äg. Sprache u. Altert. 1926 S. 35) darauf hingewiesen, daß nach dem Zeugnis des Epiphanius *De vita prophetarum* 8 νεφωθ das Krokodil bedeutet und daß diese Angabe durch das von Bell und Crum veröffentlichte griechisch-koptische Glossar S. 197 No. 405 bestätigt wird. So ist denn Nephotes auch als Göttername bezeugt. Allein, wir können weiter vordringen. Dieser Gott Nephotes spielt bei dem Osiris-Mysterium eine Rolle, und zwar in seiner Krokodilgestalt. Den Beweis gibt die große Mysterieninschrift von Philae (H. Junker, 'Das Götterdekret über das Abaton', Denkschr. d. Wiener Akad. 1913 S. 43), in der zu dem Fest des 16. Choiak bemerkt wird: Es kam Horus und brachte die Glieder des Osiris auf dem Wasser an diesem Tage in seiner (des Horus) Gestalt eines Krokodils, um sie zusammenzusetzen (od. ähnlich) im Hause des Osiris". Junker verweist auf die schwarze Granitfigur des Krokodils, das eine Osiris-Mumie auf dem Rücken trägt, im Berliner Museum 11486, und auf andere Belege, die hier zu weit führen würden. Da wir die Mysterien hier in ihrer Umgestaltung auf Seth-Typhon vor uns haben, ist der Krokodilgott ein Diener des Seth geworden, dessen heiliges Tier ja in anderen Traditionen das Krokodil ist, verrät aber durch die Angabe, er habe den gefesselten Osiris hergetragen, (προσήνεγκα, nicht προσήγαγον), die Umbildung des gleichen Mysteriums. Das würde trefflich zu der anders begründeten

Vermutung Professor Spiegelbergs passen, daß die Mysten sich nach dem heiligen Tier ihres Gottes nennen, ja, man könnte versucht sein, das griechisch geschriebene Wort des Glossars βαινεφωθ in diesem Sinne zu erklären. Doch möchte ich mich nicht weiter in dies mir fremde Gebiet hineinwagen und froh sein, wenn ich mit einer Kleinigkeit dem Ägyptologen Dank für reiche Belehrung abstatten kann. Ebensowenig wage ich erraten zu wollen, wie der Mythos bei den Verehrern des Seth sich ausgestaltet hat. Nur daß der Zauber mit diesem Mythos zusammenhängt und an den öffentlichen Kult und an allgemeinen Glauben anschließt, habe ich hoffentlich erwiesen.

Ich kehre zu der Zauberhandlung zurück. Wie die Vorbereitung, so werden die Folgen des Gebetes in Prosa beschrieben: ταῦτά σου εἰπόντος τρὶς σημεῖον ἔσται τῆς συστάσεως τόδε — σὺ δὲ μαγικὴν ψυχὴν ἔχων ὁπλισθεὶς μὴ θαμβηθῇς — ἱέραξ γὰρ πελάγιος καταπτὰς τύπτει σε ταῖς πτέρυξιν εἰς τὸ πλάσμα σου, ταῦτα αὐτὰ δηλῶν, ἐξαναστῆναί σε. σὺ δὲ ἀναστὰς ἀμφιέσθητι λευκοῖς εἵμασιν καὶ ἐπίθυε ἐπὶ θυσιαστηρίου γεϊνοῦ ἀτμιστὸν λίβανον σταγονιαῖον λέγων τάδε· συνεστάθην σου (σοι Pap.) τῇ ἱερᾷ μορφῇ, ἐδυναμώθην τῷ ἱερῷ σου ὀνόματι, ἐπέτυχόν σου τῆς ἀπορροίας τῶν ἀγαθῶν, κύριε, θεὲ θεῶν, ἄναξ, δαῖμον. ταῦτα ποιήσας κάτελθε (kehre in die Welt zurück) ἰσοθέου φύσεως κυριεύσας [τὴν] διὰ ταύτης τῆς συστάσεως (Vereinigung mit Gott) ἐπιτελουμένης. Von dem als Gott verehrten Amenophis sagt Manetho (fr. 52, Josephus Contra Ap. I 26) θείας δοκοῦντι μετεσχηκέναι φύσεως κατά τε σοφίαν καὶ πρόγνωσιν τῶν ἐσομένων. Vermöge seiner Vergöttlichung kann dann der Myste richtig aus dem Wasserbecken weissagen oder Tote beschwören. Damit ist zugleich erklärt, wie der Ἀπαθανατισμός der Mithrasliturgie zum Zauber benutzt werden kann; er gibt die für den eigentlichen Zauber notwendige Vorbereitung. Der Vergleich beider Religionsurkunden zeigt freilich auch einen großen Unterschied. Wie leicht macht sich Nephotes den mysterienhaften Teil seiner Vorschrift, wenn wir dagegen den ungeheuren Apparat halten, den die Mithrasliturgie in Bewegung setzen müßte! In das innere Erlebnis des mit verbundenen Augen Daliegenden wird die ganze Erscheinung des Gottes und die Vereinigung mit ihm verlegt; den dreimaligen Schlag mit einem Vogelflügel, der sie bezeichnet, kann der Mystagoge ja ohne große Vorbereitung geben.

Wir müssen dabei annehmen, daß der Myste auf seinem Lager wirklich einen Gott herbeigerufen hat und dieser erschienen ist und geantwortet hat. Gerade das finden wir nun in einem christlichen Mönchsbrauch, den uns die *Apophthegmata patrum* (Cotelier, Ecclesiae graecae monumenta I 703) für Ägypten bezeugen. Der fromme Mönch Jacobus will für sich und seine Genossen ergründen, ob die Nestorianer oder die katholische Kirche, der er angehört, die Kirche Christi vertreten. Da zieht er sein Sterbekleid an — es ist das Kleid, in dem er das Mönchsgelübde abgelegt hat —, geht in eine einsame Zelle in der Wüste und liegt dort ohne Speise oder Trank vierzig Tage von Dämonen geplagt. Nach Ablauf dieser Frist erscheint ihm ein Knabe mit strahlendem Antlitz — Christus selbst — und fragt, was er wolle, er bringt seine Zweifel vor und empfängt den Bescheid: 's'ist recht, wo du bist', und alsbald wird der Leib des Ohnmächtigen vor der Tür der orthodoxen Kirche gefunden. In derselben Weise erzwingt er von Gott die volle ἀπάθεια, also eine ἰσόθεος φύσις. In der ägyptisch-alchemistischen Geheimliteratur finden wir (Berthelot, La chimie au moyen âge II 320) einen leider arg verstümmelten Text: der Myste, der Offenbarung im innersten Himmel erwerben will, muß gleich bei dem ersten Tor Seele für Seele und Körper für Körper, das heißt sein irdisches Ich für das himmlische geben und vor jedem folgenden Tor in vierzigtägigem Fasten wieder sterben (vgl. zu der Anschauung Philo *Quaest. in Exodum* II 49—52). Auf etwas Ähnliches scheint das jambische Gebet in dem Nephotes-Zauber mit den Worten zu weisen καὶ μή με ῥίψῃς χθονοριφῆ. Es setzt voraus, daß der angeblich Tote im Luftraum liegt und den Versuch der Himmelswanderung gemacht hat. Daß der Gott bei diesem Versuch den nicht voll Würdigen oder Geschützten zur Erde niederschmettert, wird öfters gesagt (Wessely a. a. O. S. 107, Z. 2507, vgl. meinen Poimandres S. 227) und entspricht allgemeiner Anschauung. So hat Nero von den Verkündigungen eines griechischen Propheten oder Zauberers gehört, der behauptete, in den Himmel fliegen zu können, und ihm befohlen, den Versuch zu machen (Dio Chrysostomus or. 21, 9, II, p. 288, 18 Arn., Juvenal III 77). Das Gerede über die erwartete und immer wieder hinausgeschobene Probe war groß, und als später der erste wirkliche 'Aviatiker' Roms, der im Zirkus den Ikarosflug darstellen wollte[1], unmittelbar vor der kaiserlichen Loge zu tödlichem Fall kam (Sueton, Nero 12), verband die Volkserinnerung unter dem Einfluß des Zauberglaubens beides, und unter demselben Einfluß übertrugen etwas später die Christen die Erzählung auf Simon den Magier, den Gegner des Petrus. So möchte ich auf Grund der Mönchserzählung annehmen, daß auch tatsächlich im späteren Ägypten ein entsprechendes persönliches Mysterium bestanden hat, das seine Vorstellungen aus jenen öffentlichen Darstellungen entnommen hat. Ähnlich kann an anderen Stellen alter Volksbrauch nachgewirkt haben. Ganz unbestimmbar bleibt dabei immer, ob nicht außer jenem nationalen Anknüpfungspunkt auch fremde Einflüsse mit gewirkt haben; nichts wandert leichter als Zauberbrauch und unverstandene, zauberhafte Kulthandlungen. Die beste Parallele für solches mysterienhafte Erzwingen der Offenbarung durch Nachahmung des Todes bietet wieder das persische Buch des Ardā Virāf, besonders cap. 2. Aber ist es wirklich wahrscheinlich, daß aus dem ἱερὸς λόγος jenes so erschlossenen ägyptisch-hellenistischen Mysteriums ein Gebet übernommen ist, noch dazu ein Gebet in Versen? Ich möchte aus der metrischen Form von Anfang an eine andere Art von Mysterienliteratur erschließen, aus der als Schmuckstück dies Gebet herübergenommen ist.

In der astrologischen Geheimliteratur begegnet uns die metrische Form schon in den Schriften des Petosiris und Nechepso[2], und zwar in einer Himmelswanderung, die wir uns aus dem Prooemium zum VI. Buch des Vettius Valens (Kroll, p. 240) und den Anspielungen bei Manilius (I 40) und Ovid (Fast. I 297) sowie einer Erwähnung bei Proklos (In rem p. II 344 Kroll) einigermaßen anschaulich machen können. Nechepso hat geschildert, wie er sich von den Lastern und Lüsten dieser Welt

1) Auch hierin hat die moderne Technik ihr Vorbild schon im Altertum.

2) Nach Boll eignen beide Namen derselben Persönlichkeit. Die Schrift fällt in die frühe Ptolemäerzeit.

ganz abwendet und seinen Sinn allein auf die Himmelswelt gerichtet hat:

ἔδοξε δή μοι πάννυχον πρὸς ἀέρα
. . . .
καί μοί τις ἐξήχησεν οὐρανοῦ βοή,
τῇ σάρκας ἀμφέκειτο πέπλος κυανόχρους
κνέφας προτείνων.

Unter der Führung dieses Gottwesens durchwandelt er den Himmel[1], genießt die selige Schau, deren auch Vettius sich rühmt (σεμνυνόμενος ἐπὶ τῇ περιχυθείσῃ μοι ὑπὸ τοῦ δαίμονος οὐρανίᾳ θεωρίᾳ) und verkehrt mit den Göttern selbst (Vettius: τὰ θεῖά μοι προσομιλεῖν ἐδόκει, vgl. Proklos: τὴν μὲν οὖν Ἀνάγκην τίνα δεῖ νομίζειν καὶ πρότερον εἴπομεν καὶ μαρτυροῦσαν ἔχομεν τὴν ἱερατικὴν παραδοῦσαν καὶ αὐτοπτικὴν κλῆσιν τῆς μεγίστης θεοῦ ταύτης καὶ διδάξασαν πῶς ὀφθείσῃ προσιέναι δεῖ. ⟨δεῖ⟩ γὰρ ἄλλον τρόπον καὶ παραδοξότερον ἢ τοῖς ἄλλοις θεοῖς, εἴ τῳ ταῦτα γράφων Πετόσειρίς ἐστιν ἀξιόχρεως ἀνήρ, παντοίαις τάξεσιν θεῶν τε καὶ ἀγγέλων συναλισθείς). Auch er wird durch diese Himmelswanderung geheiligt und unsterblich (vgl. die wie immer ins Menschliche herabgeminderte Nachbildung bei Vettius 242, 14 θείᾳ καὶ σεβασμίᾳ θεωρίᾳ τῶν οὐρανίων ἐντυχὼν ἠβουλήθην καὶ τὸν τρόπον μου ἐκκαθᾶραι πάσης κακίας καὶ παντὸς μολυσμοῦ καὶ τὴν ψυχὴν ἀθάνατον προλεῖψαι). Geheimnisse will auch er durch diesen Visionsbericht verkünden; noch Vettius (242, 22) redet ja von μυστικαὶ καὶ ἀπόρρητοι ἀγωγαί; aber μυστήρια im kultlichen Sinne sind es nicht. Es ist die Widerspiegelung des Mysteriums in der Lehr- oder besser Erbauungsschrift, die frühzeitig neben die wirklichen Mysterien tritt wie die Prophetie neben die priesterliche Kulthandlung. Um orientalische, nicht um griechische Religiosität handelt es sich dabei. Auf die weiten Ausblicke, die sich von hier eröffnen — zweifellos ist der Anfang des Lehrgedichtes des Parmenides von einem orientalischen Vorbild beeinflußt —, kann ich hier nicht eingehen, sondern bleibe bei den hellenistischen Formen. Schon die erste und für uns jetzt älteste hermetische Schrift, der sogenannte Poimandres, in dem wir die Bearbeitung

1) Das οὐρανὸν βαίνειν oder οὐρανοβατεῖν wird ausdrücklich bezeugt.

einer altpersischen Schrift erkennen[1], gibt das große 'Mysterium' der Schöpfung in der Form der Vision, also losgelöst von aller Handlung, sein aus dem gleichen Gedankenkreis stammendes Gegenbild, die dreizehnte, den 'Απαθανατισμός in einer der Mysterienform unvergleichlich näher stehenden Gestaltung, aber doch auch als Lehrschrift, die in ihren Gedanken eine gewisse Ähnlichkeit mit Nechepso-Petosiris hat. Wir können hier keine ängstlichen Scheidungen machen, am wenigsten in einer Darstellung nicht der einzelnen offiziellen Mysterien, sondern der Grundanschauungen der Mysterienreligionen.

Am engsten und auffallendsten berührt sich die Darstellung der Vision des Nechepso jedenfalls mit der Mithrasliturgie. Freilich spielt in dieser die Göttin 'Ανάγκη gar keine Rolle — ἀνάγκη ist, wie wir sahen, in ihr nur die Todesnot[2] —, und nicht das astronomische, sondern ein ganz phantastisches Himmelsbild liegt den Schilderungen zugrunde. Aber gerade durch Proklos (a. a. O. II 345, 6) wissen wir, daß in den offiziellen Weihen 'Ανάγκη ähnlich wie bei Nechepso im Mittelpunkt stand und dem Mysten Reihen von Anrufungen — natürlich in prosaischer Form — vorgeschrieben waren, die in Anfang, Mitte und Ende den Namen immer als Θέμις καὶ 'Ανάγκη geben; es ist die Umschreibung des iranischen Begriffes *aša*. Dieterichs Hauptfund, daß es sich um die Schrift eines Mithrasgläubigen handelt, besteht also durchaus zu Recht. Nur dürfen wir sie mit dem ἱερὸς λόγος eines bestimmten Mysteriums so wenig identifizieren wie das poetische Gebet in dem Nephotes-Zauber oder bei Petosiris-Nechepso mit dem ἱερὸς λόγος eines ägyptischen Mysteriums. Daß sich eine strenge Scheidung der beiden (oben S. 5 f.) besprochenen Religionstypen vielleicht nie, jedenfalls aber nicht mehr in ihren hellenistischen Ausgestaltungen vollziehen läßt, hat die kurze Übersicht über ein paar 'Mysterien' hoffentlich dargetan; andere werden im Laufe der Darstellung noch Besprechung finden.

1) Reitzenstein-Schaeder I 1, oben S. 9.

2) Ich muß hierin von Dieterich vollständig abweichen.

III. MYSTEN, GOTTESKRIEGER UND GOTTESGEFANGENE

Wenden wir uns in diesen einleitenden Betrachtungen und Untersuchungen noch einmal der kultlichen Form und ihren hellenistischen Bezeichnungen zu. Die wenn auch romanhafte, doch aus voller Kenntnis einer Mysterienreligion geschriebene Bekehrungsgeschichte des Apuleius, ein Dokument von einer für uns geradezu einzigartigen Bedeutung, muß aufs Genauste mit unseren sonst kärglichen Angaben verglichen und aus ihnen erläutert werden. Er fleht zu Isis um Rettung, empfängt im Traum die Verheißung ihrer Hilfe und die Aufforderung, ihr sein Leben zu weihen, erlebt das Wunder und wird nun von dem Priester der Isis ermahnt (XI 15): *quo tamen tutior sis atque munitior, da nomen sanctae huic militiae, cuius non olim sacramento etiam r o g a b a r i s.* So Helm, und dies hat die maßgebende Handschrift aus *rogaueris* hergestellt, vielleicht, weil schon der Schreiber wie Helm an die Aufforderung in dem Traum (XI 6) dachte. Allein die freiwillige Meldung (*nomen dare*) muß notwendig dem Fahneneid (*sacramentum*) vorausliegen. Also muß es bei *rogaberis* bleiben. Als Fahneneid gilt nur die Weihe. Wir müssen die Worte des Apuleius mit Livius XXXIX 15, 13 vergleichen, der gegen die Bacchus-Mysten sagen läßt: *hoc sacramento initiatos iuvenes milites faciendos censetis, Quirites? iis ex obsceno s a c r a r i o eductis arma committenda?* Die Erfindung hatte nur Sinn, wenn Livius wußte, daß der Eid im Mysterienkult seiner Zeit allgemein üblich war, und wenn die erste Weihe mit der Ablegung des Treueides verbunden war, ja das Wort *sacramentum* schon fast die Bedeutung von W e i h e angenommen hatte, wie später im Christentum. Der Myste gelobt in ihr lebenslänglichen Gehorsam und Dienst, vgl. die Ankündigung (Apuleius XI 6) *plane memineris et penita mente conditum semper tenebis reliqua vitae tuae curricula ad usque terminos ultimi spiritus vadata* und die Wiederholung (XI 15) *nam in eos, quorum sibi vitas ⟨in⟩ s e r v i t i u m deae nostrae maiestas vindicavit, non habet locum casus infestus* (daß sie in gewisser Weise außerhalb der εἱμαρμένη stehen, ist auch XI 6 gesagt). Apuleius wird also δοῦλος θεᾶς. Die Veränderung drückt sich, wie zu erwarten war, in doppelter Weise, sowohl unter religiösem wie unter nationalem Gesichtspunkt aus. Die Göttin erschließt die Totenwelt und die Welt des Heils (der σωτηρία); der Eintritt in ihren Dienst endet das alte Leben durch eine Art momentanen Todes (vgl. die Mithrasliturgie, oben S. 181) und verpflanzt durch eine Art Wiedergeburt in ein neues. Die gnostische, auch in die Hermetik übernommene Vorstellung, daß dies neue Leben sich in einer anderen Welt vollzieht und eben dadurch der εἱμαρμένη entrückt ist, ist noch nicht ausgeprägt, liegt aber doch der ganzen Anschauung fühlbar zugrunde, vgl. XI 21 *numen deae soleat . . . sua providentia quodam modo renatos ad novae reponere rursus salutis curricula.* Die Übereinstimmung mit den allgemeinchristlichen Anschauungen brauche ich kaum hervorzuheben. Daß man andererseits auch an die Zugehörigkeit zu einem neuen Volkstum (und Lande) denkt, zeigt die Bezeichnung προσήλυτος oder ἐπηλύτης, *advena,* welch letzteres bei Apuleius mit *religiosus* (θεραπευτής) wechselt (die Berührungen mit jüdischem Gebrauch liegen auf der Hand), vgl. XI 26: *eram cultor*[1] *denique adsiduus, fani quidem advena, religionis autem indigena.* Dabei ist *indigena* nicht Augenblicksbildung des Apuleius, sondern fester Terminus der hellenistischen Mysterienreligionen, die, so international sie geworden sind, doch in ihrer Sakralsprache die Vorstellungen nationaler Religionen festhalten. Das zeigt bei Quintilian XII 10, 25 die Beschreibung des Kampfes der Atticisten gegen Cicero: *haec manus quasi quibusdam sacris initiata* (das kriegerische Bild ist zu beachten, vgl. Apuleius XI 14 *e cohorte religionis unus*) *ut alienigenam et parum superstitiosum* (so zu belassen; Quintilian drückt aus, daß er ihre *religio* nicht anerkennt; sie selbst hätten *religiosum* gesagt) *devinctumque illis legibus insequebatur.* Das Wort *alienigena* als Gegensatz zu *indigena* ist nachgebildet dem hellenistischen ἀλλογενής im Gegensatz zu οἰκογενής (LXX. Genes. 17, 27).[2] Aber die junge priesterliche

1) Θεραπευτής, vgl. unten S. 204.

2) Im Lateinischen erweitert sich der Gebrauch rasch, doch ist der Gegensatz zu *indigena* oder *domesticus* oft fühlbar. Dem gezierten Wortspiel bei Pseudokallisthenes III 26 entspricht der poetische Gebrauch von *alienigenus* für *alius generis.*

Fälschung des *carmen Marci vatis* stellt es in Gegensatz zu *Troiugena*. So verwendet es die von der römischen Behörde auf die Marmorschranken des inneren Tempelraumes zu Jerusalem gesetzte Inschrift (Dittenberger, Orient. gr. inscr. 598) für ἀλλοεθνής oder *advena*, und in diesem Sinne, verwendet es Lukas (Ev. 17, 18: nach Volkstum und Religion nicht Jude). Für die Mysterienauffassung ist besonders lehrreich die Klasse der ἀδελφοὶ εἰσποίητοι in den jüdisch-iranischen Mysteriengemeinden des Ὕψιστος-Kultes (Schürer, Sitzungsber. d. Preuß. Akad., 1897, S. 200f.). Sie sind in 'den Stamm der Seelen' aufgenommen. Die Quintilianstelle wird uns jetzt verständlich. Der Fanatismus der Anhänger mystischer Kulte und ihr Haß gegen den, der ihr Ritualgesetz nicht streng beobachtete[1], war offenbar öfters beobachtet worden. Aus dem Begriff der *sancta militia* erklärt sich die Bezeichnung des dritten Grades der Mithrasmysten als *milites*, aus dem Begriff des *indigena* die Bezeichnung des fünftes Grades als *Persae*, aus der Zusammensetzung des Partherheeres mit seinen Klientensoldaten (z. T. Gefangenen, denen der König das Leben geschenkt hat) und echtbürtigen Kriegern die Abfolge der Grade. Noch als dieser Unterschied verwischt ist, werden bei Mani die noch nicht lebenslänglich verpflichteten Katechumenen Krieger oder Kämpfer genannt (für die über ihnen stehenden Mönche entnimmt er indischem und griechischem Gebrauch den Titel Vollendete). Das Grundempfinden dieses religiösen Kämpfertums wurzelt tief in dem iranischen Religionsempfinden und haftet an keiner Einzelorganisation. Wir sind aber auch nicht einmal sicher, daß nur die iranische Religiosität dies Empfinden zeitigt, und werden aus derartigen sprachlichen Beobachtungen nicht feste Schlüsse auf Zeit oder nationalen Ursprung ziehen dürfen. Nur den religiösen Ursprung können wir bestimmen. Das habe ich gegen Cumonts frühere Verweise auf den Gebrauch bei späteren Philosophen oder das Beamtenempfinden in den Diadochen-Reichen betont und halte es aufrecht.

Zurück zu Livius! Wir sahen, schon vor seiner Zeit hat sich

1) Vgl. die Bußen bei der kleinsten Verfehlung oben S. 137f.

der Begriff der Weihe mit dem Wort *sacramentum* verbunden. Das setzt, wie ich sagte, voraus, daß nicht nur allgemein der Dienst des Mysten als Kriegsdienst für seinen Gott gefaßt wurde, sondern auch, daß die erste Weihe regelmäßig mit einem Eid verbunden war. Man sollte das eigentlich nicht erst zu betonen brauchen; es ist ja klar, daß ohne ihn das Mysterium eben kein μυηστήριον ist. Aber in der modernen Literatur über 'hellenistische Mysterien' wird das nicht selten ignoriert[1], in den philologisch-historischen Betrachtungen über das Verhältnis des Staates zu den Religionen nicht immer genügend gewürdigt. Allgemein zugängliche Schaustellungen und Kulthandlungen kommen in den meisten Mysterienreligionen vor, sind aber nicht selbst Mysterien im Vollsinn. Sie unterscheiden sich von dem, was ich oben 'persönliche Mysterien' nannte. Nur diese nehmen in ein neues Volkstum, eine neue Klasse von Menschen auf; ihr innerer Zusammenhang mit der Diaspora beruht darauf. Nur sie ferner geben einen bestimmten Anspruch, die Verbürgung eines religiösen Gutes. Weil es nicht allgemein zugänglich sein darf und in einem Wissen (d. h. nach orientalischer Auffassung einem Schauen) besteht, ist es an den Eid gebunden.[2] Es ist wichtig, daß wir neuerdings schon für die Orphik das Alter eines solchen Eides nachweisen können.[3] So ist es allgemeine Anschauung, daß, wo ein Initiationsritus vorhanden ist, auch ein Eid abgenommen wird. Darum gilt das Christentum als Mysterienreligion.[4] Für den Eid bei der Initiation in die eigentlichen My-

1) So in dem an Anregungen reichen Buch von R. Kittel, Die hellenistischen Mysterienreligionen und das Alte Testament, 1924.

2) So darf, wie uns Augustin zeigt, noch im Manichäismus der *auditor* bestimmte religiöse Schriften nicht kennen.

3) Vgl. S. 225.

4) Nicht ganz mit Unrecht, freilich auch nicht ganz mit Recht. Ein Eid ist tatsächlich früh geschworen worden, und mit Recht legt Plinius (Ep. X 96, 6) auf ihn hohen Wert; er faßt ihn als Initiationseid, da er tatsächlich in vielem dem Soldateneid entspricht: *ne furta facerent, ne latrocinia, ne adulteria committerent, ne fidem fallerent, ne depositum abnegarent.* Diesen allsonntäglich geschworenen Eid vergleicht A. D. Nock (Classical Review 1924) richtig mit dem Mysterieneid der Agdistis-Gemeinde von Philadelpheia (oben S. 98), und ähnliche sittliche Verpflichtungen werden auch in andern Mysterienkulten auferlegt sein. In dem Christentum war, sobald Zugehörigkeit zum Judentum und

sterienreligionen haben wir ein Zeugnis bei Hippolyt, Elench. p. 2, 9 Wendl: τὰ ἀπόρρητα μυστήρια, ἃ τοῖς μυουμένοις μετὰ μεγάλης ἀξιοπιστίας παραδιδόασιν οὐ πρότερον ὁμολογήσαντες, εἰ μὴ τὸν τοιοῦτον δουλώσωνται χρόνῳ ἀνακρεμάσαντες καὶ βλάσφημον πρὸς τὸν ὄντως θεὸν κατασκευάσαντες καὶ περιεργίᾳ γλιχόμενον τῆς ἐπαγγελίας ἴδωσι. καὶ τότε δοκιμάσαντες δέσμιον εἶναι τῆς ἁμαρτίας[1] μυοῦσι, τὸ τέλειον τῶν κακῶν[2] παραδιδόντες, ὅρκοις δήσαντες μήτε ἐξειπεῖν μήτε τῷ τυχόντι μεταδοῦναι, εἰ μὴ ὁμοίως δουλωθείη.[3] Dem entspricht der einem Mysterieneid nachgebildete Eid der Baruchapokalypse Hippolyts (ebenda 133, 2) τηρῆσαι τὰ μυστήρια ταῦτα καὶ ἐξειπεῖν μηδενὶ μηδὲ ἀνακάμψαι ἀπὸ τοῦ ἀγαθοῦ ἐπὶ τὴν κτίσιν. Die Prüfungszeit, die Sehnsucht nach der Weihe, die Verpflichtung auf Lebenszeit, das Gelöbnis des Schweigens, all das kehrt bei Apuleius wieder. Für die Prüfungszeit, deren Ende nicht er, sondern nur die Göttin festsetzen kann, muß er Wohnung im Tempelgebiet nehmen; er darf es, wie es scheint, nicht verlassen; was in der Stadt zu besorgen ist, muß er durch andere verrichten lassen. Er stellt sich damit als Gefangener (δέσμιος) der Göttin dar, und da wir zugleich hören, daß er mit beständigen Offenbarungen begnadet wird, liegt ein Vergleich mit den κάτοχοι des Sarapis wenigstens nahe.[4] Der Dienst wird beschrieben c. 22 *sedulum quot dies obibam culturae sacrorum ministerium* (vgl. c. 6 *sedulis obsequiis et religiosis ministeriis et tenacibus castimoniis*). Er ist zur Askese verpflichtet — sie ist ein Auf-sich-Nehmen des Joches —; Priester ist er darum noch nicht, vgl. XI 30 *inanimae protinus*

Beobachtung des ganzen 'Gesetzes' nicht mehr erfordert wurde, Ähnliches notwendig; das zeigen die Angaben über den Apostelkonvent, über die ich mir sonst kein Urteil erlaube. Die Annahme des Alten Testaments ersetzte nicht, sondern verlangte weit mehr eine bestimmte Begrenzung. Daß auch in Philadelpheia diese eidliche Verpflichtung von dem eigentlichen Initiationseid geschieden wird, betone ich ausdrücklich.

1) In der Mysterienverkündigung wohl δέσμιον τῆς θεοσεβείας oder τοῦ θεοῦ.

2) In der Mysterienverkündigung τὸ τέλειον τῶν ἀγαθῶν.

3) In der Mysterienverkündigung μήτε ἐξαγορεύειν μήτε τελεῖν.

4) Wir finden solche in nicht viel späterer Zeit in Smyrna (C. I. G. 3163 ἐγκατοχήσας τῷ κυρίῳ Σαράπιδι). Daß auch der Isistempel zu Korinth die Bezeichnung κάτοχοι übernommen hatte, wäre damit noch nicht gesagt.

castimoniae iugum subeo und XI 19 *deae ministeriis adhuc privatis adpositus*. Er nimmt, wie er selbst sagt, das Joch freiwillig auf sich. Sollte der Siracide nicht etwas Ähnliches kennen, wenn er 51, 23f die Weisheit sagen läßt: ἐγγίσατε πρός μέ, ἀπαίδευτοι, καὶ αὐλίσθητε ἐν οἴκῳ παιδείας ... τὸν τράχηλον ὑμῶν ὑπόθετε ὑπὸ ζυγόν, καὶ ἐπιδεξάσθω ἡ ψυχὴ ὑμῶν παιδείαν? In dem Logion bei Matthaeus 11, 25, dessen Einheit und hellenistischen Ursprung Norden in seinem glänzenden Buche Agnostos Theos S. 277f. erwiesen hat, bedeutet ἄρατε τὸν ζυγόν μου καὶ μάθετε ἀπ' ἐμοῦ ja auch die volle Hingabe an den göttlichen Meister. Solche im Tempel wohnende private Kultteilnehmer kennt der Sarapisdienst noch in späterer Zeit in Alexandria, vgl. die Schilderung Rufins, Hist. eccl. XI 23 p. 1026, 29f.: das Heiligtum umfaßt verschiedene Adyta für den Mysterienkult und darüber *exedrae et pastoforia domusque in excelsum porrectae, in quibus vel aeditui vel hi quos appellabant* ἁγνεύοντας, *id est qui se castificant* (= *purificant*), *commanere soliti erant*. Das Wort ἁγνεύοντες ist hier nicht, wie sonst bisweilen, Bezeichnung der Priester, sondern dieser Freiwilligen. Der Name κάτοχοι ist uns gerade hier nicht bezeugt, wohl aber in verwandten Bildungen; er begegnet auf einer späten Inschrift (Dittenberger Or. gr. inscr. 262) in Baitokaike bei Apameia offenbar für ein priesterliches oder halbpriesterliches Kolleg. Ihr Gott scheint ebenfalls Orakelgott; so wählt er seinen Oberpriester sich selbst. Endlich scheint wenigstens ähnlicher Brauch auch auf griechische Tempel und griechische Gottheiten übertragen; Philodem Περὶ θεῶν α' col. 17, 6 ist von Diels (Abh. d. Preuß. Akad., 1915, S. 29 und 76, 2) mit Sicherheit ergänzt [τῶν δ]ιὰ τοῦ ζῆν λελ[αχ]ότων κατακλεισθ[ῆνα]ι ἐν 'Απόλλωνος ἢ 'Αθηνᾶς. Von einer rechtlichen Bindung auf Lebenszeit braucht hier natürlich nicht die Rede zu sein, und κατάκλειστοι (bzw. ἔγκλειστοι) und κάτοχοι sind, wie wir noch sehen werden, Synonyme.

Ob mit den von Rufin erwähnten ἁγνεύοντες zu Alexandria jene von uns abusiv κάτοχοι genannten Männer irgendwie zu verbinden sind, die uns im Beginn des zweiten Jahrhunderts vor Christus im Sarapieion zu Memphis durch so viel Urkunden bezeugt sind, hat für die in sich geschlossene und klare Schilderung des Apuleius keine, für unsere Kenntnis des Mysterienwesens nur geringe Bedeutung, da für einen Zusammenhang der dortigen κατοχή mit eigentlichen Mysterien keinerlei Zeugnis vorliegt. Auch für die allgemeine Religionsgeschichte haben die 'Serapeums-Papyri' viel von ihrer Bedeutung verloren, seit Weingartens Herleitung des christlichen Mönchtums aus der Sarapis-κατοχή allgemein aufgegeben ist. Und doch möchte ich behaupten, daß sie für die Kenntnis der religiösen Anschauungen und besonders der Mysterienvorstellungen ihrer Zeit noch immer Wichtigkeit haben und durch den langen und wechselvollen Streit zweier hervorragender Gelehrter, Sethe und Wilcken, an methodischem Interesse noch gewonnen haben. Mag die Frage, wie viel wir über diese Erscheinung, für deren Beurteilung scheinbar ein so überwältigend reiches Material vorliegt[1], wirklich wissen, zugleich diejenigen Leser, welche von meinem Buch bestimmte Angaben über einzelne Mysterien verlangen, während wir doch nur Grundanschauungen und Wirkungen einigermaßen erkennen können, über das Maß des Erreichbaren aufklären.

Auch wer jeden unmittelbaren Zusammenhang mit dem christlichen Mönchtum bestreitet, wird, wenn er überhaupt jener Einzelerscheinung im Sarapiskult von Memphis religiösen Charakter zuschreiben zu müssen glaubt, ihre Verbindung mit der zuletzt im Mönchtum sich äußernden Richtung orientalischer Religiosität auf völlige Abkehr von der Welt und dem tätigen Leben, auf Askese, um das Wort im weitesten Sinne zu nehmen, nicht bestreiten können. Von Indien geht über Persien — man denke an Mani, der durchaus nicht der erste Entlehner gewesen zu sein braucht — eine einheitliche, von der Stimmung der Zeit begünstigte Tradition und verbindet sich bei den einzelnen Völkern mit lokalen Arten der Gottesverehrung. Ihrer Haupt-

1) In drei starken Faszikeln seines ersten Bandes 'Urkunden der Ptolemäerzeit' hat es Wilcken neuerdings gesammelt und mit peinlichster Sorgfalt erklärt. Ich zitiere die Urkunden natürlich nach ihm und freue mich, seinem jetzigen Urteil in den Hauptpunkten mich anschließen zu können, ohne meine früheren Behauptungen mehr als in einem Punkte modifizieren zu müssen.

tendenz nach zu einer gewissen Organisation drängend, verbindet sie sich doch fast überall mit dem begreiflichen Bestreben einzelner, sich ganz in den Dienst eines Gottes zu stellen, in seinem Tempel oder doch in dessen Nähe möglichst lange Zeit zu verbringen.[1] Das Bestreben, die Hingabe an ihn auch äußerlich kenntlich zu machen, die Bedürfnisse des Körpers nach Möglichkeit einzuschränken, das Streben nach Ekstase und Vision, die Empfindung, dadurch einen höheren Rang zu erhalten, all das ist menschlich so begreiflich, daß ich es kaum zu erwähnen brauche. Schon Philo zeigt die Entwicklung allgemein anerkannter fester Formen und Anschauungen, doch eile ich zu der christlichen Ausgestaltung besonders auf ägyptischem Boden.[2] Die ἀπόταξις, die Absage an das Weltleben, ist freier Entschluß, hervorgerufen in der Regel durch eine Offenbarung, eine innere Berufung. Sie bedeutet ein den einzelnen bindendes Dienstgelöbnis, aber die Art dieses Dienstes bestimmt er frei; sie ist ganz verschieden. Schließt er sich einer bestehenden Gemeinschaft an, muß er natürlich deren Mindestmaß erfüllen, kann

---

1) Ich verweise für die Stimmung etwa auf den Ion des Euripides oder den Bericht über die Jugend des Apollonius von Tyana. Für das Judentum hat soeben R. Kittel, Die hellenistischen Mysterienreligionen und das Alte Testament (1924) auf ähnliche, nur stärker vergeistigte Empfindungen hingewiesen (ich hebe besonders Ps. 27, 4 und seine Erklärung S. 90 hervor). Auch kultlich sind sie zum Ausdruck gekommen. Der Herrenbruder Jacobus weilt täglich möglichst lange im Tempel. Ich halte den Bericht der griechischen Historiker (Josephus, Contra Ap. II 89, vgl. Das iranische Erlösungsmyst. S. 180), daß man im Tempel zu Jerusalem einen κατάκλειστος gefunden hat, für durchaus glaublich, daß er für das Kronos-Opfer, das bei den wilden Bergstämmen üblich war, aufbewahrt wurde, natürlich für begreifliche Zudichtung. Auf eine Notiz Al-Ghazalis, Johannes der Täufer habe als Kind im Tempel Leute gesehen, die sich mit Ketten dort angekettet hätten, und dieser Eindruck habe ihn später zum Asketen gemacht, verweist mich Prof. E. Peterson brieflich. Ganz unglaublich wäre sie nicht, wenn nur die Quelle etwas besser wäre. Daß wir für die κατοχή in Memphis keine festen Angaben über die Art der Askese haben und daß die Beobachtung, daß ein Teil der Eingeschlossenen von den Almosen der Wallfahrer lebt, sie nicht ersetzen kann, gebe ich zu; aber ist nicht schon die Haft selbst eine 'Askese'?

2) Ich verweise für Einzelheiten auf mein Buch 'Historia monachorum und Historia Lausiaca' (Forschungen zur Religion und Literatur des Alten und Neuen Testaments, Neue Folge Heft 7, Göttingen 1916).

aber eigene, strengere Gesetze hinzufügen; schwererer Dienst verleiht höhere Würde. Das Ziel ist, Pneumatiker, unkörperlich zu werden — ein Begriff, der uns später noch beschäftigen wird. Sobald es erreicht ist, ist das Dienstgelöbnis gelöst. Nach der älteren gnostischen Auffassung der Askese darf der Asket wieder alles tun, was ihm früher verwehrt war, auch in die Welt zurückkehren; nach der späteren, kirchlich zunächst anerkannten wird er damit ganz unabhängig, wird Priester. Das Eintreten dieses Zustandes der Vollendung wird dem Asketen durch ein Wunder, das ihm gelingt — etwa das Finden einer verlorenen Nadel im Dunkeln —, bewußt. Oder man verlangt eine bestimmte Vision: Christus auf dem Lichtwagen oder Thron, umgeben von allen Engeln.[1] Wir begreifen, daß die Kirche frühzeitig gegen diese Visionen einschreitet: Vorspiegelungen des Teufels sind es; wer behauptet, sie gehabt zu haben, wird als besessen in Ketten gelegt. Nicht die Vollkommenheit bringt mehr die Lösung von dem Dienst, sondern nur die ordnungsmäßige Berufung zu einem höheren Kirchenamt.

Wenden wir uns jetzt zu dem Streit über die κατοχή in Memphis. An E. Preuschen, der in der zweiten Auflage seines Buches 'Mönchtum und Sarapiskult' (1903) jene Männer als 'Besessene' gefaßt hatte, schlossen sich zunächst U. Wilcken und sein Schüler W. Otto 'Priester und Tempel im hellenistischen Ägypten' (Bd. I 1905, II 1908). Als Strafgefangene, entsprechend den ägyptischen Tempelgefangenen, deutete sie Sethe und bestritt zunächst jede religiöse Bedeutung der κατοχή. Der lexikalische Befund, den im Anschluß an Bouché-Leclerq (Mélanges Perrot) A. Dieterich (Berl. philol. Wochenschr. 1905, Sp. 15) mustergültig dargestellt hat, gibt uns freie Wahl zwischen zwei Deutungen: bezeugt im Profangebrauch und sprachlich ohne weiteres verständlich ist ebensowohl das Wort κατοχή als Haft, Gefangenschaft, κατέχειν als in Bande schlagen, festhalten, und daher auch κάτοχος als Gefangener, wie κατέχεσθαι (ἐκ θεοῦ) im Sinne ekstatischer Verzückung (daher verbunden mit θεοφο-

1) Noch in der alten Cyprian-Legende (vgl. Nachr. d. Gött. Ges. d. Wissenschaften 1917, S. 45) bezeichnet Christus, indem er so einem Heiden erscheint, daß dieser nach der Taufe sofort zum Presbyter gewählt werden muß.

ρεῖσθαι oder κορυβαντιᾶν, wie schon bei Plato, Symp. 215), κάτοχος für besessen von einem Gott, κατοχή für den Zustand der Besessenheit.[1] Nur die sprachliche Verbindung, in der die entsprechenden Worte in den Briefen und Eingaben der zu Memphis damals weilenden Männer erscheinen, kann über die Bedeutung entscheiden; sie tut es wirklich ganz eindeutig. Ihre offizielle

---

1) Diesen von vielen Gelehrten dargelegten Sprachgebrauch die Bildung des Compositums ἐγκατοχεῖν, die Bedeutungen von κατέχω u. a. hat Ganschinietz, Pauly-Wissowa X 2526f., vollständig ignoriert, ebenso fast völlig die Scheidung des aktivischen und passivischen Gebrauchs des Substantivs. Ihm ist κάτοχος ein Urbegriff, der Besessene, und alle Erscheinungen, Starrkrampf, Wahnsinn, Ekstase, Inspiration, Begeisterung, Erregung fallen unter ihn. 'So kommt es, daß später alle Götter κάτοχοι haben.' In der beigefügten Liste lesen wir für ὕπνος: οὐ μὴ ἐξεγερεῖς τὸν ὕπνῳ κάτοχον Sophokles Trach. 970 und daneben für (einen Gott?) ὀργιασμός: μαντική τε καὶ κάτοχος τοῖς περὶ Διόνυσον ὀργιασμοῖς, dann für φόβος: οἱ κατάσχητοι (!) ὑπὸ φόβου Etym. M. s. βαμβαίνει, erklärende Worte eines Cyrillglossars, dann für πόθος: κάτοχος τῷ πόθῳ γεγενημένη Suidas s. v. κεκρατημένος (die Glosse finde ich nicht; G. bietet die Erklärung als Lemma), endlich für γῆ: τἄμπαλιν δὲ τῶνδε γαίᾳ κάτοχα μαυροῦσθαι σκότῳ Aesch. Pers. 223. Es ist das alte Gebet an die Toten, das Gute heraufzusenden, das Böse zurückzuhalten (vgl. Choeph. 141, Phrynichos Kom. bei Photius 141, 19 Reitz.); aber ist das Böse selbst besessen? Da hätte wohl Homer πρίν καί τινα γαῖα καθέξει ein besseres Beispiel gegeben und zugleich gezeigt, daß es sich nicht um Besessenheit handelt. Zu dem κάτοχος 'Ερμῆς, den durch Zauber bindenden Gott, gehört natürlich die κάτοχος Μοῦσα, die den Knaben fesseln soll, bei 'Aspasia' Athen. V 219 d, und κάτοχος λίθος kann man sagen; das Grabmal hält ja; aber die Hermen werden dadurch nicht zu Grabsteinen, und wenn Hesych κάτοχοι auch durch ἱερεῖς 'Ερμοῦ erklärt, so meint er Leute, die den Bindezauber treiben, bezeugt aber nicht, daß die Priester ursprünglich den Namen ihres Gottes tragen. Daß man auch vom Ort sagen kann, ἔνθεος καὶ ἐπίπνους, sagt Pollux, aber zum Besessenen wird er damit nicht, und der lateinische Beleg *possessus numine* (*deserit averso possessam numine sedem* Lucan VI 314) ist nicht ganz glücklich gewählt; die Fortsetzung lautet ja *Caesar et Emathiae lacero petit agmine terras*: Caesar verläßt Epirus, das er wider den Willen des Mars (vgl. *aversis Musis carmina tangere, averso Apolline* Properz IV 1, 74) als *sedes belli* gewählt hatte, und zieht nach Thessalien. Daß ein abgewendeter Gott einen Ort besessen macht, ist eine seltsame Vorstellung. Wenn ich endlich sogar *mente commotus* als Zeugnis für die Urvorstellung κάτοχος lese, so frage ich mich, warum ἐκπλήττεσθαι, ταράσσεσθαι, φοβεῖσθαι und anderes fehlen. Von den ἐγκατοχοῦντες im Sarapieion hören wir ganz zuletzt noch ganz wenig —, nicht einmal die damals schon vorliegende Literatur in den Hauptzügen. Überall Flüchtigkeit, Willkürlichkeit, Unklarheit und absprechendes Urteil.

Bezeichnung ist, wie schon Bouché-Leclerq mit Recht betonte, immer ἐν κατοχῇ ὤν (oder τῶν ἐν κατοχῇ ὄντων, vielleicht auch ἐγκατεχόμενος) ἐν τῷ μεγάλῳ Σαραπιείῳ, wozu als nähere Bestimmung noch ἐν Μέμφει und die Angabe der Jahre treten kann, welche die κατοχή dauert. Der den Ort betonende Ausdruck ist nur verständlich, wenn κατοχή die Haft, nicht aber, wenn es die Ekstase bedeutet. Dann erwartete man gerade im offiziellen Gebrauch die Zufügung des Gottesnamens, der Ort wäre gleichgültig. Eine Angabe der Zeitdauer der Verzückung wäre dabei geradezu sinnwidrig.[1] Erhöht wird dies Bedenken durch die nicht ganz seltene nähere Bestimmung eines Gebäudes, nicht, in dem diese Männer besessen sind, sondern, in dem sie wohnen, vgl. Wilcken N. 6 Z. 3: παρὰ [Πτολ]εμαί[ου τοῦ Γ]λαυκίου Μακ[εδὼν ἐνκατεχομέ]νου ἐν τῷ Σαραπ[ι]είῳ [᾿Ασταρτιείῳ ἔτ]η δέκα, οὐκ [ἐξεληλυθότος] τὸ παστοφ[όριον], ἐν ᾧ ἐνκεκ[λ]ε[ιμαι ἕως τ]ῆς σήμερον ἡμέρας und weiter Zeile 8: εἰσελθόντων εἰς τὸ ἐν τῷ μεγάλῳ Σαραπιείῳ ᾿Ασταρτιεῖον, οὗ καὶ ἐγκατέχομαι ὡς καὶ ἔφην[2], endlich Z. 18 καὶ τὰς τῶν ἄλλων ἐνκατό[χ]ων παρα[θ]ήκ[α]ς προσ[εσ]ύλησαν. Bei einem ähnlichen Anlaß schreibt derselbe Ptolemaios zwei Jahre später (Wilcken N. 8, Z. 8): παραγενομένων ἐπὶ τὸ ἐν τῷ ἱερῷ ᾿Ασταρτιεῖον, ἐν ᾧ τυγχάνω ἐν τῇ κατοχῇ γεγονὼς τὰ προκείμενα ἔτη . . . Z. 18 Δίφιλον δέ τινα τῶν παρακατεχομένων ὑπὸ τοῦ Σαράπιος θεραπευτῶν. Schon die Bildung von ἐκγάτοχος oder ἐκγατοχεῖν θεῷ macht die Deutung 'Besessener' sprachlich un-

---

1) Die religiöse Verzückung ist niemals ein dauernder Zustand, wird auch nie wie die Gnosis als Reich gefaßt; endlich wäre für die sehr überlegt, z. T. sogar nach erhaltenen Konzepten gemachten Eingaben wohl die schlechteste Empfehlung, zu sagen, daß sie in einer schon so und so viel Jahre dauernden Verzückung geschrieben sind.

2) In der Parallelfassung lauten die beiden Abschnitte Wilcken N. 5 Z. 3 πα[ρὰ Πτολεμαίου] τοῦ Γλαυκίου Μακεδόνος ὄντος ἐν τῷ [με]γάλῳ Σαραπιείῳ ἐν κατοχῇ ὢν ἔτη δ[έκα] οὐκ ἐξεληλυθὼς τὸ παστοφόριον ἐν ᾧ [ἐ]νκέκλειμ[αι] ἕως τῆς σήμερον und Z. 8 εἰσῆλθον εἰς τὸ ἐν τῷ [μεγάλ]ῳ Σαραπ[ιε]ίῳ ᾿Ασταρτιεῖον, οὗ καὶ ἐν κατοχῇ εἰμι μ[έ]χρι τῆς σήμερον. Aus einer dritten Fassung (Wilcken 7) erwähne ich παρὰ Πτολεμαίου . . . τῶν ὄντων ἐν κατοχῇ ἐν τῷ μεγάλῳ Σαραπιείῳ ἔτος ἤδη δέκατον und παραγενόμενοι ἐπὶ τὸ ᾿Ασταρτιδεῖον, ἐν ᾧ κατέχομαι ἱερῷ, εἰσεβιάζοντο βουλόμενοι ἐκσπάσαι με καὶ ἀγαγῆσαι. Die drei Ausdrücke ἐν κατοχῇ εἶναι, ἐγκεκλεῖσθαι, (ἐγ)κατέχεσθαι wechseln ganz beliebig.

möglich[1]; noch mehr die Bezeichnung der Nachbarn als παρακατεχόμενοι (er sagt dafür N. 7, Z. 16 ὁ παρ' ἐμοῦ). Eine Bildung 'Nebengefangene' versteht jeder; eine Bildung 'Nebenbesessener' ist sprachwidrig, weil unlogisch. Die Bindung oder Fesselung an den bestimmten Ort vollzieht also der Gott, vgl. die Inschrift von Priene (N. 195 um 200 v. Chr.) οἱ κατεχόμενοι ὑπὸ τοῦ θεοῦ. Die Gebundenen dienen ihm und ehren ihn, vgl. die Inschrift von Smyrna (C. J. Gr. 3163) ἐγκατοχήσας τῷ κυρίῳ Σαράπιδι (zu seiner Ehre, zu seinem Dienst, vgl. die Inschrift von Farasha ἐμάγευσε Μίθρῃ[2]) παρὰ ταῖς Νεμέσεσιν. Eine volle Bestätigung brachte endlich die von W. Spiegelberg wieder aufgefundene Veröffentlichung eines demotischen Briefes durch Revillout, den Sethe (Papyrus-Institut Heidelberg, Schrift 2, 1921) herausgegeben hat (jetzt bei Wilcken 6a). Ein ἐκγατοχῶν Harmais sagt, daß er sich an den Gott (Sarapis) und sein Heiligtum gegeben habe, die Göttin (Astarte) anbete und ihr Tempelchen seit 18 Jahren hüte. 'Nicht tue ich hinauskommen aus der Umfassungsmauer des Heiligtums, indem ich mit der Göttin bin in dem Innern meines Ortes (Wohnraumes)[3] mit Ptolemaios.' Es ist derselbe Mann, den Ptolemaios (N. 7, Z. 16) als ὁ παρ' ἐμοῦ (für παρ' ἐμοί) bezeichnet hat. Die kultliche Bedeutung der κατοχή scheint hiernach vollkommen gesichert. Ebenso die freiwillige Hingabe an den auf Grund des Gelöbnisses bindenden Gott. Nur der Gott kann, wie jetzt auch Wilcken betont, wieder lösen. Länge und Strenge des Dienstes geben Anspruch auf Rücksicht, ja Verehrung, man rühmt sich ihrer. Wir haben es durchaus mit einer Form des Askese — im obigen weiten Sinne gefaßt — zu tun.

Selbst diesen bescheidenen Gewinn an sicherem Material muß

---

1 Die räumliche Beziehung, die in ἐν liegt, ist erträglich nur, wenn sie auch in dem zweiten Teil des Compositums liegt, nicht aber, wenn hier eine geistige Verfassung zum Ausdruck kommt. Drin Eingeschlossene im Sarapieion drückt nur in besonderer Stärke Art und Maß der Freiheitsbeschränkung aus; Drinbesessene im Sarapieion widerstreitet der Gedankenbildung. Für ἐγκατεχόμενος gilt natürlich dasselbe, und zwar in erhöhtem Maß.

2) Vgl. Cumont-Gehrich, Die orientalischen Religionen im röm. Heidentum[2] 1914, S. 304, H. Grégoire, Comptes rendus Acad. des Inscr. 1908, S. 434f.

3) Vgl. 5, 10 = 6, 9 τόπος und hierzu Wilcken.

ich freilich noch gegen Anzweiflungen verteidigen. Für die oben angeführte Stelle aus N. 8: Δίφιλον δέ τινα τῶν παρακατεχομένων ὑπὸ τοῦ Σαράπιος θεραπευτῶν muß ich zunächst meine Deutung rechtfertigen. Interpretieren doch Kenyon, Sethe und andere Gelehrte, von einem Diener werde gesprochen, der von den ἐν κατοχῇ ὄντες ganz verschieden sei. Dann wäre der Ausdruck so verzwickt und unnatürlich wie denkbar. Man würde entweder eine Angabe des Priesterstandes oder Dienerstandes des Diphilos erwarten, nicht aber eine Scheidung: zwar ein Diener, aber ein vom Willen des Gottes festgehaltener Diener. Und was sollte dabei das Compositum παρακατεχόμενος? In der Nachbarschaft festgehalten? Wenn Ptolemaios die Stellung des Diphilos von der seinigen unterscheiden will, wozu die noch dazu ganz überflüssige Gleichstellung, die doch wieder in der Wahl des Ausdrucks κατέχεσθαι liegt? Kann ich παρακατέχεσθαι in der Bildung ganz von ἐγκατέχεσθαι trennen? Nun sind die θεραπευταί eines Gottes doch schwerlich verschieden von den σεβόμενοι, wie etwa Plutarch, De Is. et Os. 44 σεβόμενοι τὸν Ἄνουβιν erwähnt, Leute, die ihn über alles verehren, ihn zum Schutzgott nehmen und ihm, wenn sie können, auch kultlich dienen. Wohnen sie bei einem Tempel, können sie als Körperschaft bestimmte Funktionen übernehmen, wohnen sie fern, zu Festen zu ihm ziehen und dann vorübergehend dort wohnen, wie jener Nikanor, den Wilcken S. 52 uns vorführt. Mit Recht bemerkt Wilcken S. 55: θεραπευταί ist der allgemeine Begriff, der auch die ἐγκάτοχοι als besondere und gehobene Klasse in sich schließt. Um so mehr bedauere ich, daß ich in der Deutung einer anderen schon angeführten Stelle ganz von ihm abweichen muß: in N. 6 Z. 3f. (oben S. 202) will Wilcken ἐγκατέχεσθαι von ἐγκεκλεῖσθαι völlig trennen, ersteres bezeichne die Gotteshaft, letzteres eine Strafhaft oder Belagerung irgendwelcher Art.[1] Wilken gibt dabei selbst zu, daß das einer natürlichen Interpretation der Worte ἐγκατεχομένου ἐν τῷ Σαραπιείῳ [Ἀσταρτιείῳ][2] ἔτη δέκα, οὐκ ἐξεληλυθότος τὸ παστοφόριον, ἐν ᾧ ἐγκέκλειμαι ἕως τῆς

1) Dabei bleibt diese Art ganz unklar. Daß Ptolemaios durch Haussuchungen bei sich belästigt wird, ist doch kein ἐγκλεισμός.

2) Diese Ergänzung ist unsicher.

σήμερον ἡμέρας widerstreitet. Sie widerspricht aber auch dem Sprachgebrauch des Ptolemaios selbst. Das Wort ἐγκέκλειμαι, das sich hier auf das Astartieion, bzw. dessen Pastophorion bezieht, wird in Z. 8 ersetzt durch ἐγκατέχομαι, ὡς καὶ ἔφην, vgl. in N. 5 Z. 9 τὸ ... 'Ασταρτιεῖον, οὗ καὶ ἐν κατοχῇ εἰμι μέχρι τῆς σήμερον und 7, 10 ἐπὶ τὸ 'Ασταρτιδεῖον, ἐν ᾧ κατέχομαι ἱερῷ.[1] Beide Worte werden völlig unterschiedslos gebraucht. Wie soll der Empfänger der Eingabe dann verstehen, daß mit ἐγκέκλειμαι Ptolemaios ganz im Eingang, in der Personalangabe also, über eine verbrecherische Freiheitsberaubung klagt? Ich halte das einfach für unmöglich. Also ist die Stelle, auf die sich Wilcken beruft N. 5 Z. 46 ἀξιῶ οὖν, ἐὰν φαίνηται, μὴ ὑπεριδεῖν με ἠνομημένον καὶ ἐγκεκλειμένον, fehlerhaft: zu lesen ist ἐγκεκλημένον (ihm ist Unrecht geschehen, und dabei wird er verklagt). In dem entsprechenden Text N. 6 Z. 33 μὴ ὑπεριδεῖν με ... ἀγνωμόνως πολιορκούμενον καὶ ὑβριζόμενον καὶ ἀνομούμενον könnte πολιορκεῖν sogar, wie bisweilen im Griechischen und wie *oppugnare* im Lateinischen, anklagen bedeuten, doch raten die ähnlichen Beschwerden N. 15 und 16, es lieber im allgemeinen Sinne als bedrängen zu fassen. Gewaltsames Eindringen oder Steine durch das Fenster Werfen kann man wohl als πολιορκεῖν, aber nie als ἐγκλείειν bezeichnen.

Nun kann man mit Wilcken einwenden: Harmais (N. 6a) sagt ja nur, daß er die Umwallung des Sarapieion nicht verlassen darf, und ist nach den Worten des Ptolemaios (7, 16) im Dromos, also außerhalb seines Hauses, gefunden worden. Also kann Ptolemaios nicht auf den Astartetempel und das Pastophorion beschränkt sein.[2] Ich entgegne, daß es durchaus möglich, in

1) Vgl. auch N. 13, Z. 7—12; N. 15, Z. 11. Also nutzt die Berufung darauf, daß N. 6 nur Konzept ist, Wilcken in keiner Weise.

2) Die Sachlage hat Wilcken dabei selbst mit musterhafter Klarheit dargestellt: die an sich durchaus eindeutigen Angaben über die Bewegungsbeschränkung des Ptolemaios und des Harmais widerstreiten sich schroff, wiewohl beide Männer ἐν κατοχῇ sind. Wilcken hält das für absolut undenkbar und versucht — erfolglos — die Überlieferung umzudeuten, die religionsgeschichtliche Methode, sie zu verstehen, indem sie den gleichen Gegensatz in verwandten und uns besser bekannten religiösen Bildungen nachweist und zeigt, daß die Voraussetzung falsch war. Damit aber ist zugleich der Erklärung des

späterem Kult sogar allgemein üblich ist, daß der einzelne Asket für sich die allgemeinen Anforderungen verschärft[1], und daß Ptolemaios sich dessen rühmt[2], endlich daß er auch nach Art späterer Klausner einen jungen Diener hat, ihm das fürs Leben Notwendige zu besorgen. Ebensowenig zwingend scheint mir ein Nebenargument Wilckens, Ptolemaios habe doch einmal das Astartideion verlassen und im Sarapis-Tempel mit Sarapion verhandelt; denn dieser hohe Beamte, der zu einem Opfer gekommen war, wird 53, 6 (vgl. Wilcken S. 272) erinnert, daß er ἐνόπι τοῦ Σαρᾶπι gesprochen habe. Das könne nicht im Astartideion geschehen sein, denn da walte die Göttin. Ich will zugeben, die einfachste Deutung wäre, daß es im Tempel des Sarapis geschah, nicht aber, daß diese so zwingend ist, daß wir auf Grund ihrer eine so nachdrücklich und oft bezeugte Tatsache wie οὐκ ἐξεληλυθὼς τὸ παστοφόριον, ἐν ᾧ ἐν κατοχῇ εἰμι (ἐγκέκλειμαι) ἔτη . . , umstoßen dürfen. Der so von seinem Gott getrennte konnte in seinem Zimmer irgendeine Abbildung des Sarapis haben; manch andere Möglichkeit ist denkbar — man erinnere sich an Paulus Gal. 1, 20 ἐνώπιον θεοῦ und I. Tim. 6, 13 παραγγέλλω σοι ἐνώπιον τοῦ θεοῦ (im Brief) —, keine beweisbar. Ich habe früher gegen die Zurückhaltung, die wir beim Erraten der Vorgänge, auf die in diesen Briefen nur angespielt wird, immer bewahren müssen,

---

Gegners Wilckens, Sethe, selbst in ihren Fortbildungen der eigentliche Boden entzogen, die aus jener scheinbar unlöslichen Schwierigkeit befreite neuere Auffassung Wilckens genügt, alles zu erklären.

1) Das nehmen die andern Asketen dann wohl übel; Makarios muß deswegen ein Kloster verlassen.

2) Ich vergleiche Hist. Laus. c. 37 p. 115 Butler, die lustige Geschichte vom Mönch Serapion. Er erkundigt sich, wer es in Rom in der Askese am weitesten gebracht hat, und hört, eine fromme Jungfrau, die seit vielen Jahren ihr Gemach nicht verlassen hat. Gleich geht er zu ihr, findet sie auf ihrem Lager und fragt 'was tust du? — Ich wandere. — Was bist du? — Tot.' Da befiehlt er ihr: ἔξελθε καὶ πρόελθε. Sie wendet ein: εἰκοστὸν πέμπτον ἔτος ἔχω καὶ οὐ προῆλθον. Man werde sie für verrückt halten. Er entgegnet, daß das für einen wahrhaft Toten gleichgültig sei. So fügt sie sich, und beide gehen zur Kirche. Hier befiehlt er: mache es wie ich und entkleide dich vollständig. Das vermag sie nicht, und er frohlockt ἐγώ σου νεκρότερός εἰμι . . . ἀπαθῶς γὰρ καὶ ἀνεπαισχύντως τοῦτο ποιῶ. So hatte er ihren Stolz gebrochen und verließ die tief Gedemütigte.

selbst gefehlt, als ich glaubte, aus N. 70, einem in wilder Leidenschaft und stammelnder Sprache von Apollonios an seinen Bruder Ptolemaios geschriebenen Brief, Schlüsse ziehen zu dürfen. Daß er ihn hier πατήρ nennt (statt ἀδελφός) und die der Sakralsprache entstammenden Worte σῴζεσθαι und βαπτίζεσθαι gebraucht[1], verlockte mich zum Rätsel-Raten. Wilcken übersetzt: 'denn sie haben uns in einen großen Schlamm geworfen, und wenn du (im Traume) gesehen hast, daß wir (daraus) gerettet werden sollen, (gerade) dann werden wir untergetaucht' und bemerkt S. 334 'der Begriff des βαπτίζεσθαι paßt so ausgezeichnet zu dem mit ἐνβέβληκαν ⟨ἡ⟩μᾶς[2] εἰς ὕλην gezeichneten Bild, daß man dies Bild zerstören würde, wenn man hierin eine übertragene Bedeutung wie Reitzensteins «Taufe» finden wollte. Sie ist in der Tat ganz ausgeschlossen.' Ich meine, eine Sicherheit läßt sich überhaupt nicht gewinnen, denn ὕλη ist eben nicht das dies Bild notwendig erzeugende Wort, ἴδῃς deutet auf eine zukünftige Handlung und βαπτιζόμεθα und ἡμᾶς sind doch nur Konjektur, der Konjunktiv auch möglich. Solche Stellen scheiden besser aus. Bewiesen ist nur — und das ist für die späteren Angaben wichtig genug —, daß Ptolemaios auf Grund von Träumen prophezeit und behauptet, daß bestimmte Götter durch ihn reden.

Beide stimmen wir — und das ist ja die Hauptsache — darin überein, daß die Beschreibung des Noviziates bei Apuleius, auf die ich zuerst hingewiesen hatte, auffällige und lehrreiche Übereinstimmungen bietet. Apuleius bezeichnet sich XI 19 als *deae ministeriis adhuc privatis adpositus contuberniisque sacerdotum individuus et numinis magni cultor inseparabilis*. Er verläßt das Tempelgebiet überhaupt nicht; was außerhalb zu tun wäre,

1) Die Worte sind: ψεύδῃ πάντα καὶ οἱ παρὰ σὲ θεοὶ (die Götter bei ihm! Sind es Bilder oder walten sie nur als πάρεδροι δαίμονες?) ὁμοίως, ὅτι ἐνβέβληκαν ὑμᾶς εἰς ὕλην μεγάλην καὶ οὗ (οὐ?) δυνάμεθα ἀποθανεῖν, κἂν (nicht sicher) ἴδῃς ὅτι μέλλομεν σωθῆναι, τότε βαπτιζώμεθα und später ἱ καὶ αὐτοὺς δεδώκαμεν καὶ ἀποπεπτώκαμεν πλανόμενοι ὑπὸ τῶν θεῶν καὶ πιστεύοντες τὰ ἐνύπνια. Die höhnische Anschrift πρὸς τοὺς τὴν ἀλήθειαν λέγοντες verwendet einen kultlichen Ausdruck, vgl. die phrygische Inschrift Journal of hellenic studies IV 1883, S. 420 δῶρον ἔλαβον χρησμοδοτεῖν ἀληθείας.

2) ὑμᾶς Pap.

müssen andere für ihn besorgen. Wenn Harmais seinen Zustand beschreibt 'ich bin mit der Göttin', so entsprechen bei Apuleius die Worte *me . . . ad deae gratissimum mihi refero conspectum*. Vorallem betont er, daß jede Nacht ihm bedeutsame Träume bringt. Das wird ja auch bei den ἐγκάτοχοι besonders hervorgehoben. Wenn sie ihre Träume aufzeichnen, so zeigt vielleicht Apuleius den Grund: wenn sowohl der Novize wie der Priester oder Myste in der gleichen Nacht dasselbe träumen, so ist der Gottesbefehl (z. B. zur Weihe) unwidersprechlich festgestellt.[1] Bei Apuleius wiederholt sich das Wunder auch bei der zweiten Weihe, für die er ja wieder Novize ist (cap. 27). Die Anschauung ist viel älter; das ersehen wir daraus, daß in der Apostelgeschichte sowohl die Taufe des Cornelius wie die des Paulus durch den gleichen Doppeltraum gerechtfertigt werden muß. Ja wir können in noch späterer christlicher Anschauung nachweisen, daß bei einer religiös bedeutsamen Gefangenschaft offenbarende Träume erwartet und daher aufgezeichnet werden. So enthält der erste Teil der *Passio Montani* in leichter Überarbeitung Träume, welche die verhafteten Christen aufgeschrieben und der Gemeinde mitgeteilt haben, der zweite, beträchtlich später geschriebene die ergänzende Erzählung eines geschulten Schriftstellers. Diese Träume, die sich begreiflicherweise überwiegend auf die 'Lösung der Gefangenschaft', den Märtyrertod, also die Todestaufe, beziehen, sichern die Verehrung für den, den Gott mit einem Offenbarungstraum geehrt und damit als inspiriert beglaubigt hat. Als Bischof darf Cyprian seine Träume nicht als für andere gültig betrachten; als er in der ersten Verhandlung wenigstens zum Exil, zur Internierung in der Kleinstadt Curubis, verurteilt ist und ihm ein Traum hier die zukünftige Hinrichtung mitteilt, müht sich sein Biograph zu erweisen, daß dies ein echter Offenbarungstraum war und Gott selbst damit seinen Diener geehrt und beglaubigt hat. Dagegen wird die noch nicht einmal getaufte Perpetua, sobald sie im wirklichen Kerker ist, ermahnt, sie habe jetzt Anspruch auf einen Offenbarungstraum, und ein solcher Traum ihres ebenfalls ungetauften Bruders scheint noch

1) Schon IX 6 verweist die Göttin auf dies Zusammentreffen der Träume auch bei der Entzauberung.

später sogar selbständig in der Gemeinde verbreitet und als Offenbarungsschrift betrachtet worden zu sein. So geben uns auch allgemeine Anschauungen der Spätzeit das Verständnis für die religiösen Anschauungen im hellenistischen Kult.

Daß der Gott, wen er gebunden hat, auch allein lösen kann, betont Wilcken mit Recht, und die Forderung scheint mir notwendig, daß auch eine sakrale Handlung dem äußerlich Ausdruck gibt. Daß wir von ihr nichts mehr wissen, weil mit ihr der Häftling aus dem Sarapieion scheidet, die Überlieferung also für uns abreißt, ist begreiflich. Sogar noch etwas mehr können wir sagen und eine Lücke in Wilckens Darstellung ausfüllen. Schon Otto betonte: einen Zweck muß die κατοχή gehabt haben.[1] Ein solcher liegt in der Tat all jenen Äußerungen der 'Askese', wo wir sie auch im Hellenismus finden, immer zugrunde. Nichts geschieht, um paradox zu reden, weniger 'um Gottes willen' als diese verschiedenen Arten eines außerordentlichen Dienstes: Vollendung der Erkenntnis, Schutz im Jenseits, eine innere Würde oder Kraft oder etwas derart soll er dem Dienenden geben. Die κατοχή vor allem muß einen Zweck haben, gerade weil sie der Idee nach immer ein Ziel hat und kein Lebensberuf ist. Damit freilich sind wir an der Grenze unserers Wissens; der Mysterienanschauung sind wir ganz nahe gekommen, ein wirkliches Mysterium ist uns nicht bezeugt, also dürfen wir es — darin stimme ich jetzt Wilcken zu — nicht behaupten.

Wohl aber dürfen, ja müssen wir die Art der Lösung noch näher ins Auge fassen, so kümmerlich die Andeutungen, die uns der Traumbericht des Ptolemaios (Wilcken N. 78) bietet, auch sind. Er hat im Traum um Lösung (ἄφεσις) gebeten. Im nächsten Traum sieht er sich auf einem hohen Turm in einer Art Verklärung (sein Antlitz ist so schön, daß er es niemand zeigen kann)[2]; eine alte Frau verspricht ihm, ihn zu dem Gott (δαίμων) Knephis zu führen, damit er ihn verehre. Er sieht ihn tatsächlich und

1) I 123. Er vermutet nach Preuschen: Heilung von einer Krankheit. Das scheint mir nach den bisherigen Ausführungen unmöglich. Inkubation im Tempel des Sarapis und Haft im Astartieion gehen nicht zusammen.

2) Ähnliches erlebt in den Thomasakten cap. 8, p. 111 Bon. der Apostel, wenn sein Gott in ihn eintritt, oder Stephanos, Apostelgesch. 6, 15.

mahnt nun, aus dem Traumbericht fallend, den Adressaten des Briefes und seine Freunde: εὐφράνεσθαι, οἱ παρ' ἐμοῦ πάντες· ἄφεσίς μοι γίνεται ταχύ. Später beauftragt er ihn: mahne die Zwillingsschwestern, (aus Memphis zu mir) zu kommen εἰπέ τε (ἰπή τε Pap.) ὅτι ἐκπορεύομαι. ὁ 'Αμ[ῶσις] ἥκει ἐπ' ἐμέ, ἔδωκέ μοι τὴν ὁδόν καὶ διέσ[τη τὸ π]αστοφόριον ἔμπροσθεν μου. Ich habe die Ergänzungen Wilckens hergesetzt, die im zweiten Teil wohl ganz sicher sind. Bei dem ersten zweifle ich. Wilcken sieht in diesem Brief die Bestätigung seiner Auffassung des ἐγκλεισμός als eines nichtreligiösen Beschränktseins auf das Pastophorion, das mit dem religiösen, der κατοχή, gar nichts zu tun hat. So ergänzt er den Namen des Amosis, der N. 5 und 6 als Stellvertreter des Oberpriesters genannt ist. Dieser hohe Beamte hat durch sein Eingreifen ihm die Möglichkeit gesichert, wieder sein Haus zu verlassen.[1] Dazu wollen die Worte mit ihrem bildlichen Prunk wenig passen, und jede Verbindung mit der Vision des Knephis fehlt. Mir scheint, das Wirken eines Gottes wird geschildert: er schuf mir Bahn, das Pastophorion spaltete sich vor mir (so in der Visionsbeschreibung Corp. Hermet. I 4 εὐθέως πάντα μοι ἤνοικτο ῥοπῇ, Lukrez III 16 *moenia mundi discedunt*). Der Gott befreit, wie es Wilcken selbst verlangt. So wage ich die Frage, ob nicht zu ergänzen ist ὁ "Αμ[μων][2] ἥκει ἐπ' ἐμέ. Eine Vision dieses Gottes erwähnt Ptolemaios selbst (N. 77), und mit ihm hängt, wie Sethe an verschiedenen Stellen ausführt, Knephis zusammen.[3] Es ist unentscheidbar, ob Ptolemaios sich ihn als Diener des Ammon gedacht hat oder beide als identisch. Jetzt endlich verstehen wir den Zusammenhang: aus Sorge um die Zwillingsschwestern hat Ptolemaios die Isis um ἄφεσις, nämlich aus der gelobten Beschränkung auf das Astartideion, angefleht. Die Erscheinung des Ammon hat ihm die Erfüllung gebracht und seine Haft gelöst.[4] Die allgemeine Bindung der κατοχή im Sara-

1) Er hat ihn nach Wilcken von der πολιορκία befreit.

2) Ich wähle diese Form, weil Ptolemaios sie in N. 77 gebraucht. Füllt sie trotz der Breite der Buchstaben den Raum nicht aus, könnte man wohl auch an 'Αμμοῦν denken.

3) Zuerst Berliner philol. Wochenschrift 1896 Sp. 1528; Pauly-Wissowa III 2352.

4) Das ist der noch schönere Traum, den Ptolemaios vorher erwähnt. Mit

pieion ist freilich geblieben; er ist κάτοχος auch im folgenden Jahre, aber da bezeugt uns N. 12 ausdrücklich, daß er frei umhergehen kann: er geht zu dem Binsenhändler, der im Sarapieion ist. Für die Lösung auch der allgemeinen κατοχή werden wir ähnliche Vorstellungen oder Formen voraussetzen dürfen und gewinnen damit einen neuen Vergleich mit Apuleius, dessen Freilassung in der Weihe auch durch einen Traum eingeleitet wird, der ihn mit den Göttern zusammenbringt.[1] Die prinzipielle Scheidung, die Wilcken zwischen ἐγκέκλεισμαι und ἐν κατοχῇ εἰμι machen wollte, scheint mir damit beseitigt und nach der Philodemstelle durchaus bewiesen, daß freie Nachahmungen der Sarapis-κατοχή auch im Kult andrer Götter stattgefunden haben.

So wende ich den Blick zum Schluß auf die sonstigen Nachrichten über die κάτοχοι, nicht um Einzelheiten über den Dienst im Sarapieion zu Memphis zu ermitteln oder auch nur den späteren Kult des Sarapis zu charakterisieren, sondern um eine allgemein-hellenistische Erscheinung in das Gesamtbild der damaligen Religiosität einzufügen.[2] Auch hier kann ich zu Wilckens sorgfältigen Sammlungen nur Ergänzungen bieten. Wer den Brauch des Kettentragens bei christlichen Asketen kennt —

einer gewissen natürlichen Rhetorik stellt er die Andeutung dieses Erlebnisses an den Schluß und gibt vorher die Aufträge; in Jubel und Dank soll der Brief verklingen.

1) Noch enger berührt der Traum sich mit der sogenannten Mithrasliturgie, die selbst wie ein kunstvoll ausgeführter Traum erscheint und den Mysten erst mit dem Aion, dann mit Mithras zusammenbringt. Am allerähnlichsten aber sind die Träume des Alchemisten Zosimos (Poimandres S. 9f. Auch der Alchemist kennt ja Askese und Klausur): er erlebt das furchtbare Mysterium der Zerstückelung des Leibes, das zum πνεῦμα macht, im Traum und fühlt sich nun wirklich als geweiht. Die Historia Lausiaca (cap. 29) erzählt: ein Mönch hat nach langem Gebet um Befreiung von der Fleischeslust geträumt, daß ihm drei Engel begegnen und ihn auf seine Bitte entmannen: er hat nach diesem Traum nie wieder eine Anfechtung erfahren. Wenn Euagrius und Hieronymus im Traum Gott ein Gelübde tun, so fühlen sie sich und fühlt ihre Umwelt sie durch dies Gelübde gebunden (Hieronymus sich freilich nicht dauernd). Den Hintergrund dieser Traumerlebnisse bildet in all diesen Fällen eine religiöse Vorstellung; daß sie mysterienhaft ist, hat für uns Wichtigkeit, ob sie auch faktisch zur Darstellung kam, weniger.

2) Die Stellen, die sich einfach auf die Inkubation beziehen können, lasse ich natürlich fort.

selbst die Gräber haben uns ja für die zahlreichen Schriftstellerzeugnisse Bestätigung geboten — und sich der Beschreibung des Hieronymus (Ep. 22, 28) erinnert: *quibus feminei contra apostolum crines* (also: ungeschoren), *hircorum barba, nigrum pallium et nudi in patientia frigoris pedes*, versteht ohne weiteres die Schilderung Manethos (Apot. I 237): φοιβητὰς ἢ μάντιας οἵ ϑ' ἱεροῖσιν 'Εζόμενοι ζώουσιν ὀνείρατα μυϑίζοντες. Οἱ δὲ καὶ ἐν κατοχῇσι ϑεῶν πεπεδημένοι αἰεὶ[1] Δεσμοῖσιν μὲν ἔδησαν ἑὸν δέμας ἀρρήκτοισιν. Εἵματα μὲν ῥυπόωντα, τρίχες δ' οὐρῇσιν ὅμοιαι Ἵππων κηροπαγεῖς ὀλοὸν τηροῦσι κάρηνον. Οἱ δὲ καὶ ἀμφιτόμοισι σιδηρείοις πελέκεσσιν Ἔνϑεα λυσσώοντες ἑὸν δέμας αἱμάσσουσιν. Zusammengefaßt wird in einer Gruppe alles, was der Römer der Zeit unter dem Begriff *fanaticus* zusammenfaßt (nicht Priester und doch zu einem bestimmten *fanum* gehört).[2] So kommen die *fanatici* der Bellona mit hinein; auch sie prophezeien ja (vgl. Tibull I 6, 83f. und Juvenal IV 123). Durch *fanaticus* wird in den Glossen auch das Wort κάτοχος erklärt[3] — mit besonderer Betonung ihrer weissagenden Tätigkeit —, und mit den Erklärungen von *fanaticus*, z. B. *qui in templo divinat vel templi minister* (offenbar für ϑεραπευτής) verbindet sich in unseren Glossen auch eine, die direkt das Wesen der κατοχή bezeichnet, aber noch nicht richtig hergestellt ist: *qui templum diu* ⟨*non*⟩ *deserit* (οὐκ ἐξεληλυϑὼς . . . ἔτη δώδεκα ἕως τῆς σήμερον ἡμέρας). Daß die astrologischen Schriftsteller von diesen Leuten meist übel reden, ist nur allzu begreiflich. Sie sind ja ihre Rivalen, die noch dazu von dem kleinen Volk mehr befragt werden; ihnen gegenüber ist der Astrologe stolz auf seine Wissenschaft: er kann wirklich die Wahrheit sagen; sie geben es nur vor (wie der ἐγκάτοχος

1) Die κατοχή dauert so lange, daß sie höhnisch als nimmerendend bezeichnet werden kann. Sie wird von Strengeren durch Ketten angedeutet. Wir dürfen daher auch bei Philodem auf die Angabe διὰ τοῦ ζῆν nicht wie auf eine sakralrechtliche Bestimmung Gewicht legen. Auch Apuleius sagt Ähnliches.

2) Die Erweiterung des Gebrauchs im Lateinischen ist dadurch bedingt, daß die *fanatici* der Bellona längere Zeit die einzigen in Rom bekannten Vertreter dieser Art προφῆται oder *vates* waren.

3) Daher nennt Vettius Valens sie 73, 24 Kroll ἀποφϑεγγόμενοι ἢ καὶ διανοίᾳ παραπίπτοντες (Weissager oder Verrückte). Μαίνῃ, Παῦλε, sagt der Römer Festus Apg. 26, 24.

Ptolemaios, an den sein Bruder höhnisch schreibt, Wilcken N. 70: πρὸς τοὺς τὴν ἀλήθειαν λέγοντας und ψεύδη πάντα). Wir haben ja eine ganze derartige Deklamation, die den Brotneid der Astrologen trefflich zeigt, in dem zweiten Teil von Properz IV 1: Gegner sind die Tempelorakel und die μάντεις, *augures, haruspices.* Der *Babylonius* (Standesbezeichnung, erst das folgende Wort kann den Namen bringen, und er muß ägyptisch sein) Horus führt als Beispiel seiner Kunst an (99): *idem ego, cum Cinarae traheret Lucina dolores Et facerent uteri pondera lenta moram, 'Iunonis votum facite: impetrabile' dixi: illa parit, libris est data palma meis.* Dieselbe Tätigkeit übt im Alexanderroman Nectanebus, und dieselbe Tätigkeit übt später der Asket. In der Historia Lausiaca c. 36 erzählt uns der Verfasser als eigenes Erlebnis, also gut verbürgt: in Bethleem kann eine Schwangere nicht gebären; man ruft den heiligen Poseidonios, er kommt mit seinen Schülern, erkennt die Ursache, kniet zweimal nieder, um Austreibung des Dämons betend, und ruft dann den Anwesenden zu εὔξασθε· ἄρτι γὰρ ἐξελαύνει τὸ πνεῦμα τὸ ἀκάθαρτον. Es geschieht, und das Weib gebiert. Properz wird erst dadurch verständlich. Die Mönchserzählungen zeigen uns, daß auch die christlichen Asketen und Einsiedler beständig von Heiden und Christen um Rat in Krankheiten und um Prophezeiungen angegangen werden. Wir dürfen das auf ihre heidnischen Rivalen übertragen. Die Schätzung der Askese ist im Publikum immer mehr gestiegen und steigert sich bei dem einzelnen Asketen, je größer die Leistungen (πόνοι) sind, die er auf sich nimmt oder erheuchelt. Denn von den Gegnern wird dieser Vorwurf immer erhoben; wer die Beschuldigungen christlicher Autoren gegen die *catenati* kennt, wird nicht erstaunen, wenn Claudius Ptolemaeus (Tetrab. 42, 16) die κάτοχοι zwischen Weiberjäger und Kuppler, freilich auch in die Nähe der μυστηριακοί stellt oder Vettius Valens 63, 29 sagt ἢ ἐγκάτοχοι ἐν ἱεροῖς γίνονται παθῶν ἢ ἡδονῶν ἕνεκα: um der Leiden oder der Lüste der Asketen willen. Nur in ihrem Zusammenhang und nach ihrer Tendenz können solche Einzelangaben gedeutet werden. Dann aber geben sie hier ein einheitliches Bild.

Fragen wir endlich nach den sprachlichen Einwirkungen der

hier besprochenen Erscheinungen auf das frühe Christentum, so werden wir die Erwartungen von vornherein nicht hoch spannen dürfen. Mit der Stelle des Hippolyt (oben S. 196) läßt sich die bisher unerklärte Redewendung δεσμοὶ τοῦ εὐαγγελίου und δέσμιος Ἰησοῦ Χριστοῦ bei Paulus zunächst in dem Philemon-Briefe vergleichen. Ich konnte bei Hippolytos das sakrale Gegenbild zu δέσμιος τῆς ἁμαρτίας nicht voll angeben; weder die griechische noch die lateinische Sprache hat ein Wort für den fast persönlich gefaßten Begriff der Religion oder des Glaubens, den z. B. für den Perser das Wort *dēn* (*daēna*) hat; aber für Paulus ist τὸ εὐαγγέλιον ein ähnlicher Begriff; er fühlt sich als sein Diener (δοῦλος) und kann jetzt, wo er im Gefängnis (ἐν δεσμοῖς) ist, mit einer Art Wortspiel überbietend sagen δέσμιος τοῦ εὐαγγελίου und δέσμιος Ἰησοῦ Χριστοῦ. Noch fester ist er ja, auch äußerlich, an beide gebunden und noch höhere Würde hat er dadurch empfangen (auch dem Christen verleihen die πόνοι Würde). Das Empfinden ist begreiflich, der Ausdruck, besonders die harte und gesuchte Genetivverbindung wird verständlicher, wenn es in der allgemeinen Sprache einen Begriff des δέσμιος θεοῦ schon gibt. Seine Empfindung als στρατιώτης seines Herrn und den Gedanken an die ὅπλα τοῦ φωτός verstehen wir alle leicht — auf die bekannte Schrift v. Harnacks 'Militia Christi' brauche ich nicht zu verweisen —, aber, wie die oben angeführte Livius-Stelle zeigt, ist das Bild allgemein hellenistisch. Hat Paulus, der doch wohl für seine Leser anschaulich schreiben will, es von hier? Für die Nachahmung im Epheserbrief 6, 10—18 werden wir es wohl annehmen müssen, seit H. Junker (Bibliothek Warburg, Vorträge I, S. 140) uns in derselben Sphäre, in der das Bild überhaupt erwachsen scheint, eine ähnlich breite Ausführung im Mēnūg i xrad 43, 4 nachgewiesen hat: die einzelnen Tugenden werden dort als Rückenschutz, Leibschutz, Panzer, Wehr, Schild, Keule, Bogen, Pfeil, Speer beschrieben, ja selbst der Handschuh scheint nicht zu fehlen. Häufen sich doch im Epheserbrief hellenistische Mysterienformeln gerade mit iranischer Färbung.[1] Was verlöre aber auch Paulus selbst an wahrer Originalität, wenn er das Bild

1) Vgl. D. iranische Erlösungsmyst. 235f. (dort auch wenigstens ein Beweis unpaulinischer Sprechweise und Vorstellung), vgl. ebda. S. 6. 135f.

aus der allgemeinen Religiosität seiner Zeit entnommen hätte? Ich verstehe die Leidenschaftlichkeit der gegen eine solche Annahme gerichteten Angriffe nicht recht und gehe darum gleich hier auf die prinzipielle Frage in einem Fall ein, der sich wie dieser nicht mit Sicherheit entscheiden läßt. Sie wird stark von der Zahl der Worte und Bilder abhängen, die Paulus mit den Mysterienreligionen gemeinsam hat. Es ist leicht, aber völlig zwecklos, immer nur einen Einzelfall herauszugreifen und von der Möglichkeit 'spontaner paralleler Entwicklungen' zu reden. Gewiß müssen wir solche anerkennen, wenn sich, beispielshalber, im babylonischen und ägyptischen Zauber ältester Zeit verwandte Uranschauungen zeigen, die sich psychologisch leicht erklären lassen. Wer das gleiche Verfahren bei Menschen derselben Zeit, die in beständiger Berührung miteinander stehen und dieselbe Sprache reden, bei einer Anzahl auffälliger Bilder und Wendungen gebrauchen will, verlangt, daß wir auf das Haupthilfsmittel philologischer und historischer Arbeit zugunsten einer willkürlich gefaßten Meinung verzichten. Der Philologe kann die Sprache auch eines Paulus nicht anders untersuchen, wie z. B. unsere Germanisten die Sprache des jugendlichen Goethe untersucht haben. Nur wer den Inspirationsbegriff bis auf die äußere Sprachform ausdehnt, könnte ihm dieses Recht und diese Pflicht bestreiten. Dann müßten wir freilich auch das Griechisch des Neuen Testaments als allein korrekt und ursprünglich bezeichnen.

IV. DIE RELIGIÖSE WIRKUNG DER PERSISCHEN HERRSCHAFT

Ed. Meyers Betrachtungen[1] wurden zunächst in dem bahnbrechenden Werk von H. Gunkel, Zum religionsgeschichtlichen Verständnis des Neuen Testaments, Göttingen 1903, aufgenommen und fortgeführt; auch er selbst ist in dem Werk 'Ursprung und Anfänge des Christentums' auf sie wieder zurückgekommen. Für Südrußland und das bosporanische Reich, also die Gegenden, in welchen jüdischer und persischer Glaube in enge Verbindung traten, beweisen archäologische Funde und sprachliche Beobachtungen besonders frühe iranische Ein-

1) Oben S. 16.

wirkungen[1]; für die Spätzeit brauche ich nur auf Dio von Prusa (XXXVI 39 Arnim) zu verweisen. In einem Teil Kappadokiens wird noch spät die Hochzeit des Lokalgottes, hier Bēl genannt[2], mit der mazdayasnischen Religion gefeiert; Bēl hat sie erwählt, weil sie sehr weise und schöner ist als alle Göttinnen. Das kann doch nur bedeuten, das Fest gilt der offiziellen Annahme dieser Religion (Lidzbarski, Ephemeris f. semitische Epigraphik I 66); eine Ergänzung bietet uns hier Strabos bekannte Angabe über die Magier in Kappadokien (733). Für Kommagene darf ich nur auf die nicht minder bekannte Inschrift des Antiochos IV. verweisen. Für den kleinen Stamm der Mandäer bezeugt, wie schon erwähnt, die Entwertung der altsemitischen Gottesbezeichnung *ilah* und die Annahme wechselnder persischer Gottesnamen wohl ebenfalls einen Religionswechsel, der freilich nicht zur vollen Übernahme einer einheitlichen neuen geführt hat.

Ich füge ein reines 'hellenistisches' Beispiel solcher Religionsmischung hinzu. In meiner Abhandlung über die Göttin Psyche (1917) S. 23f. bin ich auf die von Dieterich im Abraxas herausgegebene Kosmogonie näher eingegangen. Sie ist zusammen mit einem ganz anders orientierten Gebet in zwei stark voneinander abweichenden Fassungen als eine Art Amulett in einem Papyrus des vierten Jahrhunderts überliefert, geht in ihrem Ursprung aber sicher erheblich über das Auftreten Manis zurück. Daß der Inhalt im wesentlichen iranisch beeinflußt sei, ließ sich damals noch nicht voll nachweisen, wird sich aber jetzt, nachdem sich der hermetische Poimandres und die Grundlehre der Naassener-Predigt als iranisch herausgestellt haben, kaum noch bestreiten lassen.[3] Ich kann von ihm bei der Länge des Stückes und der sehr schwierigen, variantenreichen Überlieferung nur die Grundzüge hervorheben: ein Urgott schafft durch siebenmaliges

---

1) Daß die skythischen Namen und die seltsame griechische Bezeichnung des Schwarzen Meeres als Πόντος Ἄξεινος (Nordmeer) zwingend hierauf weisen, zeigt mir Prof. Jacobsohn.

2) Ich schließe daraus, daß babylonischer Einfluß schon früher auf den Lokalkult gewirkt hat.

3) Den Versuch, in der vorausgesetzten Abkürzung den Namen des Asonakes, des angeblichen Lehrers Zarathustras, zu finden, gebe ich natürlich preis.

Lachen die ersten geschaffenen Götter. Beim ersten Lachen erscheint alldurchleuchtender Lichtglanz, der Gott des Feuers und der (Licht-)Welt. Beim zweiten allerfüllendes Wasser und der Herrscher des Abgrunds. Beim dritten Νοῦς oder Hermes, beim vierten Genna (Γένεσις), die Göttin aller Zeugung. Beim fünften Moira als Göttin des Rechts (*aṣa*) mit der Wage, um die Hermes mit ihr streitet, bis ein Gotteswort sie beiden zuspricht. Beim sechsten erscheint der Aion — unklar ob griechisch als Κρόνος oder Καιρός bezeichnet. Er trägt ein Zepter als Zeichen der Herrschaft, aber er übergibt es dem ersten geschaffenen Gotte, also dem Ōhrmazd. Dieser gibt ihm dafür die Glorie (τὴν δόξαν τοῦ φωτός) und die Herrschaft über die Zeit und alles Geschehen in ihr. Ein Lichtglanz fließt aus der Glorie; ihn erhält die 'Königin', die als Mondgottheit gedacht wird — Sonne und Mond bezeichnen und bilden zusammen den Aion. Beim siebenten Lachen des Urgotts entstand die Psyche und mit ihr die Bewegung. Der Gott sprach: alles sollst du bewegen und, wenn Hermes dich führt, alles erfreuen. Da bewegte sich alles und wurde mit Lebenshauch erfüllt. Hiernach beginnt der zweite, leider nur noch im Anfang erhaltene Akt des Schöpfungsdramas. Der Gott (des Abgrundes?) sah die Psyche und staunte, er beugte sich zur Erde (Materie) und pfiff, und die Erde gebar einen allwissenden Drachen, der (gute) Gott aber schnalzte, und ein Gewaffneter erschien (es ist der hier von der Psyche getrennte Urmensch). Dann hören wir, daß die Erde (Materie) sich hochbäumt und den festen Himmel berühren will; da ruft der Gott Iao, und aus dem Ruf wird ein starker Gott, der den Aufruhr zum Stehen bringt; er streitet mit dem Gewaffneten, wer stärker sei, aber Gott verfügt, beide zusammen sollen der ἀνάγκη walten — *καὶ οὐκέτι οὐδὲν ἠτάκτησεν τῶν ἀερίων*, die Ordnung des Weltalls ist gesichert. Ich habe früher übersehen, daß der eigenartigste Zug dieser Schöpfungslehre, der Tausch der Herrschaftsinsignien zwischen Ōhrmazd und Zarvān, also dem von Zarathustra eingeführten und dem altiranischen Obergott, auf den mithräischen Monumenten sogar dargestellt wird (z. B. Osterburken und Neuenheim, Cumont-Latte S. 99). Ursprünglich handelt es sich dabei um die wunderkräftigen Barsomzweige, vgl. den Armenier Eznik II 5 'Die Barsomzweige, welche Zarvan in der Hand hatte, übergab er seinem Sohne Ōhrmazd und sagte: »Bis jetzt habe ich für dich Opfer verrichtet, von jetzt ab sollst du sie für mich darbringen«' (H. Junker, Über iranische Quellen der hellenistischen Aionvorstellung, Bibliothek Warburg, Vorträge I, S. 172). Alter und Zuverlässigkeit der Eznik-Tradition und ihr Fortleben einerseits im Mithras-Glauben, andererseits im Manichäismus[1] ist hiermit belegt. Wir werden uns nicht wundern, wenn in byzantinischer Zeit bei den Bulgaren und Serben Gott Vater den Sohn so erzeugt, daß er sich, einen Strauß Basilienkraut unter der Achselhöhle zusammendrückend, niederlegt und diesen Strauß dann an Maria sendet.[2] Wir erkennen, hierdurch auf die iranische Überlieferung verwiesen, sofort in dem Gott des Wassers und Abgrunds, der an zweiter Stelle der Abraxas-Kosmogonie steht, Ahriman — auch im Poimandres ist ja die ὑγρὰ φύσις der Gegensatz zu dem Licht[3] — während Hermes dem Vohu Manō zu entsprechen scheint. Dann weichen beide Berichte weit auseinander. Im Schluß sehen wir überrascht den Urmenschen, und zwar ganz in Manis Auffassung als den Gewaffneten (ἔνοπλος) als Gegner des Drachen wieder, neben ihm freilich einen andersher entlehnten Gott Iao. Wir haben — und zwar in doppelter Fassung — ein Stück Liturgie aus einer griechisch redenden, synkretistischen Gemeinde; eine Kosmogonie, die ihren Grundzügen nach iranisch-hellenistisch ist, wird durch ein Gebet, das ägyptisch sein möchte und doch nicht wirklich ägyptisch ist, eingeleitet.[4] Der iranische Teil hat wirklich historischen Wert, indem er beweist, wie stark Mani selbst

1) Die Königin der Abraxas-Kosmogonie begegnet hier (in der soghdischen Fassung sogar mit Namen, Ramratukh), vgl. F. W. K. Müller, Handschriftenreste aus Turfan II, S. 102.

2) Ztschr. Rad, Band X, 1870, S. 252f., vgl. Reitzenstein, Weltuntergangsvorstellungen, Uppsala 1924, S. 66.

3) Diese Auffassung finden wir bei Hippolyt, Elench. IV 43, 8, p. 66, 7 Wendl. den Ägyptern zugeschrieben; sie mag auch jungägyptisch sein, begegnet aber auch in zweifellos iranisch beeinflußten gnostischen Lehren. Daß im Poimandres daneben der Böse als ὁ ἐπὶ τοῦ πυρός bezeichnet wird, zeigt die Inkonsequenz des Verfassers.

4) Ich muß für alles dies auf meine Abhandlung verweisen.

in den Zügen, die am meisten sein eigen scheinen, von älteren Bildungen beeinflußt ist und wie stark die persischen Gottheiten damals gräzisiert sind. Wir mögen es bedauern, daß wir Namen und Wohnsitz dieser Gemeinde, oder besser wohl: dieser gnostischen Sekte, nicht bestimmen können; das Wesen des damaligen Synkretismus lehrt sie uns dennoch klarer erkennen als manche vielbesprochene Bildung. Dieterich konnte dies einzigartige Dokument noch nicht voll erklären, aber daß er seine Wichtigkeit erkannte, bedeutet eine gewaltige philologische Leistung, die ihm seiner Zeit freilich übel gelohnt wurde.

Ein ähnliches Rätsel bieten uns die Trümmer einer manichäischen Apokalypse, die A. v. Le Coq (Türkische Manichaica aus Chotscho II, Abh. d. Preuß. Ak. 1919, S. 5) herausgegeben hat. Mithra überwindet den zaubermächtigen Kriegsgott eines Nachbarvolkes, der sich als der ersehnte Erlöser der Gläubigen, als Mithra, ausgegeben und für sich Anbetung gefordert hat. Noch in der Urfassung des persischen Bahman-Yašt, die in frühe Zeit hinaufreicht[1], ist Mithra beim Weltende der Gegner Ahrimans und der eigentliche Erlöser. Das weist auf eine religiöse Stellung dieses Gottes, wie wir sie für die Mithras-Mysterien voraussetzen müssen und wie er sie in den frühen südrussischen Denkmälern zu haben scheint. Da die manichäische Literatur uns mehrfach altpersische Legenden bewahrt hat[2], wie z. B. daß Zarathustra nach Babylon kommt und hier den zaubermächtigen Stadtgott überwindet und tötet — auch hier entspricht die Schilderung dem Kampf des Erlösergottes und Ahrimans —, glaube ich, daß nicht der Manichäismus jene Schilderung des Antimessias aus dem Judentum oder Christentum entnimmt, wo sie im Grunde keine Vorbereitung und keinen Anhalt hat und ganz rätselhaft bleibt, sondern umgekehrt das Judentum mit der Vorstellung des Messias zugleich die seines Gegners indirekt aus Iran entnahm. Die Mittelquelle freilich bleibt bis auf weitere Funde ganz im Dunkeln.

Auf die persischen Züge im jungägyptischen Kult oder Theo-

1) Reitzenstein-Schaeder I, Kap. II.

2) Vgl. Le Coq, Sitzungsber. d. Preuß. Ak. 1908, S. 398f.

logie bin ich an früheren Stellen eingegangen und werde ich noch später eingehen müssen. Nur ein paar Einzelzüge, die für den hellenistischen Synkretismus charakteristisch sind, wollte ich hier zusammenstellen.

V. DER BERICHT DES APULEIUS

Die verschiedenen Verwendungen und Deutungen der von Apuleius geschilderten Weihehandlungen habe ich früher (Archiv f. Religionswiss. VII (1904), S. 393f. und Berl. philol. Wochenschrift 1919) Sp. 942, nicht scharf genug geschieden. Wir werden, trotzdem es sich um eine griechische Gemeinde handelt, für die Isisweihe zunächst ägyptische Riten, allerdings am liebsten solche der jüngeren Zeit zum Vergleich heranziehen. Eine Taufe des Toten wird im Totenbuch oft dargestellt. Ein besonders lehrreiches, aus der zweiten Hälfte des ersten Jahrhunderts v. Chr. stammendes Beispiel wies mir Prof. Spiegelberg im Papyrus Rhind I. Hier wird in col. 6 der Tote, genau wie in den alten Darstellungen der König, zwischen zwei Göttern stehend abgebildet, die über sein Haupt eine heilige Flüssigkeit rieseln lassen, deren einzelne Tropfen in jenen Darstellungen als Leben und Kraft (?) bezeichnet werden. Auch die Götter sind die gleichen; denn wenn auch der Schreiber zwei Anubis malte, so zeigen doch die Beischriften, daß Horus und Thot gemeint sind, wie bei der Königstaufe. Der Text besagt: 'Du wirst gereinigt mit dem Wasser, das kommt von Elephantine[1], und mit dem Natron von El-Kab und mit der Milch von Gim.' Die Wirkung wird in dem demotischen Text (col. 5, 2) beschrieben: 'Du verehrst die Sonne des Morgens und den Mond (und) die Luft und das Wasser (und) das Feuer; du verehrst die, welche zur Ruhe gegangen sind, nachdem deine Jahre vorübergegangen sind.' Der hieratisch geschriebene Paralleltext besagt: 'Du verehrst (so oder ähnlich) den Horizontbewohner, welcher von Gold glänzt, und den seine Gestalt Vermehrenden (den Mond) (und) die Luft (und) den das

1) Der Punkt, an dem der Nil in Ägypten eintritt, gilt als sein Ursprung. Daß man von hier das Wasser holt, weiß noch Juvenal VI 527 *ibit ad Aegypti finem* (oben S. 142, 144).

Leben Wiederholenden (den Nil, bzw. das Wasser) (und) das Horusauge (hier also das Feuer); du siehst die zur Ruhe Gegangenen, nachdem deine Jahre vorübergegangen sind.' Bei Apuleius folgt einem allgemeinen Reinigungsbad, das freilich schon religiöse Bedeutung haben muß, da alle *religiosi* ihn dahin begleiten[1], ein feierliches Gebet und der περιρραντισμός (*praefatus deum veniam purissime circumrorans abluit*) dann im Tempel der Unterricht und eine zehntägige Askese, dann das Mysterium, über dessen Inhalt und Bedeutung angegeben wird *accessi confinium mortis et calcato Propersinae limine per omnia vectus elementa remeavi; nocte media vidi solem candido coruscantem lumine; deos inferos et deos superos accessi coram et adoravi de proximo.* Hiervon ist uns durch den Papyrus bezeugt der Besuch der Unterwelt und die Verehrung der Toten, ferner eine Verehrung an (also auch Wanderung durch) drei Elemente, Feuer, Wasser, Luft, zu denen noch zwei obere Götter, Sonne und Mond, treten. Auch die Sonne ist ja bei Apuleius erwähnt. Die Übereinstimmung ist so groß, daß wir mit Sicherheit sagen können: an beiden Stellen waltet die gleiche religiöse Anschauung. Der περιρραντισμός bringt die Wiederbelebung des Toten, die in dem Mysterium dargestellt wird. Dann wird es nicht mehr zu kühn sein, wenn wir in dem ersten Reinigungsbade die *voluntaria mors* sehen, von der Apuleius spricht. Der im Nil Ertränkte wird nach ägyptischem Glauben unsterblich. Ich kann auf den inhaltreichen Aufsatz von Griffith (Zeitschr. f. ägypt. Sprache XLVI, S. 132) 'Herodotus II 90, Apotheosis by Drowning' hier nur kurz verweisen.[2] Die offizielle Bezeichnung der Vergöttlichung, ἐκθεοῦν oder ἀποθεοῦν (vgl. z. B. Dekret von Kanopos, Z. 54, 56) wird daher für das Ertränken eines Opfertieres in einer heiligen Flüssigkeit gebraucht (Pap. Berol. I 5, Londin. CXXI 629, Paris. Bibl. Nat. 2456, 2457). Der erste so Vergöttlichte ist Osiris, der nach dem Glauben der Spätzeit drei Tage und drei Nächte in den Fluten des Stromes gewesen ist, ehe

1) Es muß daher im Tempelgebiet in einem dafür bestimmten Wasserbecken stattgefunden haben.

2) Er zeigt vorbildlich, wie die Angaben der so viel geschmähten Zauberpapyri fruchtbar zu machen sind.

er wiederbelebt ward (Pap. Londin. XLVI 256, vgl. Pap. Bibl. Nat. 875). Den Sprachgebrauch erläutert bei Strabo (XV 720) die Grabschrift jenes Inders, der in vollem Glück den Scheiterhaufen bestiegen hat: Ζαρμανοχηγὰς Ἰνδὸς ἀπὸ Βαργόσης κατὰ τὰ πάτρια Ἰνδῶν ἔθη ἑαυτὸν ἀπαθανατίσας κεῖται. Wie demnach ἀποθεοῦν auch von dem Beendigen des alten Lebens in der Weihe gesagt werden kann, so offenbar auch ἀπαθανατίζειν. Darum heißen die Mysten in einer phrygischen Inschrift (unten S. 253) ἀθάνατοι. Das wieder erläutert die Vorstellung der Gnostiker, daß Martyrium oder Tod sie nichts angehen, da sie die ἀθανασία schon empfangen haben. Auch die Bezeichnung der Initianden als *morituri* oder die der Anweisung des Begräbnisplatzes im heiligen Gebiet an den lebenden Mysten als καθιεροῦν (unten S. 253) hängt hiermit zusammen. Der ägyptische Glaube scheint auch in Syrien heimisch oder übernommen, vgl. die von Clermont-Ganneau (Recueil d'archéologie orientale II 63) besprochene Inschrift aus dem Hauran ὑπὲρ σωτηρίας αὐτοκράτορος Τραϊανοῦ ... Μεννέας Βελιάβου τοῦ Βελιάβου πατρὸς Νετείρου τοῦ ἀποθεωθέντος ἐν τῷ λέβητι, δι' οὗ αἱορταὶ ἄγωνται. Große Wasserbecken finden sich in Syrien mehrfach vor den Tempeln, so in Baalbek (vgl. H. Thiersch, Zu den Tempeln und zur Basilika von Baalbek, Nachrichten d. Ges. d. Wissensch. Göttingen 1925, S. 10, Cumont, Pauly-Wissowa IV 2240f.), und der Jordan gewinnt in der Gegend des Haurans, wie wir sehen werden, dieselbe religiöse Bedeutung wie der Nil in Ägypten.[1] So ist hier der bei den Mandäern bezeugte Streit, ob man mit lebendigem (fließendem) oder abgeschnittenem Wasser taufen soll, begreiflich.

Doch hierüber später. Zunächst haben uns die Elemente noch zu beschäftigen, die der Papyrus Rhind nennt: die Luft, das Wasser und das Feuer. Sie sind öfter auf Grabsteinen dargestellt, so auf einem der ersten Kaiserzeit entstammenden Grabstein von Walbersdorf bei Oedenburg (Harald Hofmann, Jahreshefte d. österr. Instituts XII, 1909, S. 224 und dazu Cumont

1) Eine wenigstens ähnliche Bedeutung hat für Mesopotamien der Euphrat. Die Lustrationstaufe, die Lukian im Menippos 6 (vielleicht nach Menipp) beschreibt, wird später in Rom im Tiber nachgeahmt, Juvenal VI 523 (man muß ganz untertauchen).

ebd. Beiblatt 213) und auf dem von Cumont (Études syriennes 1917, S. 70 vgl. 104, 1) abgebildeten Grabstein von Carnuntum (sicher vor dem Jahr 71 n. Chr.). Hier ist außer den Elementen sogar an oberster Stelle die Sonne — weniger wahrscheinlich: der Mond — abgebildet. Mit Recht verweist Cumont auf die Darstellung der Himmelfahrt der Seele in dem hermetischen Λόγος τέλειος, bzw. Asclepius des Apuleius cap. 28: *cum fuerit animae e corpore facta discessio, tunc arbitrium examenque meriti eius transiet in summi daemonis potestatem, isque eam cum piam iustamque perviderit, in sibi conpetentibus locis manere permittit. sin autem delictorum inlitam maculis vitiisque oblitam viderit, desuper ad ima deturbans procellis turbinibusque aeris, ignis et aquae saepe discordantibus tradit, ut inter caelum et terram mundanis fluctibus in diversa semper aeternis poenis agitata rapiatur.* Der Ort der Qual liegt nach weit verbreitetem orientalischem Glauben — man denke z. B. an die Mandäer — zwischen Erde und Götterhimmel, aus dem die Seele stammt; auch die fromme Seele muß bei der Auffahrt ihn passieren (vgl. Eunapios fr. 29, bei Cumont a. a. O. 104, 1). Anklänge im Mithrasglauben und der Mithraskunst haben schon Hofmann und Cumont bemerkt; andere ließen sich im Mandäismus und Manichäismus nachweisen.[1] Doch wird sich bei der Verbreitung und vielfachen Umgestaltung des iranischen Seelenglaubens ein bestimmter Ausgangspunkt nicht erweisen lassen. Nur eins können wir mit einiger Sicherheit sagen: altägyptisch ist diese Vorstellung einer Elementenliste, die in Sonne und Mond gipfelt, nicht. Daß sie auch ägyptisch geworden ist, bezeugt freilich der Papyrus Rhind, und aus Ägypten werden sie die Ordner des Isis-Mysteriums in Korinth übernommen haben. Die völlige Übereinstimmung des Papyrus und der Grabsteine in der Auswahl gerade dieser Elemente aus einer, wie wir sehen werden,

---

1) Ich erwähne eine besonders augenfällige Einzelheit aus dem Buche Dīnānūkht (Genza r. Buch VI). Als der Todesengel ihn aus dem Körper genommen hat, heißt es: 'Winde, Winde nehmen ihn hin, Stürme, Stürme treiben ihn fort, Leitern, Leitern tragen ihn in die Höhe' (die Formel wiederholt sich bei jeder neuen Sphäre; zwei verschiedene Anschauungen, die oben geschilderte und die aus den Mithrasmysterien bekannte, verbinden sich in ihr).

volleren Liste kann keinesfalls zufällig sein. Nur wissen wir über Alter und Herkunft des syrischen Unsterblichkeitsglaubens, an den man zunächst denkt, bisher zu wenig. Daß er magisch bedingt ist, also an Mysterien gebunden ist, scheint nach dem ganzen Charakter der semitischen Religionen fast sicher. Insofern hatte Nöldeke recht, wenn er (Syrische Inschriften, Zeitschr. f. Assyriologie XXI, 1908, S. 155) daraus, daß eine Grabschrift von dem Toten, den offenbar himmlische Mächte zu sich gerufen haben, sagt, nun sehe er alles 'Höhe und Tiefe, Ferne und Nähe, Verborgenheit und Klarheit', auf ein Mysterium schloß. Weit verbreitet scheint hier die Vorstellung eines Emportragens durch den Adler, aber auch andere Vorstellungen scheinen sich einzumischen. Auf christlichen Ursprung oder Einfluß deutet natürlich nichts. Die Vorstellungen sind viel älter.

Die vollere Elementenliste können wir von Indien und Persien her weithin verfolgen.[1] Für letzteres bietet das älteste Zeugnis Herodot I 131, der nach der Belehrung eines nicht-zarathustrischen Iraniers als älteste Götter der Perser anführt: Himmel, Sonne, Mond, Erde, Feuer, Wasser, Winde. Für die persisch-

1) Vgl. für Indien Oldenberg Vorwissenschaftliche Wissenschaft, Weltanschauung der Brāhmana-Texte, S. 58f., für Persien Reitzenstein-Schaeder a. a. O. I, S. 72f. Daß Mani in der Annahme der fünf göttlichen Elemente, Lichterde, Lichtwasser, leuchtendes Feuer, leuchtender Wind, sanfter Lufthauch (πνεῦμα, ursprünglich Ahnengeister?) an die altpersische Elementenliste (Feuer, Wasser, Metall, Erde, Pflanzen, vgl. die chinesische Liste: Feuer, Wasser, Erde, Gold, Holz) anschließt, führe ich hier nicht mehr aus. Es scheint mir, seit wir die alten Fünferreihen der iranischen Religionen zu verfolgen gelernt haben und seit De Saussure die innere Begründung dargetan hat, unwiderleglich. Zarathustra hat sie umgedeutet und auch Mani demzufolge mit jedem eine geistige Potenz verbunden. Wie die Zahl sich dann auf sieben steigert, können wir an den Darstellungen des Menschen als Mikrokosmos noch verfolgen. Besonders im Soghdischen treten dabei, z. B. im Fragment M. 14, wie mir Prof. Andreas gütig zeigte, die Spuren der alten Auffassung hervor: als Abbilder (Abbild?) des neuen Menschen (des göttlichen Selbst in uns, des Adakas der Mandäer) werden mit den alten Namensformen, z. T. sogar in älterer Schreibung, als die jetzige persische Überlieferung zeigt, aufgezählt: der fromme Windgeist, der Wind, die beste Wahrheit (in den Gathas gleich Feuer, hier gleich Licht), Wasser, Feuer. Die iranische Neigung zu systematischer Ausgestaltung und der Vergleich mit indischem Denken läßt uns hier die Entwicklung einigermaßen verfolgen.

chaldäische Lehre nennt sie der Apologet Aristides (cap. 4—7): Himmel, Erde, Wasser, Feuer, Windhauch, Sonne, Mond und (Ur)mensch, diesen als die Gesamtheit, das Selbst der sieben Elemente. Drei ähnliche Ogdoaden nannte Didymos in seiner Erklärung des Sprichworts Πάντα ὀκτώ, die wir uns aus Theon von Smyrna (104, 20 Hiller) und Zenobios (V 78) zusammensetzen müssen. Die erste, wesentlich iranische, aber wahrscheinlich aus den Ländern am Schwarzen Meer stammende: Feuer, Wasser, Erde, Himmel, Mond, Sonne, Mithras[1], Nacht; die zweite, eng damit übereinstimmende aus einem orphischen Eid: die Urgötter sind Feuer, Wasser, Erde, Himmel, Mond, Sonne, Phanes, Nacht; die dritte nach einer orphisch beeinflußten jungägyptischen Theologie: Windhauch, Himmel, Erde, Wasser, Nacht, Tag, Eros und Osiris. Der nächste Gewährsmann des Didymos, ein uns unbekannter Euandros, nennt als seinen Gewährsmann Timotheos, und dies scheint jener attische Exeget und Eumolpide, der mit Manetho zusammen dem ersten Ptolemäer den Sarapiskult hellenisieren half. Das zeigt die ganz unägyptische 'ägyptische' Theologie des Hekataios und Manetho: Sonne und Mond schaffen fünf Götter, Luft und Feuer, Erde und Wasser, die Psyche (oder das πνεῦμα); sie bilden zusammen ein achtes Gottwesen, den Aion. Dem entsprechend nennt die Sarapistheologie (Macrobius, Sat. I 20, 17): Himmel, Wasser, Erde, Luftraum und als Ganzes Sarapis, ihre Ausführung in den Zauberpapyri: Sonne, Mond, Himmel, Luftraum, Erde, Wasser, (Aion). Hierzu tritt das von mir an der angegebenen Stelle S. 94 erläuterte fr. 168 der Orphika (Kern), das Erde, Himmel, Windhauch, Feuer, Wasser, Sonne, Mond und dazu als Ganzes Zeus nennt. Hinzutreten ferner eine Fülle jüngerer Bearbeitungen, die uns auf syrischen Boden führen und überwiegend in den Götterlisten gnostischer Sekten vorliegen. Nach diesem frühzeitig nach Ägypten übernommenen iranischen System ist, wie wir in Beigabe II sahen, auch die Himmelfahrt der Seele in der von Dieterich so genannten Mithras-Liturgie zu verstehen: der Myste

1) Der Name ist richtig überliefert, vgl. Reitzenstein-Schaeder I 194, vgl. auch Schol. Plat. Alc. 122e: ὡς τῷ Μίθρᾳ οἰκεῖον τὸν ἑπτὰ ἀριθμόν, ὃν διαφερόντως οἱ Πέρσαι σέβουσιν.

ruft zunächst Γένεσις und ᾿Αρχή, dann πνεῦμα, πῦρ, ὕδωρ, οὐσία γεώδης, endlich das σῶμα τέλειον an, und zwar nicht als die Elemente, die in ihm sind, sondern als deren göttliche Urbilder, wirkliche Götter; sie sollen ihm die Himmelfahrt ermöglichen, denn durch sie muß er wandeln. Die Vorstellung wird, wie ich hier wiederhole[1], uns verständlicher, wenn wir das streng entsprechende Gebet in dem Papyrus von London CXXI 505f. vergleichen: ein im unsichtbaren Lichte wohnender Gott, hier Helios benannt, wird als Vater des Aion und der Physis angerufen: er trägt in sich die ganze κοσμικὴ σύγκρασις und ist der Erzeuger der fünf Planeten, welche das innerste Wesen der vier Elemente Himmel, Erde, Wasser und Feuer ausmachen. Sonne und Mond haben als Aion und Physis (wie in der Mithrasliturgie als Γένεσις und ᾿Αρχή) hier noch die ihnen bei Manetho und Hekataios zugebilligte Ausnahmestellung; die fünf Planeten bezeichnen zugleich die vier (im Iranischen fünf) Elemente, deren himmlische Urstoffe also in Sphären übereinander liegen.[2] Diesen himmlischen Urstoff, der als Metall in den einzelnen Planetensphären liegt, empfängt nach dem sehr alten avestischen Dāmdād-Nask der göttliche Urmensch von ihnen und bringt ihn in die sinnliche Materie. Das Gegenbild bieten die bekannten Himmelfahrten durch fünf oder sieben Reiche der Qual (Planetensphären), für die die mandäischen Totentexte reiche Belege bieten und die auch in die allgemeinen astrologischen Vorstellungen übergehen.

Unerklärt geblieben ist bisher eine spätere Angabe des Apuleius, daß er nämlich während dieser Wanderung, welche die ganze Nacht dauert, durch zwölf heilige Gewänder geweiht worden ist (24 *mane factum est, et perfectis sollemnibus processi duodecim sacratus stolis*, griechisch wohl ἁγιασθείς). Das neue Gewand bedeutet in dieser Mysteriensprache, wie ich wohl kaum durch Beispiele zu belegen brauche, eine neue Gestalt. Die beste Parallele bietet ein junger manichäischer Text, der vielleicht frei-

1) Vgl. oben Beigabe II S. 177.

2) Ich erinnere mich unter den Zeichnungen, welche den Kosmos als Menschen darstellen, im Cod. Vindobonensis 2337 auch eine gesehen zu haben, die das wirklich darstellt.

lich nicht mehr ein wirkliches Mysterium voraussetzt, sondern nur ein Bild aus einem solchen bewahrt, der chinesisch erhaltene Traktat, den Chavannes und Pelliot im Journal Asiatique N. S. X 18 (1911) herausgegeben haben. Bei der Schilderung und Deutung der drei Tage, die in ihren zwölf Stunden der Seele die vollkommene Göttlichkeit bringen, heißt es (p. 566): '*Le second jour c'est la semence pure de l'Homme nouveau. Les douze heures, ce sont les douze rois lumineux des transformations successives*[1], *ce sont aussi les merveilleux vêtements de la forme victorieuse de Yichou (Iésus) qu'il donne à la nature lumineuse; au moyen de ces vêtements merveilleux il pare la nature intérieure et fait que rien ne lui manque; la tirant en haut, il la fait monter et avancer et se séparer pour toujours de la terre souillée.*' Eine Aufzählung der einzelnen Stunden bietet das türkische Gegenbild (Le Coq, Türkische Manichaica aus Chotscho III 16f.): es sind bestimmte Tugenden, die letzte das Lichtsein. Zweifellos ist hier wieder ein Aufstieg beschrieben, aber wie er sich in dem Mysterium mit dem Aufstieg durch die Elemente verbunden hat, weiß ich nicht zu sagen, ebensowenig, woher er stammt. Gewiß könnte man an Iranisches denken, aber auch das babylonische Quasi-Mysterium (oben S. 162) enthält einen irgendwie mit den zwölf Stunden in Verbindung gebrachten Aufstieg, und in Ägypten hat der Sonnengott zwölf verschiedene Gestalten, wandert die Seele des Gestorbenen in verschiedenen Gestalten durch die zwölf Stunden der Nacht und wird bei Sonnenaufgang als Gott geboren. Zusammenhänge mit Ägypten verbürgt ja der Ritus der Totentaufe, und auch an die Umwandlung des Tempels, das heißt der Welt, die der König bei der Thronbesteigung vorzunehmen hat — auch für ihn beginnt ja ein neues, göttliches Leben, darum muß er wie der Tote jene Wiederbelebungstaufe erfahren —, habe ich früher gedacht.[2] Endlich weist L. Troje (Die Drei-

1) Oder: *de transformation secondaire*. Jedenfalls die zwölf Lichtäonen, deren letzter ja das volle Licht ist (Müller, Handschriftenreste II, S. 44).

2) Einen anderen Lösungsversuch deutet Cumont (Académ. des Inscr. Comptes rendus 1920, S. 282) mehr an, als daß er ihn ausführt, wenn er ihn auch sogar durch eine Zeichnung unterstützt. Die astrologischen Spekulationen des Petosiris sollen in die alexandrinischen Mysterien übergegangen sein. Ich

zehn und die Zwölf im Traktat Pelliot, 1925, S. 111, 2) auf indische Parallelen. In dem alten Hymnus Ṛgveda I 164, 2: 'Der Vater fünffüßig (d. h. mit fünf Standorten) zwölffacher Bildung (das geht auf die Monatszahl des Jahres), sei leibhaft, heißt es, im Jenseits', und Prajāpati, der als der Weltgott Zeit und Raum ist, hat dementsprechend die heilige Zahl Siebzehn als Symbol.

Da Apuleius selbst (XI 23) sagt, daß er zwar fromme Wißbegier erwecken, von dem δρώμενον aber nur so viel mitteilen will, daß der Leser keinesfalls eine klare Vorstellung bekommt (*ecce tibi retuli, quae quamvis audita ignores necesse est*), so verzichte ich auf eine bestimmte Lösung. Daß wir es mit einem synkretistischen Kult zu tun haben, zeigt schon der Name des weihenden, also führenden Priesters, Mithras[1] — der Gottesname Attis wird auch im phrygischen Kult auf den Priester übertragen — und besser noch die Beschreibung des folgenden Gemeindefestes, über das Apuleius kein Schweigegebot zu wahren hat. Er wird, als er aus dem Adyton hervortritt, auf einem Postament als Standbild und Verkörperung des Weltgottes vor die Göttin gestellt, um das Haupt den Kranz, aus dem gebleichte Palmenblätter strahlenförmig hervorragen, in der Rechten die brennende Fackel, um den Leib ein Byssos-Gewand mit reicher, farbiger Stickerei und einen von den Schultern bis zu den Knöcheln herabfallenden Mantel. Das ist nicht Osiris, zu dem doch der vergöttlichte Tote in Ägypten werden müßte. Der Kopfschmuck gegegnet uns bei den syrischen Baalšamim wieder (vgl. H. Cr. Butler, Publications of the Princetown University, Archæological Expeditions to Syria 1904 and 1909, Divis. II, Sect. A., Part 6, p. 304 und anders, doch ähnlich in Baalbek bei Dussaud, Revue archéologique Ser. IV tom. I 139). Das Gewand beschreibt er: *quaqua tamen viseres, colore vario circumnotatis*

gebe zu, daß die Fahrt durch alle Elemente sich so verstehen ließe, sehe aber nicht, wie sich damit die andern Angaben des Apuleius vereinigen lassen. Für den pseudoplatonischen Dialog Axiochos wird Cumont allerdings seine These bewiesen und damit einen wichtigen Beitrag zur Erkenntnis der Einwirkungen orientalischer mysterienhafter Vorstellungen auf den Hellenismus geboten haben. Aber lassen sich die überhaupt bestreiten?

1) Als der Seelenführer wird Mithras auf dem Monument des Königs Antiochus IV. von Kommagene dargestellt.

insignibar animalibus: hinc dracones Indici, inde gripes Hyperborei (Löwengreife?), *quos in speciem pinnatos* (*pinnatae* Cod.) *alitis generat mundus alter: hanc Olympiacam stolam* (Himmelsgewand) *nuncupant.* Die Schlangen Indiens und allerhand fabelhaftes oder wirkliches Getier wurden in Indien am Leibe des Weltgottes wirklich dargestellt[1], und derartige Gewänder werden in nachchristlicher Zeit aus Indien nach Ägypten und sicher auch nach anderen Ländern exportiert (Philostratos, Vit. Apoll. II 20). Der Brauch einer Darstellung des Mysten als Standbild des Gottes könnte auf den syrischen Kulturkreis weisen. Die alchemistische Schrift der angeblichen Kleopatra entstammt ihm, wie unter anderem die Bezeichnung des offenbarenden Priesters als *komar* (Κομάριος) zeigt; sie setzt ein ähnliches Auferweckungs- und Vergottungsmysterium voraus, dessen Schluß die Darstellung des Vergotteten als Standbild eines Lichtgottes bildet: ἐτελειώθη τὸ μυστήριον καὶ ἐσφραγίσθη ὁ οἶκος (die *škinā*, die als Bau, bzw. Tempel der Gottheit gefaßt wird) καὶ ἐστάθη ἀνδριὰς πλήρης φωτὸς καὶ θεότητος.[2] Auch in den mandäischen Himmelswanderungen bildet ja fast immer den Schluß, daß der mit dem Himmelsgewand umkleidete Vollendete in seiner *škinā* 'aufgerichtet' wird.

Religionsgeschichtlich vielleicht noch wichtiger sind die Andeutungen über die doppelte Taufhandlung. Ich muß etwas weiter ausholen. Nur wenig liegt noch die Zeit zurück, da ein namhafter Vertreter der neutestamentlichen Exegese in einem Streit gegen Wellhausen und Ed. Schwartz drucken ließ, die Frage Jesu an die Zebedaiden (Marc, 10, 38) δύνασθε . . . τὸ βάπτισμα, ὃ ἐγὼ βαπτίζομαι, βαπτισθῆναι bedeute: könnt ihr ertragen, euer Werk so unter Wasser gesetzt zu sehen, wie ich? Diese Zeit scheint uns wie verklungen, und ich meine, kein Theologe klagt ihr nach. Schlimmer als der alte Rationalismus mit den Erzählungen ging sie mit den Worten um. Wir empfinden, daß wir den Vergleich der Taufe und des Todes gar nicht ernst genug fassen können, weil ihn die frühe Christen-

1) Vgl. Reitzenstein-Schaeder I, S. 86, 91, 83.

2) Nachr. d. Ges. d. Wissenschaften, Göttingen 1919, S. 18, Z. 141, vgl. über die Schrift unten S. 313 f.

heit so gefaßt hat. Jeder denkt ja sofort an Röm. 6, 2f.: οἵτινες ἀπεθάνομεν τῇ ἁμαρτίᾳ, πῶς ἔτι ζήσομεν ἐν αὐτῇ; ἢ ἀγνοεῖτε ὅτι ὅσοι ἐβαπτίσθημεν εἰς Χριστὸν Ἰησοῦν, εἰς τὸν θάνατον αὐτοῦ ἐβαπτίσθημεν; συνετάφημεν οὖν αὐτῷ διὰ τοῦ βαπτίσματος εἰς τὸν θάνατον, ἵνα ὥσπερ ἠγέρθη Χριστὸς ἐκ νεκρῶν διὰ τῆς δόξης τοῦ πατρός, οὕτως καὶ ἡμεῖς ἐν καινότητι ζωῆς περιπατήσωμεν und an die nicht ganz glückliche Nachbildung eines, wie ich glaube, jüngeren Nachahmers Kol. 2, 12 συνταφέντες αὐτῷ ἐν τῷ βαπτίσματι, ἐν ᾧ καὶ συνηγέρθητε διὰ τῆς πίστεως τῆς ἐνεργείας τοῦ θεοῦ τοῦ ἐγείραντος αὐτὸν ἐκ τῶν νεκρῶν.[1] Ich werde auf die Stellen später zurückkommen; für jetzt genügt es wohl, darauf hinzuweisen, daß die Kirche auch später das Martyrium als Ersatz für die Taufe faßt und umgekehrt in Jesu Taufe schon den ganzen Kampf mit Tod und Teufel sieht, der sich nach ihrer Auffassung dann in der Passion vollzieht.[2] Diese ganze Anschauung kann nicht aus dem Begriff des Reinigungsbades, sei es der Waschung des Priesters, ehe er das Heiligtum betritt, sei es der Waschung des Proselyten hervorwachsen, auch wenn in späteren jüdischen Quellen schwache Anklänge an diese Mysterienvorstellung nachweisbar wären. Ein mysterienhaftes Empfinden wirkt hier ein.

Jene ägyptische Vorstellung einer *Apotheosis by Drowning* (oben S. 221f.) würde uns hier eine Anknüpfung bieten, und die

1) Die apostolischen Konstitutionen nehmen das noch ganz ernst. — Die Stelle I Petr. 3, 21 wird man besser fernhalten; sie gibt wie 4, 1 nur einen judaisierenden und abschwächenden Widerhall.

2) Eine Anzahl von Zeugnissen für diese m. W. bisher nicht beachtete Vorstellung habe ich 'Weltuntergangsvorstellungen', S. 37f. besprochen und die Ode 24 Salomos daraus erklärt. Aus ihr sehen wir, daß die manichäische Auffassung der Taufe Jesu älteren gnostischen Lehren entstammt, vgl. Coteliers (oben S. 56 A. 3) Anathematismen: ἀναθεματίζω οὖν, ὡς εἴρηται, τοὺς παρὰ ταῦτα φρονοῦντας καὶ ἄλλον μὲν λέγοντας εἶναι τὸν γεννηθέντα ἐκ Μαρίας καὶ βαπτισθέντα, μᾶλλον δέ, ὡς αὐτοὶ ληροῦσι, βυθιστέντα, ἄλλον δὲ τὸν ἐκ τοῦ ὕδατος ἀνελθόντα καὶ μαρτυρηθέντα (durch die Himmelsstimme), ὃν καὶ ἀγέννητον Ἰησοῦν καὶ Φέγγος ὀνομάζουσιν ἐν σχήματι ἀνθρώπου φανέντα· καὶ τὸν μὲν εἶναι τῆς κακῆς ἀρχῆς, τὸν δὲ τῆς ἀγαθῆς μυθολογοῦσιν. Den Anhalt bot der Mythos vom Niedersteigen des Gottes Óhrmazd, der beim Aufstieg ja ein anderer Gott wird. Eng verwandt ist der gleich zu besprechende mandäische Mythos von der Taufe des Johannes, aber er kann weder das Vorbild für Mani gewesen sein, noch eine manichäische Fassung nachahmen. Zugrunde liegt beiden ein älterer orientalischer Mythos, von dem ich am genannten Ort noch eine Spur hoffe nachgewiesen zu haben.

Bezeichnung des Osiris, 'der drei Tage und drei Nächte in den Fluten des Stromes war', fordert gewiß zu Vergleichen heraus. Aber näher liegt es jedenfalls, an die uns bekannte Täufersekte der Mandäer zu denken, deren Zusammenhang mit Johannes dem Täufer jetzt wohl unbestreitbar ist, da ihre Überlieferung über ihn sich mit der christlichen berührt, aber nicht aus ihr stammen kann. Von dem Ende des Johannes berichtet Genzā r. I 2, 153 (S. 53, 18 Lidzb.): 'Am Tage, da Jōhānās Maß voll wird, komme ich selbst (Hibil) zu ihm, erscheine Jōhānā als kleiner Knabe im Alter von drei Jahren und einem Tage, spreche mit ihm über die Taufe und belehre seine Freunde. Alsdann hole ich ihn aus dem Körper, führe ihn siegreich empor zu der Welt, die lauter Glanz ist, taufe ihn im weißen Jordan lebenden, prangenden Wassers, bekleide ihn mit Glanzgewändern und bedecke ihn mit Lichtturbanen, errichte Lobpreis in seinem reinen Herzen von dem Lobpreise der Lichtengel, mit dem sie ihren Herrn in Ewigkeit ohne Aufhören loben.' Es ist die Taufe in dem himmlischen Jordan, der dem ägyptischen Himmelsozean (Nil) entspricht; auch die Götter, die aus der Verbannung zum Himmel zurückkehren, wie Ptahil, Abathur und Jōšamin, müssen erst in diesem Himmelsjordan getauft werden (Genzā r. XV 3), etwa wie in dem Baruchbuch des Gnostikers Justin (Hippolyt Elench. V 26, 2, p. 133, 5 We.) der aufsteigende Gott Elohim ebenso wie die πνευματικοὶ ζῶντες ἄνθρωποι. Das wohl beträchtlich jüngere Stück Genzā r. V 4 schildert die Taufe etwas anders: Mandā d'Haijē kommt als kleiner Knabe zu Jōhānā und bittet um die Taufe, der heißt ihn zunächst warten und erkennt dann bei den Wundern (nach dem bekannten Psalmwort flieht der Jordan zurück), daß der Gott, in dessen Namen er tauft, selbst seine Taufe erbittet. So bittet nun er, Jōhāna, um die Taufe. Der Gott antwortet (S. 193, 15 Lidzb.): 'Wenn ich meine Hand auf dich lege, scheidest du aus deinem Körper.' Es heißt dann: 'Er zog ihm sein Kleid im Jordan aus, er zog ihm sein Kleid von Fleisch und Blut aus, er bekleidete ihn mit einem Gewande des Glanzes und bedeckte ihn mit einem reinen, guten Turban des Lichts.'[1] Dann machen sie zusammen

1) Weit verbreitet ist die Auffassung, daß das Schauen des Gottes in seiner

die Himmelswanderung, die in den Totenliedern oft geschildert wird; zum Schluß bittet Jōhānā, daß ebenso alle wahrhaft Gläubigen (die Mandäer) aufsteigen sollen. — Mir ist undenkbar, daß diese Erfindung aus dem Evangelienbericht entstanden ist, wohl aber erkenne ich eine Rückwirkung auf frühchristliche Tradition, wenn ich in dem Opus imperfectum in Matthaeum (Migne patr. gr. 56, 658) lese: '*Modo interim sine*' (Matth. 3, 15) *ostendit, quia postea Christus baptizavit Iohannem, quamvis in secretioribus libris manifeste hoc scriptum sit 'et Iohannes quidem baptizavit illum in aqua, ille autem Iohannem in spiritu.'* Eine Tradition, daß auch Jesus den Johannes dann im Jordan getauft hat, gab es also und sie lebt in bildlichen Darstellungen tatsächlich fort, und zwar völlig in der mandäischen Auffassung. Die *secretiores libri* wollten für diese zweite Taufe nur eine Taufe im Geist gelten lassen; es handelt sich offenbar um Gnostiker, wie sie Irenaeus I 21, 4 schildert; sie sagen, das Mysterium vollzieht sich ohne Symbol durch die Erkenntnis des unaussprechlich Großen. Johannes hat Christus (Mandā d' Haijē) erkannt; damit ist er von ihm getauft.

Daß die Taufe des Sterbenden oder Verschiedenen auch bei

Majestät den Tod des Menschen zufolge hat. Durch die höchste Schau des Weltgottes (im Orakel unten S. 323 des Zeitgottes) trennt sich nicht nur das innere Selbst ganz von dem Leibe, sondern dieser zerfällt auch. So lehrt die hermetische Schrift X 4 mit einem Verweis auf uns verlorene Schriften: ἐπλήρωσας ἡμᾶς, ὦ πάτερ, τῆς ἀγαθῆς καὶ καλλίστης θέας, καὶ ὀλίγου δεῖν ἐπετάσθη (ἐσεβάσθη codd., vgl. § 5 ἀναπετάσαι) μου ὁ τοῦ νοῦ ὀφθαλμὸς ὑπὸ τοιαύτης θέας. — Οὐ γὰρ ὥσπερ ἡ τοῦ ἡλίου ἀκτὶς πυρώδης οὖσα καταυγάζει καὶ μύειν ποιεῖ τοὺς ὀφθαλμούς, οὕτω καὶ ἡ τοῦ ἀγαθοῦ θέα, τοὐναντίον δὲ ἐκλάμπει (aktivisch wie § 6 ἀναλάμπει) καὶ ἐπὶ τοσοῦτον ... ἐφ' ὅσον δύναται ὁ θεώμενος (Scott, δυνάμενος codd.) δέξασθαι τὴν ἐπεισροὴν τῆς νοητῆς λαμπηδόνος. ὀξυτέρα μὲν γάρ ἐστιν εἰς τὸ καθικνεῖσθαι, ἀβλαβὴς δὲ καὶ πάσης (πάσης καὶ codd.) ἀθανασίας ἀνάπλεως. ἧς (ἣν codd.) οἱ δυνάμενοι πλέον τι ἀρύσασθαι [(τῆς θέας)] κατακοιμίζονται πολλάκις [(δὲ)]ἀπὸ τοῦ σώματος εἰς τὴν καλλίστην ὄψιν, ᾧπερ (ὅπερ MC ὥσπερ A) Οὐρανὸς καὶ Κρόνος οἱ ἡμέτεροι πρόγονοι ἐντετυχήκασιν. Der freiwillige Tod, den der Isis-Myste, der Empfänger der phrygischen Bluttaufe, der Beter der Mithrasliturgie, aber auch der Initiand der von Livius geschilderten Bacchanalia auf sich nimmt, ist wirklich eine sein Leben bedrängende, bittere Not. Dieselbe Anschauung erklärt, wie es den Seher beglaubigt, wenn er in der Verkündigung tot zusammenbricht (vgl. in Ägypten Töpferorakel und Prophetie des Lammes) oder wie die Pythia Lukans kaum mit dem Leben davonkommt.

den Mandäern üblich war, müßten wir danach voraussetzen, selbst wenn es nicht von Siouffi (Études sur la religion des Soubbas, p. 120) bezeugt wäre. Es folgt, wie bei den Ägyptern, einfach aus der religiösen Bedeutung, die für sie der Strom hat. Er ist ein Gottwesen, die göttliche Lebenskraft. Es ist durchaus beachtenswert, daß Irenaeus uns im gleichen Zusammenhang (I 21, 5) eine gnostische Taufe des Sterbenden mitteilt, bei der die Zauberformeln gesprochen werden, welche die aufsteigende Seele den bösen Gewalten zwischen Erde und Himmel sagen soll, um freien Durchgang zu finden. Die Vorstellung entspricht in allem den Totenliedern der Mandäer und auch die Selbstvorstellung der Seele σκεῦός εἰμι ἔντιμον entspricht, wie schon Nöldeke sah[1], der Formel der Mandäer. Der liturgische Sinn ist: wie bei Apuleius nach der Taufe die Belehrung über die Himmelswanderung, das eigentliche δρώμενον, erfolgt, so hier gleichzeitig — das δρώμενον fehlt ja. Die mandäischen Totenlieder ersetzen dann das δρώμενον durch den Bericht der Erlebnisse des ersten Aufgefahrenen. Die sogenannte Vikariatstaufe, die schon in der korinthischen Gemeinde der Apostelzeit erscheint und im Gnostizismus weit verbreitet ist[2], kann ich nicht als christliche Neuschöpfung betrachten, sondern nur als Anpassung eines heidnischen Mysterienbrauches an die christlichen Vorstellungen und Vorschriften.

Wir müssen streng scheiden: kultliche Waschungen und Reinigungsbäder, wie sie in zahlreichen Religionen begegnen, haben mit der Taufe, wie sie uns hier begegnet, nichts zu tun; hier handelt es sich um das ζωοποιεῖν, die Mitteilung eines anderen Lebens an etwas Totes, bzw. freiwillig Gestorbenes. Die beste Erklärung bietet hier jene später noch zu besprechende alchemistische Schrift der Kleopatra, die ganz auf Mysterienvorstellungen beruht, vgl. meine Ausgabe, Nachr. d. Gesellsch. d. Wissensch., Göttingen, 1919 S. 15, 42 πῶς κατέρχονται τὰ ὕδατα τὰ εὐλογημένα τοῦ ἐπισκέψασθαι τοὺς νεκροὺς παρειμένους καὶ πεπεδη-

1) Ztschr. f. Assyriologie XXX, 1916, S. 160, vgl. meine Abhandlung, Das mandäische Buch des Herrn der Größe und die Evangelienüberlieferung Sitzungsber. d. Heidelberger Akad. 1919, Abh. 12, S. 86f.

2) Vgl. Lietzmanns Kommentar², S. 83.

μένους καὶ τεθλιμμένους ἐν σκότῳ καὶ γνόφῳ ἐντὸς τοῦ Ἅιδου, καὶ πῶς εἰσέρχεται τὸ φάρμακον τῆς ζωῆς καὶ ἀφυπνίζει αὐτοὺς ὡς ἐξ ὕπνου ἐγερθῆναι. Die mandäische Taufe zeigt diesen mysterienhaften Grundzug noch so voll, daß sie aus der christlichen Taufe oder auch nur der jüdischen Proselytenwaschung gar nicht stammen kann. Ebenso Paulus an den angeführten Stellen. Aber Paulus kennt doch auch die Taufe als Reinigungsbad. Man vergleiche nur 1. Kor. 6, 9—11: ἢ οὐκ οἴδατε ὅτι ἄδικοι θεοῦ βασιλείαν οὐ κληρονομήσουσιν; μὴ πλανᾶσθε. οὔτε πόρνοι οὔτε εἰδωλολάτραι οὔτε μοιχοὶ οὔτε μαλακοὶ οὔτε ἀρσενοκοῖται οὔτε κλέπται οὔτε πλεονέκται, οὐ μέθυσοι, οὐ λοίδοροι, οὐχ ἅρπαγες βασιλείαν θεοῦ οὐ κληρονομήσουσιν. καὶ ταῦτα, τινές, ἦτε. ἀλλὰ ἀπελούσασθε, ἀλλὰ ἡγιάσθητε, ἀλλὰ ἐδικαιώθητε ἐν τῷ ὀνόματι τοῦ κυρίου Ἰησοῦ καὶ ἐν τῷ πνεύματι τοῦ θεοῦ ἡμῶν. Gewiß, aber hier ist der Zweck klar: zu πόρνοι, κλέπται, ἅρπαγες ἦτε soll den Gegensatz bilden καθαροί, ἅγιοι, δίκαιοι ἐγένεσθε. Auf dem letzten liegt aller Ton, denn ἄδικοι θεοῦ βασιλείαν οὐ κληρονομήσουσιν. Paulus kennt die mehr judenchristliche Auffassung auch; das bestreitet niemand. Daß er daneben die hellenistisch-mysterienhafte kennt und benutzt, darauf kommt es an.

VI. DER HELLENISTISCHE BEGRIFF ΠΙΣΤΙΣ

Vor kurzem galt es noch als ein Angriff auf das Christentum zu behaupten, eine dem Glauben ähnliche religiöse Kraft oder Empfindung könne im Heidentum auch schon bestanden haben. Ich habe nie begreifen können, wie wir uns eine der besser bekannten orientalischen Religionen, wie etwa die persische, ohne eine solche Kraft vorstellen könnten, und noch weniger, wie wir die Annahme hellenistischer Mysterien ohne sie denken könnten. Richtig ist allerdings, daß der Gebrauch des griechischen Wortes πίστις in diesem Sinne in heidnischer Literatur nicht eben häufig ist. Daß es nicht, wie man behauptet hat, fehlt, mögen ein paar rasch zusammengeraffte Beispiele belegen. Es erscheint persönlich gefaßt im ägyptischen Zauber, vgl. Dieterich, Jahrb. f. Philologie, Supplem. XVI S. 807, Z. 17: ἐγὼ ἡ Πίστις ἡ εἰς ἀνθρώπους εὑρεθεῖσα καὶ προφήτης τῶν ἁγίων ὀνομάτων εἰμί, ὁ ἅγιος ὁ ἐκπεφυκὼς ἐκ τοῦ βυθοῦ. Für eine Form des 'Gesandten

Gottes' ist ein Abstraktum wie Σοφία oder Achamoth eingesetzt. Ebenso erscheint in der Aberkios-Inschrift, die ich mit Dieterich als phrygisch fasse, v. 7 Πίστις πάντη δὲ προῆγε καὶ παρέθηκε τροφὴν πάντη (zur Lesung vgl. Hepding, Attis S. 188, 4) als die geleitende Gottheit. Nicht viel anders ist in der oben S. 216 erwähnten kappadokischen Inschrift die mazdayasnische 'Religion' personifiziert, die Gott Bel sich zur Gattin erwählt. Die Bezeichnung der Gläubigen als πιστοί scheint der Isishymnus Pap. Oxyrh. 1380 Z. 152 vorauszusetzen: ὁρῶσί σε οἱ κατὰ τὸ πιστὸν ἐπικαλούμενοι. Für die Sprache der Isis-Mysterien scheint das Substantiv Apuleius XI 28 zu bezeugen: *plena iam fiducia germanae religionis obsequium divinum frequentabam*. Den besten Beleg bietet jedenfalls Corp. Herm. IX 10 p. 66, 11 Parthey: ταῦτά σοι, ὦ 'Ασκληπιέ, ἐννοοῦντι ἀληθῆ δόξειεν ⟨ἂν⟩, ἀγνοοῦντι δὲ ἄπιστα. τὸ γὰρ νοῆσαί ἐστι τὸ πιστεῦσαι, ἀπιστῆσαι δὲ τὸ μὴ νοῆσάι. ὁ γὰρ λόγος οὐ (μου A, μοι MC, glänzend verbessert von Scott) φθάνει μέχρι τῆς ἀληθείας· ὁ δὲ νοῦς μέγας ἐστὶ καὶ ὑπὸ τοῦ λόγου μέχρι τινὸς ὁδηγηθεὶς φθάνει μέχρι (φθάνειν ἔχει Hss.) τῆς ἀληθείας καὶ περινοήσας τὰ πάντα καὶ εὑρὼν σύμφωνα τοῖς ὑπὸ τοῦ λόγου ἑρμηνευθεῖσιν ἐπίστευσε καὶ τῇ καλῇ πίστει ἐνανεπαύσατο (ἐπανεπαύσατο Hss.). τοῖς οὖν τὰ προειρημένα ὑπὸ τοῦ θεοῦ νοήσασι μὲν πιστά, μὴ νοήσασι δὲ ἄπιστα ταῦτα καὶ τοσαῦτα περὶ νοήσεως καὶ αἰσθήσεως λεγέσθω (so zu interpungieren). Hier hat ἐννοεῖν im Eingang fast die Bedeutung von ἔννουν εἶναι oder νοῦν ἔχειν (wie I 18 ἀναγνωρισάτω ὁ ἔννους ἑαυτὸν ὄντα ἀθάνατον) und bezeichnet die göttliche Gabe des rechten Religionswissens, die höhere Seele, das πνεῦμα, freilich hat es zugleich auch die Bedeutung jenes inneren Erfassens, die es im Schluß hat; dies ist ja nur dem ἔννους möglich. Ähnlich ist λόγος zunächst mehr die *ratio*, dann aber auch das Wort. Im Schluß habe ich ἐνανεπαύσατο hergestellt, weil diese Mystik als den Ort, wo Gott im obersten Himmel thront, einen κύκλος τῆς ἀληθείας καὶ πίστεως kennt (Wessely, Denkschr. d. Wiener Ak. 1888, S. 70, Z. 1012f.) und es mir mit der Vorstellung des περινοεῖν sich besser zu verbinden schien. Auch dies immerhin seltene Wort hat mysterienhaften Klang, vgl. Plotin, Ennead. VI 9, 11: τὸ δὲ (jene höchste, reingeistige Schau) ἴσως ἦν οὐ θέαμα, ἀλλὰ ἄλλος τρόπος τοῦ ἰδεῖν, ἔκστασις καὶ ἅπλωσις καὶ ἐπίδοσις αὐτοῦ καὶ ἔφεσις πρὸς ἀφὴν καὶ στάσις καὶ περινόησις πρὸς ἐφαρμογήν[1], εἴπερ τις τὸ ἐν τῷ ἀδύτῳ θεάσεται, vgl. auch Clemens Al. Strom. V 71, 1 ἐποπτεύειν δὲ καὶ περινοεῖν τήν τε φύσιν καὶ τὰ πράγματα. Die Worte τὰ προειρημένα ὑπὸ τοῦ θεοῦ endlich erklären sich daraus, daß das hermetische Stück ein Nachwort und Nachtrag zu dem λόγος τέλειος πρὸς Ἀσκληπιόν ist.

Wir sehen, der Begriff der πίστις liegt im Persischen schon vor; die orientalischen Worte, welche uns gestatten könnten, ihn näher zu umschreiben, müßten wir in der Aufzählung der Siegel und der geistlich-sittlichen Glieder Gottes bei den Manichäern verfolgen; die Bezeichnungen für Glauben liegen uns dort im Arabischen, Türkischen, Soghdischen und Chinesischen vor; die griechische finden wir in den sogenannten Chaldäischen Orakeln wieder, wo πίστις, ἀλήθεια und ἔρως eine πηγαία τριάς bilden; doch werde ich hierüber und über die Erwähnung bei Porphyrios, Ad Marcellam 24 später ausführlicher handeln.

Es ist nach all dem voll begreiflich, daß Philo von Alexandria, der stark unter dem Einfluß dieser hellenistischen Frömmigkeit steht, für das Judentum den Begriff der πίστις zuerst klar herausarbeitet (vgl. Bousset, Die Religion des Judentums im neutestamentl. Zeitalter², S. 514).

VII. PHILOSOPH UND PROPHET

Das berühmteste Wunder des Nigidius Figulus, das Wiederauffinden einer gestohlenen Geldsumme, wird von Pomponius in der Atellane Philosophia erwähnt (Ribbeck³, v. 109): *ergo, mi Dossenne, cum istaec memore meministi, indica, qui illud aurum abstulerit. — non didici ariolari gratiis.* Auch wenn der Angriff direkt auf Nigidius ginge, wäre die Voraussetzung doch, daß die in den Municipien herumziehenden Propheten und Wahrsager, welche auch in der römischen Komödie oft verspottet wurden, Ähnliches gegen Entgelt versprachen; die Zauberpapyri geben bekanntlich Anweisungen dafür. Der Titel des Pomponius nötigt durchaus nicht, an einen bestimmten

1) Σύμφυσις τοῦ θεωροῦντος καὶ θεωρουμένου und πρὸς τὸν ὄντως ἑαυτὸν σύμφυσις nennt das Porphyrius, De abst. I 29

'Philosophen' zu denken; σοφιστής heißt in den Zauberpapyri (Wessely, Gr. Zauberpapyri I, Denkschr. d. Wiener Akad. 1888, S. 48, Z. 157 und sonst), wer im Besitz geheimen Wissens und geheimer Kraft ist, der Zauberer.[1] Das geht zurück auf allgemein orientalisches Empfinden: im Neupersischen bezeichnet, wie mich E. Littmann belehrt, *failasūf* ebenso den weisen Mann wie den Schwindler und Betrüger, im Hindustanischen überwiegt letztere Bedeutung; in der Gegenwart ist das Wort besonders für den Quacksalber üblich (Religionsgesch. Versuche u. Vorarbeiten XIX 2 S. 86).[2] Pomponius belehrt uns jetzt, wie alt der Gebrauch ist.

Ein anderer religiöser Ehrentitel ἄνθρωπος θεῖος ist in Griechenland schon zu Platos Zeit entwertet und wird ironisch gebraucht (Ion 542, vgl. 533, 536), behält aber in niederen Kreisen die alte Bedeutung, vgl. Philodem, Περὶ θεῶν α', Diels, Abh. d. Preuß. Akad. 1915. S. 17 und 57,7: διόπερ ο[ὐχ ἣν ἔδωχ' ὁ] σοφὸς [β]ουλ[ή]ν, ἀλλ' ἅ[περ ἂν παραι]νῶσ[ι]ν οἱ θ[ε]ῖοι καλού[μενοι ἡγεῖται δεκτ]έ[ον]. Diels, dem bei der Ergänzung offenbar des Lukrez berühmte Stelle vorschwebt (I 102) *tutemet a nobis iam quovis tempore vatum terriloquis victus dictis desciscere quaeres; quippe etenim quam multa tibi iam fingere possunt somnia, quae vitae rationes vertere possint fortunasque tuas omnis turbare timore*, erklärt die θεῖοι als *vates*, sachlich gewiß mit Recht, sobald man den lateinischen Wortgebrauch nur richtig faßt. Wenn Livius in der Beschreibung der Bacchanalien XXXIX 13, 11 sagt *viros velut mente capta* (μαινομένους) *cum iactatione fanatica corporis vaticinari*, so meint er alles Reden in Verzückung, die griechische Übersetzung wäre προφήτης, nicht μάντις, der Sinn *deo plenus*.[3] So ist die viel beredete Stelle bei

1) [Auch der ägyptische Priester kann daher so genannt werden, vgl. Philostratus, Vit. Apollonii V 27 (vgl. Walther Otto, Ägyptische Priestersynoden in hellenistischer Zeit, Sitzungsber. d. Bayr. Akad. 1926 Abh. 2, S. 23). Korrekturzusatz].

2) Wir können uns aus solchen Stellen eine Vorstellung von den griechischen Industrierittern machen, die den Orient durchzogen. Sie stimmt mit dem Bilde Juvenals III 75—78 auffällig überein.

3) Die alte religiöse Vorstellung hat das Griechentum nur in der Übertragung auf die Kunst festgehalten; daher empfängt im Lateinischen dann auch *vates*

Irenaeus I 13, 3 St. zu verstehen: wenn der Gnostiker Markos dem Weibe, zu dem Gott niedergestiegen ist, sagt ἄνοιξον τὸ στόμα σου, λάλησον ὁτιδήποτε, καὶ προφητεύσεις, so meint er nur: was du auch sagst, wird Gottes Wort sein (ἐν πνεύματι ῥηθήσεται). Jener Arellius Fuscus, der bei Seneca (Suas. IV) Alexander an der astrologischen Prophetie zweifeln läßt, bringt dabei orientalische Vorstellungen von dem θεῖος ἄνθρωπος, die wir in den Religionen des Ostens Zug für Zug nachweisen können: *novae oportet sortis is sit, qui iubente deo canat, non eodem contentus utero, quo inprudentes* (οἱ ἐν ἀγνοίᾳ) *nascimur. quandam imaginem dei praeferat, qui iussa exhibeat dei*[1] . . . *ponat iste suos inter sidera patres et originem caelo trahat. agnoscat suum vatem deus non eodem vitae fine, aetate* ⟨*plus quam*⟩ *humana* (*magna* Hss.). *extra omnem fatorum necessitatem caput sit, quod gentibus futura praecipiat.*

Wir setzen das Auftreten derartiger Propheten in der Regel zu spät an, weil wir erst aus späterer Zeit ausführliche Schilderungen haben. Und doch zeichnet uns Philo an der früher erwähnten Stelle (De spec. leg. I 315) ein Bild, das ziemlich genau dem des Alexander von Abonoteichos entspricht: κἂν μέντοι τις ὄνομα καὶ σχῆμα προφητείας ὑποδύς, ἐνθουσιᾶν καὶ κατέχεσθαι δοκῶν, ἄγῃ πρὸς τὴν τῶν νενομισμένων κατὰ πόλεις θρησκείαν θεῶν, οὐκ ἄξιον προσέχειν ἀπατωμένους ὀνόματι προφήτου· γόης γάρ, ἀλλ' οὐ προφήτης ἐστὶν ὁ τοιοῦτος, ἐπειδὴ ψευδόμενος λόγια καὶ χρησμοὺς ἐπλάσατο. Ich greife einen Einzelzug heraus, um diese Art Prophetie noch etwas anschaulicher zu machen. Mit der Livius-Stelle verwandt ist die Beschreibung bei Apuleius XI 26: *ad istum modum vaticinatus sacerdos egregius fatigatos anhelitus trahens conticuit.* Er hat die Erlebnisse und Gedanken des ihm begegnenden Apuleius im Geiste erkannt und ihm verkündet, genau wie das der Astrologe Horus mit dem ihm begegnenden Properz (IV 1) tut.[2] Eine solche Wunderkraft erfleht in

die Bedeutung von Dichter. Umgekehrt dringt *deo plenus* aus der Dichtersprache in die Juristensprache und wird fester Begriff wie θεῖος (oben S. 105 A. 2).

1) Wie der Apostel Thomas bei der Hochzeit der Königstochter den Auftrag seines Gottes verkündet, verklärt sich seine Gestalt.

2) Vgl. Gött. Gel. Anz. 1911, S. 556, oben S. 213.

den Papyri ein Zauberer (Wessely, Denkschr. d. Wiener Akad., 1888, S. 133, 134, Z. 249. 279; Kenyon, Greek Pap. I 79): ἐὰν μὴ γνῶ τὰ ἐν ταῖς ψυχαῖς ἁπάντων Αἰγυπτίων, Ἑλλήνων, Σύρων, Αἰθιόπων παντός τε γένους καὶ παντὸς ἔθνους· ἐὰν μὴ γνῶ τὰ γεγονότα καὶ τὰ μέλλοντα ἔσεσθαι· ἐὰν μὴ γνῶ τὰς τέχνας αὐτῶν καὶ τὰ ἐπιτηδεύματα καὶ τὰς ἐργασίας καὶ τοὺς βίους καὶ τὰ ὀνόματα αὐτῶν καὶ πατέρων αὐτῶν καὶ μητέρων καὶ ἀδελφῶν καὶ φίλων καὶ τῶν τετελευτηκότων und später ἕως ὅτε διαγνῶ τὰ ἐν ταῖς ψυχαῖς ἁπάντων ἀνθρώπων, Αἰγυπτίων, Σύρων, Ἑλλήνων, Αἰθιόπων, παντὸς γένους καὶ ἔθνους τῶν ἐπερωτώντων με καὶ κατ' ὄψιν μοι ἐρχομένων καὶ λαλούντων καὶ σιωπώντων, ὅπως αὐτοῖς ἐξαγγείλω τὰ προγεγονότα αὐτοῖς καὶ ἐνεστῶτα καὶ τὰ μέλλοντα αὐτοῖς ἔσεσθαι, καὶ γνῶ τὰς τέχνας αὐτῶν καὶ τοὺς βίους καὶ τὰ ἐπιτηδεύματα καὶ τὰ ἔργα καὶ τὰ ὀνόματα αὐτῶν καὶ τῶν τεθνεώτων καὶ πάντων, καὶ ἀναγνῶ ἐπιστολὴν ἐσφραγισμένην[1] καὶ ἀπαγγείλω αὐτοῖς πάντα ἐξ ἀληθείας.[2] An Apollonius von Tyana, das Urbild eines hellenistischen θεῖος für Philostratos, hat wohl jeder Philologe, an Paulus hoffentlich auch mancher Theologe gedacht. In seinen Gemeinden ist das προφητεύειν fester Teil des Kultes; er sagt, was er davon erwartet I. Kor. 14, 24 ἐὰν δὲ πάντες προφητεύωσιν, εἰσέλθῃ δέ τις ἄπιστος ἢ ἰδιώτης, ἐλέγχεται ὑπὸ πάντων, ἀνακρίνεται ὑπὸ πάντων, τὰ κρυπτὰ τῆς καρδίας αὐτοῦ φανερὰ γίνεται, καὶ οὕτως πεσὼν ἐπὶ πρόσωπον προσκυνήσει τῷ θεῷ, ἀπαγγέλλων ὅτι ὄντως ὁ θεὸς ἐν ὑμῖν ἐστιν. Zur Erklärung genügt es wirklich nicht, auf die Erzählung von Petrus und Ananias zu verweisen; es handelt sich nicht um Betrug oder Schuld, sondern um die zum Erweis der göttlichen Macht von den 'Propheten' geübte Tätigkeit, im Herzen des Nichtpneumatikers oder Heiden zu lesen. Noch Ignatius übt sie, als er durch das Bekenntnis zum Pneumatiker geworden ist, wie sie noch später ganz allgemein der Mönch übt, der 'vollkommen' geworden ist, die Erscheinung selbst aber ist lange vor der Enstehung des Christentums schon da, und Properz beschreibt sie IV 1 genau so, wie sie sich bei den Christen der ersten Zeit darstellt. Daß das gleiche von der

1) Wie Alexander von Abonoteichos.

2) Vgl. die Anweisungen im Pap. Berol. I 174, Parthey, Abh. d. Preuß. Ak. 1865, S. 125.

Glossolalie gilt, brauche ich wohl nicht auszuführen; für die Beschreibungen Lukians verweise ich auf mein Buch 'Hellenistische Wundererzählungen'.

Die Tatsache ist wichtig genug. Kein Mensch behauptet, daß der Inhalt des frühchristlichen ἐνθουσιασμός dem Heidentum entlehnt sei; aber bestreiten sollte man nicht länger, daß seine Form und Auffassung tatsächlich übernommen ist, so gut wie die Wundererwartungen. Es ist das Zeitgebundene, Äußere, das wir kennen und ruhig anerkennen sollten.

VIII. MYSTERIUM UND URRELIGION

Die Selbstankündigung der Isis lautet bei Apuleius (XI 5): *cuius numen unicum multiformi specie, ritu vario, nomine multiiugo totus veneratur orbis. inde primigenii Phryges Pessinuntiam deum matrem, hinc autochthones Attici Cecropeiam Minervam, illinc fluctuantes Cyprii Paphiam Venerem, Cretes sagittiferi Dictynnam Dianam, Siculi trilingues Stygiam Proserpinam, Eleusinii vetustam deam Cererem, Iunonem alii, Bellonam alii, Hecatam isti, Rhamnusiam illi, et qui nascentis dei Solis inchoantibus inlustrantur radiis Aethiopes Ariique priscaque doctrina pollentes Aegyptii caeremoniis me propriis percolentes appellant vero nomine reginam Isidem.*

Daß es sich um eine literarische Umgestaltung und Verkürzung eines Kultgebetes handelt, schließe ich einerseits aus ähnlichen Anrufungen in den Zauberpapyri, die den Namen einer Gottheit in verschiedenen Sprachen und bei verschiedenen Völkern nennen, andererseits aus einem Denkmal des nationalen Isiskults, der sogenannten Isis-Litanei (Pap. Oxyrh. 1380). Es zeigt natürlich im wesentlichen nur die Kultorte der ägyptischen Göttin; die Rücksicht auf andere Völker und Kulte ist der Diaspora und ihrem Mysteriendienst eigen. Ähnlich wie bei Apuleius die Phryger die ersten Menschen, die Ägypter aber die Lehrer der wahren Religion heißen, werden die letzteren in der phrygischen Naassenerpredigt gepriesen (Hippolyt V 7, 22, p. 83, 22 Wendl.): Αἰγύπτιοι, πάντων ἀνθρώπων μετὰ τοὺς Φρύγας ἀρχαιότεροι καθεστῶτες καὶ πᾶσι τοῖς ἄλλοις ἀνθρώποις ὁμολογουμένως τελετὰς καὶ ὄργια θεῶν πάντων ὁμοῦ μετ' αὐτοὺς πρῶτον κατηγγελκότες ⟨καὶ⟩ ἰδέας καὶ ἐνεργείας ⟨θεῶν⟩, ἱερὰ καὶ σεβάσμια καὶ ἀνεξαγόρευτα τοῖς μὴ τετελεσμένοις τὰ Ἴσιδος ἔχουσι μυστήρια. Eine Ausgleichung der Ansprüche beider Länder hat offenbar in der Sakraltradition stattgefunden, die sich schon im zweiten Jahrhundert v. Chr. in den sogenannten Φρύγια γράμματα vorbereitet: ein ägyptischer Gott hat die phrygische und ägyptische Göttergeschichte aufgezeichnet (vgl. Poimandres 164ff.). Die Naassenerpredigt zählt dann in ihrem Verlauf die Völker auf, welche 'Mysterien' haben, um Attis, den sie preisen will, in dem assyrischen Adonis, dem ägyptischen Osiris, dem arkadischen Hermes, in Geryones und Men, in dem Adamna der Samothraker, dem Korybas der Thraker und Phryger, endlich in dem Papas der letzteren wiederzufinden. Das wird sofort verständlich, wenn wir bei Pseudo-Lukian, De dea Syria 15 als eine der heiligen Traditionen lesen, Attes der Lyder habe bei den Phrygern, Lydern, Samothrakern und Syrern (Assyrern) die Mysterien gegründet, und dies wieder, wenn wir bei demselben Autor sehen, daß man in den Heiligtümern selbst nicht mehr recht weiß, ob der sterbende und auferstehende Gott Adonis oder Attis oder Osiris (oder Dionysos) ist. Eine allmähliche Entwicklung führt von den ersten noch ganz unbefangenen Ausgleichungen zu einer bewußten Theologie, die den nationalen Anspruch wahren und dennoch dem Allgemeinempfinden Rechnung tragen will und sich dazu bald der Formeln des Euhemerismus, bald der eines Zurückhaltens des Urteils bedient, in beiden natürlich stark von griechischem Denken beeinflußt, aber nicht von ihm allein bestimmt. Daß die einzelnen in der Naassenerpredigt aufgezählten Stämme zugleich den Anspruch erheben, die ältesten Menschen zu sein, wird teils ausdrücklich erwähnt, teils ist es sonst bezeugt (für die Samothraker z. B. durch Origenes gegen Celsus I 16). Diesem Teil entspricht also im Anfang die Aufzählung jener Orte, an denen das Menschengeschlecht entstanden sein soll; wieder treten die Stellen, an welchen Mysterien bestehen, besonders hervor (ebenso bei Apuleius). Das Formelhafte dieser ganzen Aufzählungen zeigt trefflich Clemens von Alexandrien, Protr. I 6, p. 7, 7 Stähl., der eine solche Verkündigung nachahmt: εἴτ' οὖν ἀρχαίους τοὺς Φρύγας διδάσκουσιν αἶγες μυθικαί, εἴτε αὖ τοὺς ᾿Αρκάδας οἱ προσελήνους ἀναγράφοντες ποιηταί, εἴτε μὴν αὖ τοὺς Αἰγυπτίους οἱ καὶ πρώτην ταύτην ἀναφῆναι τὴν γῆν θεούς τε καὶ ἀνθρώπους ὀνειρώσσοντες· ἀλλ᾿ οὐ πρό γε τοῦ κόσμου τοῦδε τούτων οὐδὲ εἷς, πρὸ δὲ τῆς τοῦ κόσμου καταβολῆς ἡμεῖς. Die mancherlei euhemeristischen und stoischen Versuche, einen Ursprungsort für die Menschheit und die Religion zu bestimmen (vgl. etwa Diodor I 10. 11 mit III 2 und Justin II 1, 5 oder Diodor III 67 und Philo von Byblos, vgl. außerdem Schol. zu Apollonios Rhodios IV 262), gewinnen für diese spätere Zeit eine gesteigerte religiöse Bedeutung. Sind die Äthiopen die ersten Menschen, so wird man bei ihnen die Urform der Religion wiederfinden; sind sie nur die entarteten Abkömmlinge der Inder, zu diesen wandern müssen, um wahren Kult zu lernen (Pythagorassage und Apollonios von Tyana). Daß der Aufzählung der verschiedenen Völker und Gottesnamen im Mysterium der Zauberbrauch entspricht, habe ich schon im Text angedeutet.

IX. VERINNERLICHUNG DER MYSTERIEN

Weder μυστήριον noch τελετή ist für die hellenistische religiöse Sprache ein fester Begriff. Beide bezeichnen zunächst die kultliche Handlung, die aus dem δρώμενον und dem λόγος besteht, aber sie treten auch für den λόγος, bzw. die Lehre allein ein und bezeichnen schließlich alles, wozu es der γνῶσις bedarf und was γνῶσις verleiht, vgl. Pap. Lugd. V Dieterich, Jahrb. f. kl. Phil. Suppl. XVI, S. 806, Z. 5 ἐπικαλοῦμαι καὶ εὔχομαι τὴν τελετήν, Abraxas 180, 18 ἄρξαι δὲ λέγειν τὴν στήλην (die Formel) καὶ τὸ μυστήριον τοῦ θεοῦ, ὅ ἐστι Κάνθαρος (Buchtitel wie Μονάς, Κλείς, Κρατήρ). Das übliche Wort wäre hier einfach ὁ λόγος, daher tritt auch λόγος für τελετή oder μυστήριον ein; der λόγος τῆς παλιγγενεσίας (Corp. herm. XIII 13. 22) bewirkt die Wiedergeburt, ist ihre παράδοσις, also das μυστήριον. Die ἐποπτίδες βίβλοι des Römers Valerius Soranus bewirken τὰ τέλεα καὶ ἐποπτικὰ μυστήρια (vgl. Plato Symp. 210a). So entwickelt sich aus dem Begriff τελεία τελετή der weitere τέλειος λόγος. Die Wirkung beider ist die τελείωσις. So setzt der Schluß des lateinisch erhaltenen λόγος τέλειος πρὸς ᾿Ασκληπιόν voraus, daß die Hörer während des Lehrvortrags wirklich Gott geschaut haben.[1] Dasselbe deutet die nur lateinisch erhaltene Einleitung wenigstens an, Apuleius Ascl. 1: *deus, deus te nobis, o Asclepi, ut divino sermoni interesses adduxit, eoque tali, qui merito omnium antea a nobis factorum vel nobis divino numine inspiratorum videatur esse religiosa pietate divinior, quem si intellegens videris, eris omnium bonorum tota mente plenissimus* (daß die *omnia bona* nur das *unum bonum*, nämlich Gott, sind, wird gleich hinzugefügt). Es ist die übliche Ankündigung der Mysterienweihe, wie uns Hippolyts oben S. 196 angeführtes Hohnwort zeigt τὸ τέλειον τῶν κακῶν παραδιδόντες. Der buchmäßig herausgegebene λόγος ist das Mysterium.

Es ist für die Beurteilung der hermetischen Schriften wichtig, daß die zeitlich leichter zu bestimmenden christlich-gnostischen genau den gleichen Charakter tragen; auch in ihnen soll und kann sich die heilige Handlung während des Lesens der Schrift im Innern des Lesers vollziehen. Auch in ihnen wird gern das Erlebnis des ersten göttlichen Gründers berichtet, um als Analogiezauber auf den Leser zu wirken. Wenn in der Baruchapokalypse Justins (Hippolyt p. 132, 24f. W.) im ersten Buch der Eid enthalten war ὀμνύω τὸν ἐπάνω πάντων, τὸν Ἀγαθόν, τηρῆσαι τὰ μυστήρια ταῦτα καὶ ἐξειπεῖν μηδενί, μηδὲ ἀνακάμψαι ἀπὸ τοῦ Ἀγαθοῦ ἐπὶ τὴν κτίσιν, so gilt der erste Teil natürlich dem Leser allein, der zweite, eine judaisierende Nachbildung des Treueides der Mysterien (des *sacramentum*), dem aufsteigenden Gottwesen und dem Leser. Nachdem er als Novize diesen Eid geschworen, d. h. gelesen hat, läßt das Buch ihn in den eigentlichen Himmel eintreten, um den Ἀγαθός von Angesicht zu Angesicht zu schauen (p. 125, 25f.). Er netzt seinen Mund mit dem 'lebendigen Wasser', das die Welt des Sinnlichen von der des Übersinnlichen scheidet, und läßt sich taufen in ihm, ἐν ᾧ λούονται οἱ πνευματικοί, ⟨οἱ⟩ ζῶντες ἄνθρωποι. Den besten Vergleich bietet sofort das hermetische Wiedergeburtsmysterium. Wie Hermes auch von der eigenen Wiedergeburt erzählt, so scheint Baruch auch den Aufstieg seines Ἐλωείμ berichtet zu haben (129, 6).

1) Vgl. den im Papyrus Mimaut erhaltenen griechischen Text Beigabe XV, S. 285. Freilich kann daneben λόγος τέλειος auch nur den besonders hohen Vortrag bezeichnen.

Dieser hört, an der Tür des Himmels angelangt, eine Stimme aus dem Lichte ertönen: αὕτη ἡ πύλη τοῦ κυρίου, δίκαιοι εἰσέρχονται δι' αὐτῆς. Nach der seligen Schau, die er drinnen genossen hat, möchte er zurückkehren, um auch sein Pneuma nachzuholen, das unter den Menschen 'gebunden', d. h. mit ihren ψυχαί vereinigt, zurückgeblieben ist und von der Herrscherin der Materie, der Edem, gequält wird, aber der 'Αγαθός wehrt es ihm; er sendet darum den Baruch, der jetzt den Mysten führt und belehrt. Daß dies gebundene Pneuma dabei einem gebundenen Selbst der manichäischen Hymnen entspricht — der Grieche konnte ja für den Begriff des Selbst eine volle Übersetzung kaum finden —, brauche ich wohl kaum zu betonen. Wenn wir hören, wie der göttliche Bote, der es holen soll, im Himmel ausgewählt wird, so erinnern wir uns der mandäischen und vor allem der manichäischen Liturgie, in der das breit berichtet wird. Im Grunde ist es ja die ganze Erlösungslehre Manis, die uns hier ein Jahrhundert vor Mani schon begegnet, 'Ελωείμ der Gott Öhrmazd, der seine Rüstung, die Weltseele, in der Materie zurückgelassen hat, die nun der Bote, der Ruf, holen muß. An das bei den Manichäern gebräuchliche Zarathustra-Lied erinnere ich nur, weil Baruch ja in jüdischen Kreisen dem Zarathustra gleichgesetzt ist. Schon jetzt kann man wohl die Frage aufwerfen, ob es überhaupt denkbar ist, daß diese Form des literarischen Mysteriums und dieser Gedankeninhalt im Christentum entstanden und aus ihm in das Heidentum übergegangen ist. Auch im Judentum kann sie nicht entstanden, wohl aber in es übernommen sein. Die Vorstellung eines Himmelsozeans, der die Welt des Werdens und Vergehens von der ewigen trennt, finden wir bei den Peraten wieder, die durch sein Wasser in die Unsterblichkeit hinüberzuschreiten glauben wie Israel einst durch das Rote Meer, und finden eine weniger jüdisch gefärbte, aber doch ähnliche Vorstellung bei den Mandäern. Endlich finden wir zu Philos Zeit dieselbe Vorstellung noch mit einer kultlichen Feier verbunden in dem Hauptfest der Therapeuten (Philo, De vit. cont. 83 Cohn, p. 485 M.). Ihre Nachtfeier endet in der Verehrung der aufgehenden Sonne mit dem Gebet um εὐημερία, ἀλήθεια und ὀξυωπία λογισμοῦ. Hoffentlich macht die spätere Auseinandersetzung über das von Philo gemiedene Wort γνῶσις (S. 317) es dem Leser selbstverständlich, daß sich unter den letzten beiden Worten der ins Philosophische übertragene religiöse Terminus γνῶσις verbirgt.[1] Immer bittet der Gnostiker ja zum Schluß, in der γνῶσις bewahrt zu werden und dieser Art des Lebens nicht verlustig zu gehen (unten S. 287, Corp. herm. I 32). Hierauf weist auch der Schlußsatz Philos: θεραπευτῶν μὲν δὴ πέρι τοσαῦτα, θεωρίαν ἀσπασαμένων φύσεως καὶ τῶν ἐν αὐτῇ[2], καὶ ψυχῇ μόνῃ βιωσάντων[3], οὐρανοῦ μὲν καὶ κόσμου πολιτῶν[4], τῷ δὲ πατρὶ καὶ ποιητῇ τῶν ὅλων γνησίως συσταθέντων[5] ὑπ' ἀρετῆς. Wir können die Benutzung heidnischer Mysterien in einer jüdischen Gnosis und deren Einfluß auf die christliche hier klar erkennen.

Formell berührt sich — von dem Schluß abgesehen — diese Baruchapokalypse eng mit der sogenannten Mithrasliturgie; der Zaubertext spiegelt geradezu den religiösen wider und empfängt von ihm seine beste Erklärung. Daß wir dabei erkennen, wie man sich eine religiöse Wirkung, eine Steigerung des Göttlichen in dem Leser auch von der Lektüre eines solchen Zaubertextes versprechen konnte, bestätigt mich in meiner Auffassung des vielumstrittenen Schriftchens.

X. DIE LIEBESVEREINIGUNG MIT GOTT

Die an sich fast überall nachweisbare Vorstellung des ἱερὸς γάμος läßt sich in Ägypten besonders gut verfolgen, wo die bildlichen Darstellungen der Zeugung des Pharao durch den Gott durch Inschriften eingehend erläutert werden. Ich darf hier gleich zu der theologischen Darstellung und Rechtfertigung in hellenistischer Zeit übergehen. Plutarch bietet sie an zwei Stellen, Quaest. conv. VIII 1, 3: καὶ ὅλως ἄρρενι θεῷ πρὸς γυναῖκα θνητὴν ἀπολείπουσιν (οἱ Αἰγύπτιοι) ὁμιλίαν· ἀνάπαλιν δ' οὐκ οἴονται

---

1) Die γνωστικοί sind ihm die ὁρατικοὶ ἄνδρες.

2) Vgl. Corp. herm. I 3 μαθεῖν θέλω τὰ ὄντα καὶ νοῆσαι τὴν τούτων φύσιν καὶ γνῶναι τὸν θεόν (es ist die Welterkenntnis in der Gottesschau).

3) Als Pneumatiker, vgl. unten S. 320.

4) Der Mönch (als Pneumatiker) heißt später οὐρανοπολίτης.

5) Mit ihm vereinigt, vgl. S. 35,1, 251. Das geschieht durch die Weihehandlung, das Durchschreiten des Meeres und den Eintritt in den Himmel.

θνητὸν ἄνδρα θηλείᾳ θεῷ τόκου καὶ κυήσεως ἀρχὴν παρασχεῖν, διὰ τὸ τὰς οὐσίας τῶν θεῶν ἐν ἀέρι καὶ πνεύμασι καί τισι θερμότησι καὶ ὑγρότησι τίθεσθαι und klarer Vit. Numae 4 καίτοι δοκοῦσιν οὐκ ἀπιθάνως Αἰγύπτιοι διαιρεῖν, ὡς γυναικὶ μὲν οὐκ ἀδύνατον πνεῦμα πλησιάσαι θεοῦ καί τινας ἐντεκεῖν ἀρχὰς γενέσεως, ἀνδρὶ δὲ οὐκ ἔστι σύμμιξις πρὸς θεὸν οὐδὲ ὁμιλία σώματος. Es ist klar, daß wir hier die hellenistische Rechtfertigung eines Kultbrauches und einer Kultvorstellung haben, die von der Vergöttlichung des Königs losgelöst ist. Die Kulthandlung, an welche sie schließt, hat tatsächlich in der Kaiserzeit noch bestanden; das zeigt die von Josephus berichtete Geschichte (oben S. 99) und zeigt Rufinus, Hist. eccles. XI 25: *Sacerdos erat apud eos Saturni* (Agathos Daimon?) *Tyrannus nomine. hic quasi ex responso numinis adorantibus in templo nobilibus quibusque et primariis viris, quorum sibi matronae ad libidinem placuissent, dicebat Saturnum sibi praecepisse, ut uxor sua pernoctaret in templo. tum is qui audierat gaudens, quod uxor sua dignatione numinis vocaretur*[1]*, exornatam comptius, insuper et donariis onustam, ne vacua scilicet repudiaretur, coniugem mittebat ad templum. in conspectu omnium conclusa intrinsecus matrona Tyrannus clausis ianuis et traditis clavibus discedebat, deinde facto silentio per occultos et subterraneos aditus intra ipsum Saturni simulacrum patulis erepebat cavernis*[2] *— erat autem simulacrum illud a tergo exesum et parieti diligenter adnexum — ardentibusque intra aedem luminibus intentae supplicantique mulieri vocem subito per simulacrum aeris concavi proferebat, ita ut pavore et gaudio infelix mulier trepidaret, quod dignam se tanti numinis putaret adloquio.*[3] *posteaquam quae libitum fuerat vel ad consternationem maiorem vel ad libidinis incitamentum disseruisset numen inpurum, arte quadam lineolis obductis repente lumina extinguebantur universa. tum descendens obstupefactae et costernatae mulierculae adulterii fucum profanis commentationibus inferebat. haec cum per omnes miserorum matronas multo iam tempore gererentur, accidit quandam pudicae mentis feminam horruisse*

1) Mysterienworte, vgl. unten S. 253 f.

2) Vgl. die Erzählung des Thessalos oben S. 128.

3) Der Ausdruck ὁμιλεῖν θεῷ ist doppeldeutig.

facinus et adtentius designantem cognovisse vocem Tyranni ac domum regressam viro de fraude sceleris indicasse. Einzelheiten werden wir gewiß der Phantasie Rufins zuschreiben dürfen, aber der Mysterienbrauch ist gut bezeugt. Die Frauen werden dadurch Geliebte oder Nebenweiber des Gottes. Die theologische Rechtfertigung dieses Brauches kennt Philo[1] und verwendet sie ganz unbefangen in allegorischer Ausdeutung De Cherubim 42: ἵνα δὲ τῶν ἀρετῶν[2] κύησιν καὶ ὠδῖνα εἴπωμεν, ἀκοὰς ἐπιφραξάτωσαν οἱ δεισιδαίμονες τὰς ἑαυτῶν ἢ μεταστήτωσαν· τελετὰς γὰρ ἀναδιδάσκομεν θείας τοὺς τελετῶν ἀξίους[3] τῶν ἱερωτάτων μύστας, οὗτοι δ' εἰσὶν οἱ τὴν ἀληθῆ καὶ οὖσαν ὄντως ἀκαλλώπιστον εὐσέβειαν μετὰ ἀτυφίας ἀσκοῦντες· ἐκείνοις δ' οὐχ ἱεροφαντήσομεν κατεσχημένοις ἀνιάτῳ κακῷ, τύφῳ ῥημάτων καὶ ὀνομάτων γλισχρότητι καὶ τερθρείαις ἐθῶν, ἄλλῳ δὲ οὐδενὶ τὸ εὐαγὲς καὶ ὅσιον μετροῦσιν. ἀρκτέον οὖν τῆς τελετῆς ὧδε.[4] ἀνὴρ μὲν γυναικί, ἄνθρωπος δ' ἄρρην ἀνθρώπῳ θηλείᾳ τὰς ἐπὶ γενέσει παίδων ὁμιλίας ἐπακολουθῶν τῇ φύσει συνέρχεται ποιησόμενος· ἀρεταῖς δὲ πολλὰ καὶ τέλεια τικτούσαις θέμις οὐκ ἔστιν ἀνδρὸς ἐπιλαχεῖν θνητοῦ· μὴ δεξάμεναι δὲ παρά τινος ἑτέρου γονήν, ἐξ ἑαυτῶν μόνον οὐδέποτε κυήσουσι. τίς οὖν ὁ σπείρων ἐν αὐταῖς τὰ καλὰ πλὴν ὁ τῶν ὄντων πατήρ, ὁ ἀγέννητος θεὸς καὶ τὰ σύμπαντα γεννῶν; σπείρει μὲν οὖν οὗτος, τὸ δὲ γέννημα τὸ ἴδιον, ὃ ἔσπειρε, δωρεῖται. γεννᾷ γὰρ ὁ θεὸς οὐδὲν αὑτῷ, χρεῖος ἅτε ὢν οὐδενός, πάντα δὲ τῷ λαβεῖν δεομένῳ. παρέξω δὲ τῶν λεγομένων ἐγγυητὴν ἀξιόχρεων τὸν ἱερώτατον Μωυσῆν· τὴν γὰρ Σάρραν εἰσάγει τότε κύουσαν, ὅτε ὁ θεὸς αὐτὴν μονωθεῖσαν ἐπισκοπεῖ (Gen. 21, 1), τίκτουσαν δ' οὐκέτι τῷ τὴν ἐπίσκεψιν πεποιημένῳ, ἀλλὰ τῷ σοφίας τυχεῖν γλιχομένῳ, οὗτος δὲ Ἀβραὰμ ὀνομάζεται. γνωριμώτερον δ' ἐπὶ τῆς Λείας ἐκδιδάσκει λέγων, ὅτι τὴν μὲν μήτραν ἀνέῳξεν αὐτῆς ὁ θεὸς (Gen. 29, 23) — ἀνοιγνύναι δὲ μήτραν ἀνδρὸς

1) Die Abweichungen von Plutarch erläutert Norden, Die Geburt des Kindes S. 76f. außerordentlich feinsinnig. Wenn ich die Stellen hier nochmals biete, geschieht es, um den mysterienhaften Charakter der Darstellung scharf hervortreten zu lassen.

2) Mit den ἀρεταί hat er Sarra, Rebekka und Lea gleichgesetzt.

3) Vgl. die Mithrasliturgie oben S. 174.

4) Es beginnt gewissermaßen die Unterweisung vor der Weihe. Mit dem Folgenden ist *Quod Deus sit immutabilis* § 4f. zu vergleichen, wo auch auf Hanna und Samuel verwiesen wird wie bei Lukas.

ἴδιον — ἡ δὲ συλλαβοῦσα ἔτεκεν οὐ θεῷ — ἱκανὸς γὰρ μόνος καὶ αὐταρκέστατος ἑαυτῷ —, ἀλλὰ τῷ κάματον ἀναδεχομένῳ ὑπὲρ τοῦ καλοῦ Ἰακώβ, ὥστε τὴν ἀρετὴν δέχεσθαι μὲν παρὰ τοῦ αἰτίου τὰ θεῖα σπέρματα, τίκτειν δέ τινι τῶν ἑαυτῆς ἐραστῶν, ὃς ἂν τῶν μνηστήρων ἁπάντων προκριθῇ. Philo mahnt dann, von diesem Mysterium nur zu Geweihten zu reden (§ 48)[1], und geht selbst zu einem noch höheren Mysterium, der Erklärung von Jerem. 3, 4 über: οὐχ ὡς οἶκόν με ἐκάλεσας καὶ πατέρα καὶ ἄνδρα τῆς παρθενίας σου. Jetzt ist die Seele die Empfängerin des göttlichen Samens; Gott macht sie durch den Verkehr mit ihr zur Jungfrau: ἀνθρώπων μὲν γὰρ ἡ ἐπὶ γενέσει τέκνων σύνοδος τὰς παρθένους γυναῖκας ἀποφαίνει· ὅταν δὲ ὁμιλεῖν ἄρξηται ψυχῇ θεός, πρότερον αὐτὴν οὖσαν γυναῖκα παρθένον αὖθις ἀποδείκνυσιν. Hier waltet offenbar der Gedanke an die *sursum vocatio* oder Wiedergeburt, die Geburt des Gottwesens in uns, die ja mit der 'jungfräulichen' Zahl Sieben verbunden ist (vgl. S. 270). Der Zusammenhang mit den hellenistischen Mysterien ist hier klar, aber auch im ersten Teil hat schon Usener wohl mit Recht die Einwirkung einer Mysterienanschauung empfunden, die ja auch allein die Wahl der äußeren Form erklärt: für einen menschlichen Vater schafft Gott die ἀρχαὶ γενέσεως für ein göttliches Kind.

Die Einwirkung ägyptisch-hellenistischer Mysterienvorstellungen auf das Judentum, die uns hier besonders wichtig ist, zeigt sich auch in der erzählenden Literatur. Ich führe als Probe den freilich nur in mehrfacher, zuletzt sogar christlicher Überarbeitung vorliegenden Midrasch von Aseneth, dem Weibe Josephs, an (P. Battifol, Studia Patristica, Paris 1889). Joseph, der als Vertreter des Pharao erscheint, ja zuletzt Pharao wird, kehrt bei einer Rundfahrt im Haus des ägyptischen Priesters Pentephres ein und soll dort von dessen schöner Tochter Aseneth, einer reinen Jungfrau, begrüßt werden; aber der fromme Israelit wendet sich von der Götzendienerin ab. Aseneth, die, von seinem Anblick ergriffen, die Nichtigkeit und Sündhaftigkeit ihres Vaterglaubens erkannt hat, tut auf ihrem einsamen Turm sieben Tage in Sack und Asche Buße und fleht zu Gott um Erbarmen für ihre Sünde.

---

1) Es ist der Schwur vor Beginn der Weihe.

Wie sie am achten Morgen nach Osten gewendet betet, sieht sie nahe dem Morgenstern den Himmel sich spalten, einen Lichtstrom hervorbrechen und eine Mannesgestalt, von der Strahlen ausgehen, auf sich zukommen. Es ist nach dem jüdischen Erzähler der Erzengel Michael, nach den aus der ursprünglichen Erzählung erhaltenen Zügen unverkennbar der Sonnengott selbst in der Gestalt Josephs. Nachdem sie sich auf sein Geheiß hochzeitlich geschmückt hat, verkündet er ihr, daß diesen Morgen noch Joseph wiederkommen und sie zu seinem Weibe machen wird; zugleich soll sie zur Unsterblichkeit umgeschaffen werden. Damit könnte der Bote, der seine Aufgabe vollbracht hat, scheiden; aber Aseneth nötigt ihn auf ihr von niemand sonst je berührtes Lager; Brot und Wein will sie ihm bringen, aber er verlangt nur eine Scheibe Honig, die Speise der Unsterblichkeit auch in der Weihe des Persers, also des ganz in das Volkstum Aufgenommenen, in den Mithrasmysterien. Der göttliche Bote schafft diese Speise durch sein Wort und läßt Aseneth davon essen, dann kehrt er auf feurigem Wagen in den Himmel zurück, und alsbald ist Joseph da. Wir brauchen uns nur an den ersten Zauberpapyrus von Berlin zu erinnern (Poimandres 226, nur eine Einzelheit ist durch Eitrems Nachkollation Forhandlinger i Videnskapsselskapet i Kristiania 1923, S. 1f. geändert worden), um zu erkennen, wie auch in einen jüdischen Midrasch Mysterienzüge kommen können: die Vereinigung mit dem δαίμων πάρεδρος, der unsterblich macht, vollzieht sich, indem man ihm Wein und Speisen vorsetzt und ihn zu sich auf das Lager zieht. Die fast völlige Übereinstimmung mit den altägyptischen Vorstellungen von der Erzeugung des Pharao durch den Sonnengott[1] brauche ich kaum hervorzuheben. Wir können hier wie in keinem andern Fall den Übergang altorientalischen Glaubens in heilige Handlung und deren hellenistische Umbildung zur Erzählung erkennen.

Wie hier eine Verkündigung von dem eigentlichen ἱερὸς γάμος geschieden wird, so in einer Erzählung der Thomasakten (cap. 4ff.). Der Apostel ist in eine Stadt gekommen, deren König ge-

---

1) Vgl. Norden, Die Geburt des Kindes, S. 83. Die für den Theologen wichtigen Folgerungen für die Kindheitsgeschichte Jesu hat Norden ausgeführt. Ich könnte nur abschwächen und verweise daher lieber auf ihn.

rade seine einzige Tochter vermählen will. Er geht zu dem Fest, zu dem jedermann geladen ist, aber er ißt und trinkt nicht, sondern alle Sinnesorgane mit Salbe bestreichend und dadurch verstopfend setzt er sich in Ekstase; seine Gestalt verwandelt sich, er strahlt von Schönheit, und ein Wunder beglaubigt, daß ein Gott in ihn eingetreten ist. Dann beginnt er in hebräischer Sprache, die niemandem außer der Flötenspielerin verständlich ist, einen Hymnus auf 'seine Braut',[1] die Tochter des Lichtes; nur der Schluß verrät, daß er die himmlische Hochzeit meint, bei der alle Teilnehmer die Speise der Unsterblichkeit empfangen und von dem Wein trinken werden, der nimmermehr dürsten läßt. Der König fordert den Gottesboten auf, in das Brautgemach zu kommen und für (oder über) seine Tochter ein Gebet zu sprechen[2]; jener weigert sich erst; noch fühlt er seinen Gott nicht bei sich; dann gibt er nach, betet über den Neuvermählten zu Jesus, erteilt ihnen, die Hand auflegend, seinen Segen und verläßt mit dem ganzen Brautgefolge das Hochzeitsgemach, aber als der junge Gatte sein Weib zum Lager führen will, ist plötzlich Jesus in der Gestalt des Thomas bei ihr; er setzt sich auf das Lager und — belehrt beide in einem schrecklich nüchternen Vortrag über die Nichtigkeit der Sinnenlust und irdischen Ehegemeinschaft. Als die Eltern am andren Morgen das junge Paar aufsuchen, finden sie es fest entschlossen, die Keuschheit zu wahren. Beide haben in dieser Nacht die allein wahre Ehe mit dem Herrn vollzogen; die Braut redet von der ἀγάπη, ἧς ᾐσθόμην ταύτῃ τῇ νυκτί . . . τὸν ἄνδρα, οὗ ᾐσθόμην σήμερον, der Bräutigam preist den Herrn: ὁ μακράν με τῆς φθορᾶς ποιήσας καὶ σπείρας ἐν ἐμοὶ τὴν ζωήν . . . ὁ σεαυτὸν κατευτελίσας ἕως ἐμοῦ καὶ τῆς ἐμῆς σμικρότητος, ἵνα ἐμὲ τῇ μεγαλωσύνῃ παραστήσας ἑνώσῃς σεαυτῷ . . . οὗ ᾐσθόμην, καὶ νῦν οὐ δύναμαι ἀμνημονεῖν τούτου, οὗ ἡ ἀγάπη ἐν ἐμοὶ βράσσει.[3] Man erkennt den Sinn: sie haben die himmlische Hochzeit der großen Psyche (Achamoth, Weisheit)

1) So die syrische Überlieferung des oft behandelten Hymnus (vgl. meine 'Hellenistischen Wundererzählungen', S. 136).

2) Der ἱερὸς γάμος, mit dem Gott schließt für hellenistische Auffassung den menschlichen γάμος nicht aus, sondern weiht ihn nur. Die Auffassung ist hier besonders klar.

3) 'Dein Tau durchdringt alle meine Glieder' sagt die ägyptische Königin.

und der von ihr unzertrennlichen Einzelseelen mit dem Erlöser und seinen Engeln vorausgenommen, und diese Hochzeit hat das Lied des Apostels voraus verkündet, hat zu ihr berufen.

Wir kehren von der Erzählung zu der kultlichen Handlung zurück. Irenaeus berichtet I 13, 3 von der Prophetenweihe des Gnostikers Markos: vornehme Weiber erwählt er sich und verheißt ihnen μεταδοῦναί σοι θέλω τῆς ἐμῆς χάριτος . . . ὁ δὲ τόπος τοῦ μεγέθους ἐν ἡμῖν ἐστι, δι' ἡμᾶς ἐγκαταστῆσαι. λάμβανε πρῶτον ἀπ' ἐμοῦ καὶ δι' ἐμοῦ τὴν χάριν. εὐτρέπισον σεαυτὴν ὡς νύμφη ἐκδεχομένη τὸν νυμφίον ἑαυτῆς, ἵνα ἔσῃ ὃ ἐγὼ καὶ ἐγὼ ὃ σύ. καθίδρυσον ἐν τῷ νυμφῶνί σου τὸ σπέρμα τοῦ φωτός. λάβε παρ' ἐμοῦ τὸν νυμφίον καὶ χώρησον αὐτὸν καὶ χωρήθητι ἐν αὐτῷ. — ἰδοὺ ἡ χάρις κατῆλθεν ἐπὶ σέ. ἄνοιξον τὸ στόμα σου καὶ προφήτευσον. Die Mahnung wird nach Gebeten und Formeln noch dringender wiederholt ἄνοιξον τὸ στόμα σου, λάλησον ὁτιδήποτε, καὶ προφητεύσεις.[1] Die Fortsetzung entspricht einigermaßen der Einzelschilderung bei Rufin; das ist nicht wunderbar; Markos ist ja Ägypter. Da es sich um den Empfang des πνεῦμα handelt, ist es begreiflich, daß ein Teil der Markosier nach demselben Irenaeus (I 21, 3) die Taufe mit dem ἱερὸς γάμος verbindet: νυμφῶνα κατασκευάζουσι καὶ μυσταγωγίας ἐπιτελοῦσι μετ' ἐπιρρήσεών τινων τοῖς τελειουμένοις, καὶ πνευματικὸν γάμον φάσκουσιν εἶναι τὸ ὑπ' αὐτῶν γινόμενον κατὰ τὴν ὁμοιότητα τῶν ἄνω συζυγιῶν. Wie zäh sich uralter Glaube erhält, mag endlich ein Geschichtchen aus unserer Zeit zeigen, das ein Gegenstück zu der Erzählung der Thomasakten bietet. In Ägypten nennt man noch jetzt allgemein eine Besessene 'die Braut des *zâr*' (Dämon), meist natürlich, ohne sich viel dabei zu denken. Doch erzählte meinem Freunde, Prof. E. Littmann, in Kairo ein mohammedanischer Student aus der Landstadt Minyeh in gutem Glauben, daß in seiner Heimat ein *zâr* unlängst durch den Mund einer Zauberin verkündet habe, er begehre ein Mädchen aus einem bestimmten Hause zur Ehe; man habe daher wirklich ein Hochzeitsmahl gerüstet, Gäste

1) Das heißt: die Worte sind Gottesoffenbarung; das Weib hat das πνεῦμα empfangen, vgl. Livius 39, 13, 11 *viros velut mente capta cum iactatione fanatica corporis vaticinari*. Es ist die gleiche Vorstellung wie in dem berühmten Wort *plena deo*.

dazu geladen und endlich die Braut in die Kammer geführt und diese verschlossen. Er war fest überzeugt, daß dann, allen Menschenaugen unsichtbar, der *zâr* wirklich gekommen und des Mädchens Gatte geworden sei. Also eine altorientalische Weihehandlung noch jetzt; denn die Besessenen und Geisteskranken gelten bekanntlich in gewissem Sinne als heilig.

Mit ähnlichen Anschauungen hängt offenbar an vielen Orten die Prostitution der Diener oder Dienerinnen eines Tempels zusammen. Maximos von Aigai (Philostratus, Vit. Apoll. I 12) erzählt uns, daß zu dem jugendlichen Apollonios, der als 'Freund und Diener' des Asklepios in dessen Tempel weilt, ein kilikischer Dynast mit der Bitte kommt: σύσστησόν με τῷ θεῷ, vgl. in den Thomasakten ἵνα ἐμὲ τῇ μεγαλωσύνῃ παραστήσας ἑνώσῃς σεαυτῷ. Damit erklärt sich, was Epiphanios von der Sekte der Phibioniten berichtet: in der geschlechtlichen Vereinigung mit einem Mitglied derselben Gemeinde sehen sie das Mittel, wieder einen der 365 übereinander gelagerten Aionen zu durchschreiten und einem neuen Gott sich vorzustellen: sie sagen μίγηθι μετ' ἐμοῦ, ἵνα σε ἐνέγκω πρὸς τὸν ἄρχοντα oder προσφέρω σε τῷ δεῖνι, ἵνα με προσενέγκῃς τῷ δεῖνι. Uralte und rohe Volksvorstellungen, die mit dem Christentum natürlich nichts zu tun haben, wohl aber Mysterien beeinflussen können. Wenn ich nicht irre, haben wir damit den Initiationsritus der von Livius charakterisierten Bacchanalien, also eines hellenistischen Mysteriums erklärt. Auch hier schließt sich jetzt die Reihe.

XI. ERWÄHLUNG, BERUFUNG, RECHTFERTIGUNG, VERKLÄRUNG

Von dem Isisheiligtum zu Tithorea erzählt Pausanias X 32, 13: οὔτε ἔσοδος ἐς τὸ ἄδυτον ἄλλοις γε ἢ ἐκείνοις ἐστίν, οὓς ἂν αὐτὴ προτιμήσασα ἡ Ἶσις καλέσῃ σφᾶς δι' ἐνυπνίων Sie allein haben, wie es weiter heißt, ἄδεια. Daß ähnlicher Glaube, wie Pausanias übrigens auch selbst bezeugt, sich auch in anderen Kulten findet, und daß die Erzählungen vom jähen Tode der Eindringlinge an das Ausplaudern, nicht an das bloße Eintreten die Strafe der Gottheit knüpfen, hindert mich, da Pausanias hier Mysterienworte gebraucht, nicht, Apuleius zu vergleichen, der XI 21 von Träumen redet und den Grundsatz aufstellt, man dürfe *neque vocatus morari nec non iussus festinare;* ungerufenes Eindringen sei todeswürdige Schuld. Neben *vocatus* verwendet Apuleius auch *nuncupatus* und besonders gern auch *destinatus*, z. B. a. a. O.: *praecipua evidentique magni numinis dignatione iam dudum felici ministerio nuncupatum destinatumque* und XI 19: *me iam dudum destinatum.* Wir scheinen es hier mit bestimmten Begriffen der Mysterienkulte zu tun zu haben. Ich vergleiche zunächst mit Pausanias ein paar Zeugnisse für das auf Inschriften offenbar seltene τιμᾶσθαι ὑπὸ θεοῦ (vgl. Nock, Journal of Hellenic Studies XLV, 1925, S. 100). Der von dem Gott Ausgezeichnete, d. h. zum Mysten Erwählte, darf in phrygischen Kulten der Ἑκάτη Σώτειρα, die etwa der Ἶσις Σώτειρα entsprochen haben muß, ein Grab innerhalb des Tempelgebiets erhalten (καθιεροῦσθαι); ist er doch selbst ἀθάνατος. Das folgt aus Le Bas-Waddington, Voyage etc. V 805 τιμηθέντα ὑπὸ Σωτείρης Ἑκάτης κατιέρωσαν, I. Keil-Premerstein, Denkschr. d. Akademie Wien LIV 2, p. 241 τὸν πατέρα Τρόφιμον καὶ τὴν μητέρα Ἄμμιον ἔτι ζῶσαν ἀπειέρωσαν τιμηθέντας ὑπὸ Σωτείρης Ἑκάτης und vor allem aus der von Ramsay Journ. Hell. Stud. IV, 1883, p. 419f. veröffentlichten Inschrift: ἀθάνατος Ἐπιτύνχανος τιμηθ(ε)ὶς ὑπὸ Ἑκάτης πρώτης, δεύτε[ρ]ον ὑπὸ Μάνου Δάου [Ἡ]λιοδρόμου Διός, τρίτον ⟨ὑπὸ⟩ Φοίβου Ἀρχηγέτου Χρησμοδότου ἀληθῶς δῶρον ἔλαβ[ο]ν χρησ[μ]οδοτ(ε)ῖν ἀλη[θε]ίας[1] . . . τοῦτο ἔχω τὸ δῶρον ἐξ ἀθανάτων ἁπάντων. Er bezeichnet sich als μυηθ(ε)ὶς ὑπὸ Καλῆς, ἀρχιερ(ε)ίας δημοτικῆς, ist selbst ἀρχιερεύς und ἀθάνατος.[2] Wir haben es also mit einem Mysten zu tun, der von drei verschiedenen Göttern 'begnadet' ist. Ähnlich ist ja auch Apuleius durch die Gnade dreier verschiedener Götter, Isis, Osiris und Agathos Daimon, zum höchsten Priestertum gelangt und sagt darüber XI 22 *adsidua ista numinum dignatione laetus . . . ter futurus quod alii vel semel vix conceditur.* Dem Ausdruck

1) Vgl. in dem Brief des Apollonios an den ἐν κατοχῇ ὢν Ptolemaios (Wilcken, Urkunden der Ptolemäerzeit N. 70 = Paris 47): Πρὸς τοὺς τὴν ἀλήθειαν λέγοντες und πλανόμενοι ὑπὸ τῶν θεῶν καὶ πιστεύοντες τὰ ἐνύπνια (vgl. oben S. 207 A. 1). Die Ausdrücke sind formelhaft.

2) Er ist unsterblich geworden. Dabei scheint es unter den ἀθάνατοι verschiedene Grade zu geben; der höchste wird von den ἀθάνατοι πρῶτοι gebildet.

dignatio entspricht griechisch τιμή. Das zeigen die Worte des Pausanias, verglichen mit denen Rufins (Hist. eccles. XI 25, oben S. 246), *gaudens quod uxor sua dignatione numinis vocaretur* (vgl. auch Apuleius XI 22 *o, inquit, Luci, te felicem, quem propitia voluntate numen augustum tantopere dignatur)*. Noch klarer sehen wir jetzt, daß die ἐν κατοχῇ ὄντες des Sarapis ein ἀξίωμα haben, da ihre Träume bedeutsam sind, sie also die ὁμιλία πρὸς τὸν θεόν haben. Als die Christen die Verheißung, daß über den seines Glaubens halber Gefangenen der Geist kommen werde, sich kirchlich ausbauten, wirkten diese Anschauungen mit ein; man ersann Regeln: schon auf der Reise hat der gefangene Ignatius das πνεῦμα und ist in gewisser Weise μύστης; bei Cyprian, der nicht im Gefängnis, wohl aber als Internierter in Curubis einen Traum hat, kann man streiten, ob es eine göttliche Offenbarung, eine τιμή ist. Sein Biograph tritt dafür ein (vgl. meine Abhandlung 'Die Nachrichten über den Tod Cyprians', Sitzungsber. d. Heidelberger Ak. 1913 Abh. 14 S. 50 und Nachr. d. Ges. d. Wiss. Göttingen 1916 S. 417f.). Selbst in der Sprache zeigt sich die Anpassung an heidnisches Empfinden. Man denke an die Anrede des Bruders an die im Gefängnis weilende Märtyrerin Perpetua (cap. 4): *domina soror, iam in magna dignatione es: tanta es, ut postules visionem et ostendatur tibi an passio sit an commeatus. et ego quae me sciebam fabulari cum domino*[1] .... *fidens repromisi ei dicens: Crastina die tibi renuntiabo.*[2] Auch der griechische Text bietet uns hier einen wichtigen Terminus der griechischen Mysteriensprache: Κυρία ἀδελφή, ἤδη ἐν μεγάλῳ ἀξιώματι ὑπάρχεις, τοσαύτη οὖσα ὡς, εἰ αἰτήσειας ὀπτασίαν, λάβοις ἄν, εἰς τὸ δειχθῆναί σοι, εἴπερ ἀναβολὴν ἔχεις ἢ παθεῖν μέλλεις. κἀγώ, ἥτις ᾔδειν με ὁμιλοῦσαν θεῷ ... πίστεως πλήρης οὖσα ἐπηγγειλάμην αὐτῷ εἰποῦσα· Αὔριόν σοι ἀπαγγελῶ.[2] Man erinnert sich des Wunsches des Thessalos von Tralles (oben S. 128). Hiernach scheinen mir die angeführten Worte des Apuleius zu deuten; sie lassen uns nun vielleicht noch etwas weiter in die Anschauungen der Mysten eindringen.

1) Der lateinische Ausdruck paßt hier weniger als der griechische.

2) Ähnlich reden die Asketen in den Apothegmata patrum.

Seine ganze Darstellung wird von dem Gedanken beherrscht, daß die Göttin von frühster Zeit sich ihren Diener erkiest (*eligit* XI 21); ihre πρόνοια leitet ihn allmählich zu der σωτηρία, und diese πρόνοια steht dem Walten der εἱμαρμένη oder τύχη (*casus infestus*) entgegen (sie steht als *Fortuna videns* der *Fortuna nefaria* gegenüber XI 15), vgl. XI 5: *iam tibi providentia mea inlucescit dies salutaris*, vgl. XI 6, XI 25. Ich werde in der Beigabe über das Wort γνῶσις noch weiter auszuführen haben, wie der Druck der Vorstellung von einem Sternenzwang, der εἱμαρμένη, in religiösen Kreisen zu einer Sehnsucht nach Befreiung führt und diese sich mit einer stärkeren Ausbildung des Begriffes πρόνοια verbindet. Er ist nicht rein philosophisch, da die πρόνοια sich nur auf die Angehörigen der Gottheit bezieht und nicht für die εἱμαρμένη eintritt, sondern als ihr Gegenpart neben sie tritt; auch in ihr ist, wie in der εἱμαρμένη, alles von Anfang her bestimmt.

Nun werde ich gewiß nicht so weit gehen, die Prädestinationslehre des Paulus einfach von hier abzuleiten. Sie wurzelt in dem Erlebnis der eigenen Bekehrung und Berufung, die er sich nur so erklären und verständlich machen kann. Man kann dasselbe auch für Augustin sagen. Die Tatsache, daß er die Prädestinationslehre bei Paulus findet, genügt noch lange nicht, zu erklären, daß er sie geraume Zeit nach seiner Bekehrung annimmt und derartig in den Mittelpunkt seines religiösen Denkens rückt: das Wunder, das an ihm geschehen ist, kann er nur so begreifen, daß Gott der allein Handelnde ist.[1] Und doch können wir hier mit Sicherheit sagen: ohne die Lehre des Paulus wäre Augustin niemals zu der seinen gekommen; sie gibt die Vorbedingung. So dürfen wir auch bei Paulus suchen, trotz des viel geringeren Materials, das uns zur Verfügung steht, die Vorbedingungen oder Voraussetzungen zu erraten, die ihm die Bildung dieser religiösen Überzeugung ermöglichten, und werden dabei die Hilfsmittel, welche die Sprache bietet, besonders genau erwägen müssen.

---

1) Vgl. meine Darstellung 'Vorträge der Bibliothek Warburg', Bd. II. Das der Antike gegenüber völlig geänderte Gottesempfinden bedingt den Umbruch. Daß es auch mysterienhaft ist, gebe ich zu, aber Augustin entnimmt es nicht aus dem Mysterienglauben, sondern aus Paulus.

Auch bei ihm wird — im vollen Gegensatz zum Judentum und Griechentum — Gott der allein Handelnde. Das ist inneres Erleben, aber zugleich auch notwendige Voraussetzung für sein Wirken unter den Heiden, Voraussetzung für seinen Pneuma-Glauben. Der Gedanke, daß es zwei wesenhaft verschiedene Klassen von Menschen gebe, der aller Gnosis zugrunde liegt und den ich später noch weiter verfolgen werde, hat sich wie im Zarathustrismus, ja zunächst in den meisten national gebundenen Religionen, so auch im Judentum, selbst bei Philo, fest erhalten. Jetzt — seit der Kreuzigung Jesu — ist nicht mehr Israel das 'Volk des Eigentums', aber ein Volk braucht Gott, einen 'Stamm der Seelen', in dem das rechte Wissen um ihn, das innere Verhältnis zu ihm besteht; er muß es sich erwählen.[1] Freies Geschenk an den einzelnen ist die Gabe, die ihn wesenhaft anders macht und anders stellt als alle andern Menschen, ihm jenes rechte Wissen und innere Verhältnis vermittelt, das Pneuma. Ohne Verdienst kommt es und ist doch eine τιμή, erhebt in ein Sohnesverhältnis zu Gott. Das sind Gedankengänge, die, wenn auch sicher nicht in gleicher Stärke, in allen Mysterienreligionen wiederkehren, ja wiederkehren müssen, sobald sie Mission treiben. Selbst der Unterschied, ob einzelne noch an der Fiktion einer nationalen Bindung festhalten, wie die Mithrasreligion, oder Erfüllung gewisser volkstümlicher Ritualvorschriften wenigstens von dem Mysten verlangen, wie die Isis-Religion, darf nicht als wesenhaft betrachtet werden. Auch an der Grenze des Judentums kündet schon die Botschaft des Täufers: Gott kann sich ein neues Volk schaffen und schafft es sich durch das Sakrament. Aber nicht in den Sakramenten an sich besteht die innere Verwandtschaft des Christentums mit den Mysterienreligionen, sondern in der Grundanschauung und darin, daß es von Anfang an auf die Mission angewiesen ist. Empfindet man, wie hierdurch ein Initiationsritus verlangt wird, so erscheint die Übernahme der Taufe, die Jesus ja nicht vollzogen hat, bei der Konstituierung der ersten Gemeinde selbstverständlich.

1) An ein tiefes, aber rein heidnisches Wort im Poimandres darf ich nur erinnern (§ 31): ἅγιος ὁ θεός, ὃς γνωσθῆναι βούλεται καὶ γινώσκεται τοῖς ἰδίοις.

Prüft man unter diesen Gesichtspunkten die paulinische Terminologie und erinnert man sich zugleich, daß Philo, ohne selbst je in hellenistische Mysterien eingeweiht zu sein, deren Terminologie kennt und bei seinen Lesern als allgemein bekannt voraussetzt, so werden die Übereinstimmungen mit der Mysterienterminologie nicht mehr befremden. Schwierig wird die Untersuchung bei Worten, die auch in der Septuaginta vorkommen,[1] also zwei ganz verschiedenen Sprachkreisen angehören. Freilich ist sie gerade dann auch besonders lohnend. Wir müssen dann den Zusammenhang der Stelle möglichst scharf ins Auge fassen und die Urbedeutung des Worts in jedem der beiden Sprachkreise feststellen.

Als Beispiel, auf welches — zunächst recht zufällig — die oben angeführte Pausanias-Stelle mich leitete, nehme ich Röm. 8, 30 οὓς δὲ προώρισεν, τούτους καὶ ἐκάλεσεν, καὶ οὓς ἐκάλεσεν, τούτους καὶ ἐδικαίωσεν, οὓς δὲ ἐδικαίωσεν, τούτους και ἐδόξασεν. Die streng rhetorisch gebaute Klimax (vgl. die Musterbeispiele aus Scipio: *vi atque ingratis coactus cum illo sponsionem feci, facta sponsione ad iudicem adduxi, adductum primo coetu damnavi, damnatum ex voluntate dimisi*, oder: *ex innocentia nascitur dignitas, ex dignitate honor, ex honore imperium, ex imperio libertas*) läßt Gott in vier aufeinanderfolgenden Handlungen zum σύμμορφος τῆς εἰκόνος τοῦ υἱοῦ αὐτοῦ machen. Das ist, wie ich in dem Exkurs über Paulus noch näher zu zeigen hoffe, eine hellenistische Vorstellung. Von jenen vier Handlungen werden die beiden ersten in der gleichen zeitlichen Abfolge und Gegenüberstellung bei Apuleius als vor dem Mysterium liegend erwähnt (*destinatus — vocatus*); die beiden andern nennt und unterscheidet das hermetische Mysterium in dem heiligen Vorgange selbst, indem es bei der Vernichtung der aus dem Körper stammenden bösen Neigungen, also dem Tode des alten Menschen, § 9 sagt ἐδικαιώθημεν, bei der Geburt des neuen, göttlichen Menschen ἐθεώθημεν, und zwar in beabsichtigter Responsion. Daß Paulus das letzte Wort meidet, ist wohl begreiflich; daß δοξά-

1) Von einzelnen Teilen, wie z. B. dem Buch Sirach, sehe ich dabei ab. Vergleiche können zunächst nur mit dem Hauptteil vorgenommen werden.

ζομαι bei ihm auch eine μεταβολή im Innern des Menschen, das Entstehen des Christus in dem noch lebenden, bedeuten kann, wird sich zeigen. Es scheint mir nicht mehr zu kühn, hier eine Einwirkung hellenistischer Sprache anzunehmen.

Gerecht vor seinem Gott erfunden zu werden oder von ihm 'gerecht gesprochen' zu werden, hat nicht nur der fromme Jude gehofft; eine 'Rechtfertigung' im Totengericht erwartet auch der Ägypter, und mit dieser allgemeinen Vorstellung hängt es sicher zusammen, daß es im mittleren Reiche üblich wird, keinen Verstorbenen zu nennen, ohne seinem Namen die Formel beizufügen: 'der gerecht (oder wahr) erfunden ist mit seiner Stimme'; den Sinn wird Erman (Äg. Religion² S. 117) mit dem Worte 'der Gerechtfertigte' am besten wiedergeben; der Gebrauch scheint ähnlich wie etwa der von ὁ μακαρίτης. Ganz ähnlich erwartet der Perser ein feierliches Totengericht an der Çinvadbrücke; die jüngeren Vorstellungen der Mandäer entsprechen durchaus; freilich bringt der Seele des Erwählten auch schon vorher ein göttlicher Bote den Kranz der Gerechtigkeit, den Lichtkranz oder Kranz der Siege (die Glorie) des zarathustrischen Liedes (oben S. 58). Ein Gericht ist für sie nicht mehr nötig. Das hermetische Lesemysterium (Kap. XIII, oben S. 47), das im wesentlichen iranisch beeinflußt ist, folgt offenbar dieser Anschauung. Bei der mystischen Auflösung des Leibes, der hier Träger der zwölf sündigen Neigungen oder Eigenschaften ist, steigt die δικαιοσύνη auf uns hernieder — oder vielmehr, die Seele hat sich in die Sphäre der δικαιοσύνη erhoben und empfängt sie hier; beide Anschauungen mischen sich im Text. Die Wirkung wird beschrieben: χωρὶς γὰρ κρίσεως[1] ἴδε πῶς τὴν ἀδικίαν ἐξήλασεν. ἐδικαιώθημεν, ὦ τέκνον, ἀδικίας ἀπούσης. Der Autor polemisiert geradezu gegen die Vorstellung eines Gerichtes und eines Gerechtsprechens; er will sie bei seinem Leser ausschließen: ohne jedes Gericht sind wir die Eigenschaft von ἄδικοι losgeworden und haben die Eigenschaft von δίκαιοι erlangt, sind sündlos geworden. Dies muß nun die Bedeutung auch bei Paulus sein; daß in dem hermetischen Text noch neun andere schlimme Eigen-

1) κτίσεως Hss. verb. Parthey. Daß Scott χωρὶς γὰρ κρίσεως vor ἐδικαιώθημεν stellt, ist überflüssig. Die betonten Worte stehen fast immer voraus.

schaften genannt werden, bei Paulus diese eine alles umfaßt, macht natürlich für die Wortbestimmung keinen Unterschied: δικαιωθῆναι heißt auch bei ihm sündlos werden. Die positive Ergänzung ist bei ihm δοξασθῆναι, offenbar in der Bedeutung von σύμμορφον γίνεσθαι τῆς εἰκόνος τοῦ υἱοῦ αὐτοῦ[1], bei dem hermetischen Autor θεωθῆναι.[2] Von den früheren Sünden oder deren Erlaß ist dabei überhaupt nicht die Rede. Der völlige Parallelismus der Gedanken und Worte ist hier wohl klar.

Nun wird niemand die Rechtfertigungslehre bei Paulus deshalb aus dem Mysterienglauben herleiten; zu klar und gerade in der Polemik erkennbar ist ihr Ursprung aus dem Judentum. Und dennoch läßt sich meines Erachtens die Einwirkung auch hellenistischer Vorstellungen gar nicht bestreiten. Ich vergleiche eine Stelle wie Röm. 6, 1—14, die ganz hellenistischen Mysterienvorstellungen entspricht (συνετάφημεν οὖν αὐτῷ διὰ τοῦ βαπτίσματος εἰς τὸν θάνατον, vgl. Lietzmanns trefflichen Kommentar oder die Ausführungen oben S. 229 f.): freiwillig haben wir uns durch die Taufe in Christi Tod eintauchen lassen, um mit ihm in einem neuen, sündlosen Leben zu wandeln, τοῦτο γινώσκοντες, ὅτι ὁ παλαιὸς ἡμῶν ἄνθρωπος συνεσταυρώθη, ἵνα καταργηθῇ τὸ σῶμα τῆς ἁμαρτίας, τοῦ μηκέτι δουλεύειν ἡμᾶς τῇ ἁμαρτίᾳ. ὁ γὰρ ἀποθανὼν δεδικαίωται ἀπὸ τῆς ἁμαρτίας. εἰ δὲ ἀπεθάνομεν σὺν Χριστῷ, πιστεύομεν ὅτι καὶ συνζήσομεν αὐτῷ.[3] Für die gesperrt gedruckten Worte kann mir keine auf Grund des jüdischen Begriffs von δικαιοῦν (Gott spricht gerecht) gebildete Erklärung wirklich Genüge tun. Faßt man dabei ἀποθανών 'ethisch' (der Sünde erstorben), so ist der Satz, daß vor Gott gerecht ist, wer sündlos ist, zwar von einleuchtender Klarheit und Selbstver-

1) Vergleichbar ist Röm. 6, 5 εἰ γὰρ σύμφυτοι γεγόναμεν τῷ ὁμοιώματι τοῦ θανάτου αὐτοῦ, ἀλλὰ καὶ τῆς ἀναστάσεως ἐσόμεθα (da das ὁμοίωμα τῆς ἀναστάσεως ein ἐγερθῆναι διὰ τῆς δόξης τοῦ πατρός ist, ist σύμμορφον γίνεσθαι τῆς εἰκόνος τοῦ υἱοῦ ein δοξάζεσθαι).

2) Später sogar erklärt: θεὸς πέφυκας καὶ τοῦ ἑνὸς παῖς ὃ κἀγώ.

3) Eine Paraphrase gibt I Petr. 4, 1 Χριστοῦ οὖν παθόντος σαρκὶ καὶ ὑμεῖς τὴν αὐτὴν ἔννοιαν ὁπλίσασθε. ὅτι ὁ παθὼν σαρκὶ πέπαυται ἁμαρτίας εἰς τὸ μηκέτι ἀνθρώπων ἐπιθυμίαις, ἀλλὰ θελήματι θεοῦ τὸν ἐπιλοίπον ἐν σαρκὶ βιῶναι χρόνον. Hier wie bei Ignatius und in den lateinischen Martyrien bedeutet παθεῖν und *pati* sterben. Der Sprachgebrauch scheint spätjüdisch.

ständlichkeit, aber außer jeder Verbindung mit seiner Umgebung; denkt man an den wirklichen, physischen Tod und übersetzt 'wer gestorben ist, ist absolviert, weil er mit dem Tode gebüßt hat', so ist etwas hineingetragen, was in den Worten nicht liegt, und der logische Bau der Sätze um nichts klarer geworden. Nun geben einzelne Erklärer wohl zu, daß eine Deutung 'ist freigeworden von der Sünde' das Verständnis des ganzen Satzes erleichtern würde, halten diese Deutung aber für sprachlich unmöglich; andere suchen sie künstelnd hereinzubringen, etwa: 'durch den Tod in der Taufe wird der Rechtsforderung der Sünde Genüge geleistet' — aber die Grundbedeutung von δικαιοῦν ist damit doch aufgegeben, und der Satz so anfechtbar, daß ihn Paulus schwerlich derart als Beweis verwenden kann. Anders und doch wieder ähnlich läßt eine vierte Deutung den Apostel nur die 'sehr einfache und unbestrittene Erwägung' anstellen, daß der Tote, weil er nicht mehr handle, auch nicht mehr sündige, diese Trivialität aber in die seltsam verschrobene Form kleiden, das Sterben des Menschen sei ein tatsächlicher Urteilsspruch Gottes, der ihn dadurch von der Macht der Sünde lossspreche.

Mir scheint, der Zusammenhang verlangt zunächst, daß weder von einem rein physischen Sterben die Rede ist, noch von einem bloß bildlichen, wohl aber vor allem von einem freiwilligen Sterben und sich selbst in den Tod Geben.[1] Alles wird einfach und klar, sobald wir die Mysterienvorstellungen zugrunde legen: wir dürfen nicht mehr sündigen; denn deswegen haben wir ja im Mysterium Christi Person und Los auf uns genommen und unsern natürlichen Menschen kreuzigen lassen, damit das σῶμα τῆς ἁμαρτίας vergeht — der Ausdruck ist in der Mysterienvorstellung von wundervoller Prägnanz —, und wir der Sünde nicht mehr dienen. Denn wer gestorben ist — jene 'Auflösung' des natürlichen Menschen ist für diese Vorstellung etwas durchaus Wirkliches und Wesenhaftes —, hat nicht mehr die Eigenschaft der ἀδικία, steht nicht mehr unter ihrem Bann, hat das alte Wesen verloren. Wieder wird an jener Umwandlung, die das Mysterium bewirkt, nur das Negative hervorgehoben. Erst mit den Worten

1) Wie Christus sich freiwillig in den Tod gab, sollen auch wir uns freiwillig in den Tod (des alten Menschen) geben. Dann sind wir sündenfrei.

'sind wir aber mit Christus gestorben, so werden wir auch mit ihm leben' geht der Apostel zu dem Positiven über, der Erwartung eines göttlichen Lebens (heidnisch: eines Lebens als Gott). Die Einwirkung des hellenistischen Gebrauches scheint mir an dieser Stelle sicher, an anderen, wie z. B. 1. Kor. 6, 11, wenigstens wahrscheinlich: ἀλλὰ ἀπελούσασθε, ἀλλὰ ἡγιάσθητε, ἀλλὰ ἐδικαιώθητε ἐν τῷ ὀνόματι τοῦ κυρίου 'Ιησοῦ καὶ τῷ πνεύματι τοῦ θεοῦ ἡμῶν. Freilich ist hier die Auffassung der Taufe gerade nicht die mysterienhafte, sondern die aus der Handlung selbst erklärliche, in der jüdischen Proselytentaufe wiederkehrende. Nicht verschiedene Momente werden hervorgehoben, sondern drei Synonyma miteinander verbunden καθαροί, ἅγιοι, δίκαιοι ἐγένεσθε. Dagegen hängt Gal. 2, 19, 20 ganz von der mysterienhaften Auffassung der Taufe ab, freilich ohne sie selbst zu nennen: ἐγὼ γὰρ διὰ νόμου νόμῳ ἀπέθανον, ἵνα θεῷ ζήσω. Χριστῷ συνεσταύρωμαι, ζῶ δὲ οὐκέτι ἐγώ, ζῇ δὲ ἐν ἐμοὶ Χριστός· ὃ δὲ νῦν ζῶ ἐν σαρκί, ἐν πίστει ζῶ τῇ τοῦ υἱοῦ τοῦ θεοῦ τοῦ ἀγαπήσαντός με καὶ παραδόντος ἑαυτὸν ὑπὲρ ἐμοῦ. Als Tod des alten Menschen hebt die Taufe, die ja das πνεῦμα oder den Χριστὸς ἐν ἡμῖν gibt, auch das spätere irdische Leben aus dem Bereich des νόμος in den der πίστις, die sie ja bezeugt und gibt. Wenn Paulus das auch hier ein δικαιωθῆναι (οὐκ ἐξ ἔργων, ἀλλὰ διὰ πίστεως) nennt, so empfinden wir, wie bei ihm die beiden an das Wort knüpfenden Vorstellungsreihen in ganz individueller Weise zusammengeflossen sind. Ob wir, die wir unter ganz anderen sprachlichen und begrifflichen Voraussetzungen an diese Frage herantreten, das ganz annehmen oder auch nur nachempfinden können, steht hier nicht in Frage, sondern nur, was hat Paulus empfunden und gesagt.

Ich kehre zum Ausgangspunkt zurück. Nichts steht im Wege, auch an der Stelle Römerbrief 8, 30 den hellenistischen Gebrauch anzunehmen und ἐδικαίωσε zu übersetzen: 'machte (dem Wesen nach) sündlos'. Dazu paßt, daß auch hier eine positive Angabe als Ergänzung hinzutritt: ἐδόξασεν. Freilich wird die letzte Entscheidung über die ganze Stelle erst fallen können, wenn sich auch das Wort δόξα, das Deißmann (Jahrb. f. d. klass. Altertum 1903, S. 165) in der Bedeutung 'Glanz, Verklärung' für das Profangriechisch zwar vermutet, aber nicht nachweisen kann, als der Mysteriensprache angehörig herausgestellt hat, und wenn womöglich noch ein weiteres Stück desselben Gedankenzusammenhanges in hellenistischer Fassung wiedergefunden ist. Denn — um dies noch einmal zu betonen — auf die Zusammenhänge der Stellen kommt bei solchen Untersuchungen alles an.

XII. DIE BEZEICHNUNGEN FÜR DIE VERWANDLUNG

Ich stelle die für die Verwandlungen üblichen Bezeichnungen einmal kurz zusammen, damit das Zwingende eines rein auf die Sprache sich gründenden Beweises schon hier dem Leser entgegentritt. Eine allgemeine Bezeichnung μεταμόρφωσις bezeugt der Titel des Apuleius, der das letzte Buch nur deshalb zufügen kann, weil es sich auch in den Mysterien um eine solche handelt. Im Text sagt er dafür meist *reformari*, vgl. XI 16: *hunc omnipotentis hodie deae numen augustum reformavit ad homines. felix hercules et ter beatus, qui vitae scilicet praecedentis innocentia fideque meruerit tam praeclarum de caelo patrocinium, ut renatus quodammodo statim sacrorum servitio desponderetur*; XI 27 *Asinium Marcellum . . . reformationis meae non alienum nomen*; XI 30 *Osiris non* <*in*> *alienam quampiam personam reformatus*. Die Verbindung von *reformari* und *renasci* entstammt dabei der Sakralsprache. Wenn Plutarch De Is. et Os. 72, p. 379 E von einer Lehre der Ägypter weiß: ταῖς ψυχαῖς τῶν θανόντων, ὅσαι διαμένουσιν, εἰς ταῦτα μόνα (nämlich ζῷα) γίγνεσθαι τὴν παλιγγενεσίαν und Nemesius De nat. hominis c. 2 (Migne XL 581) anführt Κρόνιος μὲν γὰρ ἐν τῷ περὶ παλιγγενεσίας· οὕτω δὲ καλεῖ τὴν μετενσωμάτισιν, so sehen wir, daß beide Ausdrücke miteinander in der religiösen Sprache wechseln wie bei dem Synonym von παλιγγενεσία, der ἀναγέννησις, in der Mithrasliturgie die Verbalformen ἀναγεννᾶσθαι und μεταγεννᾶσθαι wechseln. Wenn der Alchemist Zosimos in seinen später noch näher zu besprechenden Visionen beschreibt, wie er „erneuert" wird (καινουργεῖται), so sagt er (Berthelot, Les alchemistes grecs 108, 17): ἕως ἂν ἔμαθον μετασωματούμενος πνεῦμα γενέσθαι. Das lateinische Wort dafür lehrt uns Seneca Ep. 6, 1 kennen: *intellego, Lucili, non emendari me tantum* (vgl. βελτιοῦσθαι in der Mithrasliturgie), *sed transfigurari. nec hoc promitto iam aut spero, nihil in me superesse, quod mutandum sit. quidni multa habeam, quae debeant colligi, quae extenuari, quae attolli? et hoc ipsum argumentum est in melius translati animi*[1]), *quod vitia sua, quae adhuc ignorabat, videt .... cuperem itaque tecum communicare tam subitam mutationem mei.* Selbst wenn Seneca nicht im weiteren Verlauf die Lehren der Philosophie, die man weiter geben darf, deutlich denen der Mysterien entgegenstellte, die man geheim bei sich bewahren muß, könnten wir Worte und Vorstellungen der Mysterien gar nicht verkennen. In ein besseres Sein ist sein Geist plötzlich versetzt, wenn er auch noch nicht, wie nach dem Mysterienglauben, ganz rein und fleckenlos geworden ist. Nur aus der Mysterienvorstellung ist zu begreifen, daß Seneca sich damit in einen neuen Leib versetzt fühlt, natürlich nicht einen irdischen; die Worte des Zosimos geben die Erklärung μετασωματούμενος πνεῦμα ἐγενόμην. Auch in der Mithrasliturgie ist der himmlische Leib, in dem der Myste den Göttern begegnet, das πνεῦμα, und für die Verbindung der Vorstellungen läßt sich Paulus Röm. 12, 2 vergleichen: μεταμορφοῦσθε τῇ ἀνακαινώσει τοῦ νοῦ. An altgriechische Mysterien kann man wohl kaum denken. Ich möchte die Vermutung wagen, daß auch dies Mysterienbild dem Seneca durch Poseidonios vermittelt ist (vgl. oben S. 134).

Das äußere Sinnbild dieser *transfiguratio* ist in allem Kult das Gewand; es gibt die Andeutung der μορφὴ θεοῦ. So beschreibt uns Plutarch De Is. et Os. 77 das Osiris-Gewand (ἓν ἁπλοῦν τὸ φωτοειδές) und cap. 3 das schwarzweiße Gewand der Ἰσιακοί (sie sind der λόγος, und dieser ist ἐνδιάθετος und προφορικός), das mit Tierbildern bestickte Gewand des Löwengrades der Mithrasmysten Porphyrius De abst. IV 16: sie haben, wie ihr Gott, der Sonnengott, die Wanderung durch die zwölf Tierkreiszeichen gemacht.[2] Wie der Myste der Mithrasliturgie zu seinem himmlischen Leib (oder Selbst), so soll Apuleius bei Wiederkehr des Festtages zu seinem himmlischen Gewande beten und, wenn es die Göttin befiehlt, es wieder anlegen; aufbewahrt wird es in dem

1) Vgl. βεβελτιωμένος in der Mithrasliturgie.

2) Das ist der allgemeine Glaube; die gelehrte Deutung auf die Metempsychose berührt sich damit, gibt aber schwerlich die Urvorstellung.

Tempel, in dem er die Weihe empfangen hat, vgl. XI 29 *exuvias deae, quas in provincia sumpsisti, in eodem fano depositas perseverare nec te Romae diebus sollemnibus vel supplicare iis vel, cum praeceptum fuerit, felici illo amictu illustrari posse.* Das hier recht seltsam gebrauchte Wort entspricht offenbar dem griechischen φωτίζεσθαι. Verwendet wird es für jede Weihe, vgl. XI 28 *principalis dei nocturnis orgiis inlustratus;* XI 27 *magni dei deumque summi parentis, invicti Osiris, necdum sacris inlustratum* (Gegensatz *deae quidem me tantum sacris inbutum,* vorher *initiatus*).[1] Vergleiche ich das Mysteriengebet der dreizehnten hermetischen Schrift (§ 20) τὸ πᾶν τὸ ἐν ἡμῖν σῷζε (mache lebendig, σωτήρ ist syrisch der Lebendigmacher, das πνεῦμα ζωοποιοῦν des Paulus) ζωή, φώτιζε φῶς, πνευμά⟨τιζε⟩ θεέ, so möchte ich φωτίζειν hier deuten: mache zu Licht. Licht ist ja der göttliche Teil unserer Seelen nach iranischem Glauben; noch nach spätem Mönchsglauben ist der Vollendete innerlich Licht; hebt er die Hände zum Gebet, brechen die Lichtstrahlen aus seinen Fingerspitzen und steigen die Worte aus seinem Munde (das πνεῦμα λεκτικόν) als Funkenkette oder Feuerstrom empor. Für den Mönch ferner wie für den Mysten ist das Totengewand das Initiationsgewand (ebenso das Gewand, in dem er Offenbarung erfleht, also zu Gott emporsteigt). An dem Vollendeten erglüht es und zeigt wunderbare Figuren und Zeichen (Damascius bei Photius, Bibl. cod. 242, p. 343, 29 Bek., vgl. die Schilderung des Himmelsgewandes in dem Seelenhymnus der Thomasakten). Eine ähnliche Vorstellung des Lichtgewandes und Lichtkranzes finde ich in den Vorstellungen der Manichäer und Mandäer, nur daß bei letzteren die Taufe im Lichtstrom (Lichtjordan) hinzutritt. Das ist wichtig, weil der mandäische Taufbrauch zweifellos mit der Johannestaufe zusammenhängt, von der die christliche Taufe nur stammen kann. So würde sich mir die christliche Bezeichnung für diesen Initiationsritus φωτισμός am besten erklären. Ein Zusammenhang mit der durch Apuleius bezeugten

---

1) In anderer Bedeutung gebraucht Apuleius ein anderes Wort XI 17 (*dea*) *quae suae lucis splendore etiam deos inluminat* (anders Asclepius c. 23 *homo fictor est deorum . . et non solum inluminatur, verum etiam inluminat nec solum ad deum proficit verum etiam conformat deos*).

heidnischen Bezeichnung φωτίζεσθαι für τελεῖσθαι muß ja bestehen, und die Erklärung Justins (Apol. I 61) καλεῖται δὲ τοῦτο τὸ λουτρὸν φωτισμός, ὡς φωτιζομένων τὴν διάνοιαν τῶν ταῦτα μανθανόντων trägt den Charakter rationalistischer Umdeutung zu offenkundig an sich, um mir glaublich zu sein. Wäre sie richtig, so hätte man wohl die κατηχούμενοι eher φωτιζόμενοι genannt. Aber φῶς und πνεῦμα können nur zusammen gewonnen werden, weil beide das Wesen der Gottheit oder göttlichen Seele ausmachen.

XIII. TUGENDEN UND LASTER ALS GLIEDER

Die uns befremdliche Grundanschauung der hermetischen Schrift, daß eine bestimmte Anzahl von Lastern den natürlichen Menschen, eine gleiche Anzahl von Tugenden den Gott oder den neuen Menschen bilden, wird durch den Kolosserbrief als relativ alt erwiesen. Die Voraussetzungen sind gegeben, seit Zarathustra die ursprünglich materiellen Elemente der Welt, des Menschen und Gottes zu geistigen Kräften umbildete, ohne damit voll durchzudringen. Mitwirkt natürlich die wachsende Ethisierung der vorderasiatischen Religionen, und schon Yašt 22 zeigt die Vorstellung, daß das himmlische Selbst des Menschen durch seine guten Gedanken, Worte und Taten gebildet wird, ebenso das teuflische durch seinen schlechten. Die Systematisierung[1] vollzieht sich unter der Einwirkung der theologisch-spekulativen Kosmologie, die ja zugleich Anthropologie ist, und ist stark astrologisch beeinflußt. Zwei Systeme scheinen sich nebeneinander zu entwickeln. Ein Fünfersystem, das sich, wie der Dāmdād-Nask zeigt, frühzeitig zum Siebenersystem entwickelt, knüpft ursprünglich an die Elementenliste an; später an die erweiterte

1) Sie setzt außerordentlich früh ein, zunächst in sehr primitiver Form. Der indische Satz 'der Puruṣa ist 21 fältig, denn er hat 10 Finger, 10 Zehen und dazu das Ich', den ich (Reitzenstein-Schaeder I 120) ins Iranische verfolgt habe, erklärt sich, wie mir Prof. Jacobsohn nachwies, dadurch, daß eine ganze Anzahl 'primitiver' Völker den Menschen als Zwanzig bezeichnen. Finger und Zehen schienen zunächst die wichtigsten Glieder. Wenn man das Pentaden-System aus derartig ursprünglichem Denken herleitet, begreift man den Anlaß, das Ich (den Körper) als das Ganze hinzuzufügen. Doch gehe ich im folgenden auf diese ältesten Formen nicht ein.

Liste der Gotteskräfte, die der erweiterten Planetenliste angeglichen wird (Sonne und der Mond treten zu den fünf Planeten, vgl. oben S. 224 f.). Ein anderes System geht von der Zeit, astrologisch: von den Tierkreiszeichen — auch an sie wird ja der sinnliche Leib des Menschen verteilt — aus: zwölf Teile bilden als Ganzes das All, den Gott, den Menschen. Es tritt uns am klarsten in Manis Lehren entgegen, die in den Turfan-Fragmenten, dem Bericht Theodor bar Konis und vor allem nach Manis eigener Darstellung im Θησαυρός bei Augustin De natura boni c. 44 dargestellt sind.[1] Zwölf Kinder des Urgottes (Zarvān) oder des Gesandten, die Lichtäonen, bilden den Gott selbst; Tugenden, oder besser 'Kräfte', sind es, die letzte das Licht selbst. Dies System wird vorausgesetzt, wenn die Umwandlung des Menschen zum Gottwesen sich durch die Anlegung von zwölf göttlichen und vergöttlichenden Gewändern vollzieht.[2] Das Alter der Vorstellung wird einerseits durch Apuleius, andererseits durch die christliche Umbildung im Hirten des Hermas Sim. IX 15 bezeugt. Schwerer zu fassen ist die Vorstellung der Fünferreihen. Wir müssen von dem Bericht des Fihrist (Flügel S. 95) ausgehen. Die Manichäer verlangen Glauben an Gott, sein Licht, seine Kraft und seine Weisheit; sein Licht ist Sonne und Mond, seine Kraft sanfter Lufthauch, Wind, Licht(erde), Wasser, Feuer. Das ist die alte Elementenliste, deren griechische Bezeugung wir S. 225 sahen: Sonne, Mond, Lufthauch, Wind, Erde, Wasser, Feuer. Nur fügt der Manichäer als vierten Hauptteil hinzu: seine Weisheit, das ist Sanftmut, Wissen, Vernunft, Geheimnis, Einsicht.[3] Es sind die Teile, die Mani dem Gott der Verstandeswelt, also der Weltseele oder der Seele des Urmenschen gibt. Wir entdecken mit einer gewissen Überraschung auch hier neben jenen sieben Elementen als Ganzes den Weltgott, über dem freilich ein Urgott steht.[4] Das System ist sicher nicht von Mani erfunden,

1) Musterhaft dargestellt bei Cumont, Recherches sur le Manichéisme I p. 35, vgl. Schaeder, Reitzenstein-Schaeder II. S. 80.

2) Vgl. oben S. 226.

3) Richtiger fünf Bezeichnungen des religiösen Intellekts, vgl. Schaeder a. a. O. Die griechische Übersetzung ist νοῦς, ἔννοια, φρόνησις, ἐνθύμησις, λογισμός.

4) Durch die Einsetzung der Fünfzahl scheint eine Angleichung an die

vielleicht freilich auch in seiner Lehre nicht das ursprüngliche. Der Fihrist selbst bietet noch zwei weitere Beschreibungen S. 93 und 86. An der ersten Stelle heißt es: die Lichterde hat fünf Glieder, sanfter Lufthauch, Wind, Licht, Wasser, Feuer, und ebenso hat der Lichtäther fünf Glieder; es sind jene fünf intellektuellen Kräfte, welche die Seele des Urmenschen ausmachen. Wenn jetzt hinzugefügt wird: diese zehn Glieder des Äthers und der Erde bilden in ihrer Gesamtheit die Großherrlichkeit, so ist klar, daß diese Großherrlichkeit eben der Urmensch nach Leib und Seele ist. Wie nach den Turfanfragmenten die Elemente als Hüllen übereinander liegen, so nach der Schilderung des Fihrist S. 87 die intellektuellen Kräfte (die Lichterde macht die Wahrnehmung, die αἴσθησις, von ihr empfängt sie das äußerste und schwächste intellektuelle Element — vgl. die Gleichsetzung mit den Kirchengraden S. 95 — und gibt sie dem nächsten weiter, bis sie zu dem innersten dringt). Die strenge Systematik zeigt, daß hier Sonne und Mond keinen Platz haben könnten; zugrunde liegt die der chinesischen entsprechende Elementenliste. Die dritte Aufzählung (S. 86) bringt eine wirkliche Schwierigkeit: die stofflichen Glieder (Lufthauch usw.) werden der Lichterde, die intellektuellen dem Lichtäther zugeschrieben, zugleich aber bilden letztere auch die stofflichen Glieder des Urgottes, denen in diesem fünf geistige Glieder, Liebe, Glauben, Treue, Edelsinn, Weisheit, also fünf Tugenden gegenüberstehen. Für Mani selbst ist dabei durch Augustin die Stellung der Lichterde und des Lichtäthers neben und zugleich doch auch wieder in dem Urgott bezeugt, unbezeugt die Stellung der fünf ethischen Elemente als geistige Glieder dieses Urgottes. In der chinesischen Schrift (Journal Asiatique X 18, 1911, p. 499f.) erscheinen sie als Gaben jener intellektuellen Elemente, die in dem „neuen Menschen" für sie eintreten, also die Seele des wahrhaft Gläubigen ausmachen. Eine Entscheidung wage ich noch nicht zu fällen.[1] Ein Zusammenhang der Fünferlisten mit dem dodeka-

Zwölferliste beabsichtigt, doch ist sie sekundär; Sonne und Mond können in dieser keinen Platz haben, die Teile müssen gleichartig sein. Das ist das psychologische Grundgesetz dieser Reihenbildungen.

1) Die ganze Pentade entspricht den ursprünglich fünf Siegeln und könnte nachträglich eingefügt sein.

dischen System wird in dem chinesischen Text künstlich hergestellt; er scheint mir auch hier sekundär. Die Fünferlisten sind an sich im Elementenkanon uralt, in dessen Nachbildungen z. T. willkürlich, in ihren Verbindungen sehr frei.[1] Wie dann diese Pentaden, weil man immer das Ganze zu ihnen addieren kann, zu Hexaden werden, neben denen wieder ein Ganzes steht, zeigt jetzt der persische Dāmdad-Nāsk, der vor die Mitte des fünften Jahrhunderts fällt.[2] Aus ihm hat der Große Bundahišn cap. 28, 6 (Goetze S. 63) den Vergleich: 'die Seele ist wie Ōhrmazd, Vernunft, Verstand, Gedächtnis, Einsicht, Wissen und Deutungsgabe[3] ⟨sind⟩ wie jene sechs Amahrspand, die vor Ohrmazd stehen.' Hier ist uns noch im Zarathustrismus die Zwischenstufe, auf der er aus den fünf göttlichen Elementen die sechs geworden sind, bezeugt; wir finden sie später auf sieben erhöht und begreifen, wie im Gnostizismus, z. B. bei Simon von Gitta, die Reihe der intellektuellen Potenzen (νοῦς usw.) statt fünfgliedrig sechsgliedrig wird. Aber wir gewinnen aus dem einen kümmerlichen Fragment noch viel mehr. Wie Ōhrmazd verehrt, also ihm gleichgestellt wurde die Einzelseele auch im Yašt 22. Sie wird in der späteren Gnosis der Urmensch, die göttliche

1) So scheint es mir methodisch bedenklich von einer solchen — noch dazu einer besonders künstlichen — auszugehen, um diese ganze Entwicklung zu erklären, wie dies L. Troje in dem Buch 'Die Dreizehn und die Zwölf im Traktat Pelliot' tut. Das Sāmkhya-System (5 grobe Elemente — es sind die mit Mani übereinstimmenden altindischen —, 5 feine Elemente, 5 Tastsinne, 5 Sinne der Wahrnehmung, das Innenorgan der Wahrnehmung, das Subjektivierungsorgan, das Organ des Urteils) stimmt mit Manis System nur in der ersten Pentade überein und ist so völlig anders orientiert, daß ich direkte Zusammenhänge ungern annehmen würde. Ein abschließendes Urteil wird freilich nur der Indologe fällen können, jeder Leser aber Frau Troje für die Fülle feiner Einzelbeobachtungen und Erklärungen dankbar sein. Daß wir Mani auch ohne das Sāmkhya-System voll erklären können, wird sich zeigen. Wie fern es mir liegt, alle Beziehungen zwischen Iran und Indien zu leugnen — ich habe gerade durch L. Troje auf sie zu achten gelernt —, zeigt mein mit Prof. Schaeder gemeinsames Buch.

2) Vgl. A. Goetze, Persische Weisheit im griechischen Gewande, Zeitschrift f. Indologie und Iranistik II, 1923 S. 60f. und dazu Reitzenstein-Schaeder I cap. 4.

3) Die Übersetzung der Begriffe ist nicht mit voller Schärfe zu geben; klar ist, daß nur intellektuelle, zugleich freilich religiöse Kräfte gemeint sind.

Seele, die in uns schlummert. Daß der Manichäismus die Seele mit Ohrmazd gleichsetzt[1], ist nur die konsequente Fortbildung altpersischen Empfindens. Endlich zeigt das Fragment, wie die zarathustrische Vergeistigung der ursprünglich sinnlichen Elemente bei der Angleichung von Ohrmazd und Seele notwendig zu jener begrifflich gar nicht durchführbaren Scheidung von fünf (später sechs) intellektuellen Kräften führt. Die Systembildung Manis ist damit erklärt und in ihrem Alter gesichert.

So treten wir jetzt mit ganz anderen Hilfsmitteln ausgerüstet an den Kolosserbrief cap. 3 heran. Den Grundgedanken nimmt der Verfasser, wie ich oben (S. 230) erwähnte, aus dem Römerbrief (cap. 6), gibt ihm aber eine neue, in ihrer Seltsamkeit zu wenig beachtete Wendung. Die Christen sind mit Christus gestorben und mit ihm auferweckt, aber ihr Leben ist noch mit Christus verborgen in Gott; erst wenn ihr Herr geoffenbart wird (bei der Wiederkunft), werden auch sie offenbar werden ἐν δόξῃ (in Herrlichkeit, und im himmlischen Leib). Hieran schließt die Mahnung νεκρώσατε οὖν τὰ μέλη ὑμῶν τὰ ἐπὶ τῆς γῆς, πορνείαν, ἀκαθαρσίαν, πάθος, ἐπιθυμίαν κακήν (persisch *āz*) καὶ τὴν πλεονεξίαν, ἥτις ἐστὶν εἰδωλολατρεία (als Mammonsdienst); sie schließt ἀπεκδυσάμενοι τὸν παλαιὸν ἄνθρωπον σὺν ταῖς πράξεσιν αὐτοῦ. Der positive Teil beginnt καὶ ἐνδυσάμενοι τὸν νέον, τὸν ἀνακαινούμενον εἰς ἐπίγνωσιν, κατ' εἰκόνα τοῦ κτίσαντος αὐτόν (alle Worte sind auch iranische Termini), und erklärt das: ἐνδύσασθε οὖν ὡς ἐκλεκτοὶ θεοῦ ἅγιοι καὶ ἠγαπημένοι σπλάγχνα οἰκτιρμοῦ, χρηστότητα, ταπεινοφροσύνην, πραΰτητα, μακροθυμίαν. Waren jene Laster die Glieder des alten Menschen, so müssen diese Tugenden die Glieder des neuen sein. Auch dies trägt zur Erklärung der hermetischen Schrift bei. Für die neutestamentliche Stelle muß ich geradezu ein literarisches Vorbild in der iranisch-hellenistischen Mystik annehmen. Der christliche Verfasser, der das System nicht recht erkennt und zahlreiche Zusätze macht[2], wie ja auch der Verfasser der hermetischen Schrift,dankt ihm inhaltlich

---

1) Daneben freilich auch mit dem Gott der Zwölferreihen (dem Zeitgott als Weltgott). Beide Systeme finden wir immer wieder nebeneinander.

2) Es ist ganz unmöglich, in ihm den Erfinder des Systems oder auch nur das Vorbild für Mani zu suchen.

sehr wenig, nicht die Strenge des sittlichen Ernstes, nicht die mehr als unbeholfene Aufzählung und Scheidung der Laster und Tugenden, keine der beigefügten Einzelheiten, wohl aber den Aufbau des Ganzen und die mystische bildliche Vorstellung. Der Fall ist gerade deshalb typisch; man kann mit demselben Recht sagen 'sehr wenig', wie 'sehr viel', wenigstens wenn man an die psychologischen Voraussetzungen und an die Wirkungen dieser Übernahme denkt. Dem Paulus selbst habe ich diesen Brief wegen der stilistischen Mängel und wegen der Intensität der Mystik nie zugetraut. Die Betrachtung dieses Verhältnisses zu einer literarischen Quelle bestärkt mich in meiner Überzeugung; so unselbständig ist er nie; er bleibt originell, selbst wo er entlehnt. Mit dem Urbilde der hermetischen Schrift, das eine Siebenzahl der Gotteskräfte bot, hängt die außerordentlich wichtige Beschreibung der ἀναγέννησις oder παλιγγενεσία (beide Worte werden von Philo unterschiedslos auch für die 'Erneuerung' des κόσμος verwendet) in den Quaestiones in Exodum II 46 zusammen: *sursum autem vocatio prophetae secunda est nativitas (sive regeneratio) priore melior: illa* (jene Seele) *enim commixta per carnem etiam corruptibiles habet parentes, ista vero incommixta simplexque anima principalis (vel spiritus principis) mutata a genita ad ingenitam, cuius non est mater, sed pater solus, qui est universorum. quam ob rem et sursum vocatio, sive, ut diximus, divina nativitas, contigit ei fieri secundum naturam septenarii semper virginis.*[1] Ich habe selbst, als ich die Stelle zum erstenmal las, noch gezweifelt, ob man nicht an eine christliche Interpolation denken müsse, und erst der Vergleich der hermetischen Schrift, die uns alle Voraussetzungen dafür gibt, hat mich von der Echtheit überzeugt. Ich kann sie jetzt noch zwingender durch einen Vergleich mit De vita Moys. II 288 Cohn nachweisen; die Himmelswanderung beim Tode muß ja der Himmelswanderung in der Ekstase entsprechen: χρόνοις δ' ὕστερον, ἐπειδὴ τὴν ἐνθένδε ἀποικίαν ἔμελλεν εἰς οὐρανὸν στέλλεσθαι καὶ τὸν θνητὸν ἀπολιπὼν βίον ἀπαθανατίζεσθαι μετακληθεὶς ὑπὸ τοῦ πατρός, ὃς αὐτὸν δυάδα ὄντα, σῶμα καὶ ψυχήν, εἰς μονάδος ἀνεστοι-

1) Pythagoreisch. Die Zahl Sieben bezeichnet Athene, vgl. oben S. 171 A. 2.

χείου φύσιν ὅλον δι' ὅλων μεθαρμοζόμενος εἰς νοῦν ἡλιοειδέστατον. Wer ἀναστοιχειοῦν hier als auflösen deutet, raubt der Stelle die Anschaulichkeit (vgl. μεθαρμοζόμενος); es ist aus der mystischen Vorstellung der στοιχεῖα als Glieder (daher ὅλον δι' ὅλων) für ἀναγεννᾶν oder ἀνακαινοῦν eingesetzt. Der Ruf, der hier verpflanzt (μετακαλεῖ), führt nach oben (ἀνακαλεῖ), μετακαλεῖν und ἀνακαλεῖν wechseln ebenso frei wie in der Mithrasliturgie μεταγεννᾶν (vgl. hier μεθαρμόζεσθαι) und ἀναγεννᾶν. Das dort verwendete Wort ἀπαθανατισμός könnte auch Philo gebrauchen. Auch der Begriff νοῦς ἡλιοειδέστατος[1] ist ganz iranisch, und die folgende Schilderung ἤδη γὰρ ἀναλαμβανόμενος καὶ ἐπ' αὐτῆς βαλβῖδος ἑστώς, ἵνα τὸν εἰς οὐρανὸν δρόμον διϊπτάμενος εὐθύνῃ entspricht vielleicht nicht zufällig ganz den mandäischen Beschreibungen, wie die Seele, die sich zum Himmelsflug (auch der Wanderung oder dem Getragenwerden) rüstet, auf 'die Zinne' tritt und eine letzte Betrachtung anstellt, ehe 'das Geleit' eintrifft.

Die Echtheit der Stelle der Quaestiones in Exodum, die Verbreitung des iranischen Unsterblichkeitsglaubens und das Alter der gnostischen Vorstellung, daß mit dem Empfang, oder richtiger mit dem Erwachen des πνεῦμα im Menschen schon die ἀνάστασις, die Entrückung in das Jenseits, und mit ihr das Aufhören des irdischen Lebens verbunden ist, scheint mir damit bewiesen.

Doch wir können weiter vordringen. Es ist ein Unglück, daß wir Philologen Philo immer nur als Griechen behandeln und, was nicht handgreiflich alttestamentlich ist, auf griechische Philosophie zurückführen; wir verdunkeln uns damit nicht nur das eigentlich in ihm Lebendige, die Religiosität, sondern schaffen uns selbst von seinen Grundbegriffen, weil wir an den griechischen Worten haften, ganz verkehrte Vorstellungen. Das ließe sich an Begriffen λόγος wie πνεῦμα leicht nachweisen, führte aber zu weit.[2] So greife ich nur eine oft besprochene Stelle heraus,

1) Bei Mani ist der zwölfte Aion das volle Licht.

2) Vgl. 'Das iranische Erlösungsmysterium MS. 106 A. 1, die Kritik an Leisegangs Methode. Eine Seminararbeit meines damaligen lieben Schülers Dr. Hans Drexler führte mich dann auf dem dort schon angedeuteten Wege weiter, so daß ich auf diesem Gebiete wohl selbst sein Schüler geworden bin.

um sie in ihren ursprünglichen Zusammenhang zu rücken und dann zu prüfen, was aus ihr folgt.

Die Vorschriften über den Hohenpriester (III Mos. 21, 10. 11 καὶ ὁ ἱερεὺς ὁ μέγας ἀπὸ τῶν ἀδελφῶν αὐτοῦ, [τοῦ] ἐπικεχυμένου ἐπὶ τὴν κεφαλὴν τοῦ ἐλαίου τοῦ χριστοῦ καὶ τετελειωμένου ἐνδύσασθαι τὰ ἱμάτια, τὴν κεφαλὴν οὐκ ἀποκιδαρώσει καὶ τὰ ἱμάτια οὐ διαρρήξει, καὶ ἐπὶ πάσῃ ψυχῇ τετελευτηκυίᾳ οὐκ εἰσελεύσεται, ἐπὶ πατρὶ αὐτοῦ οὐδὲ ἐπὶ μητρὶ αὐτοῦ οὐ μιανθήσεται) will Philo De fuga et inventione §§ 108—112 nach der physischen, d. h. kosmischen Allegorie erklären, indem er nach seiner Methode, d. h. offenbar nach einer bereits feststehenden Methode seiner rabbinistischen Vorgänger, nicht den Zusammenhang des Textes zugrundelegt oder auch nur berücksichtigt[1], sondern ausschließlich an einzelne Worte erbauliche Bilder anknüpft, die zu dem Text in keiner Weise passen und beständig wechseln: λέγομεν γὰρ τὸν ἀρχιερέα οὐκ ἄνθρωπον ἀλλὰ λόγον θεῖον εἶναι, πάντων οὐχ ἑκουσίων μόνον ἀλλὰ καὶ ἀκουσίων ἁμαρτημάτων ἀμέτοχον. οὔτε γὰρ 'ἐπὶ πατρί', τῷ νῷ, οὔτε 'ἐπὶ μητρί', τῇ αἰσθήσει, φησὶν αὐτὸν Μωυσῆς δύνασθαι μιαίνεσθαι, διότι, οἶμαι, γονέων ἀφθάρτων καὶ καθαρωτάτων ἔλαχεν, πατρὸς μὲν θεοῦ, ὃς καὶ τῶν συμπάντων ἐστὶ πατήρ, μητρὸς δὲ σοφίας, δι' ἧς τὰ ὅλα ἦλθεν εἰς γένεσιν· καὶ διότι 'τὴν κεφαλὴν κέχρισται ἐλαίῳ', λέγω δὲ τὸ ἡγεμονικὸν φωτὶ αὐγοειδεῖ περιλάμπεται, ὡς ἀξιόχρεως 'ἐνδύσασθαι τὰ ἱμάτια' νομισθῆναι — ἐνδύεται δὲ ὁ μὲν πρεσβύτατος τοῦ ὄντος λόγος ὡς ἐσθῆτα τὸν κόσμον (γῆν γὰρ καὶ ὕδωρ καὶ ἀέρα καὶ πῦρ καὶ τὰ ἐκ τούτων ἐπαμπίσχεται), ἡ δ' ἐπὶ μέρους ψυχὴ τὸ σῶμα, ἡ δὲ τοῦ σοφοῦ διάνοια τὰς ἀρετάς — καὶ ὅτι 'τὴν κεφαλὴν οὐδέποτε ἀπομιτρώσει', τὸ βασίλειον οὐκ ἀποθήσεται διάδημα, τὸ σύμβολον τῆς οὐκ αὐτοκράτορος μέν, ὑπάρχου δὲ καὶ θαυμαστῆς ἡγεμονίας. 'οὐδ' αὖ τὰ ἱμάτια διαρρήξει'. ὅ τε γὰρ τοῦ ὄντος λόγος δεσμὸς ὢν τῶν ἁπάντων, ὡς εἴρηται, καὶ συνέχει τὰ μέρη πάντα καὶ σφίγγει κωλύων αὐτὰ διαλύεσθαι καὶ διαρτᾶσθαι, ἥ τ' ἐπὶ μέρους ψυχή, καθ' ὅσον δυνάμεως μεμοίραται, τῶν τοῦ σώματος οὐδὲν ἀποσχίζεσθαι καὶ ἀποτέμνεσθαι μερῶν παρὰ φύσιν ἐᾷ, τὸ δ' ἐπ' αὐτῇ πάντα ὁλό-

1) Den prinzipiellen Unterschied der pneumatischen und der wissenschaftlichen Erklärung — einer der schönsten Errungenschaften griechischen Geistes — kann man an Stellen wie diese besonders klar erkennen.

κληρα ὄντα ἁρμονίαν καὶ ἕνωσιν ἀδιάλυτον ἄγει τὴν πρὸς ἄλληλα. ὅ τε κεκαθαρμένος τοῦ σοφοῦ νοῦς ἀρρήκτους καὶ ἀπήμονας διαφυλάττει τὰς ἀρετάς, τὴν φυσικὴν αὐτῶν συγγένειάν τε καὶ κοινωνίαν ἁρμοσάμενος εὐνοίᾳ παγιωτέρᾳ.

Sehen wir zunächst auf den gesperrt gedruckten Teil. Der Einzelseele (ἐπὶ μέρους ψυχή) kann nicht ein ältester Logos[1], sondern nur die Gesamtseele oder Weltseele entsprochen haben, iranisch ausgedrückt also der Urmensch, bzw. Gayōmard. Wie er die fünf Elemente — daß Philo dafür die griechische Vierzahl setzt, ist natürlich — bei seinem Niedersteigen, eines über das andere, sich anzieht, wird uns in manichäischen Religionsurkunden des öfteren beschrieben und ist in astrologischer Umgestaltung (die Elementenzahl wegen der sieben Wandelsterne und Sphären auf sieben erhöht) im Dāmdād-Nask und der aus ihm abgeleiteten hermetischen Schrift Poimandres vorausgesetzt. Bei Philo wirkt noch die alte Vorstellung von Makrokosmos und Mikrokosmos, also von dem Weltgott als dem ungeheuren Menschenstandbild nach, das an seinen Gewändern die Darstellung alles Sichtbaren trägt; das zeigen besonders die Worte καὶ τὰ ἐκ τούτων. Das deutlichste Gegenbild bietet die hellenistisch-jüdische Naassenerpredigt, die diesen Urmenschen als die große Seele den Einzelseelen (Individualseelen) gegenüberstellt. Immer klarer wird, daß jenen judenchristlichen Sekten, die den Gesalbten (Christus) als die Weltseele faßten, jüdisch-gnostische Sekten vorausliegen, welche die Einzelheiten iranischer Theologie stärker auf sich wirken lassen als das Judentum des Stammlandes. Über die Teile dieser Urseele hütet Philo sich ebenso zu sprechen, wie über die Teile der Einzelseele; an Zahl müssen sie in der iranischen Vorlage den Elementen entsprochen haben. Manis zehnteilige „Großherrlichkeit" ist einer iranischen Theologie entnommen, die älter als Philo ist. Aber Philo bietet uns noch mehr. Prüfen wir das Sätzchen ἡ δὲ τοῦ σοφοῦ διάνοια τὰς ἀρετάς, so sehen wir, daß nach dem ganzen Zusammenhang

1) Philo hat das Wort hier eingesetzt, weil es ihm sonst als Bezeichnung für den Urmenschen (oder die Weltseele) dient. Er hat so wenig eine feste Logosvorstellung wie eine, angeblich platonische, Idee des Menschen.

auch hier διάνοια (später νοῦς) nur für ψυχή eingesetzt ist.[1] Er fand also in der gleichen Systembildung auch die altpersische Vorstellung, daß die Seele des Vollendeten, sein himmlisches Gegenbild, aus seinem sittlichen Charakter besteht (bzw. in ihn eingekleidet ist), durch den er dem Gott Ōhrmazd ähnlich geworden ist, und fand sie in derselben Ausgestaltung, wie sie die erwähnten manichäischen Listen zeigen, also als fünf φυσικῇ τινι συγγενείᾳ τε καὶ κοινωνίᾳ organisch zusammenhängende Tugenden. Wenn in dem Schluß des abgedruckten Stückes dieses himmlische Gegenbild auch wieder ὁ κεκαθαρμένος τοῦ σοφοῦ νοῦς heißt, so könnte man vermuten, daß die chinesische Schrift, in der es sich um die Eigenschaften des 'gereinigten' Menschen handelt[2], den ursprünglichen Zusammenhang am reinsten bewahrt. Der Zusammenhang der drei Fünferlisten ist jedenfalls altbezeugt. Wenn ferner bei Philo von den fünf Einzelgliedern das Ganze geschieden wird, das sie zusammenhält εὐνοίᾳ παγιωτέρᾳ, so ist die Ähnlichkeit mit dem Kolosserbrief[3] so augenfällig, daß sie wohl zu Schlüssen berechtigt. An der Salbung hebt Philo nur den Lichtglanz hervor, der ihr zufolge das Haupt umgibt, um dann nach dem Text von dem Diadem, dem Symbol des Herrschertums, zu reden; die Glorie des Persers, die ja der Urmensch trägt, erkennt wohl jeder Leser.[4]

Ich fasse zusammen: nicht eine Erklärung des jüdischen Textes wird gegeben; man erinnere sich, wie aus dessen Worten καὶ ἐπὶ πάσῃ ψυχῇ τετελευτηκυίᾳ οὐκ εἰσελεύσεται, ἐπὶ πατρὶ αὐτοῦ οὐδὲ ἐπὶ μητρὶ οὐ μιανθήσεται die Erklärung wird, von den Eltern her hafte Sündlosigkeit an ihm, denn sein Vater sei Gott und seine Mutter die Sophia (unmittelbar vorher hieß sie αἴσθησις). Anklänge an die Stoa kann man leicht nachweisen, aber die Gedanken stammen nicht aus ihr. Iranische Spekulation liegt zu-

1) Freilich für den himmlischen Teil der Seele, die Seele oder das Pneuma des Wiedergeborenen; er heißt hier ὁ σοφός, da er die intellektuellen Kräfte hat.

2) Sie beschreibt eingehend dies καθαίρειν und betrachtet es als einen Grundbegriff. Ebenso Corp. herm. XIII (vgl. § 15. 7. 8). Schon hier beginnt die Verquickung mit dem Zwölfersystem.

3) Kol. 3, 14 ἐπὶ πᾶσι δὲ τούτοις τὴν ἀγάπην, ὅ ἐστιν σύνδεσμος τῆς τελειότητος. Für ähnliche indische Vorstellungen vgl. Reitzenstein-Schaeder I S. 134.

4) Vgl. deren Beschreibung in der Abraxas-Kosmogonie unten S. 359.

grunde, aber ihre strenge Systematik und innere Begründung ist nicht mit übernommen. Das religiöse Empfinden der Kreise, für welche eine solche Darstellung bestimmt ist, verlangt keine klare Gedankenentwicklung; eine völlig synkretistische Religiosi tät begehrt nur Erregung des Gefühls durch ein geschicktes Berühren des verschiedenartigen, in ihr schlummernden Vorstellungsstoffes. Ihn wiederzubeleben und durch Philo zu datieren, ist unsere wichtigste Aufgabe[1], nicht aber ein System der 'Philosophie' Philos zu entwerfen. Ich kann, wenn ich auch nur eine derartige Stelle wirklich analysiere oder nur ein Dokument wie den Isis-Hymnus von Oxyrhynchos (Pap. 1380) zu verwerten versuche, die beweislose Behauptung Ed. Meyers, daß erst das Christentum den Synkretismus zur vollen Entwicklung gebracht habe, nur als dem tatsächlichen Befund vollkommen widersprechend empfinden.

XIV. DIE NEUEN MANICHÄISCHEN FRAGMENTE

Ich habe den Zusammenhang der Liedüberschriften in dem Vortrag S. 53 f. umschrieben, wie er sich mir nach der von F. W. K. Müller gebotenen Fassung von M. 4 darstellt; die Texte gibt mein Buch 'Das Iranische Erlösungsmysterium' S. 13 f. Erst während die obige Darstellung im Druck war, kam die Abhandlung 'Die Stellung Jesu im Manichäismus' von E. Waldschmidt und W. Lentz (Abh. d. Preuß. Ak. 1926) durch die Güte der

1) Es ist für die Geschichte der Religion wie der späteren Philosophie wichtig zu beobachten, wie viel verschiedene religiöse Vorstellungen damals in einer großen Handelsstadt allgemein bekannt und wirksam sind. Ungleich wichtiger freilich scheint mir die Aufgabe, die Philo dem Iranisten von Beruf stellt, indem er eine Fülle von Vorstellungen voraussetzt, die uns auf iranischem oder iranisiertem Boden erst Jahrhunderte später bezeugt sind. Wir ahnen, wie irreführend der populäre Satz ist 'Iranisch ist nur, was im Avesta steht', und können doch nur in wenigen Fällen zu klaren Erkenntnissen vordringen. Noch fehlen ja auch alle Vorarbeiten, zu deren dringendsten ich eine zuverlässige Übersetzung der armenischen Philo-Überlieferung rechne. Die Forderung an den Theologen, in gnostischen Systemen hinter den mehr oder minder zufällig gewählten griechischen Worten die orientalischen Grundvorstellungen zu suchen, läßt sich nicht mehr ablehnen. Erfüllbar ist sie freilich nur, wenn Ordnungsprinzip und kosmologische oder anthropologische Grundlage der Systeme beachtet werden.

Verfasser in meine Hände. Sie bestätigt mir, daß ich die ausführlichen Gliederhymnen richtig mit dem Auszug in M. 4 verbunden[1], die Blattfolge dort richtig hergestellt und die zwölf Glieder, deren Zahl ich festgestellt habe, richtig (S. 15,1) als die Teil-Aionen des einen Aion, die zwölf Stunden des einen Lichttages gedeutet habe.[2] Aus neuem Material fügen die Verfasser (S. 68) hinzu, daß in einer anderen, stark abweichenden Fassung (T II K 178) das Ganze als 'Des Lebendigen Ichs Zwölf-Glieder-Darlegung' bezeichnet wird[3], und ich darf mich freuen, daß ich die Existenz einer solchen anderen Fassung auch selbst vermutet habe (Ir. Erl. Myst. S. 27), wenn ich auch eine Verbindung beider Fassungen für möglich hielt. Das muß ich jetzt als verfehlt aufgeben. Nur scheinen mir die Verfasser in den gleichen Fehler zu verfallen. Sie wollen, wie es scheint, umgekehrt nach der zweiten Fassung, die sie publizieren, die erste beurteilen: es seien Beichtgebete, vom Weltuntergang sei nicht die Rede, die Bezeichnung Erlösungsmysterium nach jeder Hinsicht unrichtig. Mir scheint das vorschnell. Die von mir so bezeichnete Hauptfassung beginnt 'Und die Götter deinetwegen sind ausgezogen und erschienen Und haben vernichtet den Tod und die Finsternis getötet'. Das geschieht im Manichäismus wie im Christentum und im Zarathustrismus erst beim Weltuntergang, bei der vollen Erlösung. Auf sie weisen die Titel in M. 4, wo auch von der Zeit gesprochen wird, von der der Erlöser geredet hat. Weitere Zeichen hierfür wird wohl die verheißene Übersetzung von Prof. Andreas bringen; ich gehe nicht weiter darauf ein, da ich mehr als in meinem Buch auch jetzt nicht mitteilen dürfte. Leider haben die Verfasser, wie es scheint, die zusammenfassende Darstellung meiner Ansichten (a. a. O. S. 95 f.) nicht gelesen. Ausdrücklich habe ich darauf hingewiesen, daß dies liturgische Corpus von zwölf im Responsoriengesang vorgetragenen Liedern oder Liedgruppen für die Manichäer kein

1) Freilich erklären die Verfasser dann auch wieder M. 4 nur für eine kurze Sammlung von Gemeindehymnen, was hierzu wenig paßt.

2) Das bezeugt der von Chavannes und Pelliot herausgegebene Traktat.

3) Das lebendige Ich ist ein Leib, hat also nach chaldäisch-iranischer Auffassung zwölf Glieder. Die Auffassung ist also etwas anders.

eigentliches Mysterium mehr darstellt (S. 96), sondern wie Corp. herm. XIII nur der Erbauung dient (mein Beweis war schon damals die große Zahl der Handschriften, der Schilderungscharakter, ein δρώμενον fehlte, die einzelnen Lieder begegneten auch in anderem Zusammenhang; das mandäische Liturgiebuch diente mir zur Verdeutlichung). Dahinter freilich liege der Mysteriengedanke. Wenn eine ähnliche liturgische Form in einem Beichtbrauch wiederkehrt oder wenn auf einem Doppelblatt die eine Hälfte einen inhaltlich noch nicht bestimmten Evangelien-Hymnus bietet, die andere, wir wissen nicht durch wie viel Doppelblätter von ihr getrennte, einen Gliedhymnus, so besagt das m. E. nichts. Daß die Manichäer Mysterien gehabt haben, bestreiten die Verfasser — übrigens ohne die Zeugnisse des Victorinus und der Anathematismen zu erwähnen —, weil Mani alle, auch die Auditores gerettet wünsche und dafür der Beichte entscheidende Bedeutung beimesse. Das tun, wie sie sich überzeugen können, ebenso alle Mysterienreligionen. Daß die Auditores einzelne Schriften und Lehren Manis nicht kennen dürfen, bezeugt Augustin; schon das genügt voll, den Mysteriencharakter seiner Religion zu beweisen.

Daß niemand die reichen Schätze, welche uns die beiden Verfasser erschlossen haben und weiter erschließen werden, froher und dankbarer begrüßen kann als ich, der ich zehn Jahre lang um kleine Bruchstücke davon geworben und mich bemüht habe, brauche ich nicht zu versichern. Ich verstehe voll, daß sie selbst zunächst herausheben, was an dem gewaltigen Fund uns jetzt am meisten überrascht, wiewohl es vor der Erschließung der orientalischen Quellen notwendig aus stärksten beachtet werden mußte, die Einwirkungen des Christentums auf Mani. Nur würde ich es bedauern, wenn dadurch wieder jene allgemeine Teilnahmslosigkeit der Theologen und Religionshistoriker gegenüber dem Stoff hervorgerufen würde, die so lange auf diesen Studien gelastet hat. Diese Gefahr entsteht dadurch, daß die Verfasser sich einerseits eine sachliche Grenze, und zwar eine sehr enge ziehen und wohl auch ziehen mußten — nur Manis Lehre von Jesus wollten sie behandeln —, zugleich aber ein Urteil über Manis Religion als Ganzes fällen. Sie geben zu, daß viel von älteren Erlösungsgestalten auf Jesus übertragen, er ihnen adaptiert oder mit ihnen kombiniert ist, und dennoch genügt ihnen, wenn kein Gottesname genannt ist, eine Bezeichnung, die einmal für Jesus gebraucht wird — vielleicht lediglich durch Übertragung —, einen ganzen Text auf ihn zu beziehen. Die nicht-christlichen Gestalten oder Begriffe, die neben ihm als „erlöster Erlöser" oder Botschafter oder Richter in Frage kommen, werden höchstens flüchtig erwähnt, nicht aber ebenso behandelt, die Frage, welcher Religion Grundgedanke und Ton der Einzelstelle angehören, nicht ein Mal aufgeworfen. Jede Berührung mit dem Neuen Testament, sei es auch nur in einem allgemein verbreiteten Bilde wie dem der Kleider der Seele, genügt, das Christentum als Quelle hinzustellen, ja diese Betrachtungsweise wird grundsätzlich gefordert und mit dem Satz gerechtfertigt: „das Christentum war zu Manis Zeit eine fest formulierte Gegebenheit".[1] Daß die spätjüdische und mit ihr auch die christliche Unsterblichkeitshoffnung selbst aus der iranischen hervorwächst, die auch nach der Ansicht der Verfasser Mani ebenfalls unmittelbar beeinflußt, macht mir diese methodische Forderung völlig unannehmbar; auch hier handelt es sich um eine fest formulierte Gegebenheit. Wir müssen also wohl untersuchen, welcher der beiden Formen Mani näher kommt, sei es in Einzelzügen, sei es in dem Grundgedanken. Steht er dem Iranischen näher, so kann ich nicht nur, nein muß ihn sogar zur Erklärung der neutestamentlichen Form verwenden. Ich wähle Beispiele, da es müßig wäre, über die theoretische Frage zu diskutieren, die sich ja immer erst am Einzelfall beurteilen läßt.

Die paulinische Vorstellung von einem Pneuma in uns, das zugleich der Herr, der Christus in uns ist, zeigt unleugbar Ähnlichkeit mit einer manichäischen Vorstellung, die ich mir einst (D. iran. Erl.-Myst. S. 31) ohne Hilfe der Fachmänner recht mühsam aus der persischen und manichäischen Überlieferung gewinnen mußte und die uns jetzt in überwältigend reicher Be-

1) Die Verfasser greifen hiermit offenbar in die religionsgeschichtlichen Fragen ein, die sie für das Iranische ausdrücklich ablehnen. In dieser Unklarheit liegt die Gefahr.

zeugung vorliegt, der Vorstellung, der Fromme habe ein zweites immaterielles „Selbst"[1], und dieses sei das Gegenbild seiner Lichtseele und zugleich der göttliche Gesandte, der diese Lichtseele dereinst zum Himmel emporführt. In den neuerschlossenen Texten wird dieses Licht-Selbst, das sich offenbar mit der Lichtseele verbindet, oft Jesus genannt. Er ist das Licht-Selbst der Einzelseele, aber auch zugleich aller Seelen.[2] In der Mithras-

1) Ich bevorzugte diesen Ausdruck, weil er urverwandten indischen Anschauungen entspricht; die Verfasser setzen dafür „Ich" ein. Das persische Wort (*grēv*), das zugleich Körper und Natur (φύσις) bedeuten kann, bot die Möglichkeit einer dem abendländischen Denken schwer verständlichen Seelenlehre, die ich am eingehendsten in dem ursprünglich in Basel gehaltenen Vortrag 'Vorchristliche Erlösungslehren', Kyrkohistorisk Årsskrift, Uppsala 1922, S. 94 f. in ihrer Bedeutung für das Christentum darzulegen versucht habe. [Bedeutungsverwandt ist jedenfalls das aramäische Wort *qnūma*, das ja auch, was mir für die Geschichte der Vorstellung wichtig scheint, zur Wiedergabe des griechischen Wortes αὐτός benutzt wird. A. W. Wigrams, Buch 'History of the Assyrian Church', London 1910, auf das mich Prof. Bang aufmerksam machte, zeigt, wie es, in den Streit um die beiden Naturen in Christus hereingezogen, gestattet, sein Verhältnis zu den griechischen Worten ὑπόστασις, οὐσία, φύσις und πρόσωπον (*persona*) näher zu bestimmen. Freilich müssen wir bei solchen Untersuchungen zweier Worte aus ganz verschiedenen Sprachen Wigrams treffenden Vergleich vor Augen behalten: sie können zueinander gar nicht anders stehen als zwei Kreise, die sich schneiden, also jedenfalls einen Teil der Fläche gemeinsam, aber verschiedene Centra haben. Keine Übersetzung ist allein richtig und für alle Fälle passend. Wenn *monuhmēd* in der einen Verwendung γνῶσις bedeuten kann, hindert nichts, daß ihm an andern Stellen der Wert von νόησις oder νοῦς zukommt, oder es in noch anderen Verbindungen für das 'Selbst' eintritt. Wenn im Türkischen *öz* dies 'Selbst' bedeutet, so kann es trotz des Widerspruchs von Lentz (S. 37 und 74) in anderer Verbindung auch 'Leben' bezeichnen, wie Bang (Muséon 36, 187 und 38, 10. 11) doch wohl zwingend erwiesen hat. Die Hauptsache ist, daß wir hier versuchen, uns in die Grundvorstellung einzufühlen und das Centrum des zu bestimmenden Kreises annähernd zu finden. Korrekturzusatz].

2) Daß die Seele zwar als immateriell, doch aber auch wieder als stofflich gedacht wird, wie Gott selbst — man denke an die Wesensbestimmung φῶς καὶ ζωή —, zwingt geradezu zu der für uns seltsamen Ansicht, auch die Gesamtheit dieses Stoffes sei ein Gottwesen oder in anderer Auffassung: sei das Gottwesen. Das Verhältnis des Einzelnen zu dem Allgemeinen (bzw. des Teils zu dem Ganzen) ist ähnlich flüssig wie bei dem Zeit- und Weltgott (dem Aion). Die Auffassung ist so allgemein verbreitet, daß sie auch ins Christentum übergeht: das Pneuma lebt in dem Einzelnen und in der Gesamtheit (der ἐκκλησία). Es kann

liturgie, die wir mit Zuversicht vor allen Manichäismus setzen können, ist dieses Licht-Selbst ein von dem Urgott in der Lichtwelt gebildeter Leib, bestehend aus den vier (bzw. fünf) Lichtelementen, aus denen die materiellen, unseren Leib bildenden Elemente hervorgegangen sind[1]; es ist ein Gottwesen, zu dem der Myste flehen muß, wenn er in die Lichtwelt emporsteigen will. Ich kann davon gar nicht loslösen eine Angabe des Dēnkards (VII 2, 15. 16), der geistige Leib Zarathustras sei im Lichtraum viele tausend Jahre vor der Geburt des Propheten gebildet worden und bei den Erzengeln geblieben; er ist dies σῶμα τέλειον oder Licht-Selbst, das bei Gott weilt, während in der materiellen Welt Gayōmard (der Urmensch) inzwischen das Religionswissen vertritt. Dieses Licht-Selbst der Seele ferner kommt als schöne Jungfrau in dem vielbesprochenen 22. Yašt der aufsteigenden Seele des Frommen entgegen, es ist durch ihre guten Gedanken, Worte und Taten so schön geworden, ist also ihr Abbild.[2] Mit ihr vereinigt wird es im Himmel verehrt wie Ōhrmazd, der ja im Manichäischen auch als Urmensch erscheint. Ich kann es danach nicht recht verstehen, wenn Waldstein und Lentz an dem oben (S. 58) mitgeteilten Zarathustra-Liede so großen Anstoß nehmen, daß sie erklären, es erst besprechen (und berücksichtigen) zu können, wenn das Verhältnis Manis zu Zarathustra voll zu übersehen sei. Ist es das nicht auch schon durch die feierliche Anerkennung der drei ihm vorausgegangenen Gesandten Zarathustra, Buddha, Jesus durch Mani? Nicht durch die Münze des Pērōz, auf die v. Wesendonk soeben wieder in den

---

auch körperhaft und persönlich vorgestellt und bezeichnet werden, dann ist es der Urmensch, und ist doch auch wieder für die Gesamtheit die Religion, das Wissen um Gott. Die indischen Parallelen lehren, daß wir die Entstehung dieser orientalischen Denkform gar nicht im Judentum oder im Christentum suchen können.

1) Schon darin liegt, daß dies σῶμα τέλειον der Urmensch ist. Bedenken wir, daß bei einem Gott der νοῦς auch als πρόνοια bezeichnet werden kann, so werden wir auch die Eingangs-Epiklese ἵλαθί μοι Πρόνοια καὶ Ψυχή auf diesen Gottmensch beziehen, der νοῦς καὶ ψυχή ist, wie im Poimandres gesagt wird (das Paar kehrt jetzt in den manichäischen Urkunden öfter wieder).

2) Man denke an das Gewand in dem Seelenhymnus der Thomasakten, das mit den Taten des Königssohnes gewachsen ist.

Ephemerides Orientales der Firma Harrassowitz (September 1926) die Aufmerksamkeit lenkt?[1] An ein Licht-Selbst glaubt auch der jüngere Zarathustrismus: warum sollte ein Zarathustrier nicht seinen Propheten durch sein Licht-Selbst (statt durch den „Guten Sinn") erwecken lassen und warum sollte Mani oder einer seiner Nachfolger Jesus als Licht-Selbst — Zarathustras einsetzen? Es handelt sich dabei nur darum, ob die Erweckungsvorstellung von dem Glauben an Jesus oder von dem Glauben an ein Licht-Selbst ausgeht. Ich gehe gleich weiter: können die Hauptaussagen Manis über die Tätigkeit Jesu[2], auch wenn wir alle iranischen Zusätze wie die Verbindung Jesu mit dem „Guten Sinn", dem Mond, der Lichtjungfrau usw. streichen, überhaupt aus dem Christentum stammen? Wo ist denn in diesem eine wirklich klare Vorstellung des Licht-Selbst? Wo die Lehre, daß Jesus selbst kommt, es zu erwecken oder hinaufzuführen? Wo endlich die ganze Grundvorstellung jenes göttlichen, immateriellen Stoffes Licht und Leben?

Wenn ich dennoch auch eine Ähnlichkeit mit Paulus betone, so muß ich gleich sagen: völlig ausgeschlossen ist nach meiner Empfindung, daß er den Glauben an den Christus in uns und in der ἐκκλησία aus dem Iranischen „entlehnt" hat. Seinen

1) Den Glauben schon der nächsten Generation werden die Anathematismen richtig geben: die vier 'Gesandten' Zarathustra, Buddha, Jesus, Mani sind nur vier Erscheinungsformen des 'Gesandten' oder 'dritten Gesandten', des Sonnengottes (Mithras). Darum kann, was von Jesus gesagt ist, an anderen Stellen auch auf Mani übertragen werden. Daß die Verfasser Selbstbezeichnungen Manis und Glauben seiner Kirche zu wenig trennen, scheint mir ein Mißgriff. Man denke an das Christentum und den Buddhismus.

2) Die Verfasser gehen nur von dem Namen Jesus aus, und gewiß bezeugt sein häufiges Vorkommen in der chinesischen Rolle, welche die neuen Texte bietet, daß Mani stärker, als wir annehmen mußten, und nicht nur in den für das Abendland bestimmten Schriften auf das Christentum Rücksicht nahm. Aber daraus folgt in keiner Weise, daß die Grundgedanken seines Systems aus dem Christentum stammen. Das Streben nach Universalität, welches die Mysterienreligionen schon vor ihm entwickeln, führt Mani konsequent und zugleich phantastisch in der Vereinigung der drei großen Religionen weiter, aber in sein inneres Empfinden und damit in den Ursprung seines Systems geben nicht die Namen, sondern die religiösen Vorstellungen Einblick, die sich mit diesen Namen verbinden. Ich verweise auf das oben S. 14 A. 3 Gesagte.

Ursprung kann ich nur in dem persönlichen Erleben und Empfinden des Apostels suchen, aber die Denkform, in der er es sich begreiflich und anderen faßbar machen will, ist von der Umwelt beeinflußt. Rein persisch ist sie auch hier nicht, denn diese Umwelt und vor allem Paulus selbst denken in griechischer Sprache; für sie ist *grēv* kein irgendwie ausdrückbarer Begriff; das Wort πνεῦμα muß eintreten und die Gedankenverbindungen, die im Griechischen an ihm haften, mitbringen. Aber — seltsam, und doch für den Religionshistoriker an den verschiedensten Entwicklungen zu verfolgen — die ursprüngliche Anschauung wirkt doch mit: dies πνεῦμα oder dieser Christus ist eine Gestalt, besteht aus bestimmten Gliedern[1], muß vollkommen werden im einzelnen und in der Gemeinde. Das sind nicht bloß bildliche Ausdrücke, sondern innere Anschauungen, die im Bewußtsein jeweils schlummern oder vorbrechen, wie andererseits die Empfindung, daß wir den νοῦς Χριστοῦ in uns haben, oder daß er die ζωή bringt (das πνεῦμα ζωοποιόν ist). Daß Paulus den Glauben an einen göttlichen Anthropos kennt und voraussetzt, sagt er an zwei Stellen selbst; er hat sein Gegenbild — nicht seine unmittelbare Quelle — in einem spätjüdischen Glauben an den *bar-naṣa*, den 'Menschensohn'. In diesen zwei aus der gleichen Wurzel entsprossenen religiösen Anschauungen finden wir den inneren Zusammenhang des paulinischen Christus-Empfindens — ich sage mit Absicht nicht der Christologie, denn es handelt sich um kein System, wie man es mit modernen Begriffen immer wieder zu erbauen versucht. Aus seinen Bildungselementen ist es begreiflich, daß Mani die innere Verwandtschaft empfindet und so viel herübernehmen kann. Aber wer nun nur die auf „Jesus" bezüglichen Äußerungen aus Mani heraushebt und danach den Geist und die Entstehung seiner Religion erklären will, verfährt unhistorisch und setzt im Grunde voraus, was er beweisen will.

Auf die methodische Forderung der Herausgeber, nichts zur Erklärung des Christentums aus dem Manichäismus heranzuziehen, was sich irgendwie mit ihm vergleichen lasse, habe ich

1) Zugleich freilich ist er ein Bau. Das hat in mandäischen Texten sein Gegenbild, aber sicher nicht nur in ihnen.

damit im wesentlichen schon geantwortet. Ausdrücklich (S. 33, vgl. 28) rechnen sie dazu die Erwähnung der zwölf Kleider, durch die Jesus die Seele umschafft, läutert und von der Erde emporzieht. Bedenklich würde mich stimmen, daß bei Apuleius diese zwölf Gewänder dem Isis-Mysten in einem δρώμενον verliehen werden, und daß das Christentum nichts Ähnliches kennt. Dagegen finden wir die Grundvorstellung, ja noch mehr, den ganzen systematischen Aufbau eines Stückes des manichäischen Traktates, auf den die Verfasser sich stützen, bei Philo übertragen auf den πρεσβύτατος θεοῦ λόγος, für ihn den Urmenschen, wieder (oben S. 272). Das religiöse System, das nicht etwa Philo sich ersonnen hat, sondern das er als bekannt voraussetzt, ist älter als das Christentum und stammt auch bei Mani nicht daher. Wir werden, ehe wir über Wesen und Ursprung des manichäischen Systems urteilen, gut tun, festzustellen, wie viel von ihm als älter bezeugt ist. Das gelingt schon jetzt in einer Anzahl von Fällen, verlangt im ganzen aber noch viel mühselige Arbeit.

Es steht ganz ähnlich mit dem Mandäismus, den die Verfasser aus ihren Darlegungen ausschließen wollen. Da seine Urkunden alle undatiert sind und ich die Möglichkeit durchaus zugegeben habe und noch immer zugebe, daß einzelne manichäisch beeinflußt sind, sollen sie nach der Forderung der Verfasser von Untersuchungen über den Manichäismus und sein Verhältnis zur iranischen Religiosität alle ausgeschlossen sein. Ich halte diese Forderung für unberechtigt. Sehen wir die in beiden Religionen sich unendlich eng berührende Lehre von dem Aufstieg der Seele an — gerade im Mandäismus kann man ja immer nur einen in sich zusammenhängenden Gedankenkreis gesondert behandeln —: Mani hat hier die persischen Stationen bewahrt, die Mandäer setzen in der Regel wie der Verfasser des Poimandres die astrologischen dafür ein und polemisieren z. T. heftig gegen die persische Lehre als Götzendienst; aber den ganzen Charakter des Analogiezaubers, ja einzelne iranische Vorstellungen, wie die oben S. 14 besprochene der Seele als Nituftā, wahren sie strenger, als — wenigstens nach Ansicht der Verfasser — Mani es tat; wichtige manichäische Vorstellungen fehlen ganz, und in seinen ethischen Grundgedanken stimmt der Mandäismus mehr mit dem Zarathustrismus als mit dem Manichäismus überein.[1] Es wäre Willkür, zu leugnen, daß er auch direkt von jenem beeinflußt ist; also dürfen wir ihn zum Vergleich heranziehen.

Welche überragende Stellung ich der Philologie, auch der Einzelphilologie, in der religionsgeschichtlichen Arbeit zuweise, brauche ich nach meinen 'Studien' wohl nicht mehr auszuführen. Beständig muß der Religionsforscher von ihr lernen und von ihr sich berichtigen lassen. Aber auch der Vertreter der Einzelphilologie dürfte, wenn er auf diese Gebiete kommt, es nützlich finden, sich mit den Beobachtungen und Methoden der Religionsforschung vertraut zu machen. Als Erwin Rohde, statt die folkloristische Forschung zu bekämpfen, sie benutzte und in den Dienst der Philologie stellte, schuf er sein bleibendes Werk. Ich möchte die Auseinandersetzung mit dem Iranisten mit dem Wunsche schließen, daß er uns bald die weiteren Teile seines Schatzes erschließe; erst dann werden wir einigermaßen urteilen können.

XV. DIE BEGRIFFE GNOSIS UND PNEUMA

Die Worte γνῶσις und γνωστικός, πνεῦμα und πνευματικός müssen nach den gleichen Gesichtspunkten untersucht werden, lassen sich jedoch am besten getrennt behandeln. Vorarbeiten hatte ich früher zu meinem Bedauern nicht finden können und vermochte selbst nur vorläufige Versuche auf Grund unzulänglichen Materials zu bieten. Daß sie in Nordens groß angelegtem Buche Agnostos Theos in allem Wesentlichen volle Bestätigung gefunden haben, erlaubt mir, sie hier nur wenig verändert zu wiederholen.[2]

---

1) Besonders charakteristisch ist der leidenschaftliche Widerspruch der Mandäer gegen die Askese: gerade in ihr scheint Mani stark von Indien beeinflußt.

2) Für den Pneuma-Begriff habe ich Leisegangs bekanntes Buch 'Der heilige Geist' nicht herangezogen, da mir Philo, auf den die verschiedensten Einflüsse wirken, nicht der geeignete Ausgangspunkt für diese Untersuchung scheint (vgl. Das iranische Erlösungsmysterium S. 106 A 1). Für die orientalischen Quellen fehlt es m. W. an Vorarbeiten. In den manichäischen Turfanfragmenten finden wir zwei Bezeichnungen für die Seele, die sich etymologisch etwa als Lebensseele und Bewußtseinsseele scheiden lassen, im Gebrauch aber kaum streng geschieden sind, daneben ein Begriff 'das Selbst' (*grīv*, früher unrichtig meist mit 'Geist' übersetzt). In den mandäischen Totentexten wird bisweilen neben Körper und Seele als dritter Bestandteil der Geist genannt,

Das Wort γνῶσις verlangt, wenn nicht der Zusammenhang die Beziehung ohne weiteres klar macht, einen Genetiv. So gilt es zunächst zu fragen, welcher Genetiv als selbstverständlich unterdrückt wurde, als das Wort seine technische Bedeutung empfing. Die Antwort ist für die hermetische Literatur (und die mit ihr immer übereinstimmenden Zauberpapyri) ohne weiteres klar; in ihr ist die γνῶσις θεοῦ eine sogar fast persönlich gedachte δύναμις, etwa wie die πίστις (vgl. S. 234). Daß im Corp. herm. XIII 8 neben ihr eine γνῶσις χαρᾶς steht, ist aus dem dort vorliegenden Zwang zu erklären, zehn verschiedene δυνάμεις aufzuzählen. Das Ziel ist überall γνῶναι θεόν, und Gott wird gepriesen: ὃς γνωσθῆναι βούλεται καὶ γινώσκεται τοῖς ἰδίοις (Corp. herm. I 31). Am klarsten tritt diese Bedeutung in dem Schlußgebet des Λόγος τέλειος, des Asclepius des Pseudoapuleius, hervor. Ich fand es einst in dem Papyrus Mimaut (Pap. Par. I 2391 fr. 1) wieder und veröffentlichte es nach einer hastigen Kollation im Archiv f. Religionsw. VII 393. Neuerdings hat Eitrem (Skrifter utgit av Videnskapsselskapet i Kristiania 1923 II, p. 1) eine neue ergebnisreiche Nachvergleichung veröffentlicht und danach W. Scott in seiner Ausgabe der Hermetica einzelnes mit Glück gebessert. Die Überlieferung im Papyrus ist ungewöhnlich schlecht, die der sehr freien lateinischen Übersetzung nicht gut; volle Sicherheit ist nur in den Hauptfragen zu erlangen. Die im Papyrus erloschenen Buchstaben stelle ich in gerade, ergänzte Worte in gebrochene Klammern; sind sie durch die lateinische Fassung bezeugt, in runde.

[Χ]άριν σοι οἴδαμεν ⟨καὶ⟩ ψυχὴ⟨ν⟩ πᾶσα⟨ν⟩ καὶ καρδίαν πρός [σε] ἀνατεταμένην, ἄφραστον ὄνομα, τετιμημένον [τῇ] τοῦ θεοῦ προσ-

---

doch scheint dieser 'Geist' zwar unkörperlich, aber niedriger als die Seele gefaßt zu sein. Offenbar hat eine Zweiteilung des Immateriellen im Menschen mancherlei Vorbilder, doch können wir etwas Genaueres über sie noch nicht sagen.

1—2 καὶ ψυχ. — ἀνατεταμένην nur Pap. Apuleius setzt dafür: *summe, exsuperantissime; tua enim gratia tantum sumus cognitionis lumen consecuti*. Der Zauberer ließ die Beziehung auf das Vorausgehende fort, was er einsetzt, stammt aus dem Gebet des Poimandres § 13 δέξαι λογικὰς θυσίας ἁγνὰς ἀπὸ ψυχῆς καὶ καρδίας πρός σε ἀνατεταμένης.

1 ψυχὴ πᾶσα Pap. Weglassung des schließenden ν ist in dem Pap. sehr häufig, das Zeugma leicht.

ηγορίᾳ, (ὅτι σὺ μόνος εἶ κύριος), καὶ εὐλογούμενον τῇ τοῦ (πατρὸς εὐλογίᾳ), ὅτ[ι] πρ[ὸς] πάντας καὶ πρὸς πάσας πατρικὴν εὔνοιαν καὶ στοργὴν καὶ φιλίαν καὶ ἔτι γλυκυτέ[ρα]ν ἐνέργ[εια]ν ἐν⟨ε⟩δείξω χαρισάμενος ἡμῖν νοῦν, [λόγ]ον, γνῶσιν· νοῦν μὲ⟨ν⟩, ἵνα σε νοήσωμεν, λόγον ⟨δέ⟩, [ἵν]α σε (ὑπολογήσωμεν), γνῶσιν, ἵνα ἐπιγν(όντες σε χαρ)ῶμεν. § 2. (φωτὶ οὖν σου σωθέντες) χ[αίρομε]ν ὅτι σεαυτὸν ἡμῖν ἔδειξας (ὅλον), χαίρομεν ὅ[τι ἐν π]λάσμασιν ἡμᾶς ὄντας ἀπεθέω[σ]ας τῇ σεαυτο[ῦ χάριτ]ι. χάρις ἀνθρώπου πρός σε μ[ία] τὸ (σὸν μέγεθος) [γ]νωρίσαι. ἐγν[ωρίσαμ]έν (σε), ὦ (ζωὴ) τῆς ἀνθρωπίνης ζωῆς, [ἐ]γνωρίσαμέ[ν (σε), ὦ φῶς] ἁπάσης γνώσεως, ἐγνωρίσαμέν σε, ὦ μήτρα [παντοφ]όρε ἐ⟨ν⟩ πατρὸς φυτείᾳ, ἐγνω⟨ρί⟩σαμέν ⟨σε⟩, ὦ (τοῦ) [πάντα κυο]φοροῦν[τ]ος αἰώνιος διαμονή. § 3. οὕτως οὖ[ν (σὴν)

3 Erg. Scott aus Ap. *et honorandum nomine* (so ich, *nomen* codd) *divino quod* (Scott, *unum quo* codd.) *solus dominus es* (Scott, *deus est* codd.).

3 [θε]οῦ Pap. für πατρός (falsche Wiederholungen derart sind häufig); für εὐλογίᾳ wäre vielleicht auch θεολογίᾳ denkbar, vgl. Ap. ⟨*et*⟩ *benedicendum religione paterna* (Scott, *benedicendus* codd.).

4 ὅτ[ι]: οσ Pap. πάσας: πάντας Pap.

5—6 επιγλυκυτα[τη]ν Pap Ap. *et quaecumque est dulcior efficacia* (vgl. Scott).

6 υμιν Pap.

7 ὑπολογήσωμεν: ἐπικαλέσωμεν Pap. Ap. *ut te suspicionibus indagemus* (vom geistigen Gewahren ist die Rede).

7 ινα επιγνωσωμεν Pap. Ap.: *ut te cognoscentes [gaudeamus] ac lumine* (so Scott, *numime* codd.) *salvati tuo* ⟨*gaudeamus*⟩ Scott. Von einer γνῶσις χαρᾶς ist Corp. Herm. XIII die Rede.

9 πλάσμα der Körper, vgl. Wessely, Denkschr. d. Wiener Ak. 1888, S. 50 Z. 211 τύπτει σε πτέρυξιν εἰς τὸ πλάσμα σου, Eitrem a. a. O. Z. 259 γεννηθὲν ἐν παντὶ πλάσματι ἀνθρωπίνῳ. Die literarische Schrift hatte wohl ἐν σώμασιν, vgl. Corp. herm. X 6 (unten S. 289) τὴν ψυχὴν ἀποθεωθῆναι ἐν σώματι ἀνθρώπου κειμένην.

11 Ap. *intellegimus te, o vitae nostrae* (so zu schreiben, *vere* oder *vera* codd.). Apuleius stellt das Sätzchen richtiger nach dem folgenden: Gott ist φῶς καὶ ζωή (immer in dieser Reihenfolge); als drittes Glied wird dann oft τὸ ἀγαθόν hinzugefügt (bisweilen mit der Deutung als τὸ σπέρμα).

12 εγνωρισαμενων μητρα Pap. παντοφόρε Scott εμητροσφυτια Pap. (Verschreibung aus Wiederholung). Ap. *o naturarum omnium fecunda praegnatio.*

14 στα . . . φορου . τος Pap. Gott ist ἀρρενόθηλυς, Vater und Mutter, und er ist der Aion. Statt διαμονή liest Eitrem αιαμονη, aber die Buchstaben sind sehr ähnlich, αἰώνιος διαμονή ist formelhaft und gesichert durch Ap. *cognovimus te totius naturae tuo conceptu plenissimae* (so zu schreiben, *plenissime* codd.) *aeterna perseveratio.*

χάριν] προσκυ[ν]ήσαντες μ[η]δεμίαν ᾐτήσαμεν [χάριν, πλὴν θ]έλησον ἡμᾶς δια[τ]ηρηθῆναι ἐν τῇ σῇ γν[ώ]σ[ει καὶ ... η [πρὸς] τὸ μὴ σφαλῆνα τοῦ τοιούτου [βίου].

Die γνῶσις erscheint zunächst als χάρισμα, und zwar unterschieden von νοῦς oder νόησις und λόγος (vgl. Corp. herm. XII 12: δύο ταῦτα τῷ ἀνθρώπῳ ὁ θεός ... ἐχαρίσατο τόν τε νοῦν καὶ τὸν λόγον). Wir sehen in dem Übergang von § 1 zu § 2, daß sie die σωτηρία vermittelte und darin bestand, daß Gott sich dem Menschen ganz zeigte und ihn durch diesen Anblick (θέα) bei sterblichem Leibe zum Gott machte. Freilich ist die γνῶσις oder das γνωρίζειν auch der Dank, den der Mensch zollen kann; Gott will ja erkannt werden; so folgt der vierfache Preis Gottes (zusammengehören nach Corp. Herm. I als erstes Paar φῶς und ζωή, als zweites dann μήτρα παντοφόρε und τοῦ πάντα κυοφοροῦντος αἰώνιος διαμονή[1]; zum Bau des Gebetes vergleiche das Gebet des Urbicus unten S. 310). Alle Bitten um äußere Gaben sind offenbar ausgeschlossen; nur um ein Bleiben in der γνῶσις darf der Fromme bitten; sie wird durch den einmaligen Vorgang zum dauernden Zustand, zu einem neuen, von dem früheren verschiedenen Leben (eben der σωτηρία). Daß die γνῶσις dabei die γνῶσις θεοῦ ist, zeigt zwingend der Zusammenhang.

Ich verfolge die Vorstellungen noch ein wenig durch die her-

---

15 Erg. nach Ap. *bonum bonitatis tuae hoc tantum deprecamur, ut nos velis servari* (Scott, *servare* codd.) *perseverantes in amore cognitionis tuae et numquam ab hoc vitae genere separari*, vgl. das Poimandres-Gebet (Corp. herm. I 32) αἰτουμένῳ τὸ μὴ σφαλῆναι τῆς γνώσεως τῆς κατ' οὐσίαν ἡμῶν, ἐπίνευσόν μοι καὶ ἐνδυνάμωσόν με καὶ τῆς χάριτος ταύτης φωτίσω τοὺς ἐν ἀγνοίᾳ.

1) Vgl. Corp. herm. V 9 εἰ δέ τί με καὶ τολμηρότερον ἀναγκάζεις εἰπεῖν, τούτου ἐστιν οὐσία τὸ κύειν πάντα καὶ ποιεῖν (Scotts verfehlte Änderung κινεῖν weist Bräuninger, Zu den Schriften des Hermes Trism. S. 26, 1 richtig zurück, vgl. Usener Archiv f. Religionswissensch. VII 295, Jacobusbrief 1, 18 βουληθεὶς ἀπεκύησεν ἡμᾶς λόγῳ ἀληθείας). Der mannweibliche Schöpfergott ist im Orient uralte Vorstellung (vgl. Reitzenstein.Schaeder I. c. 3 u. 4), die bei dem Aion immer erhalten, bei dem Urmenschen also nicht erst vom Verfasser des Poimandres eingeführt ist. Auch die βουλὴ θεοῦ (bzw. das θέλημα, über das Bräuninger ebenda handelt, vgl. Reitzenstein-Schaeder I S. 190) gehört sicher nicht erst jungpersischer Spekulation an; es ist die σοφία. Die Worte des Clemens Paedag. I 6 S. (114 P) τὸ θέλημα αὐτοῦ ἔργον ἐστὶν καὶ τοῦτο κόσμος ὀνομάζεται erklären Corp. herm. XIII 89: σὴ βουλὴ ἀπὸ σοῦ, ἐπὶ σὲ τὸ πᾶν.

metischen Schriften ohne Rücksicht darauf, ob die mystische Sprache stärker oder schwächer ins Philosophische übertragen ist. Es ist ja klar, daß die Philosophie diese Vorstellungen nicht schafft, sondern sie aus der Religion übernimmt, zunächst als bloße Bilder, um zu versichern, daß sie dasselbe wie die Religion gewähren kann (vgl. Poseidonios S. 134), später allerdings als eigene Vorstellungen, aber stets ohne ihr Wesen namhaft zu beeinflussen. Schon Corp. herm. IX 4 stellt den ἐν γνώσει ὄντες die Weltkinder entgegen; da unsere Erde der Sitz der Schlechtigkeit ist, werden jene von diesen verlacht, gehaßt und wohl gar getötet; aber der Fromme (θεοσεβής) erträgt alles αἰσθόμενος τῆς γνώσεως (es ist offenbar eine geistige Schau, und zwar eine Schau Gottes). πάντα γὰρ τῷ τοιούτῳ, κἂν τοῖς ἄλλοις ᾖ (τὰ Codd.) κακά, ἀγαθά ἐστιν, καὶ ἐπιβουλευόμενος πάντα ἀναφέρει εἰς τὴν γνῶσιν (Beziehung zu Gott) καὶ τὰ κακὰ μόνος ἀγαθοποιεῖ. Ich darf beiläufig bemerken, daß hiermit Paulus im Römerbrief 8, 28 übereinstimmt: οἴδαμεν δὲ ὅτι τοῖς ἀγαπῶσιν τὸν θεὸν πάντα συνεργεῖ εἰς ἀγαθόν, τοῖς κατὰ πρόθεσιν κλητοῖς οὖσιν. ὅτι οὓς προέγνω, καὶ προώρισεν συμμόρφους τῆς εἰκόνος τοῦ υἱοῦ αὐτοῦ ... οὓς δὲ προώρισεν, τούτους καὶ ἐκάλεσεν, καὶ οὓς ἐκάλεσεν, τούτους καὶ ἐδικαίωσεν, οὓς δὲ ἐδικαίωσεν, τούτους καὶ ἐδόξασεν. Gewiß läßt sich der erste Gedanke aus dem eigenen Empfinden des Paulus ohne weiteres erklären; auffällig ist nur, daß er in einem Zusammenhange erscheint, der eine Anzahl Worte und Begriffe hellenistischer Mysterienreligionen aufweist (vgl. oben S. 257f. und für προγινώσκειν S. 299). Kaum minder klar ist der Begriff γνῶσις in der stärker philosophisch gefärbten Stelle Corp. herm. X 4: ἐπλήρωσας ἡμᾶς, ὦ πάτερ, τῆς ἀγαθῆς καὶ καλλίστης θέας, καὶ ὀλίγου δεῖν ἐπετάσθη (ἐσεβάσθη Codd.) μου ὁ τοῦ νοῦ ὀφθαλμὸς ὑπὸ τῆς τοιαύτης θέας. Die Schau des Guten blendet nicht, das übersinnliche Licht ist unschädlich, ja voll Unsterblichkeit: ἧς οἱ δυνάμενοι πλέον τι ἀρύσασθαι [τῆς θέας] κατακοιμίζονται πολλάκις ἀπὸ τοῦ σώματος εἰς τὴν καλλίστην ὄψιν, ᾧπερ (ὥσπερ oder ὅπερ Codd.) Οὐρανός καὶ Κρόνος οἱ ἡμέτεροι πρόγονοι ἐντετυχήκασιν (Verweis auf eine verlorene Mysterienschrift ähnlich dem Kap. XIII, in der zwei 'Götter' vom Leibesleben entschlafen zur seligen Schau). Der Vater bestätigt dies; (§ 5) die Vorbedingung ist, daß der irdische Mensch ganz ruht: τότε γὰρ αὐτὸ ὄψει, ὅταν μηδὲν περὶ αὐτοῦ ἔχῃς εἰπεῖν. ἡ γὰρ γνῶσις αὐτοῦ καὶ θέα (Plasberg, βαθεῖα Scott, θεία codd.) σιωπή ἐστι καὶ καταργία πασῶν τῶν αἰσθήσεων. οὔτε γὰρ ἄλλο τι δύναται νοῆσαι ὁ τοῦτο νοήσας οὔτε ἄλλο τι θεάσασθαι ὁ τοῦτο θεασάμενος, οὔτε περὶ ἄλλου τινὸς ἀκοῦσαι οὔτε τὸ σύνολον τὸ (fehlt CA) σῶμα κινῆσαι. πασῶν γὰρ τῶν σωματικῶν αἰσθήσεών τε καὶ κινήσεων ἐπιλαθόμενος (ἐπιλαβόμενος MAC) ἀτρεμεῖ. περιλάμψαν δὲ πάντα τὸν νοῦν καὶ τὴν ὅλην ψυχὴν ἀναλάμπει καὶ ἀνέλκει διὰ τοῦ σώματος καὶ ὅλον αὐτὸν εἰς οὐσίαν (ins Göttliche oder Übersinnliche) μεταβάλλει. ἀδύνατον γάρ, ὦ τέκνον, τὴν ψυχὴν ἀποθεωθῆναι ἐν σώματι ἀνθρώπου κειμένην, θεασαμένην τοῦ ἀγαθοῦ ⟨τὸ⟩ κάλλος, ⟨ἀλλὰ χωρίζεσθαι αὐτοῦ καὶ μεταβάλλεσθαι ἐν⟩ τῷ ἀποθεωθῆναι (vergleichbar ist Philo Quaest. in Genes. IV 1 und 4). Da man das handschriftlich bezeugte und in dem Zusammenhang notwendige Wort ἀδύνατον nicht antasten darf und das beziehungslose τῷ ἀποθεωθῆναι im Schluß notwendig auf eine Lücke weist, da der Sohn weiter fragt πῶς λέγεις, ὦ πάτερ; und die Antwort empfängt πάσης ψυχῆς, ὦ τέκνον, διαιρετῆς μεταβολαί, und da an den Begriff der μεταβολή die ganze Fortsetzung schließt, habe ich μεταβάλλεσθαι ἐν, wie ich glaube, mit Sicherheit ergänzt. Beschrieben wird zunächst das ἑαυτὸν διεξελθεῖν des XIII. Kapitels, dann die Verwandlung in ein Gottwesen, die dort breit geschildert wird; unsicher bleibt, ob zu μεταβάλλεσθαι eine neue Wesensbezeichnung, etwa εἰς πνεῦμα, zu ergänzen ist, vgl. Origenes περὶ εὐχῆς 9, 2 p. 319, 4 K.: καὶ ἡ ψυχὴ δὲ ἐπαιρομένη καὶ τῷ πνεύματι ἑπομένη τοῦ τε σώματος χωριζομένη, καὶ οὐ μόνον ἑπομένη τῷ πνεύματι, ἀλλὰ καὶ ἐν αὐτῷ γινομένη — ὅπερ δηλοῦται ἐκ τοῦ ʻπρὸς σὲ ἦρα τὴν ψυχήν μουʼ — πῶς οὐχὶ ἤδη ἀποτιθεμένη τὸ εἶναι ψυχὴ πνευματικὴ (ursprünglich wohl πνεῦμα) γίνεται; Dem entspricht, daß von den Menschenseelen in der hermetischen Schrift weiter gesagt wird (§ 7): ἀρχὴν ἀθανασίας ἴσχουσιν εἰς δαίμονας (also πνεύματα) μεταβάλλουσαι, εἶθ' οὕτως εἰς τὸν θεῶν χορὸν χορεύουσι (χωροῦσι Scott). χοροὶ δὲ δύο θεῶν, ὁ μὲν τῶν πλανωμένων, ὁ δὲ τῶν ἀπλανῶν· καὶ αὕτη ψυχῆς ἡ τελειοτάτη δόξα.[1]

1) Verklärung, vgl. Paulus I. Kor. 15, 41 in derselben Gedankenverbindung: ἄλλη δόξα ἡλίου καὶ ἄλλη δόξα σελήνης, ferner Philo, De vita

Daß die Vorstellung einer Vergottung und Transfiguration des lebenden Menschen aus dem Mysterienglauben stammt, hoffe ich erwiesen zu haben; bewirkt wird sie durch die γνῶσις oder θέα θεοῦ. Die volle γνῶσις oder θέα bewirkt, weil man viel von den ἀπόρροιαι θεοῦ in sich aufnimmt, ein κατακοιμίζεσθαι ἀπὸ τοῦ σώματος εἰς τὴν καλλίστην ὄψιν. Ich vergleiche hiermit das erste Kapitel, den eigentlichen Poimandres: auch hier heißt es: § 26, τοῦτό ἐστι τὸ ἀγαθὸν τέλος τοῖς γνῶσιν ἐσχηκόσι θεωθῆναι. Ich kann das der Mysteriensprache entlehnte Wort τέλος nicht besser als durch einen Verweis auf Platos Mysterienschilderung erklären, Symposion 210e: ὃς γὰρ ἂν μέχρι ἐνταῦθα πρὸς τὰ Ἐρωτικά (Erosweihe) παιδαγωγηθῇ, θεώμενος ἐφεξῆς τε καὶ ὀρθῶς τὰ καλά, πρὸς τέλος ἤδη ἰὼν τῶν Ἐρωτικῶν ἐξαίφνης κατόψεταί τι θαυμαστὸν τὴν φύσιν καλόν, 211b: ὅταν δή τις ἀπὸ τῶνδε διὰ τὸ ὀρθῶς παιδεραστεῖν ἐπανιὼν ἐκεῖνο τὸ καλὸν ἄρχηται καθορᾶν, σχεδὸν ἄν τι ἅπτοιτο τοῦ τέλους.[1] Wie Plato selbst auf der letzten Stufe seines Aufstieges einem ἄρχεσθαι καθορᾶν das τέλος gegenübergestellt, so der Poimandres dem Empfang der γνῶσις. Gott werden ist die Vollendung, das Ziel; aber dies Ziel erreicht man erst ganz mit dem wirklichen Aufgeben des Leibes im Tode, die γνῶσις schon durch das Schauen des Νοῦς und des Hergangs der Schöpfung. Die Forderung ist (§ 3): μαθεῖν θέλω τὰ ὄντα καὶ νοῆσαι τὴν τούτων φύσιν καὶ γνῶναι τὸν θεόν, die Erfüllung wird angedeutet durch die Worte (§ 27): διδαχθεὶς τοῦ παντὸς τὴν φύσιν καὶ τὴν μεγίστην θέαν (so verweist auf das Wiedergeburtsmysterium in Kap. XIII der Anfang des folgenden mit den Worten: ἐπεὶ ὁ υἱός μου Τὰτ ἀπόντος σου τὴν τῶν ὄντων ἠθέλησε φύσιν μαθεῖν — es ist fast Formel für Gott Schauen).

Moys. III 39, p. 179 M = II 288 Cohn: ἔμελλεν εἰς οὐρανὸν στέλλεσθαι καὶ τὸν θνητὸν ἀπολιπὼν βίον ἀπαθανατίζεσθαι μετακληθεὶς ὑπὸ τοῦ πατρός, ὃς αὐτὸν δυάδα ὄντα, σῶμα καὶ ψυχήν, εἰς μονάδος ἀνεστοιχείου φύσιν, ὅλον δι' ὅλων μεθαρμοζόμενος εἰς νοῦν ἡλιοειδέστατον. Schon hier ist die Septuaginta als Quelle des Wortgebrauchs unwahrscheinlich.

1) Auch die Fortsetzung im Poimandres λοιπὸν τί μέλλεις; οὐχ ὡς πάντα παραλαβὼν καθοδηγὸς γίνῃ τοῖς ἀξίοις, ὅπως τὸ γένος τῆς ἀνθρωπότητος διὰ σοῦ ὑπὸ θεοῦ σωθῇ; zeigt in der Vorstellung, daß der Myste sofort andere weihen kann, und in den Worten πάντα παραλαβών, καθοδηγός, ἄξιος, σωθῆναι Rücksicht auf die Mysterien.

Neben einer γνῶσις θεοῦ ist im Poimandres allerdings auch von einem ἑαυτὸν ἀναγνωρίζειν ἀθάνατον ὄντα die Rede; an es wird die Bestimmung geknüpft ὁ νοήσας ἑαυτὸν εἰς θεὸν χωρεῖ. Das entspricht genau der Lehre der Naassener, Hippolyt, p. 96, 7 W.: ἀρχὴ γάρ, φησίν, τελειώσεως γνῶσις ἀνθρώπου, θεοῦ δὲ γνῶσις ἀπηρτισμένη τελείωσις (es handelt sich, wie die vorausgehenden Worte zeigen, um die γνῶσις des τέλειος ἄνθρωπος, des Menschen, der nach der Lehre des Poimandres durch Empfang des νοῦς unsterblich geworden ist). Die gleiche Zerlegung des Mysteriums hängt offenbar mit der Lehre vom Anthropos zusammen, die beiden Systemen gemeinsam ist. So wird I 32 (vgl. oben S. 287 A.) von der γνῶσις, die κατ' οὐσίαν ἡμῶν ist und unserm Wesen auf Erden entspricht, offenbar die volle γνῶσις geschieden. Doch zeigt sich auch sonst eine Unsicherheit darüber, ob eine volle γνῶσις und θέα θεοῦ bei Lebzeiten überhaupt möglich ist; die Vorstellung von dem Sterben des alten Menschen ist nicht immer so ausgeprägt wie in Kap. XIII; wohl hängt die Botschaft θεὸς πέφυκας (XIII 14) damit zusammen, aber in der Regel gilt sie erst dem wirklich Gestorbenen.[1] Christ und Heide empfinden hierin völlig gleich. Es handelt sich dabei bei dem einen wie dem andern weniger um einen Wechsel der Vorstellung als um einen Wechsel in der Höhe des augenblicklichen Empfindens, wie wir ihn auch bei Paulus finden. Daß er der Welt erstorben ist, hat für ihn bald größere, bald geringere Realität; das Wesen des πνευματικός bleibt bald menschlich, bald steigert es sich in sittlicher wie in intellektueller Hinsicht ins Göttliche, und auch die γνῶσις ist bald eine absolute, bald eine γνῶσις κατ' οὐσίαν ἡμῶν und nur Stückwerk. Doch zurück zu der lexikalischen Untersuchung.

---

1) Vgl. etwa aus dem Mythos Julians πρὸς Ἡράκλειον die Verkündigung des Helios, p. 304, 4 Hertl.: μέμνησο οὖν ὅτι τὴν ψυχὴν ἀθάνατον ἔχεις καὶ ἔκγονον ἡμετέραν ἑπόμενός τε ἡμῖν ὅτι θεὸς ἔσῃ καὶ τὸν ἡμέτερον ὄψει σὺν ἡμῖν πατέρα mit dem stolzen und ganz gnostisch empfundenen Worte Hippolyts 292, 20 W.: ἕξεις δὲ ἀθάνατον τὸ σῶμα καὶ ἄφθαρτον ἅμα ψυχῇ . . . ὁ ἐν γῇ βιοὺς καὶ ἐπουράνιον βασιλέα ἐπιγνούς, ἔσῃ δὲ ὁμιλητὴς θεοῦ . . . γέγονας γὰρ θεός . . . ὅσα δὲ παρακολουθεῖ θεῷ, ταῦτα παρέχειν ἐπήγγελται θεός, ὅταν θεοποιηθῇς, ἀθάνατος γεννηθείς — τουτέστι τὸ Γνῶθι σεαυτόν — ἐπιγνοὺς τὸν πεποιηκότα θεόν — vgl. Corp. herm. 18; vgl. Pythagoras Carmen aurcum 71).

Das Bild für die γνῶσις ist immer das Licht und keine Wendung häufiger als τὸ τῆς γνώσεως φῶς. Daher wird φωτίζειν in den hermetischen Schriften wie bei Paulus (II. Kor. 4, 6) zunächst von der γνῶσις gesagt. Nur Weiterbildung ist es, wenn auf die aus der Offenbarung stammende Botschaft dε Heils übertragen wird, was ursprünglich von der Offenbarung selbst gesagt wird, φωτίζει (vgl. Corp. herm. I 32, Clemens Strom. V 10, 64, II 369 Stähl., Usener, Weinachtsfest, S. 169). Bei Apuleius tritt, wie in der Mysterienschilderung natürlich ist, die metaphysische Bedeutung daneben hervor: das Schauen des Gottes, der ja seinem Wesen nach φῶς ist, macht zum φῶς, wie in anderen Mysterien der Eintritt des Gottes oder des πνεῦμα; auch das heißt φωτίζειν. Im Wesen des Mysteriums liegen beide Wirkungen, das Spenden der γνῶσις und die Änderung des Wesens; beide hängen notwendig miteinander zusammen, weil sich eben beides im Wesen der Gottheit verbindet, vgl. das Mysteriengebet Corp. herm. XIII 19: τὸ πᾶν τὸ ἐν ἡμῖν σῷζε, ζωή[1], φώτιζε, φῶς, πνευμά⟨τιζε⟩, θεέ. Gott, der πνεῦμα ist, macht zum πνεῦμα, indem er ἀθανασία und γνῶσις gibt; er ist ja selbst auch ζωὴ καὶ φῶς (vgl. X 5 die νοητὴ λαμπηδών ist πάσης ἀθανασίας ἀνάπλεως). Wieder erweist sich der Gebrauch m. E. als nichtjüdisch. Scheint doch die Lichttheologie selbst, wenigstens in ihrer späteren, ausgeprägten Form, erst aus dem Iranischen ins Judentum gedrungen.

Daß es sich ursprünglich nur um die γνῶσις θεοῦ handelt, zeigt am besten der Gegenbegriff ἀγνωσία. Man vergleiche etwa Corp. herm. I 27: ὦ λαοί, ἄνδρες γηγενεῖς, οἱ μέθῃ καὶ ὕπνῳ ἑαυτοὺς ἐκδεδωκότες καὶ τῇ ἀγνωσίᾳ τοῦ θεοῦ, νήψατε· παύσασθε δὲ κραιπαλῶντες θελγόμενοι ὕπνῳ ἀλόγῳ mit VII 1: ποῖ φέρεσθε, ὦ ἄνθρωποι, μεθύοντες, τὸν τῆς ἀγνωσίας ἄκρατον [λόγον] ἐκπιόντες, ὃν οὐδὲ φέρειν δύνασθε, ἀλλ' ἤδη αὐτὸν καὶ ἐμεῖτε; στῆτε νήψαντες, ἀναβλέψατε τοῖς τῆς καρδίας ὀφθαλμοῖς, καὶ εἰ μὴ πάντες δύνασθε, οἵ γε καὶ δυνάμενοι. ἡ γὰρ τῆς ἀγνωσίας κακία ἐπικλύζει πᾶσαν τὴν γῆν καὶ συμφθείρει τὴν ἐν τῷ σώματι κατακεκλεισμένην ψυχήν, μὴ ἐῶσα ἐνορμίζεσθαι τοῖς τῆς σωτηρίας λιμέσιν. Die Verbindung der beiden Bilder Trunkenheit und Schlaf findet sich schon in dem

1) Der σωτήρ ist der 'Lebendigmacher'.

Zarathustra-Fragment (oben S. 58). Das Bild gibt die Voraussetzung für die ganze Erweckungsmystik bei Mandäern und Manichäern. Mit Corp. hermet. VII ist die 33. Ode Salomos, aber auch das κήρυγμα des Täufers in der Evangelienquelle Q zu vergleichen (weiter die von Celsus geschilderte Predigt der Propheten, Origenes Contra Celsum VII 8). Das Bild der Sintflut (der ἀγνωσία) kehrt in dem mandäischen Johannesbuch cap. 11 wieder. Wenn sich bei Paulus, I. Kor. 15, 34, mitten in die Auseinandersetzung über die Auferstehung eine Warnung vor den Weltkindern einschiebt, die an einer solchen überhaupt zweifeln und darum dem Körper dienen: ἐκνήψατε δικαίως καὶ μὴ ἁμαρτάνετε, ἀγνωσίαν γὰρ θεοῦ τινες ἔχουσιν, so zeigt die ganze Verbindung wohl, daß für ihn ἀγνωσία θεοῦ nicht ein negativer, sondern ein positiver Begriff ist, in dem sich mit dem Fehlen höherer Erkenntnis Weltliebe und sündige Neigung verbinden. In der Septuaginta begegnet ἀγνωσία so nicht (anders Sap. Sal. 13, 1). Daß das Bild der Trunkenheit sich mit diesem Begriff verbindet, läßt mich, wiewohl dieses Bild auch in der Septuaginta vorkommt, hier an direkte Abhängigkeit von der hellenistischen Mystik denken. Auch in ihr hat nämlich das Wort ἀγνωσία dieselbe Bedeutung, so in der Κόρη κόσμου (Stobaios, Ekl. 402, 27 Wachsm.): sie ist die Quelle der Auflehnung gegen Gott und der Sünde. Sie ist geradezu die κακία ψυχῆς (Corp. herm. X 8). Noch näher an Paulus führt Corp. herm. XI 20ff.: ἐὰν οὖν μὴ σεαυτὸν ἐξισάσῃς τῷ θεῷ, τὸν θεὸν νοῆσαι οὐ δύνασαι· τὸ γὰρ ὅμοιον τῷ ὁμοίῳ νοητόν. συναύξησον σεαυτὸν τῷ ἀμετρήτῳ μεγέθει, παντὸς σώματος ἐκπηδήσας καὶ πάντα χρόνον ὑπεράρας Αἰὼν[1] γενοῦ, καὶ νοήσεις τὸν θεόν. Die folgende Beschreibung, die mit dem Wiedergeburtsmysterium und dem Bericht des Apuleius zu vergleichen ist, schildert das Wesen der γνῶσις noch deutlicher: μηδὲν ἀδύνατον ἐν σεαυτῷ ὑποστησάμενος σεαυτὸν ἥγησαι ἀθάνατον καὶ πάντα δυνάμενον νοῆσαι, πᾶσαν μὲν τέχνην, πᾶσαν δὲ ἐπιστήμην, παντὸς ζῴου ἦθος (vgl. oben S. 167). παντὸς δὲ ὕψους ὑψηλότερος γενοῦ καὶ παντὸς βάθους

1) αἰώνιος Scott sprachwidrig und mit verfehlter Erklärung. Für den Begriff verweise ich auf die Naassenerpredigt, wo der Urmensch, bzw. die Weltseele der Aion ist.

ταπεινότερος. πάσας δὲ τὰς αἰσθήσεις τῶν ποιητῶν[1] σύλλαβε ἐν σεαυτῷ, πυρός, ὕδατος, ξηροῦ καὶ ὑγροῦ, καὶ ὁμοῦ πανταχῇ εἶναι, ἐν γῇ, ἐν θαλάττῃ, ἐν οὐρανῷ, μηδέπω γεγενῆσθαι, ἐν τῇ γαστρὶ εἶναι, νέος, γέρων, τεθνηκέναι, τὰ μετὰ τὸν θάνατον. κἂν ταῦτα πάντα ὁμοῦ νοήσῃς, χρόνους, τόπους, πράγματα, ποιότητας, ποσότητας, δύνασαι νοῆσαι τὸν θεόν. Es folgt der Gegensatz, der mir den Gedankenzusammenhang bei Paulus zu erklären scheint: ἐὰν δὲ κατακλείσῃς σου τὴν ψυχὴν ἐν τῷ σώματι καὶ ταπεινώσῃς αὐτὴν καὶ εἴπῃς 'οὐδὲν νοῶ, οὐδὲν δύναμαι, φοβοῦμαι τὴν θάλασσαν, εἰς τὸν οὐρανὸν ἀναβῆναι οὐ δύναμαι.[2] οὐκ οἶδα τίς ἤμην, οὐκ οἶδα τίς ἔσομαι', τί σοι καὶ τῷ θεῷ; οὐδὲν γὰρ δύνασαι τῶν καλῶν καὶ ἀγαθῶν, φιλοσώματος καὶ κακὸς ὤν, νοῆσαι. ἡ γὰρ τελεία κακία τὸ ἀγνοεῖν τὸ θεῖον, τὸ δὲ δύνασθαι γνῶναι καὶ θελῆσαι καὶ ἐλπίσαι ὁδός ἐστιν εὐθεῖα, διὰ (ἰδία Codd.) τοῦ ἀγαθοῦ φέρουσα καὶ ῥᾳδία. ὁδεύοντί σοι πανταχοῦ συναντήσει, πανταχοῦ ὀφθήσεται κτλ. (vgl. Norden, Agnostos Theos, S. 102ff. Auch auf 1. Clem. 38, 3 kann man verweisen). Selbst in dieser am stärksten philosophisch umgeformten Beschreibung schimmert die Mysterienvorstellung überall durch[3]; die γνῶσις θεοῦ wird erworben auf jener Wanderung durch die zwölf Stunden und Gestalten und durch die Elemente; sie ist, weil sie das Wesen ändert, zugleich die τελεία ἀρετή, wie die ἀγνωσία öfters die τελεία κακία (sie kümmert sich nur um den Körper, nicht um den Ursprung des Menschen oder das Leben nach dem Tode und sagt: 'lasset uns essen und trinken, denn morgen sind wir tot'). Aus dieser Vorstellung der γνῶσις θεοῦ folgt zugleich, daß sie zunächst etwas Absolutes ist, wie das πνεῦμα; man hat sie oder hat sie nicht; eine Abstufung wird erst durch das praktische Bedürfnis und das Bild eines allmähligen Schauens und langsamen Emporsteigens zu Gott oder die Vorstellung verschiedener Himmel und Götter nachträglich hereingebracht; aber die Bezeichnung Γνωστικός wie Πνευματικός zeigt, daß im Gefühl immer wieder die alte Auffassung durchbricht.

1) Die Elemente sind ποιητοὶ θεοί.

2) Um in den Himmel zu gelangen, muß die Seele bei den Mandäern das Sûfmeer überschreiten, die θάλασσα τῆς φθορᾶς; Ähnliches oben S. 244.

3) Vgl. die Zaubervorstellung oben S. 167 A 2.

Der Gedanke, daß die γνῶσις ein Weg ist, erklärt sich aus der Mysterienvorstellung (vgl. schon Plato); natürlich begegnet er öfters, so Corp. herm. X 15: οὐ γὰρ ἀγνοεῖ τὸν ἄνθρωπον ὁ θεός, ἀλλὰ καὶ πάνυ γνωρίζει καὶ θέλει γνωρίζεσθαι. τοῦτο μόνον σωτήριον ἀνθρώπῳ ἐστίν, ἡ γνῶσις τοῦ θεοῦ. αὕτη εἰς τὸν Ὄλυμπόν ἐστιν ἀνάβασις. τούτῳ (codd. οὕτω oder οὕτως) μόνῳ ἀγαθὴ ψυχή. Corp. herm. VI 5: μία γάρ ἐστιν εἰς αὐτὸ (das Schauen des καλὸν καὶ ἀγαθόν) ἀποφέρουσα ὁδός, ἡ μετὰ γνώσεως εὐσέβεια (die γνῶσις heißt X 19 selbst der ἀγὼν τῆς εὐσεβείας und X 9 die ἀρετὴ ψυχῆς, daneben freilich auch τέλος ἐπιστήμης; von dem γνοὺς ἑαυτόν heißt es ebenda, er ist καὶ ἀγαθὸς καὶ εὐσεβὴς καὶ ἤδη θεῖος). Das erinnert an jenen Hymnus der Naassener bei Hippolyt 103, 18 W., in welchem Jesus sagt: σφραγῖδας ἔχων καταβήσομαι, αἰῶνας ὅλους διοδεύσω, μυστήρια πάντα δ' ἀνοίξω, μορφὰς δὲ θεῶν ἐπιδείξω, τὰ κεκρυμμένα τῆς ἁγίας ὁδοῦ, γ ν ῶ σ ι ν κ α λ έ σ α ς, παραδώσω. Nur darf man diese eine Stelle nicht zum Ausgangspunkt der ganzen Frage nach dem Begriff γνῶσις nehmen, wie dies noch Bousset in seinem grundlegenden Werk 'Hauptprobleme der Gnosis' S. 277 versuchte. Natürlich gehören die Begriffe μυστήρια θεοῦ (Geheimnisse Gottes) und γνῶσις θεοῦ zusammen, und die Kulthandlung, in der Gott jene enthüllt, das μυστήριον oder die τελετή, vermittelt diese (vgl. für den Zusammenhang beider Begriffe auch Wessely, Denkschr. d. K. K. Akad. 1888, S. 106, Z. 2476: διέβαλεν γάρ σου τὰ ἱερὰ μυστήρια ἀνθρώποις εἰς γνῶσιν, eine Stelle, in der διέβαλεν genau so gebraucht ist, wie Corp. Herm. XIII 22: ἵνα μὴ ὡς διάβολοι λογισθῶμεν). Aber die Bedeutung dieser Kulthandlung muß so weit und tief wie möglich gefaßt werden, sonst bleibt unverständlich, wie πνευματικός für γνωστικός eintreten kann.

Natürlich können in der weiteren Fortbildung zu γνῶσις auch andere Objektsgenetive treten; doch schimmert der Urbegriff meist durch; ein Beispiel aus der Zauberliteratur bietet die Beschwörungsformel, mit der im Pap. Lugdun. V (Dieterich, Jahrb. f. klass. Phil., Supplem. XVI, S. 799, Z. 19) ein Zauberer, den Gott, der ihm angeblich schon einmal erschienen ist, wieder zu sich zwingen will: ἐγώ εἰμι, ᾧ συνήντησας ὑπὸ τὸ ἱερὸν ὄρος καὶ ἐδωρήσω τὴν τοῦ μεγίστου ὀνόματός σου γνῶσιν, ἣν καὶ τηρήσω μηδενὶ μεταδιδούς, εἰ μὴ τοῖς σοῖς συνμύσταις εἰς τὰς σὰς ἱερὰς τελετάς. Die Mysterienanschauung zeigt besonders gut die Vorstellung, daß der selbst Geweihte seinerseits Novizen weihen kann, und die Nachbildung des Mysterieneides (vgl. S. 196). Ähnlich ist Pap. Berol. II 128: ἐγώ εἰμι ὁ δεῖνα, ὅστις σοι ἀπήντησα καὶ δῶρόν μοι ἐδωρήσω τὴν τοῦ μεγίστου σου ὀνόματος γνῶσιν. Es wäre falsch, hierbei nur an Moses zu denken, auch Zarathustra kommt in Frage, und am Fuße des heiligen Berges findet z. B. auch in dem Mythos Julians (Rede VII, 230 B = 298, 19 H.) Hermes als μυσταγωγός den Mysten; eine 'Vision oder Ekstase' zeigt ihm den Helios (299, 26 H.), und hierauf bezieht sich im Convivium (336 C = 432, 1 H.): σοὶ δέ, πρὸς ἡμᾶς λέγων ὁ Ἑρμῆς, δέδωκα τὸν πατέρα Μίθραν ἐπιγνῶναι. Aber das ὑπαντᾶν θεῷ ist eine in der mystischen Literatur allgemein übliche Vorstellung, und der 'Berg' ist der Ort der Offenbarung (Corp. herm. XIII 1). Was für den Zauberer die Kenntnis des Namens bedeutet, brauche ich nicht auseinanderzusetzen, oder kann mich wenigstens mit einer Formel begnügen, in der ein Magier sich seiner γνῶσις rühmt und ihre Wirkung beschreibt (Poimandres S. 20): οἶδα τὸ ὄνομά σου τὸ ἐν οὐρανῷ λαμφθέν, οἶδά σου καὶ τὰς μορφάς, ... οἶδά σε, Ἑρμῆ, καὶ σὺ ἐμέ· ἐγώ εἰμι σὺ καὶ σὺ ἐγώ. Ich füge hinzu, daß ich keine Stelle dieser Papyri kenne, in der γνῶσις nicht eine auf übernatürlichem Wege erworbene Kenntnis bedeutet.

Dem Sprachgebrauch in den Papyri läßt sich sofort der in jener Lehrschrift der Peraten begegnende vergleichen, die bei Hippolyt 108, 14 W beginnt: ἐγὼ φωνὴ ἐξυπνισμοῦ ἐν τῷ αἰῶνι τῆς νυκτός (also der Rufer oder Ruf der iranischen Texte). Es ist die Zeit der ἀγνωσία, von der auch die hermetischen Schriften öfters sprechen. Die Offenbarungsschrift fügt zunächst zu jedem echten Namen eines Gottes, den der γνωστικός allein kennt, den vermeintlichen hinzu in Formeln wie: ὃν ἡ ἀγνωσία ἐκάλεσε Κρόνον oder ταύτην δὲ ἡ ἀγνωσία ἐκάλεσε Ποσειδῶνα, und wie der Zauberer versichert, daß er den Namen kenne, den Gott in Flammenschrift am Himmel habe aufleuchten lassen, so versichern sie (113, 18 W.), daß, wer die Augen der Himmlischen habe (μακάριοι ὀφθαλμοί, vgl. im Mithrasmysterium ἀθάνατα ὄμματα), der ἰδεῖν δυνάμενος, die Gestalten ihrer Götter am Himmel sieht, während der οὐκ εἰδώς nichts davon merkt.[1] Hier bedeutet ἡ ἀγνωσία (τοῦ θεοῦ) nur οἱ ψυχικοί.

Das Mysterium der Himmelswanderung erklärt einen weiteren Gebrauch des Wortes in den hermetischen Schriften. Wie in den Visionen in der Regel ein Gott führt, in den Kulthandlungen in der Regel ein vergöttlichter Myste, so wird bisweilen in jenen Schriften von einem Führen ins Reich der γνῶσις gesprochen und diese räumlich gefaßt, vgl. z. B. Corp. herm. VII 2: ζητήσατε χειραγωγὸν τὸν ὁδηγήσοντα ὑμᾶς ἐπὶ τὰς τῆς γνώσεως θύρας, ὅπου ἐστὶ τὸ λαμπρὸν φῶς τὸ καθαρὸν σκότους, ὅπου οὐδὲ εἷς μεθύει, ἀλλὰ πάντες νήφουσιν ἀφορῶντες τῇ καρδίᾳ εἰς τὸν ὁραθῆναι θέλοντα. Wohl ist hier nach orientalischen Vorstellungen von einem Palaste der γνῶσις die Rede, wie ja der Himmel oft in den Apokalypsen als Königspalast mit verschiedenen Hallen erscheint; dennoch empfängt das Bild aus Apuleius XI 22: *adest tibi dies votis adsiduis exoptatus, quo deae multinominis divinis imperiis per istas meas manus pissimis sacrorum arcanis insinueris* sein Licht und erklärt umgekehrt den dunkeln Ausdruck des Apuleius (daß der Priester ins ἄδυτον mit hineingeht, war schon XI 21 gesagt). Auch in Corp. herm. I, das mit VII eng zusammenhängt, handelt es sich §§ 26 und 29 um den ὁδηγός; auch hier ist das an sich ja leicht verständliche und allgemein verbreitete Bild der Mysteriensprache entnommen, in der es schon bei Plato erscheint. Daß in der angeführten hermetischen Stelle τὸν ὁραθῆναι θέλοντα die Formel umschreibt, die I 31 lautet: ἅγιος ὁ θεός, ὃς γνωσθῆναι βούλεται καὶ γινώσκεται τοῖς ἰδίοις und X 15: ἀλλὰ γνωρίζει καὶ θέλει γνωρίζεσθαι, brauche ich kaum hervorzuheben. Das ἀφορᾶν τῇ καρδίᾳ εἰς θεόν, das in der Fortsetzung als νῷ καὶ καρδίᾳ ὁρᾶν beschrieben wird, entspricht dem γνῶναι θεόν. Als Bedingung für es wird wie sonst für die volle γνῶσις der Verlust des Leibes als des ὕφασμα τῆς ἀγνωσίας und des σκοτεινὸς περίβολος genannt. Der Gebrauch begegnet nicht nur hier; durch alle diese Schriften zerstreut sind für γνῶναι als

1) Vergleichbar ist, daß in der indischen Mystik (Bhagavadgitā XI 8. 9) der Gott selbst dem Menschen sein Auge gibt, damit er seine himmlische Gestalt schaue.

Synonyme νοῆσαι θεόν (wie νόησις als unmittelbare Wahrnehmung des Übersinnlichen der αἴσθησις gegenübersteht, so an andern Stellen γνῶσις) ὁρᾶν θεόν, θεᾶσθαι, θεωρεῖν, im Zauber auch εἰδέναι eingesetzt (vgl. z. B. V 2: νόησις μόνη ὁρᾷ τὸ ἀφανές, ὡς καὶ αὐτὴ ἀφανὴς οὖσα. εἰ δύνασαι, τοῖς τοῦ νοῦ ὀφθαλμοῖς φανήσεται . . . ἄφθονος γὰρ ὁ κύριος, φαίνεται διὰ παντὸς τοῦ κόσμου. νόησον [νόησιν Codd.], ἰδεῖν καὶ λαβέσθαι αὐταῖς ταῖς χερσὶ δύνασαι καὶ τὴν εἰκόνα τοῦ θεοῦ θεάσασθαι. Stobaios Ekl. I 21, 9, p. 194, 11 Wachsm.: ὁ ταῦτα μὴ ἀγνοήσας ἀκριβῶς δύναται νοῆσαι τὸν θεόν, εἰ δὲ καὶ τολμήσαντα δεῖ εἰπεῖν, καὶ αὐτόπτης γενόμενος θεάσασθαι καὶ θεασάμενος μακάριος γενέσθαι. — μακάριος ἀληθῶς, ὦ πάτερ, ὁ τοῦτον θεασάμενος. — ἀλλ' ἀδύνατον, ὦ τέκνον, ἐν σώματι τούτου εὐτυχῆσαι. Stob. I 3, 52, p. 63, 2 Wachsm.: θεοπτικὴ δύναμις.) Man kann die einzelnen Schriften unterscheiden, je nachdem das technisch verwendete Wort γνῶσις ganz gemieden wird oder selten erscheint oder oft begegnet.[1] Auch Philo scheint ihm ja auszuweichen, wie wir sehen werden, und vielleicht ist es nicht zufällig, daß Plutarch, der sonst γνῶσις nur selten verwendet, in der Schrift De Iside et Osiride, Kap. 2, es gerade in der Mysteriendeutung so ganz in mystischem Sinne gebraucht: ὧν τέλος ἐστὶν ἡ τοῦ πρώτου καὶ κυρίου καὶ νοητοῦ γνῶσις, ἣν ἡ θεὸς παρακαλεῖ ζητεῖν παρ' αὐτῇ καὶ μετ' αὐτῆς ὄντα καὶ συνόντα. Scheint er doch in diesem Zusammenhange von einer θείωσις — doch wohl einem Machen zum ἀνὴρ θεῖος, vgl. Corp. herm. X 9: ὁ γνούς . . . ἤδη θεῖος — in diesen Mysterien zu reden (ganz anders ist der Gebrauch von γνῶσις z. B. Kap. 11, p. 355 B). Ich möchte vermuten, daß, wie die Vorstellung, so auch das Wort selbst aus orientalischem, freilich schwerlich jüdischem, Gebrauch übernommen ist, und daß sich mit ihm von Anfang an der Sinn eines unmittelbaren Zusammenhanges, einer συναφή, verbindet, wie sie der Kult und besonders seine höchste Ausgestaltung im Mysterium nach allgemeiner Anschauung herbeiführt (vgl. die sehr lehrreichen Ausführungen Sallusts περὶ θεῶν καὶ κόσμου, c. 16). Wie dem sei, nur die Ausdrücke wechseln, der Begriff selbst ist fest.

1) Eine Ausführung bietet Bräuninger in der oben S. 51 angeführten Dissertation. Der gleiche Unterschied läßt sich in den Mönchserzählungen nachweisen.

Ob er vielleicht auch bei Paulus vorliegt? Nach Preuschens Handwörterbuch zum Neuen Testament und der urchristlichen Literatur, welches die bis vor kurzem herrschende Erklärung in der Regel getreu widerspiegelte, soll γνῶσις freilich bei ihm 'verstandesmäßige Erkenntnis' bedeuten, und als Belegstellen wurden I. Kor. 12, 8 angeführt: ᾧ μὲν γὰρ διὰ τοῦ πνεύματος δίδοται λόγος σοφίας, ἄλλῳ δὲ λόγος γνώσεως κατὰ τὸ αὐτὸ πνεῦμα (sogar mit dem Zusatz 'erkenntnismäßige Lehre') und 14, 6: γλώσσαις λαλῶν ... ἢ ἐν ἀποκαλύψει ἢ ἐν γνώσει ἢ ἐν προφητείᾳ ἢ ἐν διδαχῇ. So wenig wie über diese oben besprochenen Stellen brauche ich über 13, 1. 2 zu reden: ἐὰν ταῖς γλώσσαις τῶν ἀνθρώπων λαλῶ καὶ τῶν ἀγγέλων ... καὶ ἐὰν ἔχω προφητείαν καὶ εἰδῶ τὰ μυστήρια πάντα καὶ πᾶσαν γνῶσιν. Wie ist bei dieser Verbindung der Begriffe jene Deutung überhaupt möglich? Entgegengestellt wird bekanntlich die ἀγάπη. Der Apostel nimmt dies 13, 8 auf: ἡ ἀγάπη οὐδέποτε ἐκπίπτει· εἴτε δὲ προφητεῖαι, καταργηθήσονται· εἴτε γλῶσσαι, παύσονται· εἴτε γνῶσις, καταργηθήσεται. ἐκ μέρους δὲ γινώσκομεν καὶ ἐκ μέρους προφητεύομεν (beides sind verwandte, also pneumatische Tätigkeiten). ὅταν δὲ ἔλθῃ τὸ τέλειον, τὸ ἐκ μέρους καταργηθήσεται ... βλέπομεν γὰρ ἄρτι δι' ἐσόπτρου ἐν αἰνίγματι, τότε δὲ πρόσωπον πρὸς πρόσωπον· ἄρτι γινώσκω ἐκ μέρους, τότε δὲ ἐπιγνώσομαι, καθὼς ἐπεγνώσθην. Der Schluß zeigt zunächst, daß es sich um die γνῶσις θεοῦ handelt (Gal. 4, 9: νῦν δὲ γνόντες θεόν, μᾶλλον δὲ γνωσθέντες ὑπὸ θεοῦ, I. Kor. 8, 3: εἰ δέ τις ἀγαπᾷ τὸν θεόν, οὗτος ἔγνωσται ὑπ' αὐτοῦ). Daß dem Gott eine γνῶσις des Menschen zugeschrieben wird, begegnet auch in hermetischen Schriften, vgl. X 15: οὐ γὰρ ἀγνοεῖ τὸν ἄνθρωπον ὁ θεός, ἀλλὰ καὶ πάνυ γνωρίζει καὶ θέλει γνωρίζεσθαι. τοῦτο γὰρ μόνον σωτήριον ἀνθρώπῳ ἐστίν, ἡ γνῶσις τοῦ θεοῦ. Dem entspricht der Mysteriengedanke eines προορίζειν, *destinare* (vgl. oben S. 253), und für προορίζειν tritt bei Paulus auch προγινώσκειν ein (Römerbr. 8, 29). Einst wird Paulus Gott schauen, so klar, wie Gott ihn geschaut, als er ihn sich 'ersah' und erlas; jetzt nennen wir γνῶσις schon die κατ' οὐσίαν ἡμῶν γνῶσις, jenes Schauen δι' ἐσόπτρου ἐν αἰνίγματι. Wieder stimmt Paulus in der Verwendung des technischen Wortes völlig mit der hellenistischen Mystik überein, und nur moderne Willkür zwängt ihm einen Sinn auf, der weder nach dem Sprachgebrauch der Zeit noch nach dem Zusammenhange der Stellen möglich ist. Noch niedriger scheint der Begriff γνῶσις zu werden, wo Paulus von der γνῶσις spricht, deren die Korinther sich rühmen und die er zunächst ihnen nicht absprechen will. Er sagt mit leichter Ironie I. Kor. 8, 1: περὶ δὲ τῶν εἰδωλοθύτων οἴδαμεν ὅτι πάντες γνῶσιν ἔχομεν. ἡ γνῶσις φυσιοῖ, ἡ δὲ ἀγάπη οἰκοδομεῖ. εἴ τις δοκεῖ ἐγνωκέναι τι (einen Grad der γνῶσις erreicht zu haben; der Begriff der sich steigernden Schau in den Mysterien leuchtet durch), οὐδέπω οὐδὲν ἔγνωκεν, καθὼς δεῖ γνῶναι. εἰ δέ τις ἀγαπᾷ θεόν, οὗτος ἔγνωσται ὑπ' αὐτοῦ. Der gleiche Gegensatz zur ἀγάπη müßte schon zeigen, daß wir uns in demselben Gedankenkreise bewegen; die rechte γνῶσις ist erst jenes volle γνῶναι, καθὼς ἐγνώσθημεν. Freilich auch schon jene noch menschliche γνῶσις θεοῦ macht frei und erhebt über den νόμος (der Gedanke wird uns sofort in der heidnischen Mystik wiederbegegnen · ler γνωστικός ist ja der πνευματικός); aber nicht alle haben sie. Ausdrücklich wird gesagt, daß die γνῶσις ἐξουσία gibt (8, 9) wie das πνεῦμα. Daß endlich Stellen wie Römerbrief 2, 20 die Verbindung von γνῶσις und ἀλήθεια nicht auf eine 'verstandesmäßige Erkenntnis' zu gehen brauchen, ist wohl überflüssig zu sagen; ich zweifle sehr, ob Paulus, der so oft γνῶναι θεόν sagt, ein solches überhaupt gelten ließe.

Das Reich der γνῶσις ist in den hermetischen Schriften der Himmel (vgl. oben S. 78 A. 2, Stobaios I 61, 1, p. 276, 6 Wachsm.), die Welt des Übersinnlichen, in die uns die Schau Gottes erhebt. So entrückt sie notwendig dem Reiche der εἱμαρμένη, vgl. Corp. herm. XII 9: πάντων ἐπικρατεῖ ὁ νοῦς, ἡ τοῦ θεοῦ ψυχή[1], καὶ εἱμαρμένης καὶ νόμου καὶ τῶν ἄλλων πάντων, καὶ οὐδὲν αὐτῷ ἀδύνατον, οὔτε εἱμαρμένης ὑπεράνω θεῖναι ψυχὴν ἀνθρωπίνην οὔτε ἀμελήσασαν, ὅπερ συμβαίνει, ὑπὸ εἱμαρμένην θεῖναι. Die Erklärung

1) Es ist das πνεῦμα als die göttliche Seele. Scott tilgt die Worte, weil er nicht erkannt hat, daß sie dem folgenden ἀνθρωπίνη ψυχή entsprechen. Letzeres bedeutet die menschliche Seele im eigentlichen Sinn, die, welche auch der ψυχικός hat. Die Scheidung des gottgegebenen und des menschlichen Seelenteils ist Grundlage aller gnostischen Religiosität; für erstere wechseln die Bezeichnungen νοῦς und πνεῦμα bei Heiden und Christen (Paulus) beliebig, doch findet sich auch ψυχή bei einzelnen Gnostikern.

bietet die Verwandlung des ganzen Wesens, die in dem Wiedergeburtsmysterium eingehend geschildert wird, eine freilich ins Äußerliche gezogene Parallele die Verheißung des Isispriesters an Apuleius XI 15: *nam in eos, quorum sibi vitas ⟨in⟩ servitium deae nostrae maiestas vindicavit, non habet locum casus infestus* (Isis bezwingt auch das *fatum*, vgl. XI 6 und mehr noch XI 25, zu der ganzen Anschauung oben S. 255). Dieselbe Anschauung fand in verlorenen hermetischen Schriften Zosimos vor (Poimandres S. 102ff.) und führt an, Hermes nenne die natürlichen Menschen, die nichts Übersinnliches sinnlich in sich schauen können, ἄνοες und Spielzeug der εἱμαρμένη, die 'Philosophen' aber (vgl. zu dieser Bezeichnung des Gnostikers etwa Asclepius, Kap. 12: *philosophiae, quae sola est in cognoscenda divinitate frequens obtutus et sancta religio*) stünden nach ihm über der εἱμαρμένη. So lehrt er denn: ὅτι οὐ δεῖ τὸν πνευματικὸν ἄνθρωπον τὸν ἐπιγνόντα ἑαυτὸν οὔτε διὰ μαγείας κατορθοῦν τι, ἐὰν καὶ καλὸν νομίζηται, μήτε βιάζεσθαι τὴν Ἀνάγκην, ἀλλ' ἐᾶν ὡς ἔχει φύσεως καὶ κρίσεως. πορεύεσθαι δὲ διὰ μόνου τοῦ ζητεῖν ἑαυτὸν καὶ θεὸν ἐπιγνόντα κρατεῖν τὴν ἀκατονόμαστον τριάδα, καὶ ἐᾶν τὴν εἱμαρμένην ὃ θέλει ποιεῖν τῷ ἑαυτῆς πηλῷ, τουτέστι τῷ σώματι. καὶ οὕτως, φησί, νοήσας καὶ πολιτευσάμενος θεάσῃ τὸν θεοῦ υἱὸν πάντα γινόμενον τῶν ὁσίων ψυχῶν ἕνεκεν, ἵνα αὐτὴν ἐκσπάσῃ ἐκ τοῦ χώρου τῆς εἱμαρμένης ἐπὶ τὸν ἀσώματον. Von diesem υἱὸς θεοῦ heißt es φωτίζει τὸν ἑκάστης νοῦν; er zieht den νοῦς empor ὑπ' αὐτοῦ ὁδηγούμενον εἰς ἐκεῖνο τὸ φῶς. Die Vorstellung, welche ebenso auch bei Jamblich περὶ μυστηρίων VIII 4—7 und X 5. 7 begegnet, wird einem schon bei dem älteren Plinius erwähnten ägyptischen Propheten zugeschrieben (Poimandres S. 107). Bei Zosimos sind die Einzelheiten natürlich frei umgestaltet, doch scheint ein Zug der alten Vorstellung besonders zu entsprechen, daß nämlich das γνῶναι (oder ἐπιγνῶναι) eine Gewalt und Macht gibt. So erwähnt als volkstümliche Vorstellung von dem *magus*, der eigentlich der wahre Priester sei (bei anderen, wie Apollonios von Tyana, Ep. 16. 17 der ἀνὴρ θεῖος), Apuleius, Apol. 26: *qui communione loquendi cum deis immortalibus ad omnia quae velit incredibili quadam vi cantaminum polleat.* Er kann Verderben, über wen er will, verhängen, und man kann sich gegen diese *occulta et divina potentia* gar nicht sichern. Diese Anschauung ist hier ins Religiöse gewendet. Ähnlich gewinnt im Corp. herm. I 32 der mit der γνῶσις Begnadete die ἐξουσία. Ähnlich gewinnt ferner im Kap. XIII der Wiedergeborene die Kraft über die Natur und befiehlt in seinem Gebet dem Himmel, der Erde und den Elementen. Es ist offenbar dieselbe Kraft, die der Zauberer durch die Angleichung an seinen Gott gewinnt, und ihre Begründung ist natürlich dieselbe: die γνῶσις hat zu Gott gemacht: der τέλειος γνωστικός lebt in der höheren Welt als Gott oder Teil der Gottheit.

Es ist die Grundanschauung auch des christlichen Gnostizismus und so allgemein und weit verbreitet, daß es kaum möglich ist, Einzelheiten herauszuheben. Jene πύλαι oder θύραι τῆς γνώσεως finden wir bei den Naassenern wieder, die von sich als den τέλειοι γνωστικοί oder πνευματικοί versichern (Hippolyt 102, ις 14 W.): καὶ ἐσμὲν ἐξ ἁπάντων ἀνθρώπων ἡμεῖς Χριστιανοὶ μόνοι ἐν τῇ τρίτῃ πύλῃ ἀπαρτίζοντες τὸ μυστήριον καὶ χριόμενοι ἐκεῖ ἀλάλῳ χρίσματι (es ist der dritte Himmel des Paulus, das πεδίον τῆς ἀληθείας der hermetischen Schriften; die Erklärung geben die heidnischen Himmelswanderungen, die ich in den Nachträgen des Poimandres zusammengestellt habe). Da lehren die Valentinianer, daß Christus die Seinen heraushebt aus dem Reich der εἱμαρμένη in das seiner πρόνοια, meinen, daß selbst die Prophezeiungen der Astrologen nur bis zur Taufe zutreffen (Exc. ex Theodoto 78), und lassen doch mit der Taufe zugleich die γνῶσις dessen, was wir waren und was wir geworden sind, wirken (ebd. vgl. oben S. 294 Corp. herm. XI 21); eine Wesensverwandlung, eine μεταβολὴ ψυχῆς, findet statt (ebd. 77), die Seele ist hinfort frei von den ἀκάθαρτα πνεύματα, ja hat Gewalt über sie. Da lehren die Peraten (Hippolyt S. 111, 9 W.): ἡμεῖς οἱ τὴν ἀνάγκην τῆς γενέσεως ἐγνωκότες καὶ τὰς ὁδούς, δι' ὧν εἰσελήλυθεν ὁ Ἄνθρωπος εἰς τὸν κόσμον ἀκριβῶς δεδιδαγμένοι, διελθεῖν καὶ περᾶσαι τὴν φθορὰν μόνοι δυνάμεθα (vgl. oben S. 294). Da lehren die Sethianer (Hippolyt 124, 2 W.): ἡμεῖς οἱ ἀναγεννώμενοι πνευματικοί, οὐ σαρκικοί, ὧν ἐστι τὸ πολίτευμα ἐν οὐρανοῖς ἄνω (vgl. Philos Umdeutung oben S 245 und die stark hellenistisch gefärbte Stelle Philipperbr. 3, 20). Ob dabei die γνῶσις allein die volle Loslösung vom Leibe gibt (Iren. I 21, 4), ob mit der γνῶσις sich die ἐπιρρήματα der Mysterien verbinden müssen (Epiphanios haer. XXXI 7), ob die liturgische Handlung hinzutritt, ist für die Grundanschauung ebenso gleichgültig wie, ob schon ein Mysterium zur Vollendung führt, oder ob mehrere, ja selbst 365 oder 730 heilige Handlungen mit ebenso vielen Göttern oder Archonten zusammenführen, wie bei den Γνωστικοί, die Epiphanios haer. XXVI 9 beschreibt: jede συνουσία mit einem Mysten hebt sie in einen neuen Aion; sie fordern auf μίγηθι μετ' ἐμοῦ, ἵνα σε ἐνέγκω πρὸς τὸν ἄρχοντα; das συνίστασθαι θεῷ gibt die γνῶσις des Gottes und mit ihr die μεταβολή des eigenen Seins und die Kraft des Gottes (vgl. Hellenistische Wundererzählungen S. 53). Die γνῶσις macht zum πνεῦμα, der Myste wird φύσει πνευματικός, vgl. die Lehre der Valentinianer bei Irenaeus I 6, 1: τὴν δὲ συντέλειαν ἔσεσθαι, ὅταν μορφωθῇ καὶ τελειωθῇ γνώσει πᾶν τὸ πνευματικόν, τουτέστιν οἱ πνευματικοὶ ἄνθρωποι οἱ τὴν τελείαν γνῶσιν ἔχοντες περὶ θεοῦ καὶ τῆς 'Αχαμώθ. μεμυημένους δὲ μυστήρια εἶναι τούτους ὑποτίθενται (lateinisch: *qui perfectam agnitionem habent de deo et hi qui ab Achamoth initiati sunt mysteria: esse autem hos semet ipsos dicunt*) . . . αὐτοὺς δὲ μὴ διὰ πράξεως, ἀλλὰ διὰ τὸ φύσει πνευματικοὺς εἶναι πάντη τε καὶ πάντως σωθήσεσθαι δογματίζουσιν. ὡς γὰρ τὸ χοϊκὸν ἀδύνατον σωτηρίας μετασχεῖν . . . οὕτως πάλιν τὸ πνευματικὸν . . . ἀδύνατον φθορὰν καταδέξασθαι.[1] So schildert die berühmte Predigt Valentins bei Clemens Strom. IV 13, 89 (p. 603 P = 287, 9 Stähl.), wie der Gnostiker den Tod auf sich genommen und ihn in sich und durch sich vernichtet hat: ὅταν γὰρ τὸν μὲν κόσμον λύητε (er vergeht mit dem σῶμα für den Gnostiker), ὑμεῖς[2] δὲ μὴ καταλύησθε, κυριεύετε τῆς κτίσεως καὶ τῆς φθορᾶς ἁπάσης (auch bei Markos macht die γνῶσις θεοῦ unsterblich, vgl. Irenaeus I 15, 2). Das will direkt aus dem Wiedergeburtsmysterium der hermetischen Schriften verstanden werden.[3] Aus ihm erklären sich ohne weiteres auch Lehren wie die

1) Es ist ja seiner Substanz nach Leben (Gott).

2) Euer 'Selbst' im Gegensatz zum Leib; dieser entspricht dem κόσμος, jenes ist Gott.

3) Corp. herm. XIII 14 εἰπέ μοι, ὦ πάτερ, τὸ σῶμα τοῦτο τὸ ἐκ δυνάμεων (Gotteskräften) συνεστὸς λύσιν ἴσχει ποτέ; Der Vater antwortet: das ist unmöglich; du bist ja Gott.

von Irenaeus ironisch wiedergegebene Lehre der Markosier (I 13, 6): τελείους ἑαυτοὺς ἀναγορεύοντες, ὡς μηδενὸς δυναμένου ἐξισωθῆναι τῷ μεγέθει τῆς γνώσεως αὐτῶν . . . ἀλλὰ πλείω πάντων ἐγνωκέναι καὶ τὸ μέγεθος τῆς γνώσεως τῆς ἀρρήτου δυνάμεως μόνους καταπεπωκέναι.[1] εἶναί τε αὐτοὺς ἐν ὕψει ὑπὲρ πᾶσαν δύναμιν· διὸ καὶ ἐλευθέρως πάντα πράσσειν μηδένα ἐν μηδενὶ φόβον ἔχοντας. διὰ γὰρ τὴν ἀπολύτρωσιν ἀκρατήτους καὶ ἀοράτους γίνεσθαι τῷ κριτῇ. Überall, wo letztere Formel erscheint, die sich eng mit dem Zauberwesen berührt, liegt die Vorstellung von der pneumatischen Substanz zugrunde, und überall finden wir Mysterienglauben mit ihr verbunden (z. B. Irenaeus I 24, 6).

Aber auch, wenn wir die eigentlich gnostischen Systeme verlassen und uns den Vorstellungen zuwenden, die in den weiteren Kreisen hellenistischer Gemeinden sich bilden, finden wir ähnliche Anschauungen. Ich habe schon früher die Stelle des hermetischen Wiedergeburtsmysteriums (XIII 3) ὁρᾷς με, ὦ τέκνον, ὀφθαλμοῖς, ὅτι δέ <εἰμι οὐ> κατανοεῖς ἀτενίζων σώματι καὶ ὁράσει mit den Worten der Mysterienschilderung in den Johannesakten (Kap. 11) verglichen, die Jesus zu seinen Jüngern spricht: τίς εἰμι ἐγώ, γνώσῃ ὅταν ἀπέλθω. ὃ νῦν ὁρῶμαι, τοῦτο οὐκ εἰμί· <ὃ δέ εἰμι> ὄψει, ὅταν σὺ ἔλθῃς, d. h. wenn du eingehst in die übersinnliche Welt. Aus der Anschauung, daß man in sie eingeht, wenn man alles Geschlechtsempfinden und mit ihm auch die Empfindung der Scham verloren hat, erklärt sich das Fragment eines apokryphen Evangeliums (Oxyrhynchus-Pap. 655, Preuschen Antilegomena[2] S. 26): λέγουσιν αὐτῷ οἱ μαθηταὶ αὐτοῦ· πότε ἡμῖν ἐμφανὴς ἔσῃ καὶ πότε σε ὀψόμεθα; λέγει· ὅταν ἐκδύσησθε καὶ μὴ αἰσχυνθῆτε. Aus ihm empfängt das Fragment des Ägypterevangeliums (Clemens Strom. III 13, 92) Licht, in dem Salome fragt: πότε γνωσθήσεται τὰ περὶ ὧν ἤρετο und die Antwort empfängt: ὅταν τὸ τῆς αἰσχύνης ἔνδυμα πατήσητε. Daß auch dieser uns befremdenden Anschauung eine Mysterienvorstellung (von der Seelenhochzeit) zugrunde liegt, hoffe ich (Hellenistische Wundererzählungen S. 68) erwiesen zu haben. Immer handelt

1) Zarathustra trinkt (Bahman-Yašt 2) die Allwissenheit (γνῶσις) aus einem Becher. Durch denselben Trank sichert sich Ardā Virāf gegen die auf der Himmelswanderung auflauernden Dämonen.

es sich um das doppelte Schauen bei einem seiner Natur nach doppelten Wesen, und das höhere, durch die Änderung der Natur des Sehenden (im Mysterium) bewirkte heißt γνῶσις. Es war sehr verkehrt, gerade das entscheidende Wort im Ägypterevangelium in Frage zu ziehen. Wohl hat die Philosophie seit Poseidonios diese Mysterienanschauungen als Bilder aufgenommen, um sich selbst als höheren Ersatz für die 'Barbarenreligion' dem gebildeten Griechen zu bieten, aber es ist unmöglich, den christlichen Gnostizismus seinem Wesen nach aus jener Philosophie herzuleiten und ihn nebenbei den Mysterien- und Zauberbrauch aus dem Volksglauben entnehmen zu lassen. Nicht aus den Bildern, sondern aus der wesenhaften, mit dem Zauber zusammenhängenden Vorstellung erwächst er; sonst wäre weder der Sprachgebrauch von γνῶσις und γνωστικός noch die Identifizierung des letzteren Wortes mit πνευματικός verständlich. Daß die γνῶσις θεοῦ zum πνεῦμα macht, ist die Grundvorstellung, und sie ist orientalisch religiös. Die lexikalische Forschung bestätigt damit freilich nur, was Weingarten andeutungsweise schon in Sybels Histor. Zeitschrift, N. F. IX (1881) S. 460 über den 'heidnischen Mysteriencharakter' der Gnosis gelehrt hatte: nichts ist irrtümlicher, als wenn man die Gnosis als einen ersten Versuch christlicher Philosophie oder Religionsphilosophie, ja überhaupt unter den Gesichtspunkten betrachtet, die mit ihren theoretischen Elementen zusammenhängen.

Was γνῶσις eigentlich heißt, hat wohl am eingehendsten R. Liechtenhan, Die Offenbarung im Gnostizismus, Göttingen 1901, S. 98ff., darzulegen versucht, auch er freilich ohne jede Rücksicht auf die Entwicklung des Gebrauchs, ohne jede Verwendung heidnischen und überhaupt religionsgeschichtlichen Materiales und vor allem ohne jede Scheidung der Begriffe altüberlieferter und fortwirkender Offenbarung; die Frage nach dem Individualismus in der gesamten Entwicklung ist überhaupt nicht aufgeworfen, wohl die Vision, nicht aber das Mysterium als Quelle der γνῶσις genügend ins Auge gefaßt. Dennoch können seine sorgfältigen Sammlungen das bisher gewonnene Ergebnis in vielem sichern und ergänzen. Man vergleiche jene große Lehrschrift des Markos bei Irenaeus I 14 mit Corp. herm. I (dem sogenannten Poimandres)[1]: αὐτὴν τὴν πανυπερτάτην ἀπὸ τῶν ἀοράτων καὶ ἀκατονομάστων τόπων Τετράδα κατεληλυθέναι σχήματι γυναικείῳ πρὸς αὐτόν . . . καὶ μηνῦσαι, αὐτὴ τίς ἦν, καὶ τὴν τῶν πάντων γένεσιν, ἣν οὐδενὶ πώποτε οὔτε θεῶν οὔτε ἀνθρώπων ἀπεκάλυψεν. Selbst die folgende Offenbarung stimmt zunächst mit dem Anfang des Poimandres überein. Den γνωστικός erkennen wir in der Fortsetzung (§ 3): ταῦτα δὲ σαφηνίσασαν αὐτῷ τὴν Τετρακτὺν εἰπεῖν· θέαν δή σοι καὶ αὐτὴν ἐπιδείξω τὴν Ἀλήθειαν. κατήγαγον γὰρ αὐτὴν ἐκ τῶν ὕπερθεν δωμάτων, ἵν' ἐσίδῃς αὐτὴν γυμνὴν καὶ καταμάθῃς τὸ κάλλος αὐτῆς καὶ ἀκούσῃς αὐτῆς λαλούσης κτλ. Man vergleiche Einzelbeschreibungen wie §4: ταῦτα δὲ ταύτης εἰπούσης προσβλέψασαν αὐτῷ τὴν Ἀλήθειαν καὶ ἀνοίξασαν τὸ στόμα λαλῆσαι λόγον. Daß Valentin mit einer Erscheinung des Λόγος vorausgegangen war, der als neugeborenes Kind plötzlich vor ihm steht, gefragt wird, wer er sei, antwortet, er sei der Logos, und hiernach eine Kosmogonie (das ist der τραγικὸς μῦθος, vgl. Epiphanios XXXI 3: μυθοποιουμένη τραγῳδία) erzählt, bezeugt Hippolyt 123, 22 W. Beidemal kennen wir leider die Einleitungen nicht, sehen aber, daß für diese Botschaften der Propheten an ihre Gemeinden in Christentum und Heidentum eine gemeinsame feste Form besteht, die auch der Hirt des Hermas nachahmt, und können die Grundvorstellung, die Erhebung zum Propheten durch die Schau des Weltgottes und des Weltwerdens, jetzt durch Iran und Indien verfolgen.[2] Mit derselben Schrift des Markos läßt sich eine andere Schrift der Valentinianer vergleichen (Epiphanios XXXI 5, 1), welche begann: Νοῦς ἀκατάργητος τοῖς ἀκαταργήτοις χαίρειν. ἀνονομάστων ἐγὼ καὶ ἀρρήτων καὶ ὑπερουρανίων μνείαν ποιοῦμαι μυστηρίων πρὸς ὑμᾶς, οὔτε ἀρχαῖς οὔτε ἐξουσίαις οὔτε ὑποταγαῖς οὔτε πάσῃ συγχύσει περινοηθῆναι δυναμένων, μόνῃ δὲ τῇ τοῦ Ἀτρέπτου Ἐννοίᾳ πεφανερωμένων. Auch die Fortsetzung entspricht in der Eingangserzählung wie in der dürren Aufzählung der Namen der Schrift des Markos. Hier redet nicht ein menschlicher Empfänger einer Offenbarung, sondern das πνεῦμα ἀθάνατον spricht zu πνεύματα ἀθάνατα und nennt die Menschen (6, 1) im Gegensatz zu sich die ἐπίγειοι.

1) Also in letzter Linie dem Dāmdād-Nask des Avesta.

2) Reitzenstein-Schaeder Teil I.

Es wäre überflüssig, weitere Beispiele zu häufen. Wer trotz der heidnischen Parallelen hier nur inhaltlose Bilder und Redewendungen sehen will, wird nie bekehrt werden, wer die Seltsamkeit der Anschauungen voll empfindet, wird schon daraus, daß Paulus I. Kor. 15, 51 ankündigt: ἰδοὺ μυστήριον ὑμῖν λέγω (vgl. Römerbrief 11, 25) und sich als πνευματικός bezeichnet, schließen, was die γνῶσις bei ihm einzig sein kann. Er verband, wie wir oben sahen, προφητεύειν und ἐν γνώσει λέγειν als feste Teile des Gemeindekultes (S. 299) und faßte dabei προφητεύειν genau so wie die hellenistischen Mysteriengemeinden (S. 239), bei denen es im Gottesdienst üblich war. Ob auch ἐν γνώσει λέγειν dort schon üblich war? Eine schwache Spur scheint darauf zu deuten. Der Apostel nennt das mit keinem χάρισμα begabte Gemeindemitglied ἰδιώτης (I. Kor. 14, 23. 24) und spricht II 11, 6 von sich als einem ἰδιώτης τῷ λόγῳ, ἀλλ' οὐ τῇ γνώσει. Der seltsame Gebrauch wäre in hellenistischen Gemeinden sofort erklärt, weil in ihnen jeder Myste im Grunde Priester ist (ἰδιώτης im Gegensatz zum Priester z. B. Dekret von Kanopos Z. 52). Doch gebe ich zu, daß hier auch andere Erklärungsversuche möglich sind.

Wer es versuchen will, die eigentümliche Verstärkung und Vertiefung des Gottesglaubens im Heidentum von der Zeit des Poseidonios bis zum Neuplatonismus in ihren Seltsamkeiten und in ihrer Erhabenheit wirklich zu verstehen, wird Entwicklung und Häufigkeit einzelner Begriffe und Worte besonders gern verfolgen. Dabei muß der Sprachschatz und Bilderschatz des Paulus notwendig eine besondere Bedeutung gewinnen, wenn es zu entscheiden gilt, ob eine Vorstellung philosophischen oder religiösen Gedanken entspringt. Von einer ὁμοίωσις mit Gott redet, vielleicht schon von iranischem Empfinden beeinflußt, doch noch als Philosoph Plato (Theaet. 176 B.). Wenn Hierokles (Kommentar zu den χρυσᾶ ἔπη, Mullach, Fr. phil. graec. I 462, 467 und 463) von ihr spricht und sie sich durch das Schauen auf Gott oder die γνῶσις τῶν ὄντων bewirkt denkt, so liegen Mysterienvorstellungen zugrunde, wie Paulus II. Kor. 3, 18 beweist, und wenn an eben dieser Stelle Paulus von einem μεταμορφοῦσθαι dabei redet, oder wenn er Römerbr. 12, 2 mahnt: μεταμορφοῦσθε τῇ ἀνακαινώσει τοῦ νοός, so beweist das, wenn unsere Hauptthese richtig ist, daß Seneca Ep. 6, 1 ein vielleicht von Poseidonios übernommenes Bild aus der Mysteriensprache verwendet: *intellego, Lucili, non emendari me tantum, sed transfigurari. nec hoc promitto iam aut spero, nihil in me superesse, quod mutandum sit ... hoc ipsum argumentum est in melius translati animi ... cuperem itaque tecum communicare tam subitam mutationem mei.*[1] Die ursprüngliche Bedeutung des Bildes ist hier gewahrt; an anderen Stellen (z. B. 94, 48) ist sie verblaßt. Die griechischen Worte wären μεταμορφοῦσθαι, μεταβάλλεσθαι und μετατίθεσθαι. Noch manches ließe sich schon jetzt anführen, doch handelt es sich für mich jetzt nicht um die Frage, was der Philologe aus einer Analyse des paulinischen Sprachschatzes für die Erklärung der Profanliteratur gewinnen kann.

Viel weiter als die Untersuchung des Begriffes γνῶσις müßte ein genaueres Verfolgen des Wortes πνεῦμα führen. Gehen wir, wie es methodisch einzig richtig ist, wieder von dem Heidentum aus, so empfiehlt es sich, diesmal mit den Zauberpapyri zu beginnen, die das Wort in den verschiedensten Wendungen immer wieder bieten.

Es steht im Gegensatz zu σῶμα, σκῆνος, σάρξ vom Menschen gesagt: Pap. Berol. I 177 (vom Parhedros): τελευτήσαντός σου τὸ σῶμα περιστελεῖ, ὡς πρέπον θεῷ, σοῦ δὲ τὸ πνεῦμα βαστάξας εἰς ἀέρα ἄξει σὺν ἑαυτῷ. εἰς γὰρ Ἅιδην οὐ χωρήσει ἀέριον πνεῦμα συσταθὲν κραταιῷ παρέδρῳ (ist πνεῦμα ἀέριον hier die Seele, so unmittelbar vorher der Parhedros selbst, vgl. Z. 96: γινώσκεται ὅτι οὗτός ἐστιν ὁ θεός· πνεῦμά ἐστιν ἀέριον, ὃ εἶδες, Z. 49: ἀερίων πνευμάτων, vgl. Z. 284: καὶ εὐθέως εἰσέρχεται τὸ θεῖον πνεῦμα, Z. 312: ὅπως ἂν πέμψωσί μοι τὸ θεῖον πνεῦμα). Wessely, Denkschr. d. K. K. Akad. 1888, S. 93, Z. 1948: δέομαι, δέσποτα ἥλιε, ἐπάκουσόν μου καὶ δός μοι ... τὴν κατεξουσίαν (die Zauberkraft) τούτου τοῦ βιοθανάτου πνεύματος (der Geist, das Gespenst des Ermordeten), οὗπερ ἀπὸ σκήνους κατέχω τὸ (τοῦ Pap.) δεῖνα, ἵν' ἔχω αὐτὸν μετ' ἐμοῦ βοηθόν. Ebd. S. 139, Z. 473, Kenyon, Greek

1) Vgl. oben S. 262.

Pap. I, S. 80: ἐπικαλοῦμαί σε τὸν κτίσαντα γῆν καὶ ὀστᾶ καὶ πᾶσαν σάρκα καὶ πᾶν πνεῦμα (Seele). Vgl. Wessely, ebd. S. 83, Z. 1528: καῦσον αὐτῆς τὰ σπλάγχνα, τὸ στῆθος, τὸ ἧπαρ, τὸ πνεῦμα, τὰ ὀστᾶ, τοὺς μυελούς. Wenn dem Gott ein Opfer geschlachtet wird, so heißt es von ihm λαμβάνει πνεῦμα, Dieterich, Abraxas 170, 16; 171, 13.

Derselbe Gebrauch, der offenbar orientalischer Quelle entstammt, wird auf den Gott übertragen, vgl. Wessely, ebd. S. 120, Z. 2987: σὺ εἶ ἡ ψυχὴ τοῦ δαίμονος τοῦ 'Οσίρεως[1] ἡ κωμάζουσα ἐν παντὶ τόπῳ, σὺ εἶ τὸ πνεῦμα τοῦ Ἄμμωνος (vorher 2983: σὺ ἡ καρδία τοῦ Ἑρμοῦ), vgl. ebd. S. 72, Z. 1133: χαίρετε πάντα ἀερίων εἰδώλων πνεύματα.

Verwandt, doch hiervon zu trennen, ist der Gebrauch von πνεῦμα als Gottesbezeichnung bei unbestimmten und kleineren Gottheiten (wie πνεῦμα δαιμόνιον) oder in Verbindungen wie δαίμων ἢ πνεῦμα, sodann in der Anrede auch bestimmter: Pap. Lugd. V, Dieterich, Jahrb. Supplem. XVI, S. 803, Z. 34: εὐχαριστῶ σοι, ὅτι μοι [ἐφάνη] τὸ ἅγιον πνεῦμα, τὸ μονογενές, τὸ ζῶν, Wessely, Denkschr. 1888, S. 140, Z. 8: ἐπικαλοῦμαί σε, ἱερὸν πνεῦμα, Denkschr. 1893, S. 54, Z. 1029, Kenyon S. 114: δεῦρό μοι, πυριλαμπὲς πνεῦμα, S. 39, Z. 568, Kenyon 102: τὸ πνεῦμα τὸ ἀεροπετές, Dieterich, Abraxas 190, 5 in dem Zauber der Totenerweckung, für den es ja feste Anweisungen gibt: ὁρκίζω σε, πνεῦμα ἐν ἀέρι φοιτώμενον, εἴσελθε, ἐνπνευμάτωσον, δυνάμωσον, διαέγειρον τῇ δυνάμει τοῦ αἰωνίου θεοῦ τόδε σῶμα (vgl. oben S. 308 Pap. Berol. I 177). Wie in der Totenerweckung in den Leichnam, so tritt im Lichtzauber der Gott in das Feuer, Wessely, Denkschr. 1888, S. 68, Z. 965: εἴσελθε ἐν τῷ πυρὶ τούτῳ καὶ ἐνπνευμάτωσον αὐτὸν (so) θείου πνεύματος καὶ δεῖξόν μοι σοῦ τὴν ἀλκήν. Ebenso tritt Gott als πνεῦμα in den lebenden Menschen, ebd. S. 72, Z. 1115: χαῖρε, τὸ πᾶν σύστημα τοῦ ἀερίου πνεύματος, χαῖρε τὸ πνεῦμα τὸ διῆκον ἀπὸ οὐρανοῦ ἐπὶ γῆν καὶ ἀπὸ γῆς τῆς ἐν μέσῳ κύτει τοῦ κόσμου ἄχρι τῶν περάτων τῆς ἀβύσσου, χαῖρε, τὸ εἰσερχόμενόν με καὶ ἀντισπώμενόν μου καὶ χωριζόμενόν μου κατὰ θεοῦ βούλησιν ἐν χρηστότητι πνεῦμα. Wie hier das innerweltliche πνεῦμα, obwohl

1) Also der Ba des Gottes Osiris, vgl. H. Junker, Denkschr. d. Wiener Akad. 1903 S. 26 u. 58.

selbst Gott, von Gott geschieden wird, so erscheint es auch wohl als sein Werkzeug oder seine Hülle oder sein Thron, Wessely 1888, S. 146, Z. 243: δεῦρό μοι ἐν τῇ ἁγίᾳ σου περιστροφῇ τοῦ ἁγίου πνεύματος, παντὸς κτίστα, θεῶν θεέ, τύραννε πανόσιε, ὁ διαστήσας τὸν κόσμον τῷ σεαυτοῦ πνεύματι (vgl. 1893, S. 64, Z. 10: τὸ περί σε ἔχον πνεῦμα und Dieterich, Jahrb. f. Phil., Supplem. XVI, S. 814, 18 und 817, 21 sowie Kenyon, Greek Pap. I, S. 119, Z. 962 die Gottesbezeichnung ὁ ἐπὶ κενῷ πνεύματι, der auf der 'leeren Luft', oder Wessely 1893, S. 54, Z. 1026, Kenyon S. 114: ὁ ἐν τῷ στερεῷ πνεύματι, der auf der 'festen Luft', der Umwallung des κόσμος, thront). Der Gott ist für die Menschen πνευματοδώτης (Wessely, Denkschr. 1888, S. 79, Z. 1371) und man ruft, ihn an: ὄνομά σου καὶ πνεῦμά σου ἐπ' ἀγαθοῖς (Dieterich, Abraxas 196, 19). Daß auch die Vorstellung, der so begnadete Mensch sei ein Tempel oder Haus des Gottes oder Geistes und müsse daher körperlich und geistig rein sein, schon im Zauber begegnet, sei beiläufig erwähnt; den Beweis bietet Apuleius Apol. 43: *ut in eo . . . divina potestas quasi bonis aedibus digne diversetur*, womit man etwa die Deklamation des Arellius Fuscus über Kalchas (Seneca, suas III 5) vergleichen kann: '*cur iste in[ter] eius ministerium placuit? cur hoc os deus elegit? cur hoc sortitur potissimum pectus, quod tanto numine impleat?*'

Besonders bezeichnend für die Gesamtvorstellung ist das Gebet des Propheten Urbicus (Pap. Lugd. V, Dieterich, Jahrb., Supplement XVI, S. 812, Z. 12ff.), dessen orientalischer Ursprung sich wohl in dem noch fühlbaren, psalmenartigen Bau der Sätze und der in Ägypten häufigen Vierteilung der Formeln zeigt: ἠνοίγησαν αἱ πύλαι τοῦ οὐρανοῦ, ἠνοίγησαν αἱ πύλαι τῆς γῆς, ἠνοίγη ἡ ὅδευσις τῆς θαλάσσης, ἠνοίγη ἡ ὅδευσις τῶν ποταμῶν, ἠκούσθη μου τὸ πνεῦμα ὑπὸ πάντων θεῶν καὶ δαιμόνων. Das Weltall erschloß sich dem Gebet des Mysten (vgl. Corp. herm. XIII 17: πᾶσα φύσις κόσμου προσδεχέσθω τοῦ ὕμνου τὴν ἀκοήν. ἀνοίγηθι γῆ κτλ.). Das Wort πνεῦμα bezeichnet hier das Gebet, das (zauberkräftige) Wort, wie bei Eitrem, Videnskapsselskapet Skrifter II 1923, S. 34, Z. 276 τήνδε ἀξίωσιν ⟨τὴν⟩ λιτανίαν, τὴν προσύψωσιν (?), τὴν ἀναφορὰν τοῦ π ν ε ύ μ α τ ο ς τ ο ῦ λ ε κ τ ι κ ο ῦ. Die Gottheit, die πνεῦμα ist, hörte sein πνεῦμα. Das wird in strengster Responsion ausgeführt:

ἠκούσθη μου τὸ πνεῦμα ὑπὸ πνεύματος οὐρανίου, ἠκούσθη μου τὸ πνεῦμα ὑπὸ πνεύματος ἐπιγείου, ἠκούσθη μου τὸ πνεῦμα ὑπὸ πνεύματος θαλασσίου, ἠκούσθη μου τὸ πνεῦμα ὑπὸ πνεύματος ποταμίου (der Genetiv πνεύματος bezeichnet jedesmal die Gesamtheit der göttlichen Wesen, die in diesem Teile der Welt wohnen). Da sie sein Wort gehört haben, sollen sie nun ihre Kraft leihen: δότε οὖν πνεῦμα τῷ ὑπ' ἐμοῦ κατεσκευασμένῳ μυστηρίῳ, θεοί, οὓς (θεους Pap.) ὠνόμασα καὶ ἐπικέκλημαι, δότε πνοὴν τῷ ὑπ' ἐμοῦ κατασκευασμένῳ μυστηρίῳ (dem Zaubermittel). Für δότε πνεῦμα findet sich an ähnlichen Stellen δὸς δύναμιν, und πνεῦμα und δύναμις erscheinen als vollkommen synonym, auch wo sie Gottwesen bezeichnen. Die sinnliche Bedeutung von πνεῦμα tritt dabei in der Aufnahme durch πνοή besonders klar zutage; durch Anhauchen gibt der Gott Leben und Kraft.

Auch die Adjektivbildung πνευματικός findet sich, freilich, wie die entsprechende Bildung ψυχικός an nur einer Stelle, und zwar in der technischen Bedeutung übersinnlich (so wie es nur das πνεῦμα kann), also im Grunde in rein 'gnostischem' Gebrauch; Wessely, Denkschr. 1888, S. 89, Z. 1778 wird Eros (Harpokrates) angerufen als πάσης πνευματικῆς αἰσθήσεως κρυφίων πάντων ἄναξ (die Geheimnisse Gottes kann man nur mit der πνευματικὴ αἴσθησις wahrnehmen; das Gegenstück gibt Corp. herm. XIII 6, indem es von einem αἰσθητῶς νοεῖν des Übersinnlichen spricht).

Zugrunde liegt ein Sprachgebrauch, der die unsichtbare Lebenskraft in uns πνεῦμα (bewegte Luft) nennt; ihre Gleichartigkeit mit der unsichtbaren Kraft über uns (Gott) wird stark empfunden; wie das Pneuma in uns zum σῶμα in Gegensatz tritt, so das πνεῦμα im allgemeinen als das Übersinnliche zu dem Sinnlichen.

Die zugrunde liegende Vorstellung kehrt bei vielen Völkern wieder (man denke an *animus* und *anima* oder die Entwicklung des Begriffes *ātman* im Indischen) und ist natürlich auch dem Griechischen nicht fremd; auch hier findet sich in alter Zeit πνεῦμα für Seele (vgl. Rohde, Psyche[3] II 258, 3); aber schnell wird aus dem ἄνω τὸ πνεῦμα διαμένει κατ' οὐρανόν (Epicharm fr. 265 Kaibel, vgl. Euripides Suppl. 533) das αἰθὴρ μὲν ψυχὰς ὑπεδέξατο, σώματα δὲ χθών. Daß die Stoa πνεῦμα als die Seelensubstanz faßt, ist bekannt; es ist, streng gefaßt, die Vorstufe für die ψυχή, die Geburt ist eine μεταβολὴ τοῦ πνεύματος εἰς ψυχήν, doch ist der Gebrauch auch freier; ein Epiktet mag fragen (II 1, 17): θάνατος τί ἐστι; ... τὸ σωμάτιον δεῖ χωρισθῆναι τοῦ πνευματίου, ὡς πρότερον ἐκεχώριστο (vgl. Epicharm fr. 245 Kaibel). Aber schwerlich würde das genügen, den hellenistischen Sprachgebrauch, den ich oben verfolgte, zu erklären. Die Philosophie wirkt nicht namhaft ein, eher ein orientalischer Sprachgebrauch. Es ist immerhin beachtenswert, daß sich bei Paulus alle Stellen aus dem hellenistischen Gebrauch erklären lassen (vor allem auch die, bei welchen gar nicht zu entscheiden ist, ob von dem πνεῦμα des Menschen oder von einem göttlichen πνεῦμα die Rede ist, wie z. B. I. Kor. 5, 4. 5). Ob ebenso leicht alle aus dem hebräischen Gebrauch von *ruach* und *nephesch* oder dem Gebrauch von πνεῦμα in der Septuaginta zu verstehen sind, wird der Theologe entscheiden müssen. Sehe ich recht, so gilt die Beobachtung einer relativen Unabhängigkeit des Paulus von dem Einfluß der Septuaginta (Deißmann, Die neutestamentliche Formel 'in Christo Jesu', S. 66f.) nicht nur in syntaktischer, sondern recht oft auch in lexikalischer Hinsicht, nur muß man, um sich das fühlbar zu machen, die heidnischen Literaturkreise ins Auge fassen, deren Sprache ähnlich sein kann.

Zauber und Mysterium haben die alte, z. T. allgemein menschliche Vorstellung noch in ihrer Einfachheit erhalten. Wenn der Mithrasmyste durch das πνεῦμα Gott schauen will und in ihm das ἱερὸν πνεῦμα atmen soll, so ist die erste Vorschrift: ἕλκε ἀπὸ τῶν ἀκτίνων πνεῦμα τρὶς ἀνασπῶν, ὃ δύνασαι, καὶ ὄψει σεαυτὸν ἀνακουφιζόμενον καὶ ὑπερβαίνοντα εἰς ὕψος, ὥστε σε δοκεῖν μέσον τοῦ ἀέρος εἶναι; es folgt die θεία θέα, wie sie in der Mantik regelmäßig dem Einatmen der Flamme des Altars folgt (vgl. z. B. Statius Achilleis I 520ff.). Auch die weitere Vorstellung, daß jeder Verstorbene πνεῦμα wird und jedes πνεῦμα ein wunderbares Wissen und wunderbare Kraft hat, ist aus der Mantik allbekannt. Aus der volkstümlichen Theologie führe ich die Nachbildung einer ursprünglich erbaulichen Hades-Vision bei dem Alchemisten Zosimos an (Berthelot, Les alchimistes grecs, p. 107ff.). Er schaut im Traum einen hohen Altar, zu dem Treppen hinauf und von dem andere Treppen herniederführen (ähnlich ist die Himmelsvorstellung in dem mandäischen Buch Dinanukht: der Mensch muß eine Anzahl von Leitern hinaufsteigen, wie in der Mithrasweihe der bekannten Schilderung des Celsus Orig. VI 22). Ein Mann, der am oberen Rande steht, wie Zosimos später erfährt, Ion (Αἰών vermutet Bernh. Karle), ὁ ἱερεὺς τῶν ἀδύτων, verkündet p. 108, 5: πεπλήρωκα τὸ κατιέναι με ταύτας τὰς δεκαπέντε σκοτοφεγγεῖς κλίμακας καὶ ἀνιέναι με τὰς φωτολαμπεῖς κλίμακας (Ähnliches in den Isismysterien und öfter), καὶ ἔστιν ὁ ἱερουργῶν καὶ καινουργῶν με· ἀποβαλλόμενος τὴν τοῦ σώματος παχύτητα καὶ ἐξ ἀνάγκης ἱερατευόμενος πνεῦμα τελοῦμαι. In einer späteren Vision hat Zosimos selber die Treppen erstiegen und schaut in der Höhlung des Altars kochendes Wasser und in ihm Menschen; er wird von einem Führer belehrt, p. 109, 9: αὕτη ἡ θέα, ἣν ὁρᾷς, εἴσοδός ἐστι καὶ ἔξοδος καὶ μεταβολή. Es ist, wie er auf weitere Fragen hört, der τόπος τῆς ἀσκήσεως, p. 109, 12: οἱ γὰρ θέλοντες ἄνθρωποι ἀρετῆς τυχεῖν ὧδε εἰσέρχονται καὶ γίνονται πνεύματα φυγόντες τὸ σῶμα. Man wird das nur durch eine qualvolle Verwandlung, vgl. 108, 17: ἕως ἂν ἔμαθον μετασωματούμενος πνεῦμα γενέσθαι. Er fragt seinen Führer: καὶ σὺ πνεῦμα εἶ; und erhält zur Antwort: καὶ πνεῦμα καὶ φύλαξ πνευμάτων. Auch Zosimos erfährt jene Loslösung von seinem Leibe und hört, daß er damit den Abstieg über die Treppen (zum Hades, und notwendig auch den Aufstieg) vollzogen hat und hierdurch τέλειος geworden ist; eine göttliche Stimme erschallt: ἡ τέχνη πεπλήρωται.

Daß in der Einzelausführung auch die chemischen Vorgänge in Bildern aus der Mysteriensprache angedeutet werden, hat sein Gegenbild in vielen anderen Schriften; immer wieder wird von dem σῶμα eines Stoffes sein πνεῦμα oder seine ψυχή geschieden oder σῶμα, ψυχή und πνεῦμα nebeneinander erwähnt, und natürlich erscheint auch das σῶμα πνευματικόν und andere Begriffe hellenistischer Mystik, wie z. B. δόξα. Besonders klar ist der Ursprung in der angeblichen Lehre einer Königin Kleopatra[1] an die Philosophen (Alchemisten), einer Schrift, die einst die älteste Anthologie der alchemistischen Literatur eröffnete und aus dem Aramäischen von einem ägyptisch-griechischen

1) Sie wird auch in der medizinischen Literatur erwähnt, vgl. oben S. 129.

Bearbeiter übersetzt ist. Ich habe sie in den Nachrichten der Gesellschaft der Wissenschaften, Göttingen, 1919, S. 1ff., herausgegeben (bei Berthelot a. a. O. 293, 3—298, 9). Vorausgesetzt werden überall Wiedergeburts- oder Auferstehungs-(Erweckungs-)Mysterien, z. T. in engstem Anklang an iranische Formeln, die uns in mandäischen oder manichäischen Texten erhalten sind. Man vergleiche Fragen wie S. 292, 18: πῶς κατέρχονται τὰ ὕδατα τὰ εὐλογημένα τοῦ ἐπισκέψασθαι τοὺς νεκροὺς παρειμένους καὶ πεπεδημένους καὶ τεθλιμμένους ἐν σκότῳ καὶ γνόφῳ ἐντὸς τοῦ Ἅιδου, καὶ πῶς εἰσέρχεται τὸ φάρμακον τῆς ζωῆς καὶ ἀφυπνίζει αὐτοὺς ὡς ἐξ ὕπνου ἐγερθῆναι und Schilderungen wie 293, 16: ὅταν δὲ ἐνδύσωνται τὴν δόξαν ἐκ τοῦ πυρὸς καὶ τὴν χροιὰν τὴν περιφανῆ, ἐκεῖ ὁράσεις μείζονες, ἐκεῖ δόξα κεκρυμμένη, τὸ σπουδαζόμενον κάλλος καὶ χοότης μεταβληθεῖσα εἰς θεότητα, 296, 14: τότε φωτίζεται τὸ σῶμα καὶ χαίρεται ἡ ψυχὴ καὶ τὸ πνεῦμα ὅτι (ὅτε Hs.) ἀπέδρα τὸ σκότος ἀπὸ τοῦ σώματος καὶ καλεῖ ἡ ψυχὴ τὸ σῶμα τὸ πεφωτισμένον· Ἔγειραι ἐξ Ἅιδου καὶ ἀνάστηθι ἐκ τοῦ τάφου καὶ ἐξεγέρθητι ἐκ τοῦ σκότους· ἐνδέδυσαι γὰρ πνευμάτωσιν καὶ θείωσιν, ἐπειδὴ ἔφθακεν καὶ ἡ φωνὴ τῆς ἀναστάσεως καὶ τὸ φάρμακον τῆς ζωῆς εἰσῆλθεν πρὸς σέ. τὸ γὰρ πνεῦμα πάλιν εὐφραίνεται ἐν τῷ σώματι [καὶ ἡ ψυχὴ ἐν ᾧ ἐστιν] καὶ τρέχει κατεπεῖγον ἐν χαρᾷ εἰς τὸν ἀσπασμὸν αὐτοῦ καὶ ἀσπάζεται αὐτό. καὶ οὐ κατακυριεύει αὐτοῦ σκότος, ἐπειδὴ ὑπέστη ⟨πλῆρες⟩ φωτός, καὶ οὐκ ἀνέχεται αὐτοῦ χωρισθῆναι ἔτι εἰς τὸν αἰῶνα. καὶ ⟨ἡ ψυχὴ⟩ χαίρεται ἐν τῷ οἴκῳ αὐτῆς, ⟨ἐν ᾧ ἐστιν⟩, ὅτι καταλιποῦσα (καλύπτουσα Hs.) αὐτὸ ἐν σκότει εὗρεν αὐτὸ πεπλησμένον φωτός, καὶ ἡνώθη αὐτῷ, ἐπειδὴ θεῖον γέγονεν κατ' αὐτήν, καὶ οἰκεῖ ἐν αὐτῷ (αὐτῇ Hs.)· ἐνεδύσατο γὰρ θεότητος φῶς [καὶ ἡνώθησαν] καὶ ἀπέδρα ἀπ' αὐτοῦ τὸ σκότος. καὶ ἡνώθησαν πάντες ἐν ἀγάπῃ, τὸ σῶμα καὶ ἡ ψυχὴ καὶ τὸ πνεῦμα, καὶ γεγόνασιν ἕν. Man beachte, wie in dieser heidnischen Schilderung eines Mysteriums eine Dreiteilung des Menschen in Leib, Seele und Geist zugrunde gelegt ist, die sowohl in der mandäischen Religion wie auch an vielen Stellen des Paulus wiederkehrt. Dieselbe Anschauung von der Vergottung hat Philo, De vita Moys. II 288 (oben S. 270). Vergleichbar ist weiter 297, 8: τὸ γὰρ πῦρ αὐτοὺς ἥνωσεν καὶ μετέβαλεν, καὶ ἐκ τοῦ κόλπου τῆς γαστρὸς αὐτοῦ ἐξῆλθον — ὁμοίως (ὅμως Hs.) καὶ ἐκ τῆς γαστρὸς τῶν ὑδάτων καὶ ἐκ τοῦ ἀέρος τοῦ διακονοῦντος αὐτοῖς —[1] καὶ αὐτὸ ἐξήνεγκεν αὐτοὺς ἐκ τοῦ σκότους εἰς φῶς καὶ ἐκ πένθους εἰς φαιδρότητα καὶ ἐξ ἀσθενείας εἰς ὑγείαν καὶ ἐκ θανάτου εἰς ζωήν, καὶ ἐνέδυσεν αὐτοὺς θείαν δόξαν πνευματικήν, ἣν οὐκ ἐνδιδύσκοντο τὸ πρίν (vgl. I. Kor. 15, 42. 43), ὅτι ἐν αὐτοῖς (den drei Elementen) κέκρυπται ὅλον τὸ μυστήριον καὶ ⟨τὸ⟩ θεῖον ἀναλλοίωτον ὑπάρχει. διὰ γὰρ τῆς ἀνδρείας αὐτῶν συνεισέρχονται ἀλλήλοις τὰ σώματα ⟨καὶ⟩ ἐξερχόμενα ἐκ τῆς γῆς ἐνδύονται φῶς καὶ δόξαν θείαν, ἐπειδὴ ηὐξήθησαν κατὰ φύσιν καὶ ἠλλοιώθησαν τοῖς σχήμασι καὶ ἐξ ὕπνου ἀνέστησαν καὶ ἐκ τοῦ Ἅιδου ἐξῆλθον. ἡ γαστὴρ γὰρ ἡ τοῦ πυρὸς ἔτεκεν αὐτοὺς (für αὐτά!) καὶ ἐξ αὐτῆς ἐνεδύσαντο δόξαν καὶ αὕτη ἤνεγκεν εἰς ἑνότητα μίαν καὶ ἐτελειώθη ἡ εἰκὼν σώματι καὶ ψυχῇ καὶ πνεύματι καὶ ἐγένοντο ἕν. Die Auferstehung ist eine Wiedergeburt aus Gott. Der Begriff des Abbildes (nämlich des göttlichen Urmenschen) spielt bei den Mandäern und Manichäern eine große Rolle. Auf den eigentümlichen Gebrauch des Wortes δόξα, den Paulus also durchaus nicht bloß der Septuaginta entlehnt und selbst fortgebildet zu haben braucht, werde ich später zurückkommen. Ich kenne keinen Text, der mit den mystischen Abschnitten bei Paulus lexikalisch enger verwandt wäre, als diese Bilderreden eines sachlich mir leider unverständlichen, aber sicher rein heidnischen Textes, von dem ich hier einige Proben gegeben habe.

So lockend und lohnend für einen religionsgeschichtlich geschulten Chemiker die Aufgabe wäre, die Bildersprache der alchemistischen Tradition aus den Mysterien zu erklären, mir ist sie zu schwer; ich will mich daher nur an die Grundanschauungen der Zosimos-Vision und nur an die Einführung halten. Das Vorbild war jedenfalls eine volkstümlich theologische Erzählung von dem τόπος κολάσεως, an welchem die Menschen sich von den Leibern lösen und damit πνεύματα werden, d. h. zunächst nur Seelen; übertragen ist in sie die Mysterienvorstellung, daß durch eine Art freiwilligen Todes oder der ἄσκησις der τέλειος zum πνεῦμα (hier in höherem Sinne, eine Art θεῖον πνεῦμα) wird. Sie ist uns nicht fremd. Wenn Apollonios auch nach seinem Tode bei den 'Hellenen' bleiben und an ihren Opfern und Versamm-

1) Zusatz; durch diese drei Elemente steigt die Seele zu Gott (oben S. 222).

lungen teilnehmen will (Hellenistische Wundererzählungen S. 49. 50), so bietet sich für diese Vorstellung wohl in uralt griechischen Anschauungen ein gewisser Anhalt, aber stärker wirkt jedenfalls die neue mystische Anschauung, daß der θεῖος ἄνθρωπος oder πνευματικός als πνεῦμα bei den Seinen bleibt. Man darf die Frage vielleicht aufwerfen, ob jene mystische Literatur, die im späten Judentum an die Namen alter Propheten und θεῖοι ἄνδρες schließt, an diese Pneumavorstellungen irgendwie anknüpft. Doch nicht in das Gebiet der großen Literatur möchte ich sie zunächst verfolgen, sondern für jetzt auf dem Boden volkstümlicher Rede und Anschauung bleiben. Ich wähle als letztes Beispiel die Schilderung phönikischer und palästinensischer Propheten, die Celsus (bei Origenes VII 9) nach eigener Kenntnis zu geben behauptet: jeder sagt ἐγὼ ὁ θεός εἰμι, ἢ θεοῦ παῖς, ἢ πνεῦμα θεῖον. Gewiß erinnern die Worte lebhaft an die Worte der montanistischen Prophetin Maximilla (Eusebios, Hist. Eccl. V 16, 17, p. 466, 20 Schwartz) 'ῥῆμά εἰμι καὶ πνεῦμα καὶ δύναμις', aber nichts berechtigt zu der Annahme, daß Celsus Montanisten beschreiben will (vgl. auch Poimandres S. 222). Ähnlich sprechen auch mandäische und andere rein heidnische Texte. Die lehrreichen Ausführungen, die Gillis P:son Wetter in seinem Buche 'Der Sohn Gottes', Forschungen z. Religion u. Literatur d. Alten und Neuen Testaments, Neue Folge IX, Göttingen 1916, geboten hat, lassen sich noch beträchtlich erweitern. Grundanschauung und Sprachgebrauch sind bei Christ und Heide gleich. Wir müssen uns abgewöhnen, die 'Wirkungen des Geistes' bei den Christen allein zu suchen und zu beobachten oder bei jeder Erwähnung eines θεῖον, ἱερόν oder ἅγιον πνεῦμα an christliche oder jüdische Quellen zu denken. Es wird wenig Behauptungen geben, die trotz ihrer weitreichenden Folgen so leichtfertig und anhaltlos aufgestellt sind als die noch im Jahre 1899 von Cremer verfochtene These, daß die Begriffe πνεῦμα θεοῦ oder πνεῦμα ἀνθρώπου ausschließlich biblisch seien (Hauck, Realenzyklop.[3] VI S. 444. 454. 457, vgl. jetzt H. Leisegang, Der heilige Geist).

Die an sich begreifliche Sprach- und Begriffsbildung tritt durch die Mysterienreligionen nun in einen Gedankenkreis ein, in welchem eine ganz andere Vorstellung von der menschlichen ψυχή sich allmählich ausgebildet hat und durch die Philosophie fest geworden ist. Es liegt auf der Hand, daß eingehende lexikalische Untersuchungen uns hier den Kampf zweier Geisteswelten bis zu gewissem Grade verfolgen und die Vorherrschaft der einen oder anderen erkennen lassen müßten, aber noch fehlen alle Vorarbeiten; auch ich kann nur ein paar versprengte Bemerkungen bieten. Es wird von vornherein klar sein, daß die neue Terminologie sich dabei in der philosophischen Sprache am wenigsten durchsetzen kann.

Den Beweis liefert vielleicht Philo. Wohl kennt er den Begriff πνεῦμα auch von dem Gottesgeiste, der sich auf den Menschen niederläßt, — wir mußten das nach der Grundauffassung des Judentums und nach Philos Verhältnis zur Septuaginta ohne weiteres erwarten, und in der Tat findet sich das Wort ab und an, so z. B. De somniis II 38, p. 692 M = 252 Wendl.: ὑπηχεῖ δέ μοι πάλιν τὸ εἰωθὸς ἀφανῶς ἐνομιλεῖν πνεῦμα ἀόρατον —, aber, wo es angeht, meidet er es und ersetzt es durch rein griechische Wendungen. Auch die zwei Klassen von Menschen, die γνωστικοί oder πνευματικοί und die ψυχικοί, kennt er, wie ja nach seinem Verhältnis zu den Mysterienanschauungen durchaus zu erwarten war, aber er meidet jene technischen Wörter, vgl. z. B. Quod deus sit immutabilis 11, p. 281 M. = 55 Wendl.: οἱ μὲν ψυχῆς, οἱ δὲ σώματος γεγόνασι φίλοι. οἱ μὲν οὖν ψυχῆς ἑταῖροι νοηταῖς καὶ ἀσωμάτοις φύσεσιν ἐνομιλεῖν δυνάμενοι . . . οἱ δὲ συμβάσεις καὶ σπονδὰς πρὸς σῶμα θέμενοι ἀδυνατοῦντες ἀπαμφιάσασθαι τὸ σαρκῶν περίβλημα. Jene sind ihm die ὁρατικοὶ ἄνδρες, also eine den γνωστικοί streng entsprechende Menschenklasse; denn auch für ihn ist die γνῶσις θεοῦ im wesentlichen θέα, und die φιλοθεάμονες ἄνδρες, wie es an anderer Stelle heißt (De somniis II 41, p. 694 M. = 271 Wendl.), sind die wahren Priester, der τέλειος — auch er verwendet das technische Wort schon — ist der μέγας ἱερεύς, der das ἄδυτον betritt, und er ist, solange er dort weilt, nicht mehr Mensch, freilich für den frommen Juden auch nicht ganz Gott (De somniis II 34. 35. 28, p. 689. 690. 684 M. = 230—234. 189 Wendl.). An den ἱερεὺς τῶν ἀδύτων in der Vision des Zosimos brauche ich nur zu erinnern. Die 'wahre Magie' endlich, die

Philo ebenso wie Apuleius Apol. 25 (wohl nach Poseidonios) als eine Art Priestertum zu fassen scheint, ist ihm eine ὀπτικὴ ἐπιστήμη (De spec. leg. III 18, p. 316 M. = III 100 Cohn). Das Wort ist bezeichnend; von einer γνωστικὴ ἐπιστήμη hat Plato im Sophisten gesprochen und γνῶσις und ἀγνωσία haben schon bei ihm begonnen, eine technische Bedeutung anzunehmen, aber sie geht aus von dem Gegensatz zur πρᾶξις und umschließt nur das begriffliche Erkennen; dies war wohl der Anlaß, daß Philo die ihm von der Mysteriensprache in anderem Sinne gebotenen Worte mied und weniger mißverständliche Ausdrücke sakralen Charakters einsetzte. Die ὁρατικοί sind es nun — man kann dies nicht nachdrücklich genug betonen —, die bei ihm die allegorische Auslegung üben und allein üben sollen, vgl. De plant. 9, p. 335 M. = 36 Wndl.: ἰτέον οὖν ἐπ' ἀλληγορίαν τὴν ὁρατικοῖς φίλην ἀνδράσιν, oder De Abrah. 36, p. 29 M. = 200 Cohn: ἀλλὰ γὰρ οὐκ ἐπὶ τῆς ῥητῆς καὶ φανερᾶς ἀποδόσεως ἵσταται τὰ λεχθέντα, φύσιν δὲ τοῖς πολλοῖς ἀδηλοτέραν ἔοικε παρεμφαίνειν, ἣν οἱ τὰ νοητὰ πρὸ τῶν αἰσθητῶν ἀποδεχόμενοι καὶ ὁρᾶν δυνάμενοι γνωρίζουσιν, vgl. ebenda 41, p. 34 M. = 236 Cohn: ἀσώματα δὲ ὅσοι καὶ γυμνὰ θεωρεῖν τὰ πράγματα δύνανται, οἱ ψυχῇ μᾶλλον ἢ σώματι ζῶντες. Es scheint mir hier besonders klar, daß die γνωστικοί gemeint sind; er nennt sie ὁρατικοί, weil das auch den hermetischen Schriften geläufige Bild von den Augen des Herzens oder Geistes bei ihm besonders beliebt ist, vgl. z. B. De Abrah. 12, p. 9 M. = 57 Cohn: ὅρασις ἡ μὲν δι' ὀφθαλμῶν . . . ἡ δὲ διὰ τοῦ τῆς ψυχῆς ἡγεμονικοῦ, 15, p. 12 M. = 70 Cohn: διοίξας τὸ τῆς ψυχῆς ὄμμα, 17, p. 13 M. = 78 Cohn: ἡ διάνοια τότε πρῶτον ἀναβλέψασα εἶδε, 18, p. 13 M. = 84 Cohn: ὁ σοφὸς ἀκριβεστέροις ὄμμασιν ἰδών τι τελεώτερον νοητόν, 24, p. 19 M. = 122 Cohn: ἡ ὁρατικὴ διάνοια, 31, p. 24 M. = 162 Cohn: die διάνοια nimmt von der ὄψις den Ausgang zur σκέψις, die ὅρασις wird Anfang der σοφία und erhebt sich zur θέα des Unvergänglichen, τὸν σύμπαντα οὐρανὸν καὶ κόσμον γλιχομένη θεάσασθαι.[1] Die Ausdrücke sind philosophisch gefärbt, oft auch die Gedanken, aber im Grunde handelt es sich immer um γνῶσις, nicht um Philosophie. So ist

1) Vgl. den Poimandres.

der Wortsinn ihm das σῶμα, der geheime Sinn die ψυχή der Schrift, vgl. De vita contempl. 10 p. 483 M. = 78 Cohn ἅπασα γὰρ ἡ νομοθεσία δοκεῖ τοῖς ἀνδράσι τούτοις (den Therapeuten) ἐοικέναι ζῴῳ, καὶ σῶμα μὲν ἔχειν τὰς ῥητὰς διατάξεις, ψυχὴν δὲ τὸν ἐναποκείμενον ταῖς λέξεσιν ἀόρατον νοῦν, ἐν ᾧ ἤρξατο ἡ λογικὴ ψυχὴ διαφερόντως τὰ οἰκεῖα θεωρεῖν ὥσπερ διὰ κατόπτρου τῶν ὀνομάτων, ἐξαίσια κάλλη νοημάτων ἐμφερόμενα κατιδοῦσα καὶ τὰ μὲν σύμβολα διαπτύξασα καὶ διακαλύψασα, γυμνὰ δὲ εἰς φῶς προαγαγοῦσα τὰ ἐνθύμια τοῖς δυναμένοις ἐκ μικρᾶς ὑπομνήσεως τὰ ἀφανῆ διὰ τῶν φανερῶν θεωρεῖν. Der Vergleich des Wortlauts mit dem Spiegelbild scheint älter und mag durch andere Vermittlung schon auf Paulus (I. Kor. 13, 12: δι' ἐσόπτρου ἐν αἰνίγματι) eingewirkt haben. Auch er spricht ja von der γνῶσις.

Den Wortsinn nennt — um dies beiläufig zu bemerken — auch der Gnostiker Ptolemaios in seinem Briefe an Flora τὸ σωματικόν oder τὸ φαινόμενον, den Geheimsinn τὸ πνευματικόν. Von einer 'pneumatischen Auslegung' ist bei ihm noch nicht die Rede, sondern jene allgemeine Bezeichnung τὸ πνευματικόν geht aus von Ausdrücken wie ἡ κατὰ τὸ φαινόμενον νηστεία oder ἡ σωματικὴ νηστεία, denen ἡ πνευματικὴ νηστεία (bei den Mandäern das 'große' Fasten), ἡ πνευματικὴ καρδία u. dgl. entgegenstehen. Das ist zunächst nicht mehr als eine Fortbildung von Paulus I. Kor. 10, 3. 4: πνευματικὸν βρῶμα, πνευματικὸν πόμα. Daß Paulus an der gleichen Stelle unter dem Zwang dieser Worte Christus als πνευματικὴ πέτρα bezeichnet, führt zu weiteren Fortbildungen, wie sie Ignatius in πνευματικὸς στέφανος, πνευματικαὶ μαργαρῖται bietet (etwas anderes der Barnabasbrief πνευματικὸς ναός und der zweite Clemensbrief πνευματικὴ ἐκκλησία). Ganz auszuscheiden ist Apok. Joh. 11, 8: τῆς πόλεως τῆς μεγάλης, ἥτις καλεῖται πνευματικῶς Σόδομα καὶ Αἴγυπτος, da offenbar hier πνευματικῶς 'in der Sprache der πνευματικοί und des πνεῦμα', d. h. in der Prophetie bedeutet. Nehmen wir hinzu, daß auch Ptolemaios von einem ὄμμα ψυχῆς redet, so ist klar, daß er ganz mit Philo übereinstimmt, nur hat er den Begriff πνεῦμα für ψυχή bewahrt. Die Rechtfertigung der Allegorie liegt auch für ihn darin, daß sie von dem ὁρατικός oder τέλειος gefunden wird; sonst wäre sie Willkür.

Lexikalisch am lehrreichsten ist vielleicht die bekannte Stelle Philos, De migr. Abr. 16, p. 450 M. = 89 Wendl.: εἰσὶ γάρ τινες οἳ τοὺς ῥητοὺς νόμους σύμβολα νοητῶν πραγμάτων ὑπολαμβάνοντες τὰ μὲν ἄγαν ἠκρίβωσαν, τῶν δὲ ῥᾳθύμως ὠλιγώρησαν ... νυνὶ δ' ὥσπερ ἐν ἐρημίᾳ καθ' ἑαυτοὺς μόνοι ζῶντες ἢ ἀσώματοι ψυχαὶ γεγονότες (vgl. Ignatius Smyrn. 2: οὖσιν ἀσωμάτοις καὶ δαιμονικοῖς, die Angegriffenen selbst hätten πνεύμασιν oder πνευματικοῖς gesagt) καὶ μήτε πόλιν μήτε κώμην μήτ' οἰκίαν μήτε συνόλως θίασον ἀνθρώπων εἰδότες, τὰ δοκοῦντα τοῖς πολλοῖς ὑπερκύψαντες, τὴν ἀλήθειαν γυμνὴν αὐτὴν ἐφ' ἑαυτῆς ἐρευνῶσιν (vgl. Markos oben S. 306) ... μηδ' ὅτι ἡ ἑορτὴ σύμβολον ψυχικῆς εὐφροσύνης ἐστὶ καὶ τῆς πρὸς θεὸν εὐχαριστίας, ἀποταξώμεθα ταῖς κατὰ τὰς ἐτησίους ὥρας πανηγύρεσι· μηδ' ὅτι τὸ περιτέμνεσθαι ἡδονῆς καὶ παθῶν πάντων ἐκτομὴν καὶ δόξης ἀναίρεσιν ἀσεβοῦς ἐμφαίνει, καθ' ἣν ὑπέλαβεν ὁ νοῦς ἱκανὸς εἶναι γεννᾶν δι' ἑαυτοῦ, ἀνέλωμεν τὸν ἐπὶ τῇ περιτομῇ τεθέντα νόμον. ἐπεὶ καὶ τῆς περὶ τὸ ἱερὸν ἁγιστείας καὶ μυρίων ἄλλων ἀμελήσομεν, εἰ μόνοις προσέξομεν τοῖς δι' ὑπονοιῶν δηλουμένοις· ἀλλὰ χρὴ ταῦτα μὲν σώματι ἐοικέναι νομίζειν, ψυχῇ δὲ ἐκεῖνα· ὥσπερ οὖν σώματος, ἐπειδὴ ψυχῆς ἐστιν οἶκος, προνοητέον, οὕτω καὶ τῶν ῥητῶν νόμων ἐπιμελητέον. In die an Poseidonios schließenden Gedanken von einer *naturalis* und einer *civilis theologia* (vgl. Agahd, M. Terenti Varronis antiqu. rer. div. libri, Jahrb. f. Phil., Supplem. XXIV, S. 143ff. und den Schluß Philos c. 17, §95: ἐκεῖνα μὲν οὖν ἔοικε τοῖς φύσει, ταῦτα δὲ τοῖς θέσει νομίμοις) schiebt sich die Scheidung von σῶμα und ψυχή so wunderlich ein, und so treffend ist die Schilderung der ganz individualistischen Richtung der Pneumatiker, daß ich nicht zweifle, daß Philo den Ausdruck (er wäre für sie πνεύματα γεγονότες), gekannt hat (vgl. auch oben S. 245 über die Therapeuten). Aber der Begriff der ψυχή als des Geistigen und Göttlichen im Menschen war zu fest und vorherrschend geworden, als daß er jene Terminologie annehmen konnte. Wenn ferner Paulus von πνευματικὰ σώματα spricht und die vollkommensten der Sonne vergleicht so sahen wir schon oben (S. 270), daß Philo seinen Moses aus der Zweiheit von Leib und Seele verwandelt werden läßt in einen einheitlichen νοῦς ἡλιοειδέστατος. Auch hier scheint mir der Begriff πνεῦμα in die philosophische

Sprache übertragen. Noch wenn ein Hierokles (Mullach, Frgm. philos. graec. I 479) von einem ψυχικὸν σῶμα redet, meint er zwar nicht ganz das, was Paulus mit πνευματικὸν σῶμα bezeichnet; es ist vielmehr der ätherische Leib, das πνευματικόν oder αὐγοειδὲς ὄχημα der Neuplatoniker (vgl. z. B. Zeller III 2[4], S. 714); aber schon die Gedankenverbindung bei Hierokles, der die Mysterien als Reinigung und Läuterung des ψυχικὸν σῶμα betrachtet, zeigt, daß der Begriff aus der Mysteriensprache in die philosophische übertragen ist; mitgewirkt hat natürlich die stoische Angleichung von πνεῦμα und ψυχή.

Unter der Einwirkung Platos ahmen Dichter und Redner frühzeitig die religiöse Sprache nach; ohne sie wäre Horaz Od. IV 6, 29 unverständlich: *spiritum Phoebus mihi, Phoebus artem carminis nomenque dedit poetae;* hier ist τὸ πνεῦμα das *ingenium* neben der *ars*, das πνεῦμα θεοῦ; in II 16, 38: *mihi parva rura et spiritum Graiae tenuem camenae Parca non mendax dedit* ist das πνεῦμα λεπτόν schon ein verblaßter Begriff, 'der zarte Geist der griechischen Dichtung'; II 20 1. 2: *non usitata nec tenui ferar penna biformis per liquidum aethera vates* knüpft an den Begriff des προφήτης (ὁ ἔχων τὸ πνεῦμα) die Hoffnung sogar eines persönlichen Fortlebens, das allen anderen versagt ist; weil Horaz *vates* ist, ist er δίζωος und hat zwei σώματα (vgl. Neue Jahrb. f. d. Altertumswissensch. 21, 99). Der Ausdruck wechselt die Wertung je nach der Höhe der Stimmung und nimmt bald tiefreligiösen Klang an, bald sinkt er zur konventionellen Formel herab.

Ich wähle aus griechischem Sprachgebiet Pseudo-Longin, an dessen Beispiele mich seinerzeit mein Kollege Bruno Keil erinnerte. Es ist charakteristisch, daß von den vier Fällen zwei von hervorragenden Kennern der griechischen Sprache beanstandet wurden. Unbeanstandet blieben 13, 2, p. 30, 20 Vahlen[3]: πολλοὶ γὰρ ἀλλοτρίῳ θεοφοροῦνται πνεύματι τὸν αὐτὸν τρόπον, ὃν καὶ τὴν Πυθίαν λόγος ἔχει τρίποδι πλησιάζουσαν, ἔνθα ῥῆγμά ἐστι γῆς ἀναπνεῖν ὥς (ὅ?) φασιν ἀτμὸν ἔνθεον, αὐτόθεν ἐγκύμονα τῆς δαιμονίου καθισταμένην δυνάμεως παραυτίκα χρησμῳδεῖν κατ' ἐπίπνοιαν, οὕτως ἀπὸ τῆς τῶν ἀρχαίων μεγαλοφυΐας εἰς τὰς τῶν ζηλούντων ἐκείνους ψυχὰς ὡς ἀπὸ ἱερῶν στομίων ἀπόρροιαί τινες φέρονται (vgl. Philo, De vita Moys. II 7, p. 140 M. = II 40 Cohn: συνδραμεῖν λογισμοῖς εἰλικρινέσι τῷ Μωυσέως καθαρωτάτῳ πνεύματι) und 33, 5, p. 61, 17: τί δὲ Ἐρατοσθένης ἐν τῇ Ἠριγόνῃ; διὰ πάντων γὰρ ἀμώμητον τὸ ποιημάτιον Ἀρχιλόχου πολλὰ καὶ ἀνοικονόμητα παρασύροντος ... κἀκείνης τῆς ἐκβολῆς τοῦ δαιμονίου πνεύματος, ἣν ὑπὸ νόμον τάξαι δύσκολον, ἆρα δὴ μείζων ποιητής; In der Tat hat sich der Gedanke an ein πνεῦμα oder an πνεύματα θεοφορίας (vgl. Dioskurides, Anthol. Pal. VI 220, 4) in der Ästhetik am längsten gehalten oder am frühsten wiederbelebt. Beanstandet und von Vahlen wieder verteidigt wurden c. 8, 3, p. 14, 6: τὸ γενναῖον πάθος ... ὥσπερ ὑπὸ μανίας τινὸς καὶ πνεύματος ἐνθουσιαστικῶς ἐκπνέον καὶ οἱονεὶ φοιβάζον τοὺς λόγους und 9, 13, p. 21, 3: τῆς μὲν Ἰλιάδος γραφομένης ἐν ἀκμῇ πνεύματος (daß hier πνεῦμα fast 'der Geist' geworden ist, zeigt der Gegensatz γῆρας; es ist der Gottesgeist, aber als dauernde Gabe).

Gewiß ist der Ausgangspunkt in der Regel nur die platonische Vorstellung von der Gottbegeisterung des Dichters, der θεία μανία, die Gleichsetzung des προφητεύειν und des Dichtens in der alten Lyrik und alter Anschauung entsprungene Bilder von einem ἐμπνέειν oder προσπνέειν (vgl. schon Hesiod Theog. 31; besonders eigenartig Tibull II 1, 35: *huc ades adspiraque mihi;* das πνεῦμα des abwesenden Messalla wird angerufen). Aber schon die Geschichte eines Wortes wie *vates* oder einer Phrase wie *plena deo* (vgl. Norden, Hermes 28, 506, Kommentar zur Aeneis VI, S. 143) würde die Neubelebung des religiösen Sinnes zeigen, und jeder dieser konventionellen Ausdrücke kann sich jetzt immer wieder zu der ursprünglich religiösen Bedeutung steigern. Zugrunde liegt immer ein Empfinden, das den menschlichen νοῦς in Gegensatz zu dem göttlichen πνεῦμα stellt. Daß die Schilderungen der religiösen Gottbegeisterung seit Vergils berühmter Beschreibung der Sibylle immer häufiger werden, bestätigt die Beobachtung (vgl. Aen. VI 46: *deus, ecce deus,* 50: *adflata est numine quando iam propiore dei,* 78: *magnum si pectore possit excussisse deum*). Ich darf die schon in dem Vortrag benutzte Lukanstelle (Phars. V 161 ff.) hier vielleicht in etwas weiterem Zusammenhange bieten:

tandem conterrita virgo
confugit ad tripodes vastisque adducta cavernis
haesit et invito concepit pectore numen,
quod non exhaustae per tot iam saecula rupis
spiritus ingessit vati, tandemque potitus
pectore Cirrhaeo non unquam plenior artus
Phoebados inrupit Paean mentemque priorem
expulit atque hominem toto sibi cedere iussit
pectore

Schon die Verbindung zeigt, daß *mens* hier nicht Gesinnung oder Verstand, sondern nur das spezifisch Menschliche, die ψυχή, bezeichnet. Ein Doppelwesen entsteht für diese Zeit, das vom Menschen nur das σῶμα hat. Die θέα μεγίστη oder θεία θέα, die Schau, die der Gott genießt und die zum Gotte macht, wird v. 177 beschrieben:

venit aetas omnis in unam
congeriem miserumque premunt tot saecula pectus —

auch der Myste des Wiedergeburtsmysteriums schaut ja in sich die ἄπλαστος θέα, die ihn außer Zeit und Raum rückt —

tanta patet rerum series, atque omne futurum
nititur in lucem, vocemque petentia fata
luctantur, non prima dies, non ultima mundi,
non modus oceani, numerus non derat harenae.

Die Stelle (deren Schluß aus Herodot I 77 stammt) zeigt besonders gut, wie sich für das Empfinden noch dieser Zeit Mantik und religiöse Prophetie (etwa kosmogonische und eschatologische Offenbarung) verbinden. Von der Prophetie redet auch Philo, Quis rer. div. heres 263: Die Zukunft erkennen ist dem Menschen nicht eigen, und doch wird Moses überall ehrenvoll Prophet genannt: er hat Gott von Angesicht zu Angesicht gesehen. παγκάλως οὖν τὸν ἐνθουσιῶντα μηνύει φάσκων 'περὶ ἡλίου δυσμὰς ἔκστασις ἐπέπεσεν' (Gen. 15, 12) ἥλιον διὰ συμβόλου τὸν ἡμέτερον καλῶν νοῦν· ὅπερ γὰρ ἐν ἡμῖν λογισμός, τοῦτο ἐν κόσμῳ ἥλιος, ἐπειδὴ φωσφορεῖ ἑκάτερος . . . ἕως μὲν οὖν ἔτι περιλάμπει καὶ περιπολεῖ ἡμῶν ὁ νοῦς μεσημβρινὸν οἷα φέγγος εἰς πᾶσαν τὴν ψυχὴν ἀναχέων, ἐν ἑαυτοῖς ὄντες οὐ κατεχόμεθα· ἐπειδὰν δὲ πρὸς δυσμὰς γένηται, κατὰ τὸ εἰκὸς ἔκστασις καὶ ἡ ἔνθεος ἐπιπίπτει κατοκωχή τε καὶ μανία. ὅταν μὲν γὰρ φῶς τὸ θεῖον ἐπιλάμψῃ, δύεται τὸ ἀνθρώπινον, ὅταν δ' ἐκεῖνο δύηται, τοῦτ' ἀνίσχει καὶ ἀνατέλλει. τῷ δὲ προφητικῷ γένει φιλεῖ τοῦτο συμβαίνειν. ἐξοικίζεται μὲν γὰρ ἐν ἡμῖν ὁ νοῦς κατὰ τὴν τοῦ θείου πνεύματος ἄφιξιν, κατὰ δὲ τὴν μετανάστασιν αὐτοῦ πάλιν εἰσοικίζεται· θέμις γὰρ οὐκ ἔστι θνητὸν ἀθανάτῳ συνοικῆσαι.[1] Die Erklärung ist älter, wie De somniis I 118 zeigt: ἔνιοι δὲ ἥλιον μὲν ὑποτοπήσαντες εἰρῆσθαι νυνὶ συμβολικῶς αἴσθησίν τε καὶ νοῦν, τὰ νενομισμένα καθ' ἡμᾶς εἶναι κριτήρια, τόπον δὲ τὸν θεῖον λόγον (erklärt soll Gen. 28, 11 werden ἀπήντησε τόπῳ· ἔδυ γὰρ ὁ ἥλιος) οὕτως ἐξεδέξαντο· ἀπήντησεν ὁ ἀσκητὴς λόγῳ θείῳ δύντος τοῦ θνητοῦ καὶ ἀνθρωπίνου φέγγους. ἄχρι μὲν γὰρ ὁ νοῦς τὰ νοητὰ καὶ τὰ αἰσθητὰ αἴσθησις οἴεται παγίως καταλαμβάνειν καὶ ἄνω περιπολεῖν, μακρὰν ὁ θεῖος λόγος ἀφέστηκεν. Die Worte θεῖον πνεῦμα und θεῖος λόγος kann Philo miteinander wechseln lassen, für den ἀνθρώπινος νοῦς aber nicht ψυχή setzen. Auch ein dauerndes Innewohnen des 'heiligen Geistes', das nicht durch Ekstase mehr herbeigeführt zu werden braucht, kennt die heidnische Anschauung; man vergleiche außer der angeführten Horazstelle z. B. Quintilians größere Deklamationen IV 3, p. 70, 4 Lehnert: *homo qui, quod certum habeo, plurimis meruerat experimentis, ut ad illum velut ad oracula deorum plenumque sacro spiritu pectus hominum sollicitudines metusque confugerent.* Wenn später christliche Autoren sich dagegen wendeten, das äußere Zeichen der Ekstase das ἐν πνεύματι λαλεῖν oder προφητεύειν beglaubigen müßten (z. B. Miltiades περὶ τοῦ μὴ δεῖν προφήτην ἐν ἐκστάσει λαλεῖν), so ist auch dies nichts der christlichen Entwicklung Eigentümliches. Wir brauchen nur an die Schilderung von θεῖοι ἄνδρες wie Apollonius zu denken. Den Gegensatz bildet das erste Auftreten des Alexander von Abonoteichos.

Die Schilderung Lukans führt uns am besten zu den zwei Stellen der katholischen Briefe, die ich in dem Vortrag nicht be-

1) Die Fortsetzung, welche den Propheten nur als das willenlose Instrument darstellt, auf dem Gott spielt, berührt sich eng mit dem letzten hermetischen Kapitel (vgl. meinen Poimandres S. 355f.).

rücksichtigt habe, Judas v. 19: 'um die letzte Zeit werden Spötter kommen, die nach den Gelüsten ihrer Gottlosigkeit leben; das sind die, welche Trennung stiften, ψυχικοί, πνεῦμα μὴ ἔχοντες', und Jakobus 3, 13: 'wer weise unter euch ist und verständig, zeige die Früchte rechtschaffenen Wandels und Verträglichkeit seiner Weisheit; wenn ihr eifersüchtige Bitterkeit und Streit im Herzen habt, so rühmt euch eurer Weisheit nicht; οὐκ ἔστιν αὕτη ἡ σοφία ἄνωθεν κατερχομένη, ἀλλ' ἐπίγειος, ψυχική, δαιμονιώδης'. Den Gegensatz zu der wahren Gottbegeisterung bildet auch im Johannesevangelium das δαιμόνιον ἔχειν (vgl. Poimandres 223, 2), das man den Samaritanern nachsagt; ähnliches Empfinden bedingt bei Hermas Mand. XI den Gegensatz von πνεῦμα ἐπίγειον (vgl. unten 363) und πνεῦμα θεῖον. Freilich ignoriert Hermas den Begriff ψυχικός und nennt den Propheten lieber πνευματοφόρος. Seine Schilderung der ψευδοπροφῆται zeigt, daß er sie den Heiden gleichsetzt, und daß in der Tat das hellenistische Prophetentum in christlichen und heidnischen Gemeinden ähnliche Züge aufwies, vgl. Mand. XI 2: οἱ δίψυχοι ὡς ἐπὶ μάντιν ἔρχονται καὶ ἐπερωτῶσιν αὐτόν, τί ἄρα ἔσται αὐτοῖς· κἀκεῖνος ὁ ψευδοπροφήτης, μηδεμίαν ἔχων ἐν ἑαυτῷ δύναμιν πνεύματος θείου, λαλεῖ αὐτοῖς κατὰ τὰ ἐπερωτήματα αὐτῶν καὶ κατὰ τὰς ἐπιθυμίας τῆς πονηρίας αὐτῶν . . . τινὰ δὲ καὶ ῥήματα ἀληθῆ λαλεῖ· ὁ γὰρ διάβολος πληροῖ αὐτὸν τῷ αὐτοῦ πνεύματι mit Pap. Berol. I 174: ἐὰν δέ τίς σε ἐρωτήσῃ, τί κατὰ ψυχὴν ἔχω, ἢ τί μοι ἐγένετο ἤ γε μέλλει γενέσθαι, ἐπερώτα τὸν ἄγγελον (den πάρεδρος δαίμων), καὶ ἐρεῖ σοι σιωπῇ· σὺ δὲ ὡς ἀπὸ σεαυτοῦ λέγε τῷ ἐπερωτῶντί σε (vgl. oben S. 239). Auch in den beiden Briefstellen werden jene Männer, die sich ihrer 'Weisheit' rühmen und beanspruchen, πνευματικοί zu heißen, den Heiden gleichgestellt: sie dienen den Dämonen und sind unsittlich. So sind sie natürlich nur ψυχικοί; der Besitz des πνεῦμα ist nur innerhalb der vollen Gemeinschaft denkbar. An beiden Stellen ist das Wort technisch gebraucht, in demselben Sinne wie bei Paulus, nur ist ψυχικός im Werte noch gesunken, da es hier von einer mehr judaisierenden, d. h. kirchlichen und werkgerechten Richtung gegen die individualistische und hellenistische Gnosis zurückgeschleudert wird; sein ursprünglicher Sinn ist auch hier nur 'menschlich'. Mit Sicherheit zeigt sich ferner, daß eine dritte Kategorie von σαρκικοί noch nicht geschieden wird. Auch Ignatius kennt sie noch nicht; πνεῦμα und σάρξ, adjektivisch πνευματικός und σαρκικός = ἀνθρώπινος, sind für ihn die beiden sich ergänzenden Gegensätze (vgl. z. B. Ad Smyrn. 13, 2: ἀγάπη σαρκική τε καὶ πνευματική mit Ad Ephes. 5, 1: συνήθεια οὐκ ἀνθρωπίνη, ἀλλὰ πνευματική); Christus ist ihm σαρκικός τε καὶ πνευματικός, γεννητὸς καὶ ἀγέννητος (Ad Ephes. 7, 2). Wie kam die reife Gnosis dazu, in ihren großen Systemen die beiden Paare von Gegensätzen zu verbinden und drei Kategorien, σαρκικοί, ψυχικοί, πνευματικοί zu scheiden? Die Ausflucht, daß sie allein aus der einen Paulusstelle (I. Kor. 3, 1) herausgedeutet seien, wird wenige befriedigen; müßte doch diese Stelle geradezu auf den Kopf gestellt werden, um die σαρκικοί als niedrigste Menschenklasse aus ihr zu gewinnen. Einen gewissen Anhalt bot zunächst wohl die früher erwähnte orientalische Dreiteilung des Menschen in Körper, Seele und Geist. Wir dürfen bei der bekannten Grundrichtung des Gnostizismus weiter auch darauf verweisen, daß auch die hellenistischen Mysterienreligionen ja drei Klassen von Menschen schieden und zwischen die Ungläubigen und die τέλειοι noch die Proselyten oder *religiosi* stellten. Das Bedürfnis, einen Unterschied zwischen den beiden niederen Klassen zu machen, mußte sich dann notwendig in einer Religion steigern, die zu allen andern im Gegensatz stehen wollte und daher jener untersten Klasse die beiden obern ganz anders scharf entgegenstellen mußte. Vor allem der Begriff der Kirche war jetzt schon voll entwickelt und wirkte, selbst wo er nicht in ganzem Umfang anerkannt wurde; der Gnostiker wollte nicht austreten (vgl. oben S. 31 A. und für die Valentinianer besonders E. Schwartz, Nachr. d. Kgl. Ges. Göttingen 1908, S. 130ff., 131 A. 1). Aber daß man sprachlich zu dem Begriff ψυχικός zurückkehrte und ihn gegenüber der früheren Entwertung nun wieder mächtig hob, läßt sich zugleich sicher auch daraus erklären, daß auf hellenischem Gebiet auch die Vorstellung von der Göttlichkeit der ψυχή zu fest gewurzelt ist und der Gegensatz von ψυχή und σῶμα (σάρξ) zu stark empfunden wird. Das Substantiv ψυχή, auf das sich die Entwertung, die in ψυχικός liegt, nicht voll auszudehnen vermag, wird immer wieder in Verbindung mit der

Gottheit gebracht (vgl. z. B. das Gebet der Mithrasliturgie) oder erscheint neben πνεῦμα fast als synonym. Eine Abschwächung des Gegensatzes ψυχικός und πνευματικός mußte unvermeidlich erscheinen. Trotzdem wird die ursprüngliche Vorstellung dabei festgehalten. Die Valentinianer, die Irenaeus I 7, 1 schildert, beschreiben z. B. den ἱερὸς γάμος der Achamoth und des Soter mit dem Zusatz: τοὺς δὲ πνευματικοὺς ἀποδυσαμένους τὰς ψυχὰς καὶ πνεύματα νοερὰ γενομένους, ἀκρατήτως καὶ ἀοράτως ἐντὸς πληρώματος εἰσελθόντας, νύμφας ἀποδοθήσεσθαι τοῖς περὶ τὸν Σωτῆρα ἀγγέλοις, und die Markosier (ebd. I 21, 5) schildern die ἀπολύτρωσις ähnlich: αὐτὸν δὲ πορευθῆναι εἰς τὰ ἴδια (vgl. Wessely, Denkschr. d. K. K. Akad. 1888, S. 71, Z. 1060: χώρει, κύριε, εἰς ἰδίους οὐρανούς, εἰς τὰ ἴδια βασιλεῖα, εἰς ἴδιον δρόμημα, bei der Entlassung des Gottes), ῥίψαντα τὸν δεσμὸν αὐτοῦ, τουτέστι τὴν ψυχήν. Hier ist die ψυχή ein ἐπίγειον ἔνδυμα τοῦ πνεύματος und auf sie übertragen, was sonst vom σῶμα gesagt wurde; zum vollen πνεῦμα macht erst der Verlust der ψυχή. Anders und doch ähnlich finden sich Origenes und Philo an den oben S. 289 und 289 A, 1 angeführten Stellen mit der Schwierigkeit ab, das Verhältnis der ψυχή zum πνεῦμα (bzw. νοῦς) zu bestimmen; sie nehmen eine Verwandlung der ψυχή in das πνεῦμα (oder den νοῦς) an; aber die ψυχή muß auch bei dieser Darstellung vergehen.

Dann muß freilich mit jener Grundanschauung irgendwie auch die vielbehandelte Frage zusammenhängen, ob Christus auf Erden eine ψυχή gehabt hat. In einem ganz vorzüglichen Buche hat M. Pohlenz (Vom Zorne Gottes, Göttingen 1909) dargelegt, wie völlig die Beantwortung von der griechisch philosophischen Auffassung der ψυχή und dem für den Griechen selbstverständlichen Dogma, daß Gott ohne πάθη sein muß, abhängt; die These v. Harnacks, daß griechische Philosophie, nicht orientalischer Glaube die erste Dogmenbildung bestimmt, könnte kaum wirkungsvoller als durch diese feinen und lichtvollen Darlegungen verteidigt werden. Nur scheint mir dabei die Grundfrage vielleicht zu wenig berücksichtigt, woher denn das neue Element, das hinzutritt, woher das πνεῦμα stammt. Erst seine Einführung durch den Gnostizismus macht die Fragestellung begreiflich und den Lösungsversuch, da Christus Gott sei, müsse das πνεῦμα bei ihm an Stelle der ψυχή getreten sein, verständlich. Aber auch die hiernach gebildete These der Großkirche, wenn Christus Mensch gewesen sei, so müsse er eine ψυχή gehabt haben, gewinnt aus der Kenntnis der zugrundeliegenden Anschauung von dem πνευματικός, der nicht mehr Mensch ist, erst volles Leben. Wohl sind die Argumente aus der Rüstkammer griechischer Philosophie geholt und die Erinnerung an die Grundanschauung der Mysterienreligionen ist nur noch dunkel, der Gnostizismus ist überwunden, aber das Erbe, das er aus dem Orient gebracht hat, der Begriff des πνευματικός, wirkt dennoch weiter, wie in der griechischen Kirche bis in die neueste Zeit.

Es wäre wichtig, etwas weiter zu verfolgen, wie sich die immer religiöser werdende Philosophie müht, mit dem neuen Begriff des πνεῦμα fertig zu werden und ihn in ihre Terminologie einzufügen oder zu übersetzen. Die Rückwirkung auf die religiöse Literatur zeigt sich, wenn in den hermetischen Schriften allgemein νοῦς für πνεῦμα, ἔννους für πνευματικός, ἄνους für ψυχικός eintritt (über den Gebrauch des Paulus vgl. S. 338); seltener finden wir λόγος, doch bietet Kap. I 6 τὸ ἐν σοὶ βλέπον καὶ ἀκοῦον λόγος κυρίου (hier unterschieden von dem νοῦς, seinem Vater) ἐστίν und ferner Kap. XII 6. 7 die zunächst befremdende Bezeichnung ἐλλόγιμος (sonst ἔννους) für den Pneumatiker, der vollkommen sündlos, weil dem Zwange der εἱμαρμένη enthoben, nur dem Leibe nach zu sündigen scheinen kann (vgl. S. 67); es ist charakteristisch, daß zur Erklärung hinzugefügt wird: ὧν ἔφαμεν τὸν νοῦν ἡγεμονεύειν. Der Gegensatz ist ἄλογοι (gleich ψυχικοί), und natürlich werden diese ἄλογοι mit den ἄλογα ζῷα verglichen (so öfters in dieser Literatur, aber auch im Judasbrief v. 10). Aus diesem Zusammenhang ist zunächst Römerbrief 12, 1 zu erklären: παραστῆσαι τὰ σώματα ὑμῶν θυσίαν ζῶσαν, ἁγίαν, εὐάρεστον τῷ θεῷ, τὴν λογικὴν λατρείαν ὑμῶν. Von einem 'vernünftigen Gottesdienst' kann weder nach griechischem Sprachgebrauch noch dem Zusammenhang oder dem Gedankenkreis des Paulus die Rede sein. Mit vollstem Recht betont Lietzmann, daß der hermetische *terminus technicus* λογικὴ θυσία vorausliegt (I 31: δέξαι λογικὰς θυσίας ἁγνὰς ἀπὸ ψυχῆς καὶ καρδίας πρὸς σὲ ἀνατεταμένης. XIII 18: ὁ σὸς λόγος δι' ἐμοῦ ὑμνεῖ σε, δι' ἐμοῦ δέξαι τὸ πᾶν λόγῳ λογικὴν θυσίαν. 21: Τὰτ θεῷ πέμπω λογικὰς θυσίας· θεὲ καὶ πάτερ, σὺ ὁ κύριος, σὺ ὁ νοῦς· δέξαι λογικὰς θυσίας, ἃς θέλεις ἀπ' ἐμοῦ . . . διὰ τοῦ Λόγου). Sehen wir doch in der Hermetik noch, wie die Formel entstanden ist. Sie wurde geprägt, als in dem mystischen Kult das Dankgebet, das Opfer im Wort, für das im Mysterienkult übliche Dankopfer, das ἔργον, eintrat (vgl. den Schluß des Asclepius). Sie steigerte sich durch die Vorstellung, daß der Geweihte selbst der persönlich gedachte Λόγος θεοῦ ist; er kann nur solche Opfer bringen (Corp. herm. XIII, vgl. Plutarch De Is. et Os. c. 3). Das Bewußtsein des Gegensatzes von λόγος und ἔργον ist Paulus schon entschwunden; λογικός heißt für ihn einfach 'geistig, vergeistigt', ja Zahn hat dem Sinne nach vollkommen recht, wenn er sagt: es ist die λατρεία, welche dem πνευματικός eignet und wohl ansteht; nur läßt sich der sprachliche Ausdruck ohne die Entwicklung des *terminus technicus* in der hellenistischen Mystik gar nicht erklären. Dieselbe Abhängigkeit von ihr zeigt I. Petr. 2, 5: ἀνενέγκαι πνευματικὰς θυσίας εὐπροσδέκτους θεῷ διὰ 'Ιησοῦ Χριστοῦ (vgl. Corp. herm. XIII 21: θεῷ πέμπω λογικὰς θυσίας — σύ, ὦ τέκνον, πέμψον δεκτὴν θυσίαν τῷ πάντων πατρὶ θεῷ. ἀλλὰ καὶ πρόσθες, ὦ τέκνον, 'διὰ τοῦ Λόγου'). Beide Worte gehen vollständig ineinander über; wenn Paulus bei einer handgreiflichen Übertragung alttestamentlicher Vorstellungen in die Mysterienanschauung I. Kor. 10, 3. 4 von einem πνευματικὸν βρῶμα καὶ πόμα spricht, so steht in dem jüngeren Brief I. Petr. 2, 2 dem gegenüber: ὡς ἀρτιγέννητα βρέφη τὸ λογικὸν ἄδολον γάλα ἐπιποθήσατε, ἵνα ἐν αὐτῷ αὐξηθῆτε εἰς σωτηρίαν, εἴπερ ἐγεύσασθε ὅτι χρηστὸς ὁ κύριος. Dabei zeigt der Zusammenhang, daß λογικός hier 'sündlos machend, heiligend', kurz πνευματικός in dem Sinne von θεῖος bedeutet, den dies Wort ja auch unmittelbar danach in der Formel οἶκος πνευματικός, ἱεράτευμα ἅγιον hat. Es ist hoffentlich in der Gegenwart nicht mehr möglich I. Petr. 2, 2 als Erinnerung an die ganz anders geartete Stelle I. Kor. 3, 2 zu fassen: γάλα ὑμᾶς ἐπότισα, οὐ βρῶμα· οὔπω γὰρ ἐδύνασθε. Zu bekannt ist jene Stelle des phrygischen Mysten Sallust Περὶ θεῶν 4: ἑορτὴν ἄγομεν διὰ ταῦτα· καὶ πρῶτον μὲν ὡς καὶ αὐτοὶ πεσόντες ἐξ οὐρανοῦ καὶ τῇ Νύμφῃ συνόντες ἐν κατηφείᾳ ἐσμέν, σίτου τε καὶ τῆς ἄλλης παχείας καὶ ῥυπαρᾶς τροφῆς ἀπεχόμεθα· ἑκάτερα γὰρ ἐναντία ψυχῇ (philosophisch für πνεύματι, mit der ῥυπαρὰ τροφή vgl. Porphyrios, De abstin. I 41. 42). εἶτα δένδρου τομαὶ καὶ νηστεία, ὥσπερ καὶ ἡμῶν ἀποκοπτομένων τὴν περαιτέρω τῆς γενέσεως πρόοδον. ἐπὶ τούτοις γάλακτος τροφή, ὡς ἀναγεννωμένων. ἐφ' οἷς ἱλαρεῖαι καὶ στέφανοι καὶ πρὸς τοὺς θεοὺς οἷον ἐπάνοδος. Ähnliche Vorstellungen im Ägyptischen (der König trinkt die Milch der Isis und empfängt dadurch göttliche Eigenschaft; der Zauberer trinkt Milch von einer schwarzen Kuh, und sogleich regt sich etwas Göttliches in ihm) habe ich im Archiv für Religionswissenschaft VII 403 und Poimandres 228 verfolgt; weiter würden Griffith, Demotic magical Papyrus, S. 137, und Dieterich, Abraxas 172, 12 und 181, 2 führen; letztere beiden Stellen zeigen, daß der Milchtrank hier den Beginn, ein Weintrank die Vollendung der Göttlichkeit in uns bezeichnet; die Aufforderung zum Empfang lautet τὴν ἀπόγευσιν δέξαι. Es scheint mir handgreiflich und nicht unwichtig, daß die beiden 'deuteropaulinischen' Stellen, die ich so breit besprechen mußte, enger an die hellenistischen Formeln und den Mysterienbrauch schließen, also unmittelbar auf beide zurückgehen; was bei Paulus nur Nebengedanke war, wird in ihnen Hauptsache. Ähnliches ist oft erweisbar; die Mysterienanschauungen, die bei Paulus noch im Hintergrunde stehen, drängen sich in dem sogenannten Deuteropaulinismus mächtig vor, und durchaus nicht überall bietet Paulus den Anlaß. Damit ist zugleich erwiesen, daß der Begriff λογικὴ θυσία oder πνευματικὴ θυσία hellenistisch ist. So mag beiläufig auch ein Versuch erwähnt sein, das Tieropfer, das am meisten Anstoß in der Mystik erregte und doch aus dem Mysterienkult nicht zu verbannen war, im mystischen Sinne zu rechtfertigen: ihn bietet derselbe Sallust Kap. 16: αἱ μὲν χωρὶς θυσιῶν εὐχαὶ λόγοι μόνον εἰσίν, αἱ δὲ μετὰ θυσιῶν ἔμψυχοι λόγοι, τοῦ μὲν λόγου τὴν ζωὴν δυναμοῦντος, τῆς δὲ ζωῆς τὸν λόγον ψυχούσης (vgl. die Bezeichnung πνεῦμα λαμβάνειν für die Entgegennahme des blutigen Opfers oben S. 309; wieder ist bei dem Philosophen ψυχή für πνεῦμα eingesetzt, aber die Forderung, daß in der ἀναφορά sich ψυχή oder πνεῦμα mit dem λόγος verbinden sollen, stammt nicht aus der Philosophie, und diese Forderung ist allgemein bekannt; wer das Opfer des Wortes für allein Gott wohlgefällig hält, betet προσδέξαι μου τὴν ... ἀξίωσιν ⟨τὴν⟩ λιτανίαν, τὴν προσύψωσιν, τὴν ἀναφορὰν τοῦ πνεύματος τοῦ λεκτικοῦ und betont mit diesem letzten Wort, daß der Gott kein anderes πνεῦμα erwartet, vgl. oben S. 310, Poimandres 151).

Zurück ging jener Gebrauch von λογικός für πνευματικός auf einen Versuch, den Begriff πνεῦμα in philosophischer Terminologie wiederzugeben. Das zeigt dieselbe hermetische Schrift, von der ich ausging, noch deutlicher in der Fortsetzung XII 13: δοκεῖς δέ μοι, ὦ τέκνον, ἀγνοεῖν ἀρετὴν καὶ μέγεθος λόγου· ὁ γὰρ μακάριος θεὸς Ἀγαθὸς δαίμων ψυχὴν μὲν ἐν σώματι ἔφη εἶναι, νοῦν δὲ ἐν ψυχῇ, λόγον δὲ ἐν τῷ νῷ. τὸν οὖν θεὸν τούτων (λόγος und νοῦς werden § 12 als die beiden unsterblich machenden Gottesgaben bezeichnet) ⟨νόμιζε⟩ πατέρα. ὁ οὖν λόγος ἐστὶν εἰκὼν καὶ νοῦς τοῦ θεοῦ (die folgenden Worte καὶ τὸ σῶμα δὲ τῆς ἰδέας, ἡ δὲ ἰδέα τῆς ψυχῆς führen in eine andere Gedankenreihe). Hier ist der λόγος (oder wie in I 6 λόγος und νοῦς) die besondere Gottesgabe des Auserwählten, das πνεῦμα, der Begriff ist bekannt, das Wort ist gemieden. Daß es sich hier überall um jenes besondere χάρισμα handelt, zeigt, daß nur das Wort, nicht die Vorstellung aus der Philosophie entlehnt ist; es handelt sich um Übersetzungsversuche eines orientalischen Begriffes, Versuche, die den Zeiten des Paulus und Philo jedenfalls erheblich vorausliegen und in den allgemeinen Gebrauch mit übergegangen sind. Sind sie angenommen, so wirkt freilich zugleich die griechische Vorstellung, die sich ursprünglich mit ihnen verband, herüber und läßt zu keiner Klarheit kommen. Wo das Wort πνεῦμα in die philosophische Terminologie mit aufgenommen wird, entwertet es sich z. T. wieder etwa in dem Sinne der stoischen Bezeichnung eines Seelenstoffes, und wir hören z. B. Corp. herm. X 13: ὁ νοῦς ἐν τῷ λόγῳ, ὁ λόγος ἐν τῇ ψυχῇ, ἡ ψυχὴ ἐν τῷ πνεύματι, τὸ πνεῦμα ἐν τῷ σώματι. τὸ δὲ πνεῦμα διῆκον διὰ φλεβῶν καὶ ἀρτηριῶν καὶ αἵματος κινεῖ τὸ ζῷον καὶ ὥσπερ τρόπον τινὰ βαστάζει. So wird das πνεῦμα zur Hülle, zum ἔνδυμα τῆς ψυχῆς, und diese zum ἔνδυμα τοῦ νοῦ (ebd. § 17, vgl. S. 357). Das erinnert an neuplatonische Lehren, aber schwerlich ist es erst in dieser Schule entstanden; ist doch die ganze Anschauung nur die in der Philosophie notwendige Umkehrung der gnostischen Lehre, nach welcher die ψυχή das ἔνδυμα τοῦ πνεύματος ist (oben S. 327).

Wohl mögen diese ungenügenden Versuche, das Unmögliche möglich zu machen und einen orientalisch-religiösen Begriff mit der ausgebildeten Seelenlehre der griechischen Philosophie zu verbinden, den Philosophen wenig befriedigen, aber dem Historiker sollten sie wichtig sein und mehr vielleicht noch dem Theologen. Bieten sie doch beständig Vergleichspunkte und Beziehungen zur neutestamentlichen Theologie und zur Dogmengeschichte. Ich verstehe nicht ganz, wie man die Entwicklung der Christologie loslösen kann von der Entwicklung der allgemeinen Vorstellungen vom θεῖος ἄνθρωπος und dem Verhältnis von Mensch und Gott, oder wie man als das Entscheidende in der christlichen γνῶσις griechische Philosophie und nicht orientalische Religiosität hinstellen kann, ohne auch nur den Versuch zu machen, den Begriff des πνεῦμα und πνευματικός klarzustellen oder wirklich zu berücksichtigen. Ihn zeigt am klarsten die Sprache des Askese, die ja mit dem Gnostizismus eng zusammenhängt. Ich habe daher versucht, sie in dem Buch Historia Monachorum und Historia Lausiaca, Untersuchungen z. Religion u. Literatur des Alten u. Neuen Testam. Heft 24, Göttingen 1916 zu verfolgen, um nach ihr jene Auffassung des Gnostizismus beurteilen zu können (S. 210ff.). Der Pneumatiker ist ἐκσπασθεὶς ἐκ τοῦ χώρου τῆς εἱμαρμένης ἐπὶ τὸν ἀσώματον, ist selbst ἀσώματος ἄσαρκος oder ἄυλος. Er besteht ganz aus Lichtsubstanz, die, wenn er betend die Hände erhebt oder den Mund öffnet, in Feuerstrahlen hervorbricht (er wird tatsächlich, wie die Mandäer sagen, die Perle, die das dunkle Haus erleuchtet). Durch ihn und seinetwegen besteht die Welt fort.[1] Er bedarf nicht irdischer Speise oder Schlafs. Was die γνῶσις ist, zeigen die Erzählungen, wie der Mönch entscheidet, ob Melchisedek Mensch oder Gottwesen war, oder ob sich im Abendmahl wirklich eine Transsubstantiation vollzieht: er bittet Gott, ihm die Augen zu öffnen und die Erzväter oder den Hergang bei dem Sakrament zu zeigen. — Die

1) Die Mönche behaupten das von sich. Ursprünglich ist es von dem 'Menschen' als der Weltseele gesagt und beherrscht daher die Erlösungslehre der Mandäer.

Vision macht vollkommen, und der Vollkommene untersteht keinem Gesetz und keiner Autorität; er ist Priester nach innerem Recht. Da uns hier eine reiche Literatur vorliegt, können wir den Ursprung einzelner Vorstellungen klarer als auf andern Gebieten erkennen. Die Himmelfahrt, die zuerst bei Athanasios von Amun, später aber von jedem namhaften Mönch erzählt wird, entspricht in manchen Zügen Schilderungen der manichäischen Fragmente und erinnert an die Erzählungen von Buddha. Andererseits finden sich ähnliche Anschauungen in der parsischen wie in der mandäischen Religion (vgl. für erstere Yašt 22); in das späte Judentum können sie von hier eingedrungen sein. Eine große und reizvolle Aufgabe erschließt sich dem Forscher, einerseits den orientalischen Ursprung, andrerseits die Stufen der Okzidentalisierung dieser Gedankenwelt durch das jüdische, das griechische und endlich das abendländische Empfinden nachzuweisen. Von Haus aus christlich ist sie nicht, aber sie ist durch gewaltige religiöse Persönlichkeiten christlich geworden.

XVI. PAULUS ALS PNEUMATIKER

Den Versuch einer Rechtfertigung meiner Auffassung des Paulus kann ich nur bieten, indem ich darlege, wie ich die Zusammenhänge der einzelnen Stellen verstehe. Daß ich damit nur eine Gedankenreihe verfolge und weder ein System der 'Paulinischen Theologie' entwerfen noch ein Bild des Apostels geben kann, habe ich in dem Vortrag (S. 75) schon ausgesprochen. Ein Bild des πνευματικός, wie es ihm in seiner letzten Zeit vorschwebte, sollte sich allerdings aus der Einzelinterpretation den wenigen Philologen ergeben, die Paulus noch in der Ursprache lesen; so wurde die Darstellung breit; doch glaubte ich, Polemik auch hier möglichst vermeiden zu dürfen.

Die im Grunde entscheidende Stelle findet sich I. Kor. 2, 14; doch muß gerade sie, um verständlich zu werden, in ihrem Entstehen verfolgt werden. Von der Tatsache, daß die Gläubigen in Korinth sich in einzelne θίασοι geschieden und echt hellenistisch nach ihren Lehrern benannt haben, geht der Apostel aus. Sie sagen ἐγὼ μέν εἰμι Παύλου, ἐγὼ δὲ Ἀπολλῶ, ἐγὼ δὲ Κηφᾶ, ἐγὼ δὲ Χριστοῦ. Die Deutung fordert wenig Worte. Daß O. Pfleiderer recht hat, die Annahme einer wirklichen Christuspartei, von der man gar nichts weiß und deren Bezeichnung den andern gegenüber sinnlos wäre, abzulehnen (Paulinismus² S. 316 A.), wird sich später noch besser zeigen. Die Worte ἐγὼ δὲ Χριστοῦ, an sich nur die Ausage, die von den einzelnen neben den früheren immer gemacht wird, sind unter rhetorischem Zwange als viertes Glied zugefügt, um durch diesen Gegensatz zu zeigen, wie unpassend jene Eigentumserklärungen an Menschen sind, weil sie diese Menschen dem Gotte gleichsetzen. Der Ausdruck Χριστοῦ εἶναι (vgl. θεοῦ εἶναι bei Ignatius) bedeutet für Paulus ja einen mystischen Zusammenhang mit Christus und steht vollkommen gleich dem ἐν Χριστῷ εἶναι oder Χριστὸν ἐν ἑαυτῷ ἔχειν, ja er kann selbst heißen τὸ πνεῦμα ἔχειν, vgl. Römerbrief 8, 9: ὑμεῖς δὲ οὐκ ἐστὲ ἐν σαρκί, ἀλλὰ ἐν πνεύματι, εἴπερ πνεῦμα θεοῦ οἰκεῖ ἐν ὑμῖν. εἰ δέ τις πνεῦμα Χριστοῦ οὐκ ἔχει, οὗτος οὐκ ἔστιν αὐτοῦ. εἰ δὲ Χριστὸς ἐν ὑμῖν, τὸ μὲν σῶμα νεκρόν κτλ. Als guter Pädagoge schilt der Apostel sodann zunächst scheinbar nur die eigene Partei: 'ist Paulus für euch gekreuzigt, oder seid ihr in seinem Namen getauft (wie es bei dem Χριστοῦ εἶναι ist)?' Er hat nicht einmal selbst getauft, was für solchen Mißbrauch seines Namens wenigstens äußerlichen Anhalt hätte geben können, indem es ihn zu dem ἱερεύς machte, nach welchem hellenistische Gemeinden sich nennen. Er war nur Träger der Verkündigung. Indem Paulus nun diese Verkündigung näher beschreibt (v. 17: οὐκ ἐν σοφίᾳ λόγου), schweift der Gedanke scheinbar ab. In Wahrheit soll die Schilderung der göttlichen Weisheit in ihrem Gegensatz zu der menschlichen den Gegenparteien fühlbar machen, daß sie seine Predigt nicht nach ihrer Weisheit beurteilen dürfen. So kehrt er 2, 1—5 zu dieser Predigt zurück; sie bestand nicht ἐν πειθοῖ[1], σοφίας λόγοις, ἀλλ' ἐν ἀποδείξει πνεύματος καὶ δυνάμεως, hatte also jene für alles hellenistische Empfinden zwingende Legitimation von

1) Entsprechen sollen sich ἐν πειθοῖ — ἐν ἀποδείξει. Zu dem ersten Gliede wird (wegen 1, 17) ein erklärender Instrumentalis σοφίας λόγοις gefügt; bei dem zweiten ist diese nähere Bestimmung genetivisch mit ἀπόδειξις verbunden; trotzdem soll der Hörer σοφίας λόγοι als Gegensatz zu πνεῦμα καὶ δύναμις (δυνάμει πνεύματος) empfinden; πνεῦμα ist ja später der Gegensatz zu σοφία, wie es δύναμις hier zu λόγοι ist.

Gott, auf welche im zweiten Briefe noch stärker verwiesen wird. Mit dem folgenden Verse (2, 6) kehrt Paulus zu der eigenen Partei zurück: die wahre Weisheit, die σοφία θεοῦ, kann er nur künden ἐν τελείοις. Er hat sie auch den eigenen Anhängern in Korinth nicht offenbaren können und kann es noch jetzt nicht; auch sie sind außerstande zu beurteilen, was er gelehrt hat, und wissen noch nicht, was in ihren Streitfragen sein letztes Wort sein würde (3, 1: οὐκ ἠδυνήθην λαλῆσαι ὑμῖν ὡς πνευματικοῖς). Zwischen beide zusammengehörige Verse schiebt sich wie eine neue Digression der Preis jener tief verborgenen und selbst den ἄρχοντες τοῦ αἰῶνος τούτου unergründlichen σοφία, die Gott dem Apostel offenbart hat διὰ τοῦ πνεύματος (wie stark Paulus das Verletzende dieses Selbstruhmes empfindet und wie er ihn aufgefaßt wissen will, zeigt 2, 7 und der vorausgenommene Vers 1, 31). Denn das πνεῦμα ergründet alles, auch die Tiefen (Gedanken) der Gottheit. Dies wird zunächst erklärt (2, 11): τίς γὰρ οἶδεν ἀνθρώπων τὰ τοῦ ἀνθρώπου, εἰ μὴ τὸ πνεῦμα τοῦ ἀνθρώπου τὸ ἐν αὐτῷ; οὕτως καὶ τὰ τοῦ θεοῦ οὐδεὶς ἔγνωκεν, εἰ μὴ τὸ πνεῦμα τοῦ θεοῦ. Vorausgesetzt wird dabei der in den Zauberpapyri übliche Gebrauch von πνεῦμα für das geistige Teil, die Seele, des Menschen und ein ihm entsprechender, ebenda bezeugter Gebrauch, nach dem πνεῦμα auch den Geist oder die Seele eines Gottes bezeichnet (vgl. S. 309); freilich war es für Hellenisten, denen der Begriff der Emanation geläufig ist, leichter, hiermit das πνεῦμα θεοῦ als die uns verliehene Gabe, die ἀπόρροια des Gottes, zu verbinden; der Beweis des Paulus setzt eine feste hellenistische Formelsprache voraus (τὰ τοῦ ἀνθρώπου und τὰ τοῦ θεοῦ empfangen ihre Färbung von dem vorausgehenden Worte τὰ βάθη τοῦ θεοῦ, das Innere und Innerste; daher ist τὸ ἐν αὐτῷ nicht müßiger Zusatz, sondern erklärt die ganze Behauptung). Ist hiermit zunächst nur gesagt, daß, wer das πνεῦμα hat, voll das μυστήριον der Gottheit und ihrer σοφία kennt, so fügt jetzt Paulus mit schwerster Betonung hinzu, daß er dies πνεῦμα ἐκ τοῦ θεοῦ empfangen hat. Mit fühlbarem Rückverweis auf v. 6 (σοφίαν δὲ λαλοῦμεν ἐν τοῖς τελείοις, σοφίαν δὲ οὐ τοῦ αἰῶνος τούτου) versichert er: ἡμεῖς δὲ οὐ τὸ πνεῦμα τοῦ κόσμου ἐλάβομεν, ἀλλὰ τὸ πνεῦμα τὸ ἐκ τοῦ θεοῦ, ἵνα εἰδῶμεν τὰ ὑπὸ τοῦ θεοῦ χαρισθέντα ἡμῖν (es ist der Heilsplan Gottes, vgl. v. 8; aus dem Wissen soll natürlich ein Verkünden werden; der Gedanke biegt leicht um, damit das folgende ἃ καὶ λαλοῦμεν auf die gesamte Verkündigung, nicht nur die Rede ἐν τελείοις gehen kann) ἃ καὶ λαλοῦμεν οὐκ ἐν διδακτοῖς ἀνθρωπίνης σοφίας λόγοις, ἀλλ' ἐν διδακτοῖς πνεύματος (ἀνθρ. σοφ. gehört zunächst natürlich zu λόγοις; διδακτοῖς steht für sich in geringschätzigem Sinn 'lehrbar' und 'angelernt'; erst in dem Gegensatz — sie sind doch uns gelehrt, weil es die Worte des πνεῦμα sind — verbindet sich unter dem rhetorischen Zwang der Responsion πνεύματος mit διδακτοῖς). Damit ist zunächst nur wiederholt, was in v. 4 schon gesagt war, daß nämlich seine Predigt ἐν πνεύματι geschah; erst die drei nächsten vielumstrittenen Worte fügen nach Art des Paulus das Neue hinzu, an das dann die Fortsetzung anschließt; er beschreibt, wie man von dem πνεῦμα lernt; πνευματικοῖς (alte Variante πνευματικῶς) πνευματικὰ συγκρίνοντες. Die unlängst wieder vorgeschlagene Deutung 'den Geistesmenschen Geistiges deutend' scheint mir wegen des Wechsels des Genus und der Annahme einer ungewöhnlichen Bedeutung des Verbums bedenklich; noch mehr freilich die Erklärung 'himmlische Dinge in himmlischer Sprache zum Ausdruck bringend', die zugleich den Zusammenhang zerstört. Ich deute nach II. Kor. 10, 12 (οὐ γὰρ τολμῶμεν ἐγκρῖναι ἢ συγκρῖναι ἑαυτούς τισι τῶν ἑαυτοὺς συνιστανόντων· ἀλλὰ αὐτοὶ ἐν ἑαυτοῖς ἑαυτοὺς μετροῦντες καὶ συγκρίνοντες ἑαυτοὺς ἑαυτοῖς οὐ συνιοῦσιν — das συγκρίνειν ist Vorbedingung alles Beurteilens): 'indem wir mit Geistesgaben und Offenbarungen (die wir schon besitzen) Geistesgaben und Offenbarungen (die wir erhalten, vgl. das folgende τὰ τοῦ πνεύματος und cap. 12, 1 ff. περὶ δὲ τῶν πνευματικῶν und ihre Aufzählung) vergleichen und sie danach beurteilen und verstehen.' Das ἐν πνεύματι λέγειν, das Paulus natürlich auch für seine Missionspredigt in Anspruch nimmt, schaltet in dieser Auffassung die Tätigkeit des Menschen nicht ganz aus; beide wirken zusammen. Der noch nicht Begnadete kann freilich so gar nicht lernen: ψυχικὸς δὲ ἄνθρωπος οὐ δέχεται τὰ τοῦ πνεύματος τοῦ θεοῦ (der Genetiv τοῦ θεοῦ, der den Gegensatz noch schärfer macht — Mensch und Gott gehören zunächst vor der wunderbaren Wesensänderung des ersteren zwei verschiedenen Welten an —, soll die Erinnerung an 1, 17ff. noch stärker wachrufen). μωρία γὰρ αὐτῷ ἐστιν, καὶ οὐ δύναται γνῶναι, ὅτι πνευματικῶς (d. h. wie es nur der πνευματικός kann, vgl. Apoc. Joh. 11, 8) ἀνακρίνεται. Mit einem bei Paulus beliebten rhetorischen Spiel wird das Kompositum gewechselt, πνευματικοῖς πνευματικὰ συγκρίνειν, ist eben ein πνευματικῶς ἀνακρίνειν (prüfen und beurteilen, ἐλέγχειν, vgl. I. Kor. 14, 24). Der ganze Satz bereitet in diesem Zusammenhang nur das Gegenstück vor: ὁ δὲ πνευματικὸς ἀνακρίνει τὰ πάντα, αὐτὸς δὲ ὑπ' οὐδενὸς ἀνακρίνεται. Ein stolzes Wort, das diesem einen Wunderwesen nicht nur eine absolute Erkenntnis und Unfehlbarkeit zuschreibt, sondern auch allen anderen (gemeint sind natürlich nur die Nicht-Pneumatiker) jedes Recht abspricht, über ihn zu urteilen, jede Hoffnung nimmt, ihn überhaupt zu verstehen. Es ist die Grundauffassung der Kirche, die sich auf die Predigt des Pneumatikers gründet; daher kann bei Hermas (Mand. XI) die Gemeinde nur aus dem sittlichen Leben, niemals aber aus der Lehre den Pneumatiker beurteilen, und dasselbe schärft die διδαχὴ ἀποστόλων Kap. 11 ausdrücklich ein (vgl. v. Harnack, Texte und Untersuchungen II 120ff.). Wenn beide dabei die Forderungen eines Lohnes ausdrücklich als Kennzeichen des falschen Pneumatikers bezeichnen, so könnte das wohl den besonderen Nachdruck erklären, mit dem Paulus immer hervorhebt, daß er von der Erlaubnis Jesu, daß der Apostel vom Evangelium lebe, keinen Gebrauch macht. Freilich müßte er diese Anschauung dann in hellenistischen Kreisen schon vorgefunden haben, was um so weniger befremdlich wäre, da das προφητεύειν oder *vaticinari* eine feste Stelle im Kult der Mysteriengemeinden einnahm (vgl. oben S. 238 f.). Jene volle Autonomie ist ein Grundgedanke alles Prophetentumes (vgl. etwa Wellhausen, Das Evangelium Marci, S. 28). Doch zurück zu der Stelle des Korintherbriefes.

Daß der Schwerpunkt des v. 15 in der zweiten Hälfte αὐτὸς δὲ ὑπ' οὐδενὸς ἀνακρίνεται liegt, zeigt der Zusammenhang und der Zweck der Darlegung. Nur an ihn schließt daher auch die Fortsetzung, der Schriftbeweis durch das Wort: τίς γὰρ ἔγνω νοῦν κυρίου, ὃς συμβιβάσει αὐτόν, der abgeschlossen wird durch das Sätzchen: ἡμεῖς δὲ νοῦν Χριστοῦ ἔχομεν. So schwer es mir wird, hier Forschern zu widersprechen, die ich aufs aufrichtigste verehre: schließen kann dies Sätzchen den Beweis nur, wenn für Paulus und seine Hörer νοῦς und πνεῦμα vollkommen identisch sind oder doch sein können. Nur dann kann der Apostel das Zitat aus der Septuaginta (Jes. 40, 13) so umbilden und umbiegen. Jede Deutung des Wortes νοῦς als 'Sinn' oder 'Verstand' raubt für mein Empfinden der ganzen Stelle Sinn und Verstand; νοῦς muß hier jenes göttliche Fluidum sein, das dem Begnadeten allein verliehen wird und ihn zum πνευματικός macht. Das kann das Wort nun nach gewöhnlichem Griechisch nicht bedeuten. Wohl aber kennen wir diesen Wechsel beider Worte und Begriffe jetzt im Hellenismus, ja wir kennen eine ganze Richtung hellenistischer Mystik, die einen Gott Νοῦς verehrt, der seinen Auserwählten als himmlische Gabe den νοῦς verleiht; diese Gabe bewirkt sofort eine absolute Erkenntnis des Alls (das πάντα γνωρίζειν) und die Unsterblichkeit; der so Begabte heißt ἔννους und wird zum göttlichen Lehrer seiner Brüder. Das System liegt bekanntlich ausführlich im Poimandres vor, den man ganz ausschreiben müßte, um zu zeigen, wie νοῦς hier überall das bedeutet, was in anderen Resten heidnischer Mystik als πνεῦμα bezeichnet wird. So stellen verlorene hermetische Schriften, welche der Heide Zosimos anführt (vgl. Poimandres 102. 103), denn auch den ἄνοες den πνευματικὸς ἄνθρωπος gegenüber. Noch deutlicher ist eine Stelle des Κρατὴρ ἢ Μονάς (§ 4): ὅσοι μὲν οὖν ἐβαπτίσαντο τοῦ νοός (den νοῦς hat Gott in einem großen κρατήρ niedergesendet; ein κρατήρ wird bei der Reinigung oder Taufe in den griechischen Mysterien immer verwendet), οὗτοι μετέσχον τῆς γνώσεως καὶ τέλειοι ἐγένοντο ἄνθρωποι τὸν νοῦν δεξάμενοι. Die Geistestaufe macht zum τέλειος ἄνθρωπος; die Ungetauften sind, wie es später heißt, ohne νοῦς und ohne γνῶσις, auf die αἰσθήσεις allein angewiesen, wie die ἄλογα ζῷα (vgl. den Judasbrief v. 10). Wenn τέλειος hier einerseits 'vollkommen' bedeutet ('volle Menschen'), so andrerseits doch offenbar zugleich 'in der Taufe vollkommen geworden'. 'Vollkommen', d. h. geweiht ist ein fester Begriff in den meisten orientalischen Religionen und der ganzen Gnosis. Die Bildung des Begriffes geht aus von der festen sakralen Formel τέλεια μυστήρια (in Athen die große und daher erst zweite Weihe, Plato, Sympos. 210a und sonst), und sie hängt natürlich mit der Vorstellung zusammen, daß es einen festen Weg und daher auch ein ἄρχεσθαι und ein τελευτᾶν in den Mysterien gibt, und daß der Höhepunkt, die Vollendung (τέλος), das Schauen Gottes ist (ebd. p. 210—212a). In hellenistischer Zeit ist die Formel allgemein üblich für das richtige und daher zur vollen Schau führende μυστήριον oder τελετή (vgl. z. B. Pap. Lugd. V, Dieterich, Jahrb. f. kl. Phil., Supplem. XVI, S. 811, Z. 26: τέλει τελείαν τελετήν, Hippolyt, Elenchos p. 2, 17 W., Apuleius XI 26: *plenissime videbar iam dudum initiatus* und XI 29: *quid subsicivum quamvis iteratae iam traditioni remansisset. nimirum perperam vel minus plene consuluerunt in me sacerdos uterque*). Da τελετή und μυστήριον auch das geheime Gebet (den λόγος ἀπόκρυφος) oder die Offenbarungsschrift bedeuten können (vgl. S. 242), so begegnet in dieser Literatur auch ein λόγος τέλειος, und wir sahen oben (S. 290. 291), daß er zur Schau Gottes und damit zur vollen γνῶσις führt und dem, was wir Mysterium nennen, entspricht. Sein Gegenstand ist die νόησις, nach dem Sprachgebrauch dieser Literatur das Gewahren (αἰσθάνεσθαι) des Übersinnlichen im Gegensatz zu der eigentlichen αἴσθησις, dem Gewahren des Sinnlichen; diese Beziehung wird so voll empfunden, daß Corp. herm. IX 1 beginnen kann: χθές, ὦ 'Ασκληπιέ, τὸν τέλειον ἀποδέδωκα λόγον, νῦν δὲ ἀναγκαῖον ἡγοῦμαι ἀκόλουθον ἐκείνῳ καὶ τὸν περὶ αἰσθήσεως λόγον διεξελθεῖν. αἴσθησις γὰρ καὶ νόησις διαφορὰν μὲν δοκοῦσιν ἔχειν, ὅτι ἡ μὲν ὑλική ἐστιν, ἡ δὲ οὐσιώδης. Daß der τέλειος λόγος nur über die νόησις handeln kann, muß jeder Leser wissen. So wird τέλειος (natürlich zunächst in dem Sinne von 'dem nichts fehlt') in der Mysteriensprache und bei Philo die Bezeichnung für denjenigen, welcher die Fähigkeit des νοεῖν in diesem Sinne und damit die volle γνῶσις hat. Es ist ein naheliegender Nebengedanke, daß er damit zum τέλειος ἄνθρωπος, zu dem Menschen in seiner höchsten und vollsten Ausbildung wird; aber ein Nebengedanke bleibt es dennoch. Nur den Hauptgedanken finde ich zunächst in dem oben angeführten Worte des Paulus σοφίαν δὲ λαλοῦμεν ἐν τοῖς τελείοις (eine Beziehung auf das Alter ist dort noch gar nicht möglich, eine Beziehung auf die γνῶσις θεοῦ schon nach dem Vorausgehenden notwendig; nur ihretwegen kann auch das Wort 3, 1 aufgenommen werden durch die Bezeichnung πνευματικός; aber, charakteristisch für den Stil des Apostels, eben bei dieser Aufnahme wird ihm zugleich der Nebengedanke 'voller Mensch' bewußt, der sich mit dem Wort auch in der angeführten Stelle des Κρατήρ verbindet; man kann die Sprache des Paulus aus jener Stelle erklären, nicht aber umgekehrt jene Stelle aus Paulus). Es ist mir wichtig, gleich im Anfang festzustellen, daß wie der ganze Beweis in I. Kor. 2, 15. 16 so auch die Gedankenentwicklung von Kap. 2 zu Kap. 3 auf der hellenistischen Formelsprache beruht und ohne sie unverständlich ist — wenigstens für den Philologen, der die einzelnen Worte zunächst ψυχικῶς verstehen möchte.

Paulus kehrt, wie ich schon andeutete, von jener großen Digression zurück und fügt zu 2, 6: σοφίαν δὲ λαλοῦμεν ἐν τοῖς τελείοις den Nachsatz: ἐν ὑμῖν δὲ οὐκ ἠδυνήθην, oder vielmehr, wie es nun heißt (3, 1): κἀγώ, ἀδελφοί, οὐκ ἠδυνήθην λαλῆσαι ὑμῖν ὡς πνευματικοῖς. Er sucht hierzu einen Gegensatz; ψυχικός kann er nicht gut brauchen, denn die Korinther sind ja getauft, sind ἐν Χριστῷ und haben also schon teil am πνεῦμα; aber sie sind noch nicht τέλειοι; eine neues Bild, das in den phrygischen Mysterien (oben S. 329) wenigstens vorbereitet ist, versinnbildlicht das: sie sind noch νήπιοι ἐν Χριστῷ; ist doch auch im Kinde der νοῦς, der ja eben dem πνεῦμα gleichgesetzt war, noch unentwickelt; es führt ein mehr vegetatives Leben. So können wir die Wahl des Wortes σάρκινοι begreifen, das den Betroffenen keineswegs unter den ψυχικός stellen soll; es schließt das πνεῦμα offenbar nicht voll aus, weil es eben nicht wie ψυχικός einer festgeprägten und auf den ausschließlichen Gegensatz berechneten Terminologie entnommen ist, und besagt nur, daß in dem Widerstreit von Fleisch und Geist, den Paulus auch in dem Bekehrten annimmt, ersteres noch die Überhand hat. Freilich wäre der Ausdruck unmöglich, ohne die Überzeugung, daß in dem τέλειος oder πνευματικός die σάρξ ebenfalls wenigstens in ihren Wirkungen vernichtet ist. So kann ihm jetzt gerade die Existenz jenes Streites den Beweis geben, daß die Korinther bisher noch nicht πνευματικοί sind: ὅπου γὰρ ἐν ὑμῖν ζῆλος καὶ ἔρις, οὐχὶ σαρκικοί ἐστε καὶ κατὰ ἄνθρωπον περιπατεῖτε;

Wieder ist es der Zusatz, an den die weitere, man könnte sagen, metaphysische Ausführung knüpft: ὅταν γὰρ λέγῃ τις 'ἐγὼ μέν εἰμι, Παύλου', ἕτερος δὲ 'ἐγὼ 'Απολλῶ', οὐκ ἄνθρωποί ἐστε; Es ist der Schluß der ganzen Darstellung von 1, 12 an, die Lösung, aus der alles Dazwischenstehende begriffen werden will, und kann gar nicht scharf genug interpretiert werden. Der ψυχικός ist Mensch schlechthin, der πνευματικός ist überhaupt nicht mehr Mensch. Was er ist, wird nicht gesagt, und es ist verkehrt und durch nichts veranlaßt, wenn moderne Erklärer einen Gegensatz: ἀλλὰ υἱοὶ θεοῦ oder dergl. hinzuhören wollen. Der feste Begriff eines überirdischen und übernatürlichen Wesens muß in der Gemeinde bestehen, sonst ist die ganze Ausführung hinfällig. Daß dabei ἐγώ εἰμι Παύλου wieder denselben mystischen Nebensinn hat wie 1, 12ff., brauche ich ebensowenig auszuführen, wie etwa gegen andere Forscher darzulegen, daß unser Abschnitt nicht im Gegensatz zu 3, 16 steht, wo nur von der ἐκκλησία als einem Tempel die Rede ist, in welchem das πνεῦμα τοῦ θεοῦ wohnt. Eine andere mystische Gedankenreihe wirkt hier ein, die man gar nicht scharf genug von der ersten sondern kann; hier ist, wie höchst wahrscheinlich in der Auffassung der jerusalemitischen Gemeinde, die Gemeinschaft die Trägerin des πνεῦμα (das ursprünglich doch wohl die Form ist, in welcher der Auferstandene im Kreise der Seinen bleibt). In der zuerst besprochenen Gedankenreihe steht der πνευματικὸς κατ' ἐξοχήν als absolut vollkommen allein für sich. Daß Paulus zu jenem Satze: ἐγὼ μέν εἰμι Παύλου im folgenden den Gegensatz bildet (3, 22): εἴτε Παῦλος εἴτε 'Απολλῶς εἴτε Κηφᾶς ... πάντα ὑμῶν, ὑμεῖς δὲ Χριστοῦ, Χριστὸς δὲ θεοῦ und alles Tun des Pneumatikers nur als Dienst an der Gemeinde hinstellt (er wird gerade hierauf später zurückkommen), darf den Blick nicht für die Schroffheit verdunkeln, mit der er in dem ganzen ersten Teil der Darlegung jedes Urteil von Freund und Feind über seine Lehre ablehnt und eine Stellung in Anspruch nimmt, die wir uns nur mühsam begreiflich machen können. Nur hieraus wird die Polemik verständlich, auf welche der zweite Brief seinerseits antwortet.

Das technisch gebrauchte Wort πνευματικός entsprach dabei dem Begriff πνεῦμα ἔχειν; an der zweiten Stelle, an der es dem

Worte ψυχικός entgegengestellt wird, entspricht es dem Begriff πνεῦμα εἶναι. Es wird sich fragen, wie weit diese zweite Stelle die bisher gewonnene Auffassung bestätigt und ebenfalls feste Begriffe für beide Worte als der Gemeinde bekannt voraussetzt. Sie findet sich bekanntlich in demselben Briefe in der Auseinansetzung über die Auferstehung (15, 35ff.). Überschauen wir zunächst das Kapitel, das eine streng geschlossene Einheit bildet. Der Apostel rekapituliert im Eingang den Inhalt seines κήρυγμα, das zugleich das κήρυγμα aller echten Apostel ist, und das, wenn es wirklich wahr ist, den Gläubigen die σωτηρία bringt (der Zusatz v. 2 ἐκτὸς εἰ μὴ εἰκῇ ἐπιστεύσατε bereitet die Auseinandersetzung v. 12 vor, vgl. 14 κενὴ δὲ καὶ ἡ πίστις ὑμῶν); vier Hauptpunkte hat es: Χριστὸς ἀπέθανεν, ἐτάφη, ἠγέρθη, ὤφθη. Daraus folgt, daß es die Frage, ob eine Auferstehung von den Toten möglich sei, für die Gemeinde gar nicht geben darf; sonst wäre das κήρυγμα nichtig, nichtig des Paulus Anstrengungen, nichtig der Glaube der Gemeinde; die σωτηρία wäre unmöglich (v. 18 ἀπώλοντο geht auf v. 6 und über ihn hinaus auf v. 2 δι' οὗ καὶ σώζεσθε, τίνι λόγῳ εὐηγγελισάμην ὑμῖν εἰ κατέχετε). Die Auferstehung ist Kern und Inhalt alles εὐαγγελίζειν (mit v. 19 vgl. 1. 2), und daß sie wirklich erfolgt ist, kann Paulus noch einmal als Augenzeuge versichern, um sofort die entscheidenden Folgerungen zu ziehen (um sie zu stützen hat er vorher gezeigt, was aus der entgegengesetzten Annahme folgen müßte): also ist der Bann gesprengt, Christus muß der Erstling vieler werden; der Ἄνθρωπος hat den Tod gebracht, der Ἄνθρωπος bringt auch die Auferstehung. Es ist falsch, in v. 21 ἐπειδὴ γὰρ δι' ἀνθρώπου ὁ θάνατος, καὶ δι' ἀνθρώπου ἀνάστασις νεκρῶν zu dem Genetiv ἀνθρώπου nach Röm. 5, 12ff. hinzuhören zu wollen ἑνός. Das Zahlwort wird dort durch den Gegensatz (12 πάντας ἀνθρώπους, 15 εἰς τοὺς πολλούς) gefordert und bedingt, daß ἄνθρωπος Appellativ ist; von der Gattung wird gesprochen. Dagegen steht es hier ohne den Artikel als Eigennamen, und wir werden sehen, daß es auch weiter so gebraucht wird und gefaßt werden muß; es handelt sich um zwei Individuen. Der folgende Vers belehrt uns, daß der erste Anthropos der Adam (ὁ Ἀδάμ), der zweite der Messias (ὁ Χριστός) war; dieser bringt die allgemeine Wiederbelebung; nur gibt es eine Stufenfolge (τάγματα): der Messias selbst die ἀπαρχή (und ἀρχή), die ihm bei seiner Wiederkunft schon Angehörigen zu zweit, endlich τὸ τέλος. Das Wort hat hier doppelten Sinn, einerseits bedeutet es die Letzten (entsprechend der ἀρχή), andererseits das Weltende, an dem diese Letzten auferstehen (ὅταν). Es ist ein Vernichten aller widergöttlichen Macht, und der letzte Feind ist der (ganz persönlich gedachte) Tod. Auch er muß vernichtet werden; Gottes Wort sagt ja (Ps. 8, 7) πάντα ὑπέταξας ὑποκάτω τῶν ποδῶν αὐτοῦ. Wenn alles, so auch den Tod (er ist also als ἐξουσία oder ἀρχή gedacht, wie im Iranischen). Wie um einem Mißverständnis zu begegnen, betont der Apostel noch, daß der ὑποτάξας selbst natürlich nicht zu den ὑποτεταγμένα gehören kann, sondern von seinem Bevollmächtigten die Herrschaft zurückempfängt und nun Gott Alles in Allen ist. Der Begriff Gott und der Begriff Leben sind für diese Theologie notwendig identisch, wie der Tod der letzte Inbegriff alles Widergöttlichen ist; gesagt freilich wird das so wenig, wie etwa der eigenartige Begriff Ἄνθρωπος erklärt wird; es sind die der Gemeinde bekannten Voraussetzungen paulinischer Theologie. Gesagt wird ferner nicht, daß mit der Vernichtung des Todes die früher Gestorbenen auferstehen. Aber offenbar ist diese Vorstellung für die Gemeinde mit der des τέλος, des Weltendes, verbunden, und gerade an sie schließen die folgenden, aus der beiderseitigen Überzeugung entnommenen Argumente: ist mit dem Tode alles aus, warum lassen sich viele von euch für die Toten (stellvertretend) taufen, und warum begebe ich mich täglich in Todesgefahr und hoffe auf Lohn? Wer das lehrt, den meidet; er ist verdorben und verdirbt euch (v. 34 ist ἀγνωσία θεοῦ wie in der Hermetik zugleich ein ethischer Begriff, fast wie gottlos, Gott entfremdet; γνῶσις ist ja der unmittelbare Zusammenhang mit Gott). Zum Streit mit diesem Gottlosen geht der Apostel über, indem er ihn 'Tor' schilt. Er mag wohl versuchen, eine bestimmte Schilderung zu erzielen und an ihr dann die Unmöglichkeit dieser Auferstehungsvorstellung nachzuweisen; so fragt er πῶς ἐγείρονται οἱ νεκροί, ποίῳ δὲ σώματι ἔρχονται;[1] Der

1) Man denke an die Rede des Heiden bei Minucius 11, 7, wo zu schreiben ist *vellem tamen sciscitari, utrumne* <*sine corporibus an*> *cum corporibus et cor-*

Apostel antwortet zunächst: der Körper, das σῶμα — er redet nicht von dem entseelten, sondern von dem beseelten, lebendigen — ist nur das Saatkorn, das vergeht und aus dem etwas ganz anderes wird. Und wie schon der rein materielle Bestandteil des irdischen σῶμα, die von der Auferstehung ausgeschlossene σάρξ, bei den verschiedenen Geschöpfen verschieden ist, so gibt es auch in höherem Sinne verschiedene σώματα, zunächst σώματα ἐπίγεια und σώματα ἐπουράνια, und wie beide an der δόξα θεοῦ verschiedenen Anteil haben, so bestehen auch unter den σώματα ἐπουράνια wieder große Verschiedenheiten: ἄλλη δόξα ἡλίου καὶ ἄλλη δόξα σελήνης (v. 41). Den seltsamen Wortgebrauch, der über den Gebrauch der Septuaginta hinausgehend die Begriffe Ehre, Preis, Kraft und Glanz verbindet und in den Papyri ganz ähnlich wiederkehrt (vgl. S. 289, 314), muß, wie bei den Mandäern und Manichäern, eine wesentliche Eigenschaft, ja die Substanz Gottes und alles Göttlichen sein (der Satz ist ja parallel zu ἄλλη μὲν ἀνθρώπων, ἄλλη δὲ σὰρξ κτηνῶν). Daß er eine Verschiedenheit der δόξα der Verklärten annimmt, deutet Paulus dabei nur leise an, hauptsächlich will er verhüten, daß die Korinther mit dem οὐράνιον σῶμα zu sehr die Vorstellung des Menschen nach seiner Gestalt oder seinem Stoff (kurz, nach dem ἐπίγειον σῶμα) verbinden und will Gottes Macht hervorheben, den verschiedenen Wesen nach freier Entscheidung Anteil an seiner δόξα und seinem Wesen zu geben. Den Unterschied zwischen den beiden Arten von σῶμα betont v. 42 und greift zurück auf das v. 37 begonnene Bild, als ob vorausgegangen wäre ὡς τὸν κόκκον ἄλλον φαμὲν τοῦ φυτοῦ: οὕτως καὶ ἡ ἀνάστασις τῶν νεκρῶν· σπείρεται ἐν φθορᾷ (zugleich räumlicher Begriff, wie im Iranischen: in der Materie), ἐγείρεται ἐν ἀφθαρσίᾳ (im Gottesreich), σπείρεται ἐν ἀτιμίᾳ, ἐγείρεται ἐν δόξῃ (Wesensbestimmungen) σπείρεται ἐν ἀσθενείᾳ (oben S. 315), ἐγείρεται ἐν δυνάμει. Die Zusammenfassung ist σπείρεται σῶμα ψυχικόν, ἐγείρεται σῶμα πνευματικόν. Das Wort σάρκινον mußte vermieden werden, weil es das Bild des leblosen Leibes, der ins Grab gesenkt wird, wach-

poribus quibus, ipsisne an innovatis, resurgatur. sine corpore? hoc quod sciam neque mens neque anima nec vita est. ipso corpore? sed iam ante dilapsum est; alio corpore? ergo homo novus nascitur, non prior ille reparatur.

rufen könnte, Paulus aber den ganzen 'natürlichen Menschen' nach Wesen und Erscheinungsform als das Saatkorn bezeichnen will, aus dem zwar die neue, ganz verschiedene Bildung erwächst, das aber selbst vorher vergehen muß. Wenn er gerade in dieser Verbindung ψυχικόν wählt, so setzt er voraus, daß seine Adressaten diesen Begriff, der hier durch nichts vorbereitet ist, kennen, ihn ohne weiteres mit φυσικόν und ἐπίγειον identifizieren und wissen, daß das Wort nur als Gegensatz zu πνευματικόν gebraucht wird. Weil der eine dieser Begriffe den anderen notwendig verlangt, kann er anschließen εἰ ἔστιν σῶμα ψυχικόν, ἔστιν καὶ πνευματικόν. Der Gegensatz ist also hier nicht, wie man gesagt hat σάρξ und πνεῦμα, sondern ausschließlich ψυχή und πνεῦμα, nur gehört zur ersteren die σάρξ, zur letzteren die δόξα. Ich darf vielleicht jetzt schon sagen, daß hier die iranische Auferstehungsvorstellung, nach der sich aus dem verwesenden Leibe die in ihm enthaltenen Lichtteile später loslösen und als eine Art neuer, unbestimmbarer Leib wieder mit einem beim Tode entweichenden geistigen Teil verbinden, klarer vorliegt als z. B. in der syrischen Baruchapokalypse, die man verglichen hat (v. 49ff.: Sicherlich gibt die Erde alsdann die Toten zurück, die sie empfängt, um sie aufzubewahren, indem sie nichts ändert an ihrem Aussehen ... Und nachdem der festgesetzte Tag vorübergegangen ist, alsdann wird sich hernach das Aussehen derer, die sich verschulden, verwandeln, und auch die herrliche Erscheinung derer, die recht handeln ... deren Glanz wird alsdann in verschiedener Gestalt erstrahlen usw.). Diese iranische Vorstellung ist vom Judentum in verschiedenen Umgestaltungen aufgenommen, und wir dürfen Paulus, zumal an der Stelle, die seine Anschauung im Zusammenhang darlegen will, nur aus ihm selbst deuten. Die spätjüdische Anschauung, die er zugrunde legt, will er nun aus der alten Tradition seines Volkes rechtfertigen und mit ihr in Einklang bringen. So fährt er nicht fort, wie er nach der ersteren müßte: 'Es gibt ja auch zwei Adam, wie wir glauben; der erste war ψυχικός, also muß der zweite πνευματικός sein'. Indem er die Gedankenverbindung, wie oft, nicht ausdrückt, setzt er für den ersten Teil das Gotteswort, das sie stützt und belegt, ein: οὕτως καὶ γέγραπται· Ἐγένετο ὁ πρῶτος Ἄνθρωπος εἰς ψυχὴν ζῶσαν. Nur auf das Wort ψυχή kommt ihm alles an; es zeigt schon an sich die Mangelhaftigkeit dieses Wesens. So fügt er hinzu: ὁ ἔσχατος εἰς πνεῦμα ζωοποιοῦν. ἀλλ' οὐ πρῶτον τὸ πνευματικόν, ἀλλὰ τὸ ψυχικόν, ἔπειτα τὸ πνευματικόν.[1] Daß er in das Zitat aus Gen. 2, 7 das Wort πρῶτος eingesetzt hat, um an es den eigenen Zusatz zu knüpfen, darf, da es den Sinn nicht ändert, nicht befremden, er strebt nach Kürze. Wieder ist die Voraussetzung offenbar, wie v. 44 in dem Satze εἰ ἔστιν σῶμα ψυχικόν, ἔστιν καὶ πνευματικόν, daß das Paar ψυχή und πνεῦμα Gegensätze bildet, die sich wechselseitig bedingen. Wenn es einen Ἄνθρωπος gibt, der nur ψυχή hatte oder war, muß es auch einen geben, der nur πνεῦμα hat oder ist; aber dies ist der zweite, nicht, wie man behauptet hat, der erste. Eine feste, der Gemeinde bekannte Theologie wird vorausgesetzt und wird sich uns als für Paulus grundlegend erweisen, doch müssen wir seinen Beweis erst weiter verfolgen, um diese Voraussetzung richtig zu erfassen. Das Wort der Genesis, das seine Leser kennen müssen, heißt καὶ ἔπλασεν ὁ θεὸς τὸν ἄνθρωπον χοῦν ἀπὸ τῆς γῆς καὶ ἐνεφύσησεν εἰς τὸ πρόσωπον αὐτοῦ πνοὴν (Philo πνεῦμα) ζωῆς, καὶ ἐγένετο ὁ ἄνθρωπος εἰς ψυχὴν ζῶσαν. Daraus entnimmt sich Paulus ὁ πρῶτος Ἄνθρωπος ἐκ γῆς χοϊκός, ὁ δεύτερος Ἄνθρωπος ἐξ οὐρανοῦ. οἷος ὁ χοϊκός, τοιοῦτοι καὶ οἱ χοϊκοί, καὶ οἷος ὁ ἐπουράνιος, τοιοῦτοι καὶ οἱ ἐπουράνιοι. καὶ (es ist die Folgerung, der Schluß eines streng gebauten Syllogismus) καθὼς ἐφορέσαμεν τὴν εἰκόνα τοῦ χοϊκοῦ, φορέσομεν καὶ τὴν εἰκόνα τοῦ ἐπουρανίου (das heißt das σῶμα ἐπουράνιον). Der Auferstehungsbeweis ist damit völlig abgeschlossen. Suchen wir jetzt die Voraussetzungen.

Bei der Besprechung der Genesisstelle geht Philo (Leg. alleg. I 31, vgl. II 4) von einer Scheidung zweier nach Wesen und Abstammung verschiedener Menschenklassen aus, die sich so gut

1) Ich schrieb früher in v. 45 ὁ ἄνθρωπος — ὁ Ἀδάμ (Überlieferung: ὁ πρῶτος ἄνθρωπος Ἀδαμ, daneben ὁ πρῶτος ἄνθρωπος und ὁ πρῶτος Ἀδάμ), in der Fortsetzung ὁ ἔσχατος Ἀδάμ (Überlieferung ἔσχ. ἀδαμ, ὁ ἔσχ. ἄνθρωπος, oder ὁ ἔσχ. κύριος, so Markion). Ich erkenne jetzt an beiden Stellen erklärende Zusätze, entstanden, weil man v. 21 nicht mehr verstand. Diesem entspricht nur: ὁ πρῶτος Ἄνθρωπος und ὁ ἔσχατος. Doch bemerke ich ausdrücklich, daß für die folgenden Ausführungen nichts auf diese Schreibung ankommt.

wie wörtlich bei dem alten Gnostiker Satornil (Hippol., El. VII 28, 6; Irenaeus I 24, 2; Epiphanios XXIII 2, 3) wiederfindet.[1] Sie ist grundlegend für den ganzen Gnostizismus und hat mit einer platonischen Idee des Menschen überhaupt nichts zu tun[2], sondern geht auf eine Fortbildung der zarathustrischen Vorstellung zurück, daß Menschen im Vollsinn nur die Bekenner der rechten Religion sind und der Urmensch die Verkörperung der rechten Religion, des Wissens um Gott oder, wie es im Poimandres ausgedrückt wird, des νοῦς ist. Nur wer zu ihm gehört, d. h. in mystischer Weise von ihm stammt, kehrt zu Gott zurück. Es ist begreiflich, daß das Judentum mit dem Unsterblichkeitsglauben diese Lehre von hier übernahm: das auserwählte Volk Jahves muß diese Sonderstellung einnehmen; seine Religion gibt sie ihm. Für Philo (De conf. lingu. 41 und 146. 147) sind alle Juden als υἱοὶ ἑνὸς ἀνθρώπου (Genes. 42, 11): ἕνα καὶ τὸν αὐτὸν ἐπιγεγραμμένοι πατέρα οὐ θνητὸν ἀλλ' ἀθάνατον ἄνθρωπον θεοῦ, ὃς τοῦ ἀϊδίου λόγος ὢν ἐξ ἀνάγκης καὶ αὐτός ἐστιν ἄφθαρτος (vgl. 146 κατὰ τὸν πρωτόγονον αὐτοῦ λόγον, τῶν ἀγγέλων πρεσβύτατον ὡς ἀρχάγγελον, πολυώνυμον ὑπάρχοντα· καὶ γὰρ ἀρχὴ καὶ ὄνομα θεοῦ καὶ λόγος καὶ ὁ κατ' εἰκόνα ἄνθρωπος καὶ ὁ ὁρῶν, Ἰσραὴλ προσαγορεύεται, 147 καὶ γὰρ εἰ μήπω ἱκανοὶ θεοῦ παῖδες νομίζεσθαι γεγόναμεν, ἀλλά τοι τῆς ἀειδοῦς εἰκόνος αὐτοῦ Λόγου τοῦ ἱερωτάτου. θεοῦ γὰρ εἰκὼν λόγος ὁ πρεσβύτατος, 148 καὶ πολλαχοῦ μέντοι τῆς νομοθεσίας υἱοὶ πάλιν Ἰσραὴλ καλοῦνται). Wir sehen, wie aus diesem πρεσβύτατος λόγος später die Thora wird oder wie später der fromme Jude sich tröstet, daß alle Völker unter der Heimarmene stehen, das Volk Israel aber nicht.[3] Es ist der Grundgedanke der Gnosis, nicht eine philosophische Logos-Lehre, der hier wirkt. Den gleichen Grundgedanken übernimmt Paulus nicht in der philosophischen, wohl aber in der noch unphilosophischen Gestaltung, die er bei den Rabbinen angenommen haben wird,

1) Gött. Gel. Anz. 1924, S. 47, Reitzenstein-Schaeder, Studien zum antiken Synkretismus, 1926, S. 26.

2) Es ist heller Widersinn, daß aus einer platonischen Idee der Gedanke eines Stammes der Seelen erwächst und den Orient erfüllt.

3) Karppe, Les origines du Zohar, S. 76, 77. Das Alter der Vorstellung beweisen die christlichen Gegenbilder Excerpta ex Theodoto 72 und 78, vgl. Poimandres S. 78 oben S. 302.

aber er formt ihn vollständig um. Nicht das Judentum und sein Gesetz, sondern die durch Christus vom Himmel gebrachte Gotteserkenntnis, das Pneuma, schafft den wahren Stamm der Seelen, der unsterblich ist. Mit der Anlehnung an den doppelten Schöpfungsbericht, welche wohl schon die Rabbinen unpassenderweise gesucht haben werden, bricht er entschlossen: jener himmlische Anthropos ist in Wahrheit der zweite, nicht der erste. Erst mit Christus beginnt die wahre Religion und die neue 'Menschheit'.

Hierbei entsteht nun freilich die Frage: wie konnte er, wenn er jene Anlehnung an den doppelten Genesis-Bericht aufgibt, dennoch an der Gewißheit eines zweiten Anthropos derart festhalten, daß er diesen ganzen Schluß, auf den für ihn so unendlich viel ankommt, nur auf ihr aufbaut? Die Antwort kann nur sein: die gnostische These von der Wesensverschiedenheit der beiden Menschenklassen ist ihm und ist seiner Gemeinde eine Glaubens- und Erfahrungstatsache, die außer allem Zweifel steht. Paulus ist Gnostiker; der Träger des πνεῦμα ist ihm wie allen Gnostikern φύσει von dem Psychiker verschieden, und dieser Begriff φύσει verlangt einen anderen Geschlechtszusammenhang, in den die Wiedergeburt hineinstellt. Eine Vorstellung folgt hier aus der anderen, nur dürfen wir den Apostel uns nicht als Philosophen vorstellen, der sich ein System erklügelt. Im Glauben der Umwelt liegt es bereits vor. Ich habe auf die wenig jüngere heidnische Form der Naassenerpredigt bereits hingewiesen,[1] wo zwei Anthropoi geschieden werden, der himmlische, ganz unindividuell gedachte Anthropos, im Grunde ein Kollektivbegriff, der auch Logos heißt, und dasselbe Wesen individuell in dem einzelnen Menschen. Dabei erweckt und leitet jener himmlische Anthropos den irdischen, ja die einzelnen Menschen sind seine Früchte, Abkömmlinge; der ἄκαρπος Ἄττις ist durch sie der πολύκαρπος. Man wird einwenden, daß der Gedanke der beiden Anthropoi oder Adam hier doch anders als bei Paulus gewendet ist. So führe ich ein anderes Gegenbild an,

1) Oben S. 12, breiter ausgeführt Reitzenstein-Schaeder a. a. O. Teil I Kap. IV. Die Grundidee liegt genau so in den rein heidnischen Teilen, die allgemein zugegeben sind: auch hier gibt es zwei Anthropoi.

das uns zeitlich und räumlich noch näher an Paulus heranbringt, die Lehre der Mandäer. Nach ihr ruht in jedem Gläubigen der himmlische Mensch (Adam) und muß nur erweckt werden und wach bleiben, um der Auferstehung sicher zu sein. Der Gesandte aber, der ihn erweckt und emporführt, ist, wenn auch die Namen wechseln, selbst wieder jener himmlische Mensch; was in dem einzelnen ruht, ist sein Abbild, sein Selbst, wie er umgekehrt als dessen Selbst und Abbild bezeichnet werden kann. Aber noch mehr: einer unter den wechselnden, jetzt in ein System gebrachten Namen ist Enōš oder Anōš, also Ἄνθρωπος. Es ist der *bar naṣa* der jüdischen Eschatologie, der Menschensohn, d. h. Mensch. Eine ganz bestimmte religiöse Erwartung verbindet sich in weiten Kreisen des Judentums mit ihm, und Jesus hat sie geteilt; er hat sich selbst als der *bar naṣa* gefühlt. Habe ich rein logisch v. 21 richtig gedeutet, so hat Paulus den Titel der Menschensohn gekannt und, wenigstens hier, anerkannt, ihn aber freilich in richtiges und verständliches Griechisch übersetzt.[1] Daß die Vorstellung bei ihm eine andere Ausgestaltung annimmt, gebe ich natürlich zu. Viel stärker tritt in der paulinischen Definition πνεῦμα ζωοποιοῦν jenes in der Umwelt Israels fortgebildete iranische Grundempfinden hervor. Wir können es jetzt noch besser verstehen: jenes innere Selbst, das Innerste in uns, läßt sich ja griechisch gar nicht anders als durch πνεῦμα wiedergeben, und der Begriff des Lebens ist mit dem Göttlichen unlöslich verknüpft, zugleich aber der Begriff des Erlösens; der σωτήρ ist syrisch der Lebendigmacher. Jenes wunderbare tiefe Wort 'ich lebe, doch nun nicht ich, Christus lebet in mir', ja die ganze Vorstellung von dem Χριστὸς ἐν ἡμῖν läßt sich aus der Bestimmung ὁ δὲ κύριος τὸ πνεῦμά ἐστιν, die Bousset mit Recht als Grundlage der paulinischen Christologie bezeichnet hat[2], erst voll verstehen. Das lehrreichste Gegenbild bietet ja wohl der Prolog des Johannesevangeliums, in dem Prof. H. H. Schaeder[3] soeben

1) Der Begriff mußte der Gemeinde des Johannesjüngers Apollos bekannt sein und in anderer Form wohl auch der Petrusgemeinde. Paulus konnte also das Wort hier verwenden.

2) Kyrios Christos S. 142, vgl. 128.

3) Reitzenstein-Schaeder II, S. 306 f.

ein aramäisches Lied auf den Enōš in leichter christlicher Überarbeitung erkannt und philologisch zu erweisen versucht hat. Aber auch jene beiden Apokalypsen, die ich in dem gleichen Buch[1] aus der Himmelfahrt des Jesaja und einem zwar jüdisch, aber noch nicht christlich gefärbten Stück der Naassenerpredigt herausgelöst habe, können uns einen tieferen Eindruck von der an den Menschensohn-Begriff knüpfenden Richtung der messianischen Hoffnungen im Judentum geben, und von dieser Seite läßt sich vielleicht der Versuch machen, Paulus zu verstehen. Gerade, wenn er als Jude sie geteilt oder wenigstens an sie glauben zu können gewünscht und doch die Christen als die Anhänger eines falschen Messias bekämpft hat, muß die Erscheinung des Auferstandenen, d. h. die innere Gewißheit, ihn gesehen zu haben, ihn dazu führen, jenes theologische System auf ihn zu übertragen. Doch das sind Vermutungen, welche die Grenze der philologischen Aufgabe überschreiten. Um sie zu erfüllen, habe ich nur zwei Kleinigkeiten noch nachzutragen. In v. 45—47 darf man dahinter, daß dem πρῶτος ἄνθρωπος zuerst ein ἔσχατος, dann ein δεύτερος entgegengesetzt wird, nichts Besonderes suchen. Wird die Abfolge betont und liegt auf ihr alles Gewicht, so kann, auch wenn es sich nur um zwei Glieder handelt, das zweite derartig superlativisch bezeichnet werden, vgl. Euripides, Androm. 390 ἐκοιμήθην βίᾳ σὺν δεσπόταισι· κᾆτ' ἔμ', οὐ κεῖνον κτενεῖς, τὸν αἴτιον τῶνδ', ἀλλὰ τὴν ἀρχὴν ἀφεὶς πρὸς τὴν τελευτὴν ὑστέραν οὖσαν φέρει; oder Properz II 10, 7 *aetas prima canat Veneres, extrema tumultus* (für *prior* und *posterior*). Das ist psychologisch begreiflich. Eigenartig ist ferner in v. 49 der Gebrauch des Bildes καθὼς ἐφορέσαμεν τὴν εἰκόνα τοῦ χοϊκοῦ, φορέσομεν καὶ τὴν εἰκόνα τοῦ ἐπουρανίου. Gewiß ist das Bild des Gewandes für den Leib überall begreiflich und zu belegen; aber daß für das Gewand hier εἰκών eintritt, stimmt auffällig dazu, daß gerade in den jungiranischen Totentexten Gewand und Abbild völlig ineinanderfließen; das Gewand wächst in dem Seelenhymnus der Thomasakten mit den Taten des Helden, für den es aufbewahrt wird, er schaut sich in ihm wie in einem Spiegel, weil

1) Teil I, S. 193, 194.

es ihm ähnlich ist, es eilt ihm entgegen. Andere Beispiele bieten die mandäischen Totenlieder in Fülle.

Erst in v. 50 geht Paulus zu der Form der Lehre über, und wir spüren den Unterschied. Er nennt zunächst die Voraussetzung für alles Vorausgegangene wie für das Folgende, das grundlegende Dogma der späteren iranischen Eschatologie: die Materie selbst (σάρξ καὶ αἷμα), das schlechthin Vergängliche (die φθορά, wie im Iranischen ein konkreter Begriff) ist von der Gotteswelt (ἀφθαρσία) ausgeschlossen. Was wird dann mit denen, die im materiellen Leibe den Tag der Wiederkunft erleben? Müssen sie den Leib erst ablegen, also sterben, wenn doch der Tod bezwungen oder, wie es im Mandäischen und Manichäischen heißt, getötet ist? Paulus lehrt, daß für sie an Stelle von Tod und Auferstehung, die ja nur Verwandlung sind, eine andere Art Verwandlung tritt. Sie gleicht einem Überkleiden der Materie durch das Immaterielle, wobei erstere im letzteren vergeht: δεῖ γὰρ τὸ φθαρτὸν τοῦτο ἐνδύσασθαι ἀφθαρσίαν (also τὸ ἄφθαρτον) καὶ τὸ θνητὸν τοῦτο ἐνδύσασθαι ἀθανασίαν (τὸ ἀθάνατον). Daß der Apostel diesen Satz schwer wiederholt, indem er versichert, wenn das geschieht, ist der Spruch Jesajas (25, 8) erfüllt κατεπόθη ὁ θάνατος εἰς νῖκος, läßt mich in dem Worte ὁ θάνατος hier einen konkreten Begriff τὸ θνητόν vermuten (wie φθορά für τὸ φθαρτόν eintritt). Dafür spräche die offenbar in Erinnerung hieran geprägte Wendung II. Kor. 5, 4 ἵνα καταποθῇ τὸ θνητὸν ὑπὸ τῆς ζωῆς. Einst war es umgekehrt; da hatte die Materie das Göttliche bezwungen (verschlungen) und scheinbar besiegt. Dieser Gedanke läßt ihn Hosea 13, 14 frei umbilden (er meidet das Wort ῞Αιδης) und zugleich erläutern ποῦ σου, θάνατε, τὸ κέντρον; ποῦ σου, θάνατε, τὸ νῖκος; τὸ δὲ κέντρον τοῦ θανάτου ἡ ἁμαρτία, ἡ δὲ δύναμις τῆς ἁμαρτίας ὁ νόμος. Auch hierbei scheint θάνατος noch für die Materie, für τὸ θνητόν, und zwar für das an dem Individuum Sterbliche gesagt. Denn Paulus faßt, wie das Schlußwort zeigt, den Hergang so auf, als ob der einzelne Christ dabei den Tod (das Vergängliche in sich) und mit ihm die Sünde durch Christi Eingreifen besiegt. Aus dem Siege Christi (v. 26) wird der Sieg des Christen, der ja Christus in sich trägt.

Gewiß schöpft Paulus nicht direkt aus dem Iranischen; nur

um die Vorstellungen seiner Zeit zu charakterisieren, führe ich an, daß im Spätiranischen einem ersten Kampfe des Ōhrmazd (des 'Menschen') mit der Materie, in dem dieser unterliegt und verschlungen wird, ein zweiter am Ende aller Dinge entspricht, bei dem Ōhrmazd die Materie oder Vergänglichkeit (Vernichtung, Tod, aber auch Gier, Sünde) besiegt und vernichtet.

Ich bin mir bewußt, daß die Deutung, die ich dem Worte θάνατος in v. 45 gegeben habe, starken Wiederspruch finden wird, so sehr auch für sie spricht, daß damit erst der Sieg des einzelnen Christen dem Siege Christi (v. 26) klar gegenübergestellt wird (auch der einzelne Tote empfängt im spätiranischen Totenritual den Kranz der Siege, bzw. den Kranz der Gerechtigkeit). So verfolge ich zunächst den eigentümlichen Sprachgebrauch. Orientalische Färbung (z. B. in dem Gebrauch von φθορά und ἀφθαρσία, τὸ θνητόν und ἀθανασία) wird in dem ganzen Abschnitt empfinden, wer mandäische und manichäische Texte einigermaßen kennt. Am klarsten ist er gerade in dem Gebrauch des Wortes θάνατος. Ich vergleiche zunächst einen Abschnitt aus Corp. herm. VII, einer von Philo schon benutzten, eigentümlichen Schrift, in der sich orientalische Grundanschauungen und Formeln platonischer Philosophie wunderbar durchdringen, wie ich schon in den Götting. Gel. Anz. 1911, S. 555 ff. erwiesen habe. Hier heißt es, § 2: ζητήσατε χειραγωγὸν τὸν ὁδηγήσοντα ὑμᾶς ἐπὶ τὰς τῆς γνώσεως θύρας, ὅπου ἐστὶ τὸ λαμπρὸν φῶς τὸ καθαρὸν σκότους (iranischer Terminus), ὅπου οὐδὲ εἷς μεθύει, ἀλλὰ πάντες νήφουσιν (iranisches Bild) ἀφορῶντες τῇ καρδίᾳ εἰς τὸν ὁραθῆναι θέλοντα. οὐ γάρ ἐστιν ἀκουστὸς οὐδὲ λεκτὸς οὐδὲ ὁρατὸς ὀφθαλμοῖς, ἀλλὰ νῷ καὶ καρδίᾳ. πρῶτον δὲ δεῖ σε περιρρήξασθαι ὃν φορεῖς χιτῶνα, τὸ τῆς ἀγνωσίας ὕφασμα, τὸ τῆς κακίας στήριγμα, τὸν τῆς φθορᾶς δεσμόν, τὸν σκοτεινὸν περίβολον, τὸν ζῶντα θάνατον, τὸν αἰσθητ⟨ικ⟩ὸν νεκρόν, τὸν περιφόρητον τάφον, τὸν ἔνοικον λῄστην, τὸν δι' ὧν φιλεῖ μισοῦντα καὶ δι' ὧν μισεῖ φιλοῦντα (φθονοῦντα Hss.).[1] τοιοῦτός ἐστιν ὃν ἐνεδύσω ἐχθρὸν χιτῶνα,

1) Das Gewebe des Körpers bewirkt die ἀγνωσία, und ist, da sie die κακία ist, ihre Stütze und Grundlage; der Körper ist der tückische Feind, der, wenn er uns hätschelt, uns haßt, wenn er uns Not bereitet, uns also lieben würde (anders Scott II 186. 187).

ἄγχων σε κάτω πρὸς αὐτόν, ἵνα μὴ ἀναβλέψας καὶ θεασάμενος τὸ κάλλος τῆς ἀληθείας καὶ τὸ ἐγκείμενον ἀγαθὸν μισήσῃς τὴν τούτου κακίαν, νοήσας αὐτοῦ τὴν ἐπιβουλήν, ἣν ἐπεβούλευσέ σοι τὰ δοκοῦντα καὶ μὴ ⟨ὄντα αἰσθητήρια χαρισάμενος, τὰ δὲ⟩ νομιζόμενα αἰσθητήρια ἀναίσθητα ποιῶν τῇ πολλῇ ὕλῃ αὐτὰ ἀποφράξας (vgl. I 22 πυλωρὸς ὢν ἀποκλείσω τὰς εἰσόδους) καὶ μυσαρᾶς ἡδονῆς ἐμπλήσας, ἵνα μήτε ἀκούῃς περὶ ὧν ἀκούειν σε δεῖ, μήτε βλέπῃς περὶ ὧν βλέπειν σε δεῖ. Gewiß kann man bei den Bildern für den Leib an Platos Gleichung von σῶμα und σῆμα erinnern; aber weit enger erinnern die Einzelausdrücke (z. B. λῄστης, eine bei den Mandäern für den Körper wie für die Materie übliche Bezeichnung) an iranische Formeln, und gerade unter ihnen begegnet bei den Manichäern 'der geborene Tote'; ja noch mehr eine feste Wendung bei Mandäern und Manichäern, also gegen jeden Verdacht der Entlehnung aus dem Christentum geschützt, ist die Formel 'der Leib des Todes'. Wenn gerade diese ganz eigenartige Wendung bei Paulus Röm. 7, 24 wiederkehrt, ohne daß dafür zwingende Gründe vorhanden sind (er konnte nach dem Zusammenhang τίς με ῥύσεται ἐκ τοῦ σώματος τούτου oder nach v. 10 auch ἐκ τοῦ θανάτου sagen; die Verbindung ist befremdlich), so halte ich das schon an sich für einen zwingenden Beweis, daß durch die jüdische Eschatologie iranische Formeln und Bilder zu ihm gedrungen sind. Da nun an der Stelle, von der ich ausging, I. Kor. 15, 55. 56 zweifellos die Gedankenreihen von Röm. 7 voraus wirken und zugleich iranische eschatologische Vorstellungen einwirken, halte ich die Deutung von θάνατος dort für sprachlich durchaus unanstößig. Ich möchte sogar noch weitergehen.

Das Bild des Gewandes für den Leib liegt so nahe, daß es wohl in den meisten Literaturen nachweisbar sein wird, ähnlich wie das Bild des Hauses. Seine Verbreitung wird da am stärksten sein, wo im Totenkult das weiße Kleid (oder ein Götterkleid) dem Toten als Symbol des himmlischen Leibes angelegt wird, wie dies auch auf iranischem Boden zum Teil üblich gewesen sein muß (selbst bei den Parsen ist es wenigstens eine weiße Umhüllung). Hier tritt der bildliche Ausdruck oft völlig für die ursprüngliche Benennung ein; oder zwei Bilder vermischen sich:

der Gerechte zieht die leuchtende Wohnung an, die Seele wohnt hier in dem Kleide verzehrenden Feuers; der Körper ist der Lehmrock, oder der niedersteigende Gott wohnt im Tränengewande (in der Welt als dem Haus der Tränen). Auch derartige Eigenheiten können in Verbindung mit anderen Kennzeichen Beweiskraft gewinnen. So analysiere ich in Kürze noch eine zweite Stelle des Paulus, die mit I. Kor. 15 in Zusammenhang steht, II. Kor. 4, 16ff. Paulus fühlt seinen äußeren Menschen von Tag zu Tag sich verzehren und vergehen (διαφθείρεσθαι) und in notwendigem Zusammenhang damit den inneren von Tag zu Tag sich erneuern (ἀνακαινοῦσθαι). Daß er öfters schon von einem täglichen Sterben geredet hat und die ἀνακαίνωσις das Wunder der Neuschöpfung dem Tode gegenüberstellt, erklärt die Wortwahl. Der Ausdruck ἔσωθεν ἄνθρωπος ist dabei an sich ebenso doppeldeutig wie πνεῦμα (oben S. 308f.) und könnte rein natürlich jenen inneren Menschen bezeichnen, mit dem wir im Denken und Selbstgespräch reden (vgl. Philo, Quod det. pot. insid. §23 Cohn; Tertullian, Adv. Praxean 5, L. Rosenmeyer, Quaest. Tertullianeae [Straßburg 1909] S. 1; es wäre abgeschmackt, für solche Vorstellung auf Platos Scheidung eines äußeren und inneren Sokrates zurückzugehen); die Quelle brauchte dabei durchaus nicht philosophisch zu sein; das Wort λόγος oder συνείδησις, ja selbst die tägliche Erfahrung führte leicht darauf. Es kann andrerseits jenes göttliche Wesen in uns bezeichnen, das im Mysterium, wie wir sahen, verliehen wird. So scheidet der späte, heidnische Schriftsteller Zosimos (Poimandres S. 104) von dem ersten Menschen noch einen ἔσω αὐτοῦ ἄνθρωπος πνευματικός und läßt auch jeden von uns einen φωτεινὸς καὶ πνευματικὸς ἄνθρωπος in sich tragen, der daneben kurzweg τὸ φωτεινὸν ἡμῶν πνεῦμα heißt; die Wesensbezeichnung für ihn ist Φῶς, er ist der Adakas der Mandäer; er war es, der ursprünglich im 'Paradiese' war und von dem Bösen überredet ward, in den körperlichen Adam einzugehen. Dieselbe Vorstellung findet sich vereinzelt auch bei den Mandäern. Bei den Manichäern heißt er ὁ καινὸς ἄνθρωπος, er besteht nach ihnen aus fünf Elementen, wie der natürliche Mensch, aber diese Elemente sind zugleich Gotteskräfte (vgl. den ähnlichen Gedanken im Kolosserbrief 3, oben S. 269). Der Zusammenhang muß entscheiden, welche Deutung wir dem Ausdruck hier geben. Ein Zweifel scheint mir ausgeschlossen. Paulus ist zufrieden: die leicht erträgliche Bedrängnis des Augenblicks schafft ihm für ewig eine überschwengliche Fülle und Wucht (βάρος) von δόξα. Ich werde den seltsamen Ausdruck nicht mehr aus dem hebräischen Worte *kābōd* herleiten, seit ich bei den Mandäern gelesen habe, daß die auffahrende Seele eine Last (βάρος) trägt, vor der die Welten erbeben; es ist die Fülle des Glanzes. Diese seine Hoffnung begründet Paulus (5, 1) οἴδαμεν γὰρ ὅτι ἐὰν ἡ ἐπίγειος ἡμῶν οἰκία τοῦ σκήνους καταλυθῇ (vgl. Corp. herm. XIII 15 καλῶς σπεύδεις λῦσαι τὸ σκῆνος, es handelt sich um das σῶμα ἐπίγειον des ersten Briefes), οἰκοδομὴν ἐκ θεοῦ ἔχομεν, οἰκίαν ἀχειροποίητον αἰώνιον ἐν τοῖς οὐρανοῖς (auch mandäische Vorstellung, zu vergleichen ist auch der von Gott selbst im Himmel gebaute Leib, den der Myste der Mithrasliturgie über sich weiß). καὶ γὰρ ἐν τούτῳ στενάζομεν, τὸ οἰκητήριον ἡμῶν τὸ ἐξ οὐρανοῦ ἐπενδύσασθαι ἐπιποθοῦντες, εἴ γε καὶ ἐκδυσάμενοι οὐ γυμνοὶ εὑρεθησόμεθα. Hier zeigt sich jenes Ineinanderfließen der beiden Bilder, das uns aus dem Iranischen bekannt ist. Über die Deutung wird bekanntlich gestritten. Wer εἴ γε (gleich εἴ περ) einfach erklären will, kann nur deuten, daß für das ἐπενδύσασθαι, das Anlegen eines Obergewands über eine schon vorhandene Hülle, die unerläßliche Vorbedingung ist, daß wir, auch wenn wir das irdische Gewand ablegen müssen, darunter noch eine andere Hülle haben, über die das Himmelskleid sich legt; wer sie nicht hätte, könnte das σῶμα ἐξ οὐρανοῦ oder οὐράνιον nicht empfangen. Wieder setzt Paulus voraus, daß seine Leser wissen, was diese zweite, unbedingt nötige Hülle ist, und wiederholt nur betonend (v. 4) καὶ γὰρ οἱ ὄντες ἐν τῷ σκήνει στενάζομεν βαρούμενοι, ἐφ' ᾧ οὐ θέλομεν ἐκδύσασθαι, ἀλλ' ἐπενδύσασθαι, ἵνα καταποθῇ τὸ θνητὸν ἡμῶν ὑπὸ τῆς ζωῆς. Gewiß empfinden wir dies Gewand des irdischen Körpers als drückende Last, aber wir sehnen uns, es nicht einfach abzulegen (zu sterben und tot zu sein), sondern dafür oder darüber jenes andere Obergewand zu erhalten, das uns ein neues Leben gibt. Die Unklarheit des Ausdrucks liegt darin, daß Paulus sich hier zu denen rechnet, die selbst den Tag des Herrn noch erleben und das Himmelskleid über das irdische ziehen werden, daß er aber auch die berücksichtigt, die vorher gestorben sind, also das irdische Kleid abgelegt haben; für beide war der Besitz eines ἔσωθεν ἄνθρωπος notwendige Voraussetzung für den Erwerb des σῶμα ἐπουράνιον. Ich darf also in v. 3 nicht verbinden εἴ γε καί, sondern muß das letzte Wörtchen zu ἐκδυσάμενοι (εἰ καὶ ἐξεδυσάμεθα) ziehen: wenn anders wir, auch wenn wir auch den irdischen Leib vorher hätten ablegen müssen, nicht nackt dastehen würden. Um auszudrücken, daß er davon für alle Fälle fest überzeugt ist, setzt Paulus trotz des gedachten Falles (Irrealis) die positive Aussage. Ein ähnliches Beispiel grammatischer Freiheit oder Feinheit wird uns später beschäftigen. Paulus fährt fort: ὁ δὲ κατεργασάμενος ἡμᾶς εἰς αὐτὸ τοῦτο θεός (vgl. I 15, 57 τῷ διδόντι ἡμῖν τὸ νῖκος), ὁ καὶ δοὺς ἡμῖν τὸν ἀρραβῶνα τοῦ πνεύματος (vgl. Suidas ἀρραβών· ἡ ἐν ταῖς ὠναῖς παρὰ τῶν ὠνουμένων διδομένη πρώτη καταβολὴ ὑπὲρ ἀσφαλείας). Erst das neue Bild bringt den Gedanken voll zum Abschluß: der ἔσωθεν ἄνθρωπος, den wir unter dem ἐπίγειον σῶμα verborgen tragen als eine Art ἔνδυμα, ist zugleich das Angeld. Er ist für Paulus wie für Zosimos das πνεῦμα. Auf den Parallelismus mit Römerbr. 8, 23 καὶ αὐτοὶ τὴν ἀπαρχὴν τοῦ πνεύματος ἔχοντες καὶ αὐτοὶ ἐν ἑαυτοῖς στενάζομεν υἱοθεσίαν ἀπεκδεχόμενοι, τὴν ἀπολύτρωσιν τοῦ σώματος ἡμῶν· τῇ γὰρ ἐλπίδι ἐσώθημεν verweisen die Kommentare mit Recht. Selbst das letzte Sätzchen findet II. Kor. 5, 7 sein Gegenbild διὰ πίστεως γὰρ περιπατοῦμεν, οὐ δι' εἴδους. Die ἀπαρχή ist die πρώτη καταβολή, das πνεῦμα ἔχειν der Beginn, die Anfangsstufe des πνεῦμα εἶναι. Es ist mir nicht gleichgültig, daß der Tag der Mysterienweihe auch bei Apuleius (XI 23) als *dies divino vadimonio destinatus* bezeichnet wird; er gibt die göttliche Bürgschaft für die verheißene volle σωτηρία, eine Bürgschaft, die sich bekanntlich von Zeit zu Zeit wiederholt. Auf ihr beruht die *fiducia germanae religionis*, die auch Apuleius (XI 28) auf den Empfang des πνεῦμα gründet (vgl. *spiritu faventis Eventus*, d. h. des Ἀγαθὸς δαίμων). Wie eng sich der Wortgebrauch des Paulus mit der Mysteriensprache berührt, zeigt auch das hermetische Wiedergeburtsmysterium (Corp. herm. XIII): die υἱοθεσία tritt auch in ihm erst nach der vollen Auflösung des irdischen Leibes und der Loslösung von der Welt ein, die dort allerdings vor den irdischen Tod fällt; erst danach wird gesagt (§ 14) θεὸς πέφυκας καὶ τοῦ ἑνὸς παῖς. Den Wortgebrauch τῇ γὰρ ἐλπίδι ἐσώθημεν erläutert § 1 μηδένα δύνασθαι σωθῆναι πρὸ τῆς παλιγγενεσίας: die σωτηρία ist das neue Leben, das wir zur Zeit nur in Hoffnung, d. h. als ein erhofftes haben. So mag zum Schluß erwähnt sein, daß auch in der hermetischen Literatur, freilich in Abschnitten, die von griechischer Philosophie mit beeinflußt sind, das πνεῦμα als Gewand bezeichnet wird (z. B. X 17).

Jene materielle Veränderung, die hier auf Erden schon mit dem Christen vorgegangen sein muß, damit er das σῶμα οὐράνιον empfangen kann, beschreibt Paulus bekanntlich II. Kor. 3, 18: ἡμεῖς δὲ πάντες ἀνακεκαλυμμένῳ προσώπῳ τὴν δόξαν κυρίου κατοπτριζόμενοι (schauend und spiegelnd) τὴν αὐτὴν εἰκόνα μεταμορφούμεθα ἀπὸ δόξης εἰς δόξαν, καθάπερ ἀπὸ κυρίου πνεύματος (vgl. I. Clem. 36, 2). Der in der Mysteriensprache übliche Ausdruck μεταμορφούμεθα (vgl. oben S. 262, Apuleius XI 30: *non in alienam quampiam personam reformatus*) befremdet hier ein wenig, da er zu δόξα (Verklärung) nicht völlig paßt; nicht in einer Änderung der Gestalt, sondern des Wesens, bzw. des Grades der Verklärung besteht die μεταμόρφωσις, und Paulus ist sich der Eigenartigkeit des Gebrauches wohl bewußt, indem er τὴν αὐτὴν εἰκόνα μεταμορφοῦσθαι mit gewollter Künstelei verbindet und auch Römerbr. 8, 29 das σύμμορφον εἶναι τῆς εἰκόνος τοῦ υἱοῦ θεοῦ als Wirkung des δοξάζεσθαι faßt. Man möchte fast vermuten, daß er die Ausdrücke schon vorgefunden hat, und daß ihm die μορφὴ θεοῦ bei dem göttlichen σῶμα ἀσώματον etwas Wesenhaftes ist. Stellen, wie Phil. 3, 21: ὃς μετασχηματίσει τὸ σῶμα τῆς ταπεινώσεως ἡμῶν σύμμορφον τῷ σώματι τῆς δόξης αὐτοῦ und Phil. 2, 6: ἐν μορφῇ θεοῦ ὑπάρχων (Gegensatz μορφὴν δούλου ἔλαβεν) passen dazu. Nun ist die μορφὴ θεοῦ ein der hellenistischen Mystik geläufiger Begriff, der zunächst natürlich rein äußerlich gefaßt wird; die ὀνόματα und die μορφαί seines Gottes muß der Zauberer kennen, dann kennt er sein Wesen; hierdurch wird wie ὄνομα so auch μορφή bedeutungsvoll und fast selbständig; das ὄνομα oder die μορφή handelt; beides verbindet sich dann mit πνεῦμα, vgl. oben S. 310: ὄνομά σου καὶ πνεῦμά σου ἐπ' ἀγαθοῖς und Wessely, Denkschr. d. K. K. Akad. 1888, S. 73, Z. 1174: πρόσεχε, μορφὴ καὶ πνεῦμα (Gott ist beides), vgl. bei Paulus: καθάπερ ἀπὸ κυρίου πνεύματος. Von der μορφὴ θεοῦ gehen mystische Einwirkungen aus, vgl. oben S. 187: συνεστάθην σου τῇ ἱερᾷ μορφῇ, ἐδυναμώθην τῷ ἱερῷ σου ὀνόματι, ἐπέτυχόν σου τῆς ἀπορροίας τῶν ἀγαθῶν. So muß die Seele selbst die μορφὴ θεοῦ annehmen, und Gott bewirkt dies, indem er in sie eintritt, vgl. oben S. 45 A.: ἔμβηθι αὐτοῦ εἰς τὴν ψυχήν, ἵνα τυπώσηται τὴν ἀθάνατον μορφὴν ἐν φωτὶ κραταιῷ καὶ ἀφθάρτῳ (es ist das φωτίζεσθαι oder *illustrari* in dem metaphysischen Sinn, vgl. Apuleius XI 29). Daß die Schau Gottes dasselbe bewirkt, sahen wir oben. Von hier ist sofort verständlich, daß eine beständige Schau Gottes in uns eine μεταμόρφωσις bewirkt, eine Wesensänderung in immer steigender Verklärung zu ein und demselben Bilde. Den hellenistischen Gedanken der ὁμοίωσις durch das Schauen habe ich mehrfach besprochen und könnte höchstens einen Verweis auf Corp. herm. XVII (Poimandres 354) hinzufügen: ἔστιν, ὦ βασιλεῦ, καὶ σωμάτων (ergänze εἴδη oder dgl.) ἀσώματα. ποῖα; ἔφη ὁ βασιλεύς. τὰ ἐν τοῖς ἐσόπτροις φαινόμενα σώματα ἀσώματα οὐ δοκεῖ σοι εἶναι; ... οὕτως ἀντανακλάσεις εἰσὶ τῶν ἀσωμάτων πρὸς τὰ σώματα καὶ τῶν σωμάτων πρὸς τὰ ἀσώματα, τουτέστι τοῦ αἰσθητοῦ πρὸς τὸν νοητὸν κόσμον καὶ τοῦ νοητοῦ πρὸς τὸν αἰσθητόν. Gewiß ist dies eine junge, von platonischer Philosophie beeinflußte Rechtfertigung der Annahme eines σῶμα ἀσώματον, aber dieser Begriff selbst liegt in dem Wiedergeburtsmysterium klar zutage, ja das σῶμα πνευματικόν oder οὐράνιον ist der Grundbegriff dieser ganzen Mystik; möglich also, daß der Vergleich schon alt ist, zumal ja auch die Vorstellung des Menschen als Gegenbild seines Gottes uralt ist.

Wieder haben wir einen im wesentlichen hellenistischen Gedankenzusammenhang, und in ihm scheint mir die eigentümliche Verbindung der Begriffe δόξα und πνεῦμα (vgl. die Worte καθάπερ ἀπὸ κυρίου πνεύματος) zwingend auf eine Mysterienvorstellung zu weisen, die uns am klarsten in der alchemistischen Schrift (oben S. 314) vorliegt; ähnlich im Corp. herm. X 6. 7 (oben S. 289). Könnte die Auffassung des Lichtes als des Wesens der Gottheit an verschiedenen Stellen unabhängig entstanden sein, so doch sicher nicht der eigentümliche Gebrauch des Wortes δόξα. Die Bedeutungen, die ich für das Paulus-Wort ἄλλη δόξα ἡλίου καὶ ἄλλη δόξα σελήνης glaubte aus dem Zusammenhang erschließen zu müssen (oben S. 347), kehren alle in den Zauberpapyri wieder. Da lesen wir (Dieterich, Abraxas 176, 5) σὺ γὰρ ἔδωκας ἡλίῳ τὴν δόξαν καὶ τὴν δύναμιν oder (ebd. in dem Feuerzauber 191, 3) ἄκουε, πῦρ, ἔργον εὑρήματος θεοῦ, δόξα τοῦ ἐντίμου φωστῆρος. Das umschließt den Begriff Ehre (vgl. ἐντίμου) wie Kraft. Von hier aus deute ich das Gebet des Zauberers an Isis (Kenyon, Greek Pap. Brit. Mus. I 100 = Wessely, Denkschrift d. K. K. Akad. 1893, Z. 512) δόξασόν με, ὡς ἐδόξασα τὸ ὄνομα τοῦ υἱοῦ σου Ὥρου: das Sprechen der Zauberformel verherrlicht ihn selbst (gibt ihm Gotteskraft) und verherrlicht (preist) den Gott. Ein anderer Zauberer (Wessely, Denkschr. d. K. K. Akad. 1888, S. 73. 74, Z. 1171—1200) sagt nach der Anrufung δεῦρό μοι ὁ ἐνφυσήσας τὸν σύμπαντα κόσμον, ὁ τὸ πῦρ κρεμάσας ἐκ τοῦ ὕδατος καὶ τὴν γῆν χωρίσας ἀπὸ τοῦ ὕδατος . . . κόσμου κτίστα, τὰ πάντα κτίστα, θεὲ θεῶν aufnehmend: ἐφώνησά σου τὴν ἀνυπέρβλητον δόξαν, ὁ κτίσας θεοὺς καὶ ἀρχαγγέλους καὶ δεκανούς. αἱ μυριάδες τῶν ἀγγέλων παρεστήκασι καὶ ὕψωσαν τὸν Οὐρανόν, καὶ ὁ κύριος ἐπεμαρτύρησέ σου τῇ Σοφίᾳ, ὅ ἐστιν Αἰῶν⟨ι⟩, καὶ εἶπεν σὲ σθένειν, ὅσα καὶ αὐτὸς σθένει. Man sieht: jüngste jüdische Zauberliteratur wirkt mit ein, doch ist die Grundlage alt. In dem Schöpfungsbericht des Abraxas, den ich in dem Aufsatz 'Die Göttin Psyche in der hellenistischen und frühchristlichen Literatur', Sitzungsber. d. Heidelberger Akademie 1917, Abh. 10, S. 23ff. als Teil einer alten iranischen Heiligen Schrift erwiesen habe, lautet eine Stelle der volleren Fassung, die ich jetzt etwas anders herstelle als dort S. 31 (Dieterich, Abraxas 183, 64) καὶ ἐφάνη Κρόνος (Dieterich, Καιρός Preisendanz, κρος Pap.) κατέχων σκῆπτρον μηνύον βασιλείαν καὶ ἐπέδωκεν τῷ θεῷ τῷ πρώτῳ κτιστῷ. καὶ λαβὼν ἔφη· Σὺ τὴν δόξαν τοῦ φωτὸς περιθέμενος ἔσῃ μετ' ἐμὲ ὡς πρῶτος ἐπιδούς μοι σκῆπτρον, πάντα δὲ ὑπὸ σὲ ἔσται. τοῦ δὲ περιθεμένου (περιθεμένῳ Pap.) τοῦ φωτὸς τὴν δόξαν ὁ [δὲ] τροπὸς τοῦ φωτὸς ἔδειξέν τινα αὔραν. ἔφη ὁ θεὸς τῇ Βασιλίσσῃ· Σὺ περιθεμένη τὴν αὔραν τοῦ φωτὸς ἔσῃ μετ' αὐτὸν περιέχουσα τὰ πάντα· αὐξήσεις τῷ φωτὶ ἀπ' αὐτοῦ λαμβάνουσα καὶ πά⟨λι⟩ν ἀπολήξεις δι' αὐτοῦ· σὺν σοὶ πάντα αὐξήσει καὶ μειωθήσεται. Die Stelle ist religionsgeschichtlich wichtig; gibt sie doch ein sicheres Zeugnis, daß durch die Einsetzung Ahura Mazdas der alte Gott Zurvān verdrängt ist; man erfand später einen Tausch der Herrschaft oder ihrer Insignien, der in der mithräischen Kunst sogar dargestellt ist; bei einzelnen Stämmen freilich blieb er mit seiner Königin an erster Stelle. Daß diese hier die Mondgöttin ist, kann griechischer Überarbeitung gehören (im Iranischen ist der Mond männlich, bei Mani lenkt ihn die mannweibliche παρθένος τοῦ φωτός). Wichtig ist ferner die genaue Beschreibung des *xᵛarenō*, der δόξα τοῦ φωτός. Sie ist das διάδημα (τροπός ist ja die aus Leder gedrehte runde Schlinge) und gleich dem Kranz der Siege (oder Gerechtigkeit) bei Mandäern und Manichäern, ihr schwächeres Abbild die αὔρα τοῦ φωτός (der Heiligenschein, die Aureole). Schon hier enthält sie zugleich das Wesen und die Macht des Lichtes (Gottes). Unendlich oft begegnet uns das Wort in den manichäischen Texten und geht in andere Sprachen, z. B. die armenische, über (der Grieche umschreibt es dort immer δόξα). Der Begriff schillert offenbar zwischen Glanz, Ruhm, Kraft und Göttlichkeit; selbst von einer δόξα der Religion oder des Glaubens wird gesprochen, und ihre Elemente werden aufgezählt. Es ist geradezu ein Grundbegriff der iranischen Religion.[1] Ich irrte, wenn ich früher den entsprechenden Gebrauch von δόξα wegen der Septuaginta aus dem Ägyptischen ableiten wollte; richtiger sah Gillis P:son Wetter, Phos S. 76, 2, daß der Begriff im Iran gebildet und mit der Lichtmystik früh ins Judentum und nach Ägypten gekommen ist. In dem Paulus-Wort, von dem ich ausging und zu dem ich endlich zurückkehre (II. Kor. 3, 18), findet in der Verbindung der beiden Worte δόξα und πνεῦμα also der Gedanke einer vollkommenen Wesensänderung durch die γνῶσις θεοῦ seinen Ausdruck, und dieser Gedanke selbst ist, ebenso wie der Gebrauch der beiden Worte, nicht-jüdisch. Hiernach wird man dann andere Stellen beurteilen dürfen, wie z. B. I. Kor. 2, 7: ἀλλὰ λαλοῦμεν θεοῦ σοφίαν ἐν μυστηρίῳ τὴν ἀποκεκρυμμένην, ἣν προώρισεν ὁ θεὸς πρὸ τῶν αἰώνων εἰς δόξαν ἡμῶν.

1) Reitzenstein-Schaeder II 321. Er ist selbst schon im Grunde die gottgegebene Seele.

Auch hier handelt es sich nicht um eine Steigerung der Würde oder gar des Ruhmes, sondern eine Art ἀποθέωσις, eine μεταμόρφωσις durch die γνῶσις θεοῦ und dem Empfang des πνεῦμα (vgl. v. 9. 10). Erst jetzt scheint mir meine frühere Behauptung, in den Worten Römerbr. 8, 30: οὓς δὲ προώρισεν, τούτους καὶ ἐκάλεσεν, καὶ οὓς ἐκάλεσεν, τούτους καὶ ἐδικαίωσεν, οὓς δὲ ἐδικαίωσεν, τούτους καὶ ἐδόξασεν, entspräche das δοξάζειν dem θεοῦν oder ἀποθεοῦν der hellenistischen Mysterienliteratur (oben S. 261 ff.), genügend begründet.

Den ersten drei Kapiteln des ersten Briefes entsprechen, welches auch immer die zwischenliegenden Ereignisse sind, die vier letzten Kapitel des zweiten, und sie zeigen, wie das Gefühl, πνευματικός zu sein, sich im Kampfe steigern mußte. Der Anspruch, den Paulus erhoben hatte, als solcher zu gelten, mußte ihm ja von den beiden Parteien der Petrus- und Apollos-Gläubigen bestritten werden; es handelte sich um ihre Existenzberechtigung. Den eigenen Beweis des Paulus, daß sie nur νήπιοι ἐν Χριστῷ seien, wendeten sie gegen ihn: ὅπου γὰρ ἐν ὑμῖν ζῆλος καὶ ἔρις, οὐχὶ σαρκικοί ἐστε καὶ κατὰ ἄνθρωπον περιπατεῖτε; Er selbst bringt ἔρις und ζῆλος, so gilt auch von ihm κατὰ ἄνθρωπον περιπατεῖ (vgl. im Eingang des Ganzen 10, 2: τοὺς λογιζομένους ἡμᾶς ὡς κατὰ σάρκα περιπατοῦντας). Also ist auch er nur ἄνθρωπος, also σαρκικός, sein Selbstruhm unzulässig, ein παραφρονεῖν, vor allem seine Beglaubigung dadurch, daß seine Verkündigung bei ihnen ἐν ἀποδείξει πνεύματος καὶ δυνάμεως geschah, unzulänglich; alle Christen haben die Autonomie, weil sie alle in unmittelbarem Zusammenhange mit dem Meister stehen.

Jenem zuerst erwähnten Vorwurf (κατὰ σάρκα περιπατεῖ) begegnet er zunächst mit dem Hinweis auf den Kriegsdienst seines Amtes (vgl. v. Harnack, Militia Christi, S. 14); er führt ihn οὐ κατὰ σάρκα und ist durch ihn zu einer Art Kampf gezwungen (v. 5): λογισμοὺς καθαιροῦντες καὶ πᾶν ὕψωμα ἐπαιρόμενον κατὰ τῆς γνώσεως τοῦ θεοῦ (d. h. entgegen der untrüglichen und sichern Erkenntnis, die ihm gegeben ist) καὶ αἰχμαλωτίζοντες πᾶν νόημα εἰς τὴν ὑπακοὴν τοῦ Χριστοῦ. Die Ankündigung, die mit einem Verweis auf sein Kommen und ein Strafen des Ungehorsams schließt, wird aufgenommen im Schluß (13, 3) durch die Versicherung, daß dieser Christus in ihm und durch seinen Mund spricht (ἐπεὶ δοκιμὴν ζητεῖτε τοῦ ἐν ἐμοὶ λαλοῦντος Χριστοῦ). Dies Empfinden stellt die Überleitung zu dem ersten Teil der Ausführung her: εἴ τις πέποιθεν ἑαυτῷ Χριστοῦ εἶναι. Seine Gegner haben sich nicht als πνευματικοί bezeichnet, nur aufgenommen, was er von ihnen sogar verlangt hat, das Bekenntnis Χριστοῦ εἰμι, und darauf ihren Anspruch begründet (daß es sich nicht um eine Christuspartei handelt, sondern um jenen mystischen Zusammenhang, ist hier besonders klar; sie haben ausgeführt, was das Χριστοῦ εἶναι für sie bedeutet, und damit nach der Auffassung des Apostels sich selbst herausgestrichen). Paulus will sich demgegenüber noch nicht seiner weiteren ἐξουσία rühmen, wiewohl sein Kommen zeigen wird, daß er es könnte, ohne Furcht, damit zu schanden zu werden (aufgenommen 13, 10); aber er mag nicht in Briefen drohen. Schon jetzt sagen ja die Gegner: αἱ μὲν ἐπιστολαὶ βαρεῖαι καὶ ἰσχυραί, ἡ δὲ παρουσία τοῦ σώματος ἀσθενὴς καὶ ὁ λόγος ἐξουθενημένος. Der Vorwurf hat für ihn eine gewaltige Bedeutung, viel größere, als man von dem Vorhalten einer leiblichen Schwäche, einer Krankheit erwarten könnte, und die Ausflucht, Judenchristen könnten diese Krankheit als Strafe der Sünde fassen, genügte nicht, um zu erklären, daß alles Folgende von den Gedanken 'ich rühme mich meiner ἀσθένεια' und 'wenn ich schwach bin, bin ich stark' beherrscht ist.[1] Erst, wenn wir bedenken, daß Paulus von seiner mündlichen Verkündigung gesagt hat, sie geschah ἐν ἀποδείξει πνεύματος καὶ δυνάμεως, und daß diese Mitteilung einer δύναμις an den Prediger schon im hellenistischen Glauben notwendiges Erfordernis ist (vgl. z. B. Corp. herm. I 32: αἰτουμένῳ τὸ μὴ σφαλῆναι τῆς γνώσεως . . . ἐπίνευσόν μοι καὶ ἐνδυνάμωσόν με, καὶ τῆς χάριτος ταύτης φωτίσω τοὺς ἐν ἀγνοίᾳ) wird das verständlich; ja auch die Anknüpfung empfängt von hier Licht. Selbst in jener Nachbildung des religiösen ἐνθουσιασμός in der poetischen und rhetorischen Literatur, die dem Philologen so bekannt ist (vgl. Seneca, Suas. III), ist die freie und improvisierte Rede der Beweis für den Besitz des πνεῦμα. Es verdächtigt auch den Träger des πνεῦμα im

1) Es liegt etwas darin, was an den hermetischen Gedanken erinnert, der Körper sei der Feind, welcher δι' ὧν μισεῖ, φιλεῖ (VII 2, vgl. oben S. 352).

religiösen Sinne, wenn er die δύναμις nur in dem ausgearbeiteten Briefe, nicht aber in der unmittelbaren Verkündigung zeigt. Das wäre kein echter πνευματικός. Vielleicht darf man sogar noch weiter gehen. Zwei Auffassungen des Prophetentums stellt Hermas, Mand. XI einander gegenüber; nach der einen, die er selbst teilt, erfüllt 'der Engel des prophetischen Geistes' den Begnadeten nur in der Versammlung der Gemeinde und nach deren Gebet mit dem πνεῦμα, während der falsche Prophet gerade hier die Kraft verliert und verstummt; er 'prophezeit' in der Einsamkeit oder vor wenigen. Es scheint mir sehr möglich, daß eine ähnliche Vorstellung schon in der korinthischen Gemeinde bestand. Daß Paulus (v. 11) mit schwerer Drohung hinzufügt, er werde den Gegnern schon zeigen, daß er auch in persönlicher Rede die δύναμις habe, macht es mir unmöglich, in v. 8 in den Worten καυχήσομαι περὶ τῆς ἐξουσίας ἡμῶν, ἧς ἔδωκεν ὁ κύριος εἰς οἰκοδομὴν καὶ οὐκ εἰς καθαίρεσιν ὑμῶν in dem Relativsatz eine Interpolation aus 13, 10 zu sehen. Ihre Wiederkehr dort in einem ganz anders versöhnlichen Sinne scheint mir beabsichtigt. Wohl erklärt der Apostel hier, nicht drohen zu wollen, um jenem Vorwurf nicht weitere Nahrung zu geben, deutet aber doch zugleich an, daß er im Besitz einer eigentümlichen und geheimnisvollen Macht ist. Das Wort ἐξουσία bedeutet im Zauber jede übernatürliche und geheimnisvolle Kraft, die sich auf ein besonderes Verhältnis zu Gott und eine besondere γνῶσις gründet; die hermetische Literatur verinnerlicht die Vorstellung, behält sie aber bei und die πᾶσα ἐξουσία ist ihr ebenso die Allmacht über die Natur und die πνεύματα, wie z. B. die Gotteskraft, heilig und sündlos zu sein (oben S. 301, Corp. herm. XIII 17. I 32). Auch an unsrer Stelle wird man nicht von einem Rechte des Apostolats auf bloßen Ausschluß aus der Gemeinde reden dürfen. Jede bestimmte Vorstellung zerstört das Ethos der Stelle. Von einer geheimnisvollen Macht hat Paulus schon im ersten Brief gesprochen, ja im Grunde von ihr Gebrauch gemacht (5, 3ff.): ἐγὼ μὲν γὰρ ὡς ἀπὼν τῷ σώματι, παρὼν δὲ τῷ πνεύματι ἤδη κέκρικα ὡς παρὼν τὸν οὕτως τοῦτο κατεργασάμενον, ἐν τῷ ὀνόματι τοῦ κυρίου ἡμῶν Ἰησοῦ συναχθέντων ὑμῶν καὶ τοῦ ἐμοῦ πνεύματος σὺν τῇ δυνάμει τοῦ κυρίου ἡμῶν Ἰησοῦ παραδοῦναι τὸν τοιοῦτον τῷ σατανᾷ εἰς ὄλεθρον τῆς σαρκός, ἵνα τὸ πνεῦμα σωθῇ ἐν τῇ ἡμέρᾳ τοῦ κυρίου. Man versucht vergeblich zu entscheiden, ob bei diesem 'Ausschluß aus der Gemeinde' diese selbst mitwirken soll oder nicht. Schwerlich ohne Absicht läßt der Apostel die Deutung als möglich zu, daß er nur entschlossen ist, bei seiner nächsten Anwesenheit vor der Gemeinde den Sünder dem Satan zu übergeben. Herauslesen kann man ebenso wohl, ja mit noch größerem Recht die Drohung, daß, wenn das nächste Mal die Gemeinde sich versammelt, sein Geist, unsichtbar anwesend, durch die Kraft Gottes diese Übergabe vollziehen wird. Verbinden müssen wir jedenfalls τοῦ ἐμοῦ πνεύματος σὺν τῇ δυνάμει τοῦ κυρίου ἡμῶν Ἰησοῦ Χριστοῦ (vgl. II. Kor. 13, 4); von der Gemeinde soll es nur heißen: συναχθέντων ὑμῶν ἐν τῷ ὀνόματι τοῦ κυρίου ἡμῶν Ἰησοῦ, die natürliche Wortfolge ist geändert, um die rhetorische Wirkung des feierlichen Satzes zu erhöhen; wohl soll die Gemeinde dabei sein — wie Hermas das auch fordert —, aber der Apostel allein ist Träger der Kraft. Ein Ausschluß aus der Gemeinde ist nach den Worten selbst nicht Hauptgegenstand seines Urteils, sondern körperliche Schädigung oder gar Vernichtung durch den Satan; daß die Gemeinde den Schuldigen ausstoßen soll, wird später gesagt, v. 13: ἐξάρατε τὸν πονηρὸν ἐξ ὑμῶν αὐτῶν, vgl. v. 7: ἐκκαθάρατε τὴν παλαιὰν ζύμην, v. 12: οὐχὶ τοὺς ἔσω ὑμεῖς κρίνετε — es ist eine Aufhebung des Verkehrs, die der Apostel wohl anraten kann, bei der er aber selbst nicht beteiligt ist. Ganz anders charakterisiert er seine Tätigkeit; der Nachahmer I. Timoth. 1, 20 faßt sie einfach als Zauberhandlung (τινὲς . . . περὶ τὴν πίστιν ἐναυάγησαν· ὧν ἐστιν Ὑμέναιος καὶ Ἀλέξανδρος, οὓς παρέδωκα τῷ σατανᾷ, ἵνα παιδευθῶσιν μὴ βλασφημεῖν, vgl. die Vorstellungen von der Macht des mit Gott verkehrenden Magiers bei Apuleius oben S. 301, die Beichtvorstellungen S. 138f. und Philo, De spec. leg. III 100 Cohn); jedenfalls spricht an unserer Stelle, wie es Bachmann ausdrückt, ein Geist, der sich bevollmächtigt glaubt, richtende Kräfte höherer Art zu handhaben. Wir sehen auch, daß die Empfänger des Briefes erwarten, daß er diese Kräfte nur in persönlicher Anwesenheit handhaben kann. Nur hieraus wird mir im zweiten Briefe die Drohung mit jener ἐξουσία erklärlich, die Paulus bei seinem Kommen erweisen könnte. Aber durch nichts gerechtfertigte Willkür ist es, diese 'richtende Kraft' auf eine gewissermaßen kirchenrechtliche Vollmacht zum Ausschluß aus der Gemeinde herabzudrücken und ihres mystischen Charakters nach Kräften zu entkleiden. In dem zweiten Briefe gibt Paulus in einem Punkte scheinbar nach; an die persönliche Anwesenheit bleibt die Wunderkraft gebunden. Aber er steigert seinen Anspruch doch; ausdrücklich nimmt er jene wunderbare Kraft auch ohne die Gemeinde, ja gegen sie für sich in Anspruch, nur hält er die Drohung mit Absicht unbestimmt. Er hat die Macht und könnte sie verwenden εἰς καθαίρεσιν, und will sie doch verwenden und von Gott empfangen haben εἰς οἰκοδομήν. Mit dem Übergange, er wolle sich jetzt in dem Briefe dieser ἐξουσία nicht rühmen, denn er wage nicht, sich jenen Männern gleichzustellen, die sich selbst empföhlen, kehrt er nun zu jenen Gegnern zurück, die von sich behaupten: Χριστοῦ ἐσμεν. Was vor Augen liegt, können sie doch nicht leugnen, nämlich, daß auch Paulus das gleiche von sich sagen kann. Da muß es also ein μέτρον, eine Abstufung in dem Grade des mystischen Zusammenhanges mit Christus und der auf diesen Zusammenhang begründeten Erkenntnis, geben. Daß jene Männer auf die Tatsache des Χριστοῦ εἶναι den Anspruch auf Autonomie gründen (während er eine ἐξουσία auch über sie zu haben behauptet), beruht darauf, daß sie sich nicht an andern vergleichend messen, sondern nur an sich selbst. Das Maß gibt Gott, indem er in dem Erfolg der Predigt die δύναμις zeigt; so ist die Gemeinde selbst sein Maß; er braucht nicht wie die Gegner sich mit fremdem Maß und fremder Arbeit zu brüsten (absichtlich wird in v. 17 I. Kor. 1, 31 wiederholt; er hat einst durch dies Zitat seinen Selbstruhm gerechtfertigt; der beruht nicht auf παραφρονεῖν; aber, beruhte er auch darauf, ertragt mich; es ist die Übergangsformel, die von nun an öfters begegnet).

Im Eingang von Kap. 11 kehrt Paulus zu dem Vorwurf zurück, daß auch in ihm ζῆλος sei und beweise, daß auch er 'nur Mensch' ist. In ihm ist vielmehr der ζῆλος θεοῦ. Als reine Braut hat er die Gemeinde Christus zugeführt, nun fürchtet er, daß sie diesem die Ehe bricht (jüdischer Gedanke). Den nächsten Satz vermag ich, wenn der Schluß richtig überliefert ist, nur mit

Schwartz als Frage zu verstehen: 'denn wenn ein beliebiger Ankömmling euch einen anderen Jesus kündet und ihr ein anderes πνεῦμα empfangt (das setzt einen andern Gott voraus) und eine andere Botschaft (Lehre) annehmt, wäre es recht, daß ihr's duldet?' Ein nur gedachter Fall würde dabei in der realen hypothetischen Form dargestellt, wie uns das auch später bei Paulus begegnen wird. Allein mir scheint das Verbum ἀνέχεσθαι (*pati*) neben λαμβάνειν und δέχεσθαι, also Ausdrücken der eigenen Tätigkeit, immer verdächtig; lieber lese ich, den Spuren einer Nebentradition folgend: καλῶς ἂν εἴχετε; — 'stünde es dann wohl um euch?' Das heißt: wäre das nicht Untreue gegen Christus, Unheil für euch, muß ich nicht darum eifern um Gottes und eurer willen? Es ist psychologisch fein, daß er den Schluß als unmöglich hinstellt, während ihm doch der Vordersatz möglich schien. Richtig freilich ist der auf jeden Fall fragende Satz nur, wenn Paulus den echten Jesus, das volle πνεῦμα und die wahre Botschaft und Lehre gebracht hat. So schließt jetzt notwendig an: denn ich glaube, in nichts stand ich damals (das Perfekt steht für den Aorist, vgl. 12, 11) selbst hinter den Überaposteln (τῶν ὑπερλίαν ἀποστόλων) zurück; εἰ δὲ καὶ ἰδιώτης τῷ λόγῳ, ἀλλ' οὐ τῇ γνώσει. Das entspricht klar der Schilderung seiner Missionspredigt I. Kor. 2, 4: οὐκ ἐν πειθοῖ (vgl. oben S. 334 A. 1), σοφίας λόγοις, ἀλλ' ἐν ἀποδείξει πνεύματος καὶ δυνάμεως und richtet sich zugleich gegen den Vorwurf II 10, 10: ἡ παρουσία ἀσθενὴς καὶ ὁ λόγος ἐξουθενημένος: in der Kunst der Rede mochte ich nichts Besonderes haben (ἰδιώτης, εἷς τῶν πολλῶν sein), in der γνῶσις, von der es allein abhängt, ob ich den echten Jesus, das volle πνεῦμα und die wahre Botschaft gebracht habe, stand ich keinem τῶν ὑπερλίαν ἀποστόλων nach (vgl. auch I. Kor. 9, 2—5). Meint Paulus mit diesem Wort nur namenlose Gegner in Korinth oder gar die bisher nur gedachten Verkünder eines anderen Jesus, so ist dieser Ruhm mehr als klein, aber vor allem die Begründung falsch; sie wird klar und verständlich, wenn er die Urapostel meint; steht er ihnen in der γνῶσις nicht nach, so verlockt jeder, der einen andern Jesus als er verkündigt, die Gemeinde zur Untreue an dem echten. Doch hierauf müssen wir zurückkommen, wenn Paulus den Satz wiederholt. Zunächst greift er, indem er einen Gegensatz anfügt, noch einmal auf den Vorwurf des κατὰ σάρκα περιπατεῖν oder σαρκικὸν εἶναι zurück. Freilich kann der Schluß von v. 6 in keiner der verschiedenen überlieferten Fassungen richtig sein, da immer ein Gedankenzusammenhang mit dem in der Form anschließenden v. 7 fehlt; auszugehen scheint von der längsten, an sich sprachlich unmöglichen Fassung; ἐν παντί verlangt den Zusatz eines Adjektivs, also etwa: ἀλλ' οὐ τῇ γνώσει, ἀλλ' ἐν παντὶ ⟨ἀμέμπτους ἡμᾶς⟩ φανερώσαντες ἐν πᾶσιν εἰς ὑμᾶς. ἢ ἁμαρτίαν ἐποίησα κτλ. Er sagt φανερώσαντες ἐν πᾶσιν, weil er gleich hinzufügen will, dieser sein Ruhm werde nicht verstummen in ganz Achaja, und er fragt bitter, ob seine Selbstlosigkeit Sünde war (vgl. später 12, 13 ἀδικία), weil κατὰ σάρκα περιπατεῖν den Begriff der Sünde in sich schließt (vgl. später 12, 18: τῷ αὐτῷ πνεύματι περιεπατήσαμεν), und weil seine Handlungsweise einer Erlaubnis Jesu nicht entsprach. Auf jenes von mir ergänzte Adjektiv, ἀμέμπτους oder welches es sei, scheint sich noch die Frage 12, 16 zu beziehen, ob er sich als πανοῦργος gegen sie erwiesen habe. Ähnlich will Paulus auch bei seinem nächsten Kommen verfahren, schon um denen den Anlaß zu Streit und Verdächtigung zu nehmen, die wünschten, er täte wie sie; es sind Schalksknechte, Lügenapostel, Diener des Satans, die nur vorgeben, Christi Diener zu sein, und denen Gott ihren Lohn schon geben wird. Daß sie in Korinth sind, wird durch nichts angedeutet; alles weist auf Gegner, wie Paulus sie in seiner Missionstätigkeit öfters gefunden hat, und wie er sie Phil. 3, 18 schildert. Die Sorge, daß solche Gegner auch nach Korinth kommen, die notwendig einen anderen Jesus predigen, hat v. 4 ausgesprochen; einen Anlaß, sie mit den ὑπερλίαν ἀπόστολοι in v. 5 zu verbinden, gibt Paulus nicht (im Gegenteil: diese Verbindung würde den Sinn von v. 5 zerstören); er läßt mit Absicht im Dunkel, ob er überhaupt an bestimmte Männer denkt.

Dagegen kehrt er nach einer neuen, noch bittereren Entschuldigung seines Selbstruhmes zurück zu dem ersten Gedanken seiner Streitdarlegung: εἴ τις πέποιθεν ἑαυτῷ Χριστοῦ εἶναι . . . καὶ ἡμεῖς Χριστοῦ. Nur wirkt das kleine und doch durch die Höhe des Anspruches sich jedem einprägende Sätzchen: λογίζομαι γὰρ μηδὲν ὑστερηκέναι τῶν ὑπερλίαν ἀποστόλων nach und bezeichnet das neue Thema und das neue μέτρον, an dem er sich mißt; handelt es sich doch um eine Auseinandersetzung mit einer Petrusgemeinde: ἐν ᾧ ἄν τις τολμᾷ (verstärktes πέποιθεν), τολμῶ κἀγώ. Ἑβραῖοί εἰσιν; κἀγώ. Ἰσραηλεῖταί εἰσιν; κἀγώ. σπέρμα Ἀβραάμ εἰσιν; κἀγώ. διάκονοι Χριστοῦ εἰσιν; παραφρονῶν λαλῶ· ὑπὲρ ἐγώ (daß die διάκονοι Χριστοῦ Apostel sind, zeigt v. 13—15, freilich ebenso sicher auch, daß es nicht jene Lügenapostel und Satansboten sind).[1] Worin bestände sonst das Besondere dieses letzten Ruhmes, den Paulus so lange entschuldigt? Man muß beachten, daß in der Polemik dieser Kapitel Paulus keine Behauptung des ersten Briefes zurücknimmt, wohl aber alle steigert (selbst die Warnung vor ζῆλος und ἔρις wird gesteigert 12, 20 wiederholt). Auf sein Apostolat hatte er dort hingewiesen, es (15, 3ff.) mit dem Bekehrungswunder begründet und sich zugleich ausdrücklich unter Petrus und die Urapostel gestellt als letzten und kleinsten von allen, ja als eigentlich dieses Namens nicht wert; wie er ihn nur durch Gottes Gnade empfangen hat, so ist es nur dessen Gnade, daß er 'mehr gearbeitet hat, als sie alle'. Nun war das Maß der Arbeit ihm schon II 10, 12ff. das Maß, nach dem Gott die Seinen mißt. Das ist es in dem neuen Vergleich mit den ὑπερλίαν ἀπόστολοι zunächst wieder, nur daß in den κόποι die θλῖψις mehr betont wird, die ja nach Paulus' Ansicht δόξα gibt. Als zweites und neues Maß treten die ὀπτασίαι καὶ ἀποκαλύψεις hinzu, die ebenfalls δόξα geben. In beidem hat er das Höchste erreicht, was möglich ist. Nun kehrt er 12, 11 zu dem Gedanken von 11, 16 zurück: mag Selbstruhm töricht sein, ihr habt mich dazu gezwungen; denn ihr hättet mein Ruhm sein müssen: οὐδὲν γὰρ ὑστέρησα τῶν ὑπερλίαν ἀποστόλων, εἰ καὶ οὐδέν εἰμι. Daß weder unbekannte Korinther noch etwa Sendboten der Gemeinde von Jerusalem mit dem pointierten Ausdruck gemeint sein können, zeigt die Begründung: τὰ μὲν σημεῖα τοῦ ἀποστόλου κατηργάσθη ἐν ὑμῖν ἐν πάσῃ ὑπομονῇ, σημείοις καὶ τέρασιν καὶ δυνάμεσιν. τί γάρ ἐστιν, ὃ ἡττήθητε ὑπὲρ τὰς λοιπὰς ἐκκλησίας, εἰ μὴ ὅτι αὐτὸς ἐγὼ οὐ κατενάρκησα ὑμῶν; Die Versicherung, daß keine christliche Gemeinde mehr von der δύναμις θεοῦ erfahren hat, und daß

1) Anders H. Lietzmann, Handbuch z. N. T. 9^2 S. 147.

Paulus sich in ihr wirklich als der ἀπόστολος in höchstem Sinne erwiesen hat, verlangt notwendig, daß die ὑπερλίαν ἀπόστολοι, denen Paulus sein ὑπὲρ ἐγώ entgegenruft, wirklich, wie schon alle Kirchenväter deuteten, die Zwölf sind, oder für unsern Fall Petrus. Nicht bloß der πνευματικός zu sein beansprucht er mehr in seiner 'Torheit', sondern an δόξα der größte der Apostel. Er wird grade darum freilich den 'Menschen', für den er das verlangt, von dem schwachen eigenen Ich trennen müssen. Jenen Gegnern, die auf ein bloßes Χριστοῦ εἰμι ihre Ansprüche begründeten, ist auch dann aufs vollste geantwortet. Der 'Maßstab Gottes' hat ihn selbst über die Urapostel erhöht. Es wird sich in Kap. 13 zeigen müssen, ob diese Deutung richtig ist.

In diesem Zusammenhange also steht jene geheimnisvolle und feierliche Erzählung seiner Vision, die das im ersten Briefe erzählte Bekehrungswunder noch überbieten und beweisen soll, daß er ἐν γνώσει den Uraposteln nicht nachsteht und nachstand: οἶδα ἄνθρωπον ἐν Χριστῷ (natürlich ist 'Mensch in Christus' ein Begriff, zunächst gewählt wegen Χριστοῦ εἰμι gleich ἐν Χριστῷ εἰμι und zugleich jene Lehre vom fast göttlichen ἄνθρωπος voraussetzend, der wir immer begegnen) πρὸ ἐτῶν δεκατεσσάρων, εἴτε ἐν σώματι οὐκ οἶδα, εἴτε ἐκτὸς τοῦ σώματος οὐκ οἶδα, ὁ θεὸς οἶδεν (ich deute nach dem Gebet der Mithrasliturgie 'ob in einer Art Leib oder ganz außerhalb meines Leibes', doch kommt, auch wenn man dem Fehlen des Artikels im ersten Gliede kein Gewicht beimißt, wenig darauf an; wichtiger ist, daß Paulus sich diese Frage überhaupt vorlegt und damit zeigt, daß es verschiedene Vorstellungen von der 'Entrückung' gibt), ἁρπαγέντα τὸν τοιοῦτον ἕως τρίτου οὐρανοῦ (zu dem Ausdruck vgl. Philo De vit. cont. Rei. § 12). καὶ οἶδα τὸν τοιοῦτον ἄνθρωπον, εἴτε ἐν σώματι, εἴτε χωρὶς (ἐκτὸς?) τοῦ σώματος οὐκ οἶδα, ὁ θεὸς οἶδεν, ὅτι ἡρπάγη εἰς τὸν παράδεισον καὶ ἤκουσεν ἄρρητα ῥήματα (*quae voce meliora sunt* sagt Apuleius XI 23 von der Verkündigung der Himmelswanderung), ἃ οὐκ ἐξὸν ἀνθρώπῳ λαλῆσαι (Apuleius XI 23: *dicerem, si dicere liceret*; aber ἀνθρώπῳ heißt hier wohl mehr als τινί; der ἄνθρωπος οὐκέτι τέλειος, d. h. wer noch nur Mensch ist, wie die Korinther nach seiner früheren Behauptung, darf es nicht hören; wieder hält Paulus seinen Anspruch, mehr zu sein, voll aufrecht). ὑπὲρ τοῦ τοιούτου καυχήσομαι, ὑπὲρ δὲ ἐμαυτοῦ οὐ καυχήσομαι, εἰ μὴ ἐν ταῖς ἀσθενείαις μου (ὑπὲρ τοῦ τοιούτου kann hier nicht neutral sein, weil dann der Gegensatz zu ὑπὲρ ἐμαυτοῦ entschwinden würde, und weil das zweimal vorausgenommene τὸν τοιοῦτον offenbar in rhetorischer Anaphora aufgenommen wird). Es ist das εἰ καυχᾶσθαι δεῖ, τὰ τῆς ἀσθενείας μου καυχήσομαι des ersten Beweises (aus den κόποι, 11, 30) in neuer Wendung und mit einer neuen Erklärung; wie die κόποι, die den Leib aufrieben — er verweist auf sie 12, 10 —, nach seiner Auffassung gerade in notwendiger Wechselwirkung die δόξα und δύναμις jenes ἄνθρωπος ἐν Χριστῷ in ihm erhöhten, so auch jenes Leiden, das Gott als Gegengewicht gegen die ἀποκαλύψεις ihm verordnet hat, damit er sich nicht als einheitliches Wesen, als selbst durch sie verherrlicht, betrachten kann. Verherrlicht ist nur jenes göttliche Wesen in ihm, das stärker wird, je schwächer er selbst wird: ὅταν γὰρ ἀσθενῶ τότε δυνατός εἰμι. An diesen Gedanken schließt eng die Berufung auf die δύναμις des Apostels, die er an den Korinthern schon erwiesen hat; an ihn aber auch, nach der kurzen Unterbrechung 12, 14—21, der Schluß. Er fühlt in sich eine ἐξουσία, eine auf das volle Wissen begründete göttliche Kraft, zu richten und daher zu verderben oder zu retten, und er wird nicht zum zweiten Male schonen. Die Gegner wünschen den Geist in ihm auf die Probe zu stellen (δοκιμή hier in demselben Sinn, wie gleich δοκιμάζειν und πειράζειν); sie haben ja gesagt: ἡ δὲ παρουσία τοῦ σώματος ἀσθενής — er wird sich in ihrer Bestrafung zeigen. So ist der Gedanke, allein Paulus wählt hier nach der Berufung auf die höchste Offenbarung und höchste Apostelkraft für den Begriff πνευματικὸν εἶναι, den er früher als νοῦν Χριστοῦ εἰληφέναι bestimmt hat, den stärksten Ausdruck: ὁ ἐν ἐμοὶ λαλῶν Χριστός, um gleich mit geheimnisvoller Drohung hinzufügen zu können, daß dieser nicht ἀσθενής ist, sondern über sie, die ja in ihn eingetaucht sind und Χριστοῦ sind, Gewalt hat. Noch stärker tritt diese Drohung mit einem persönlich in ihm lebenden Christus im folgenden hervor: wohl war Christus schwach und starb, aber er lebt durch Gottes Kraft, so wird auch Paulus, ob er auch schwach ist, mit ihm leben in der Kraft Gottes über die Gemeinde. So soll sich ihre δοκιμή lieber gegen sie selbst richten, sie sollen sich prüfen. Paulus hofft, daß sie schon vor seinem Kommen erkennen werden, daß er δόκιμος ist; täten sie es nicht, so wäre das eine Sünde, und er müßte sein δόκιμον εἶναι, den Besitz des Geistes und der Kraft, offenbaren in ihrer Bestrafung. So hält er das stolze Wort, daß der Pneumatiker αὐτὸς ὑπ' οὐδενὸς ἀνακρίνεται, voll aufrecht; nur den Wandel, nicht die Lehre unterwirft er ihrer Beurteilung. Von seiner Wunderkraft hat er früher Proben gegeben und kann sie jetzt nach neuer Seite geben, seine ἐξουσία über die Gemeinde beweisen, denn in ihm lebt Christus. Gewiß kann hier manches an das altisraelitische Prophetenbewußtsein erinnern — der Individualismus, der ihm zugrunde liegt, ist ja gerade in den Laienkreisen und der Diaspora durch den Synkretismus und Hellenismus wieder belebt worden und knüpft natürlich an altheimische Elemente an —, aber die Richtung dieses neuen Prophetentums auf eine fast dogmatische Spekulation und seine Überzeugung von einem Verwandlungswunder an der eigenen Person ist nicht jüdisch; hellenistischer Mysterienglaube hat das altisraelitische Prophetentum umgestaltet und etwas ganz Neues geschaffen.

Daß er keinem der Urapostel nachstehe ἐν γνώσει, hat Paulus durch die alles überbietende Vision erwiesen. Er hat diesen Gedanken schon einmal in anderer Fassung vorausgenommen.

Die früher besprochenen Darlegungen über den himmlischen und irdischen Leib schließt Paulus (II. Kor. 5, 6): ἐνδημοῦντες ἐν τῷ σώματι ἐκδημοῦμεν ἀπὸ τοῦ κυρίου und spricht aus, daß ihm das liebste wäre ἐκδημῆσαι ἐκ τοῦ σώματος καὶ ἐνδημῆσαι πρὸς τὸν κύριον. Darum ist auch jetzt sein ganzer Ehrgeiz und sein Streben (v. 9) εἴτε ἐνδημοῦντες εἴτε ἐκδημοῦντες εὐάρεστοι αὐτῷ εἶναι. Hieran, und zwar, wie das Folgende zeigt, am engsten an die Worte εὐάρεστοι αὐτῷ εἶναι, schließt (v. 13): εἴτε γὰρ ἐξέστημεν, θεῷ, εἴτε σωφρονοῦμεν, ὑμῖν. Zwischen beide Verse schiebt sich, wie bei Paulus oft, ein Nebengedanke, der schließlich zu demselben Ziele führt und neben dem εὐάρεστοι εἶναι auch das Wort φιλοτιμούμεθα berücksichtigt, ja auch seine Wahl erklärt. Gott wohlgefällig suchen wir zu sein, denn wir müssen vor ihm dereinst 'offenbar' werden zu Lohn oder Strafe. So suchen wir in der Furcht vor diesem Gericht die Menschen zu gewinnen und sind dabei vor Gott offenbar (rhetorisch umgeformt aus dem einfachen Gedanken 'wie Gott weiß'; der rhetorische Gegensatz von ἀνθρώπους und θεός führt dann zu dem Zusatz 'und die Menschen wissen es auch', συνοίδασιν, nämlich, daß es in der Furcht Gottes geschieht; ihr Gewissen muß ihm das bezeugen) und hoffentlich auch in eurem Mitwissen. Denn ich will mich jetzt nicht wieder herausstreichen und rühmen (sein φιλοτιμεῖσθαι geht nicht nach menschlichem Ruhm), sondern euch eher Anlaß geben, euch meiner vor denen zu rühmen, die sich selbst vor den Leuten rühmen, es aber nach ihrem Herzen und Gewissen nicht können. Auch von diesem Gedanken führt natürlich eine Brücke zu v. 13; daß er offenbar ist vor Gott und dem Gewissen der Korinther, wird durch den mit εἴτε . . . εἴτε beginnenden Satz in der Tat begründet. Dennoch könnten für den Hauptgedanken v. 10—12 fehlen; lückenlos würde an v. 9 anschließen v. 13: . . . εἴτε ἐκδημοῦντες εἴτε ἐνδημοῦντες εὐάρεστοι αὐτῷ εἶναι. εἴτε γὰρ ἐξέστημεν, θεῷ, εἴτε σωφρονοῦμεν, ὑμῖν. 'Unsere Ekstasen geschahen und geschehen für Gott, sind ein Dienst an ihn, ein Kult, der ganz selbstverständlich εὐάρεστος θεῷ macht.' Es ist die übliche hellenistische Auffassung, die einer weiteren Ausführung wohl kaum bedarf. Daß das ἐκστῆναι in der Vision dem ἐκδημῆσαι im Tode vollkommen gleichgesetzt wird, entspricht ebenfalls allgemein hellenistischer Anschauung und Wortgebrauch (vgl. z. B. εἰς θεὸν χωρεῖν in den hermetischen Schriften). Als so selbstverständlich wird dieser Doppelsinn vorausgesetzt, daß durch ihn das Wort σωφρονεῖν, das den Gegensatz zur Ekstase bedeutet, zugleich den Sinn von 'auf Erden leben' (ἐνδημεῖν ἐν σώματι) annimmt. Das ἐνδημεῖν ἐν σώματι wird ebenfalls Gott wohlgefällig sein und seinem Willen entsprechen, weil es nur euch gilt. Das soll bewiesen werden und könnte es auch allein durch den Satz: 'denn dazu zwingt uns die Liebe Christi zu allen Menschen (also auch zu euch); er will alle seines Todes und seiner Auferstehung teilhaftig machen.' Aber damit wäre nur die eine Hälfte des Gedankens voll gegeben. Der Wille Gottes ist es auch, daß Paulus auch nicht mehr sich selbst lebt; er ist ja sich selbst gestorben, indem er mit Christus starb. Das εἰ δὲ σωφρονοῦμεν, ὑμῖν wird aufgenommen: ὑπὲρ πάντων ἀπέθανεν, ἵνα οἱ ζῶντες μηκέτι ἑαυτοῖς ζῶσιν. Beide Gedanken durchdringen sich in dem echt paulinischen Satze: 'denn die Liebe Christi zwingt uns dazu, die wir erkannt haben, daß, wenn einer an aller statt gestorben ist, alle insgesamt gestorben sind, und einer an aller statt starb, damit, wer wahrhaftig lebt (in ihm lebt), nicht mehr sich lebt, sondern dem, der für ihn gestorben und auferweckt ist.' Die Folge hiervon soll sein (v. 16): ὥστε ἡμεῖς ἀπὸ τοῦ νῦν οὐδένα οἴδαμεν κατὰ σάρκα, und offenbar soll dabei οὐδένα dem dreimal stark hervorgehobenen ὑπὲρ πάντων und οἱ πάντες entgegengesetzt werden; andererseits muß der Gedanke wirken, daß er selbst und für seine Betrachtung alle Menschen gestorben sind. 'So gibt es für mich jetzt keinen Menschen mehr nach dem Fleisch, keinen kenne ich und zu keinem habe ich innere und nähere Beziehung.' Nicht von einem intellektuellen Erkennen, sondern von einer Empfindung, einem Verhältnis, das unter den γνώριμοι besteht, muß die Rede sein. Wieder durchdringen sich zwei Gedanken: 'Für alle Menschen ist Christus gestorben, also gibt es für mich keinen näher oder ferner stehenden mehr' und 'Gestorben bin ich und in ein neues Leben auferweckt, den natürlichen Menschen gibt es für mich nicht mehr, er ist mir nichts.' An diesen zweiten Gedanken schließt eng, aber doch nicht lückenlos v. 17: ὥστε εἴ τις ἐν Χριστῷ, καινὴ κτίσις. τὰ ἀρχαῖα παρῆλθεν, ἰδοὺ γέγονεν καινὰ τὰ πάντα: das Hineinversetzen in Christus ist wie eine neue Schöpfungstat (der Ausdruck ist mit Absicht so gewählt, daß an die Weltschöpfung, die in Adam ihren Abschluß gefunden hat, erinnert wird; die Gegensätze Χριστός und 'Αδάμ sind dem Apostel durch v. 15 in Erinnerung gekommen); die ganze frühere Welt ist versunken, alles neu geworden (die Neutralformen τὰ παλαιά, τὰ πάντα lassen, ähnlich wie das gleich folgende τὰ δὲ πάντα, mit Absicht zweifelhaft, ob von dem Wesen des Menschen oder der Welt, in die er versetzt ist, gesprochen wird). Wie kann ihm da ein einzelner Mensch als Mensch und Teil der früheren Welt irgend etwas Besonderes bedeuten? Volkstum, Familie, Freundschaft und Bekanntschaft, alles, was Unterschiede machen und besondere Beziehungen geben könnte, ist mit der alten Welt versunken. Man erkennt leicht: noch ist das Wort unvollständig; es zielt auf etwas, was noch nicht gesagt ist, und in der Tat schiebt sich ja zwischen die beiden bisher besprochenen Sätze ein Zwischenglied, das notwendig aus jenen gedeutet werden muß, das kurze Sätzchen, wegen dessen ich auf die ganze Stelle eingehen mußte: εἰ δὲ καὶ ἐγνώκαμεν κατὰ σάρκα Χριστόν, ἀλλὰ νῦν οὐκέτι γινώσκομεν. Die Möglichkeit, es als realen Bedingungssatz zu fassen und den Apostel sagen zu lassen, er habe Jesus gelegentlich einmal gesehen, entfällt damit für mich vollständig, und ich brauche nicht mehr Annahmen zu widerlegen, wie, Paulus habe solches gelegentliche Sehen übertreibend als ἐγνωκέναι bezeichnet, um sich den μαθηταί gleichzustellen, oder aus ἐγνωκέναι kunstvoll ein 'diskursives Erkennen der spezifischen Würde Christi' herauszudeuteln. Von einer wirklichen inneren Beziehung des Paulus zu Jesus kann aber keine Rede sein. Das hat freilich ein trefflicher Exeget, Joh. Weiß, leidenschaftlich bestritten und gegen Wredes bekannte Ausführungen behauptet, Paulus müsse im Gegenteil einen starken, sein Leben entscheidenden unmittelbaren Eindruck von Jesu Person und Lehre davongetragen haben, doch brauche ich auf die einzelnen Künsteleien der Beweisführung wohl deshalb nicht näher einzugehen, weil für mich und gewiß viele Leser durch diese Annahme der Schreiber des Galaterbriefes direkt zum Lügner gemacht würde. Nur auf eine Behauptung muß ich eingehen, die den Philologen um so mehr herausfordert, als sie sich als allgemein anerkannt gibt, die Behauptung, daß Paulus, wenn er wirklich Jesus nicht gekannt hätte, an unserer Stelle in klarer Hervorhebung des Irrealis hätte schreiben müssen: εἰ δὲ καὶ ἔγνωμεν κατὰ σάρκα Χριστόν. Das heißt die engen Regeln der Schulgrammatik mechanisch auf einen Schriftsteller übertragen, der ein eigenartiges, kompliziertes und zugleich oft sprunghaftes Empfinden in lebendiger, an Nüancen und Beziehungen reicher Sprache zur Darstellung bringt, und ich freue mich, daß Sprachkenner wie E. Schwartz und Br. Keil mir mein Urteil über diese Stelle bestätigt und ergänzt haben.

Zwei Zeiten und Denkweisen hat Paulus einander schroff gegenübergestellt und von der zweiten, gegenwärtigen mit aller

Bestimmtheit gesagt: ἀπὸ τοῦ νῦν οὐδένα οἴδαμεν κατὰ σάρκα. Er will dies steigernd fortführen und muß, soll das in einem eigenen Satz geschehen, notwendig wieder die Präsensform wählen: Χριστὸν νῦν οὐκέτι γινώσκομεν. Dann kann den Gegensatz dazu nur das Perfektum bilden, etwa: εἰ ἐγνώκαμεν ἄλλους, νῦν οὐκ οἴδαμεν, εἰ ἐγνώκαμεν Χριστόν, νῦν οὐκέτι γινώσκομεν. Eine voll abgeschlossene Vergangenheit wird ja der Gegenwart gegenübergestellt. Ich würde hiernach selbst bei einem ausgesprochen irrealen Verhältnis an der Wahl der Tempora keinen Anstoß nehmen, zumal da eine Art Anakoluth vorliegt. Aber das Verhältnis der beiden Sätze ist ja nicht wirklich kondizional (etwa derart, daß die beiden Handlungen in kausalem Verhältnis zueinander stünden und aus dem sicher unrichtigen Hauptsatz οὐκ ἂν ἐγίνωσκον — γινώσκω δὲ — die Unrichtigkeit auch der Annahme folgte εἰ ἔγνων κατὰ σάρκα). Es handelt sich vielmehr um jenen in Wahrheit rein adversativen Gebrauch der Bedingungspartikel, der den kausalen Zusammenhang gerade bestreitet: mag auch die eine Tatsache oder Annahme an sich richtig sein, die andere ist es darum nicht. Hier kann der Natur der Sache nach wohl der Potentialis eintreten, der Irrealis aber nur in einer gewissen Erweiterung seiner Funktion. Den Sinn könnten wir wiedergeben: θές (ποίησόν) με κατὰ σάρκα ἐγνωκέναι Χριστόν, oder: καίτοι καὶ εἰ ἐγνωκὼς εἴην, oder: εἰ ὅτι μάλιστα ἔγνωκα. Der Gegensatz wäre immer: νῦν οὐκέτι γινώσκω. Ich habe dabei im Ausdruck hervorgehoben, daß es sich nur um eine Annahme, nicht um eine Tatsache handelt; aber die lebendige und wirklich lebhafte Sprache macht diesen Unterschied besonders in den konzessiven Bedingungssätzen — der *terminus* ist etwas zu eng — durchaus nicht immer. Man vergleiche aus der Fülle der Beispiele, die Stahl, Kritisch-historische Syntax des griechischen Verbums, S. 414ff. zusammengetragen hat, etwa Plato, Laches 182c; Thukydides VI 89, 3; Herodot VII 10; Isokrates XIV 58, XVI 48; Homer Il. 13, 58. Der Zweck ist oft genug klar, so in den durch die Wiederholung noch besonders hervorgehobenen Worten Il. 20, 371. 372: τοῦ δ' ἐγὼ ἀντίος εἶμι, καὶ εἰ πυρὶ χεῖρε ἔοικεν, εἰ πυρὶ χεῖρε ἔοικε, μένος δ' αἴθωνι σιδήρῳ (auch wenn er gleicht oder gliche). Natürlich überträgt sich das auch in die Vergangenheit, vgl. Xenophon, Memorab. II 2, 7: ἀλλά τοι εἰ καὶ ταῦτα πάντα πεποίηκε καὶ ἄλλα τούτων πολλαπλάσια (auch angenommen, sie hat, was du sagst, wirklich getan), οὐδεὶς ἂν δύναιτο αὐτῆς ἀνασχέσθαι τὴν χαλεπότητα. Noch näher an Paulus führt Euripides, Suppl. 528: εἰ γάρ τι καὶ πεπόνθατ' Ἀργείων ὕπο — τεθνᾶσιν (gesetzt, ihr habt gelitten). In allen drei Fällen will der Sprecher gar nicht entscheiden, ob die Annahme wirklich eingetreten ist, oder legt wenigstens hierauf gar keinen Ton; nur die entgegengestellte Tatsache soll als sicher erscheinen. Von hier aus ist Paulus durchaus zu verstehen; daß er auch in der gedachten Annahme den Indikativ setzt, steigert nur die Bestimmtheit der Hauptaussage, und die mit hervorragendem Feingefühl gewählte leichte Unregelmäßigkeit der Form lenkt die Aufmerksamkeit noch besonders auf den Satz: εἰ δὲ καὶ ἐγνώκαμεν κατὰ σάρκα Χριστόν — ἀλλὰ νῦν οὐκέτι γινώσκομεν: ‘angenommen selbst, ich habe dem Christus in seiner menschlichen Zeit (oder: als Mensch) nahe gestanden — ich kenne ihn jetzt nicht mehr’. Gewiß streift der Gedanke dabei die Urapostel und ihre persönliche Beziehung zu dem gemeinsamen Herrn, nur möchte ich nicht eigentliche Polemik darin suchen. Jene persönliche Liebe und Anhänglichkeit wird nur als irrelevant hingestellt; sie hebt den μαθητής nicht über den Apostel; ganz anders ist das Band, das den *neuen Menschen* mit seinem *Gott* verbindet. Eine *menschliche* Neigung, sei es auch zu der Person eines menschgewordenen Gottes, ist für Paulus nicht religiös; zwischen menschlichem Lieben und Kennen und der neuen durch das Eingehen in Christus (oder Christi in ihn) vermittelten Kenntnis und Liebe liegt eine Kluft, welche ersteres für die zweite vollkommen wertlos und überflüssig macht. Es ist ein seltsam modernes und im Grunde doch echt paulinisches Empfinden. Die Liebe zu einer historischen Person und die Annahme einer Lehre hätte ihm, selbst wenn er dieser Person nahe gestanden und diese Lehre selbst gehört hätte, nicht die Religion werden können, die das ganze Leben erfüllt und zum selbstverständlichen Opfer fordert. Wenn auch uns vielleicht ab und an bei der Betrachtung der neuesten Entwicklung religiösen Empfindens in weiten Kreisen Zweifel aufsteigen, ob ein bloßes Wissen von einem unendlich erhabenen Menschen und Lehrer eine lebensstarke Religion schaffen, ja auch nur erhalten kann, und ob das Band persönlicher Liebe und Verehrung, das den einzelnen oder eine Gemeinde mit einem Lehrer verbindet, derartig religiöse Kraft hat, um weiter zu wirken —, wir dürfen durchaus versuchen, aus solchen modernen Gedanken und Zweifeln Paulus zu verstehen. Mit ihnen möchte ich auch am liebsten an die Einleitung des Galaterbriefes herantreten, die einem Manne wie Lagarde (Deutsche Schriften, Göttingen, 1886, S. 71ff.) so anstößig war. Gewiß muß sie zunächst jeden befremden, der nicht durch willkürliches Hineintragen der Angaben der Apostelgeschichte sich Paulus entstellt und verwässert. Hat er schon bei seiner ersten Missionspredigt den Bann über jeden ausgesprochen, der etwa eine andere Botschaft bringen würde, und die eigene damit legitimiert, daß er bei der Bekehrung Christus geschaut habe, so steigert er beides jetzt, wo judenchristliche Missionare seine Gemeinde anderes lehren wollen. Wie er den Bannspruch erstreckt über all und jeden, und sei es ein Engel vom Himmel, so hebt er für seine Botschaft das Fehlen aller menschlichen Überlieferung und Lehre (v. 12; es sind die hellenistischen Mysterienworte) schroff hervor. Gerade was man von ihm hätte erwarten können, daß er nach der Vision sich Rat und Lehre erholte, hat er nicht getan und lehnt es mit dem Ausdruck der Geringschätzigkeit ab (προσανατίθεσθαι σαρκὶ καὶ αἵματι). Er ist nicht etwa nach Jerusalem gegangen und hat sich auch später, als es geschah, nicht mit Fragen nach Jesu Leben und Lehre an möglichst viel Augenzeugen gewandt. In feierlichster Form versichert er, daß er das nicht getan hat, was nach unserem Empfinden sein εὐαγγέλιον legitimiert hätte, nach seinem Empfinden es zu einem εὐαγγέλιον κατὰ ἄνθρωπον herabgewürdigt hätte, während er auf jene eine Vision die unbedingte Verbindlichkeit und Richtigkeit seiner Lehre baut. Es macht zunächst nichts aus, daß diese Worte aus dem Streit geboren sind und das Verhalten des Apostels bei seiner Bekehrung so zeichnen, wie er es nachträglich auffassen und aufgefaßt wissen wollte. In dem Hauptpunkt entspricht sein Verhalten nach der Bekehrung doch der Schilderung: er hat sich nach dem ungeheuren Erlebnis nicht bemüht, möglichst viel von dem Jesus, den er verfolgt hatte, von glaubwürdigen Zeugen, etwa Petrus, kennen zu lernen (ἱστορῆσαι Κηφᾶν) und sich dadurch ein Vollbild des historischen Jesus zu verschaffen. Er hätte die Möglichkeit gehabt, es zu tun, und empfindet, daß man es erwarten konnte. Daß er es auch später nur kurz tat und zunächst in die Einsamkeit 'nach Arabien' ging, läßt sich nur begreifen aus einer vielleicht noch unklaren Stimmung, der von Anfang an die reale Welt und die historische Erscheinung ein sicheres Wissen überhaupt nicht gibt und nur das innere Erleben unumstößliche Gewißheit hat. Ein Mystiker ist Paulus gewesen schon vor seiner Bekehrung; das bestätigt ja auch jene allegorische Schriftauslegung, welche ihm die Tatsachen in der heiligen Überlieferung seines Volkes zugunsten einer nur auf die eigene innere Überzeugung begründeten Konstruktion aufhebt. Aber er ist zugleich die Herrennatur, die schon damals durch diese individualistische Umgestaltung der Tradition nicht in seinem Eifer für sie gelähmt wird, wie andere seines Volkes (vgl. Philo, oben S. 320), sondern mit allen Kräften das eigene Empfinden anderen als Norm aufzwingen will.

Wieder können wir viel von dem, was zunächst fremdartig erscheint, auch modern empfinden. Die Scheu jeder tiefgründigen und selbständigen Natur, ihr ganzes inneres Leben von der Glaubhaftigkeit und der Reinheit der Erinnerungen irgendeines anderen Menschen abhängig zu machen, das dunkle Empfinden, daß ein solches Glauben nicht wahre Kraft, sondern nur ein Verhüllen der eigenen Schwäche bietet, können auch wir wohl begreifen. Schon bei dem ersten Aufenthalt in Jerusalem mußte der Stand der Tradition, die noch gerade durch ihren Reichtum verwirrend und unfaßbar war, die Unsicherheit und der Widerspruch, der den Erinnerungen an die Worte Jesu noch anhaften mußte, dies Empfinden verstärken. Sollte in den Entscheidungen, vor die er bald danach geführt wurde, ein Herrenwort für Paulus den Ausschlag geben, wie leicht konnte ein Gegner ein neues bringen, ein ψευδαπόστολος eines erfinden! Und wie unmöglich war dann die Untersuchung über echt und unecht, richtige und falsche Deutung, Widerspruch oder Einklang! Der einzig mögliche Weg wäre dann gewesen, sich an einen bestimmten Zeugen anzuschließen, dessen μαθητής zu werden und τὸ κατὰ Πέτρον καὶ 'Ιάκωβον εὐαγγέλιον zu verkündigen. Aber über der Vielheit der Tradition steht ja in der Gemeinde das eine kurze Gesamtbekenntnis: 'Jesus ist für unsere Sünde gestorben und ist von Gott auferweckt; er ist der Χριστός', und auch die Gemeinde glaubt an das πνεῦμα, die fortwirkende Offenbarung in Christus und durch ihn, die allein sie gegenüber dem Judentum legitimiert. Das bot dem Manne, dem das eigene Erleben, die innere Schau Notwendigkeit war und daher Wirklichkeit wurde, das Recht, neben ihr alle Tradition als minderwertig zu betrachten. Das πνεῦμα θεοῦ, das doch nur eines sein kann, verbürgt die Einheit aller wahren Verkündigung und zugleich für ihn selbst die volle Freiheit, II. Kor. 3, 17: ὁ δὲ κύριος τὸ πνεῦμά ἐστιν· οὗ δὲ τὸ πνεῦμα κυρίου, ἐλευθερία I. Kor. 9, 1: οὐκ εἰμὶ ἐλεύθερος, οὐκ εἰμὶ ἀπόστολος, οὐχὶ 'Ιησοῦν τὸν κύριον ἑώρακα; Es ist seltsam, daß der innere Zusammenhang der drei Fragen selbst von sorgsamen Erklärern so wenig beachtet wird. Um die Freiheit vom Gesetz kann es sich hier doch nicht handeln.

Aber auch, wenn wir diese Entwicklung als notwendig begreifen können, so bleibt doch ein Rest, der befremden muß. Dazu rechne ich vor allem die völlige Gleichsetzung des Sehens des verklärten Christus mit dem Erkennen des ganzen Inhalts 'seines Evangeliums'. Beides wird, wenn wir den Eingang des Galaterbriefes und den Schluß des zweiten Korintherbriefes scharf interpretieren, miteinander verbunden. Es genügt nicht zu sagen: 'Paulus war Visionär' oder: 'den Auftrag zur Heidenmission glaubt er in der Bekehrungsvision erhalten zu haben'. Für ihn und seine Gemeinden muß sich mit dem einmaligen Schauen Gottes eine dauernde Befähigung, aus sich selbst alles zu erkennen, also der Besitz des πνεῦμα im höchsten Sinne, verbinden. Hier waltet ein fester sakraler Begriff des πνευματικός, den wenigstens ich nur aus den Mysterienreligionen herleiten kann.[1] Er berührt sich mit der Vorstellung, die sich in der jerusalemi-

1) Wie alt er im Orient ist, habe ich durch zahlreiche Beispiele in dem mit Prof. Schaeder gemeinsamen Buch zu zeigen gesucht.

tanischen Gemeinde und stärker noch in den ersten hellenistischen Gemeinde von dem Empfang des πνεῦμα in der Taufe gebildet hat — auch diese Vorstellung ist m. E. hellenistischen Ursprungs —, aber er deckt sich nicht voll mit ihr. Scheint dort das πνεῦμα mehr ein Geist der Reinheit, dessen Besitz die Zugehörigkeit zur Gemeinde, der Trägerin des πνεῦμα, bedingt, so tritt hier als neues individualistisches Element die γνῶσις, die Erkenntnis, hinzu. Nicht sündlos nur, sondern auch im Besitz eines untrüglichen und von aller Lehre unabhängigen, vollkommenen Wissens müßte der πνευματικός sein. Die notwendige Vereinigung beider Vorstellungen führt zu dem Widerspruch, den die Gegner des Paulus zu Korinth dunkel und doch richtig empfunden haben. Man fühlt, im Gemeindeleben hat sich die eine Vorstellung, in einer einsamen Seele die andere gebildet. Eine Gemeinde von Heiligen ist denkbar, eine Gemeinde von πνευματικοί nicht (selbst Philo empfindet das, oben S. 320). Freilich war der Versuch der Lösung (durch den Begriff der νήπιοι ἐν Χριστῷ oder des Χριστὸς οὔπω τέλειος ἐν ἡμῖν und durch die Annahme eines μέτρον) schon in dem Hellenismus gegeben; auch für die sittliche Wirkung des πνεῦμα mußte man in der Wirklichkeit ja eine allmähliche Entfaltung annehmen; auch hier lagen Widersprüche, die Paulus tief empfindet.

Wenn ich ferner früher versuchte nachzuempfinden, warum für Paulus eine Beziehung zu dem lebenden Jesus als religiös wertlos, ja als etwas erscheinen konnte, was er abtun würde, wenn er es gehabt hätte, so brauche ich das Befremdliche hier vielleicht weniger hervorzuheben. Zu klar tritt das Rätsel uns entgegen, daß die völlige Scheidung zweier Welten, die für Paulus nicht Bild und Redewendung, sondern tiefste, sein ganzes Innere beherrschende Empfindung ist, hier nicht nur einen gestorbenen (und nur im wertlosen Schein weiterlebenden) und einen auferstandenen Paulus, sondern auch einen gestorbenen Jesus und einen auferstandenen Christus trennt. Jener gehört der vergangenen, dieser der neuen Welt an, und nur an diesen schließt die religiöse Beziehung des wahrhaft Auferweckten; sie ist die Beziehung des πνεῦμα in uns zu 'dem πνεῦμα'. Wieder ließe sich eine gewisse Unstimmigkeit dieser Empfindungsart und des von

Paulus doch in all seiner Tiefe ergriffenen Bekenntnisses zu dem für unsere Sünde gestorbenen Jesus vielleicht aufzeigen, und wieder ist jene Scheidung einer doppelten Welt und einer doppelten Persönlichkeit in der hellenistischen Mystik vorgebildet. Zwei Welten, die gegenwärtige und die kommende, hatte unter synkretistischem Einfluß schon der fromme Jude geschieden, jene wertlos und nichtig, schon fast ein Schein, diese voll Herrlichkeit und ewiger Dauer. Daß jene zweite Welt und die βασιλεία θεοῦ schon angebrochen sei, wird zeitweilig auch die Empfindung der ersten judenchristlichen Gemeinde gewesen sein. Aber die Art, wie sich beide Welten für Paulus ineinander schieben, ist hellenistisch. Man braucht, um das zu erkennen, nur die Vorstellung von dem σῶμα οὐράνιον und der δόξα, die schon jetzt in uns sind, zu vergleichen und die Frage aufzuwerfen, ob sich diese Vorstellung völlig mit der Intensität der eschatologischen Hoffnungen bei ihm verträgt, die, gewiß auch schon synkretistisch beeinflußt, aber doch stärker jüdisch und auch der jerusalemitanischen Gemeinde eigen sind.

Im Zusammenhang hiermit möchte ich eine lexikalische Eigentümlichkeit noch einmal ausdrücklich hervorheben. Für die Vereinigung von Mensch und Gott kennt das antike Denken zwei Grundformen, die Rohde in seinem Meisterwerk vielleicht schärfer voneinander hätte sondern sollen, die Erhebung des Menschen zu Gott (Himmelswanderung, Ekstase im eigentlichen Sinne) und das Niedersteigen Gottes in den Menschen. Beide Vorstellungen finden wir natürlich auch in orientalischen Religionen, z. B. der ägyptischen und iranischen, selbstverständlich in der Regel getrennt. Beide Vorstellungen nimmt der Hellenismus auf oder erweckt sie zu neuem Leben; man verfolge etwa, wie selbst in den Vorstellungen der Mantik, die am engsten an die zweite anschließen, Formen der ersten eindringen. Wenn Cicero die Geschmacklosigkeit hatte, in die poetische Verherrlichung seines Consulates eine Himmelfahrt ganz nach den Vorbildern hellenistischer religiöser Erzählungen einzulegen, so mag ihm Poseidonios oder besser der Autor von De republica VI, der ja dem guten Staatsleiter ein besonderes Verhältnis zu den Göttern zuschreibt, Vorbilder dafür gegeben haben; die

Vorstellung ist noch klar. Anders ist es, wenn z. B. bei Statius Kalchas gemahnt wird (Achilleis I 508): *heia, inrumpe deos et fata latentia vexa laurigerosque ignes, si quando, avidissimus hauri*[1] (vgl. Theb. III 550). Hier verbinden sich beide Vorstellungen ähnlich, wie sie es in der ganzen hellenistischen Mystik und vor allem in den hellenistischen Mysterien tun. Wenn sich bei Paulus dieselbe Mischung beider Vorstellungen findet (vgl. z. B. die oben schon angeführte Stelle Römerbrief 8, 9. 10: ἐστὲ ... ἐν πνεύματι, εἴπερ πνεῦμα θεοῦ οἰκεῖ ἐν ὑμῖν· εἰ δέ τις πνεῦμα Χριστοῦ οὐκ ἔχει, οὗτος οὐκ ἔστιν αὐτοῦ, εἰ δὲ Χριστὸς ἐν ὑμῖν ... εἰ δὲ τὸ πνεῦμα ... οἰκεῖ ἐν ὑμῖν), und wenn dieselben *termini technici* (vgl. in den hermetischen Schriften ἐν θεῷ γίνεσθαι) beständig verwendet werden, so erklärt sich das zunächst gewiß daraus, daß die Grundvorstellung von dem Verhältnis beider Welten zueinander die gleiche ist, aber schwerlich ist diese Übereinstimmung zufällig. Wo mit der Vorstellung das Wort wandert, ist die Übernahme fast sicher.

Ich müßte, wollte ich die Vorstellung des πνευματικός erschöpfend schildern, hier noch auf die Askese eingehen, die Paulus ausdrücklich als ihm nicht von Christus überkommene Vorschrift, zugleich aber als Gabe des Geistes darstellt. Auch sie findet sich in der hellenistischen Mystik wieder und hängt mit dem Mysterienglauben unlöslich zusammen. Aber die Grundlinien habe ich in der 'Historia monachorum und Historia Lausiaca' (Göttingen 1916) zu ziehen versucht, und eine erschöpfende Darstellung verlangte ein neues Buch.

Ich werfe lieber noch einen Blick auf einen anderen inneren Gegensatz, der uns daran erinnert, wie stark das bisher gar nicht berührte und von der Untersuchung sonst ja planmäßig ausgeschlossene jüdische Empfinden in Paulus doch zugleich ist. In ihm wurzelt vor allem der freilich ebenfalls ins Mystische gesteigerte Begriff der ἐκκλησία. Wohl kann ich hier nicht schildern, welche ungeheuere Wirkung es hat, daß auch Paulus nach dem Vorbild der jüdischen Synagoge die Leitung der einzelnen ἐκκλησία, die ja immer völlig für sich das irdische Gegenbild

1) Vgl. Mithrasliturgie 6,4 ἕλκε ἀπὸ τῶν ἀκτίνων πνεῦμα τρὶς ἀνασπῶν.

der himmlischen Gesamtkirche ist, nicht an den Besitz besonderer Geistesgaben, πνευματικά, knüpft (sie sollen ihr dienen, aber nicht in ihr herrschen), und wie dadurch der im Grunde hellenistische Gottesdienst, den er I. Kor. 14 so anschaulich schildert, sich zu dem nüchternen, viel mehr jüdischen Gottesdienst der Διδαχὴ τῶν ἀποστόλων zurückbilden kann, die Tradition gegenüber der fortwirkenden Offenbarung immer stärkere Kraft gewinnen und der Gemeindeleiter zu ihrem Hüter werden muß. Aber wenigstens auf den Kampf desselben Apostels, der oft auf die γνῶσις so ungeheuren Wert zu legen scheint, gegen ihre Überschätzung muß ich kurz eingehen, weil eine flüchtige Behandlung der entscheidenden Stelle mir seinerzeit von theologischer Seite den bittersten und in das breiteste Publikum geworfenen Angriff zugezogen hat.[1] Ich muß es um so mehr, weil auch der Kampf gegen hellenistische Vorstellungen zeigt, wie weit Paulus ihnen entgegenkommt und wie stark er von ihnen selbst beeinflußt ist.

Das hohe Lied des Paulus von der Liebe (I. Kor. 13) hat nach zwei Seiten zu Bedenken Anlaß gegeben. Treffliche Exegeten erklärten, nicht verstehen zu können, in welchem Zusammenhang es mit seiner Umgebung, dem Abschnitt über die πνευματικά (die Geistesgaben), stehe, und befremdlich war für jeden, daß am Schluß statt der Liebe, von der allein die Rede gewesen war, plötzlich eine Dreiheit πίστις, ἐλπίς, ἀγάπη erscheint und durch den die Zahl betonenden Zusatz τὰ τρία ταῦτα (nur diese drei, und zugleich: diese bekannten drei) hervorgehoben wird. Eine Formel — es ist die einzige in den sicher paulinischen Briefen — mußte hier offenbar zugrunde liegen, aber warum sie angeführt wird, hat eine Erklärung bisher noch nicht gefunden, so daß selbst ein Philologe wie Corssen (Sokrates 1919, S. 18ff.) ohne Rücksicht auf τὰ τρία ταῦτα den Formelcharakter bestreitet. Vielleicht könnte man als dritte Aporie hinzufügen: ganz ohne Veranlassung scheint Paulus in der Mitte von der Liebe zu den Geistesgaben (προφητεῖαι, γλῶσσαι, γνῶσις) abzuschweifen. Sie werden nach ihm vergehen, wie alles Stückwerk,

1) Vgl. v. Harnack, Preuß. Jahrbb. 164, 1.

wenn das Vollkommene erscheint[1]; dagegen bleiben (μένει) πίστις, ἐλπίς, ἀγάπη. Das konnte für unbefangene Deutung nur heißen: sie bleiben auch im Jenseits; ist doch ihr Gegensatz (ἐκ) πίπτει, καταργηθήσονται, παύσονται (man vergleiche II. Kor. 3, 11 τὸ καταργούμενον διὰ δόξης — τὸ μένον ἐν δόξῃ).[2] Schon diese Behauptung ist für die beiden ersten so wunderbar, zumal nach anderen Äußerungen des Paulus[3], daß er sie hier notwendig anders als sonst, nämlich als Teile unseres Wesens auffassen muß. Unter den vergänglichen πνευματικά werden γλῶσσαι und προφητεῖαι nur kurz angeführt, damit Paulus in längerer, kunstvoller Argumentation beweisen kann, daß die γνῶσις θεοῦ im Jenseits aufhört, weil sie Stückwerk und nur ein Schauen δι' ἐσόπτρου ἐν αἰνίγματι ist. Eine Erklärung, die nur sagt, 'von diesem Punkte seiner Ausführung an steigt dem Apostel das Erkenntnisproblem auf und läßt ihn bis zum Schluß nicht los', ohne uns zu verraten, wie Paulus hier überhaupt auf das 'Erkenntnisproblem' kommen kann und was er damit bezweckt, setzt im Grunde nur einen modernen, unzutreffenden Ausdruck für den antiken und treffenden, ohne irgend etwas aufzuklären. Gehen wir von dem Zusammenhang aus, so ist eine planmäßige Polemik gegen die Überschätzung der πνευματικά und besonders der γνῶσις in Kap. 12—14 unverkennbar. Paulus hat schon früher angedeutet, daß die Korinther auf die Gabe der γνῶσις besonders stolz sind und die Bruderliebe darüber vergessen

1) Der Beweis ist erkünstelt: was unvollkommen ist, hört, wenn es vollkommen wird, auf zu sein (statt: unvollkommen zu sein). Was für die lediglich der Gemeindeerbauung dienenden Gaben, γλῶσσαι und προφητεῖαι, gilt (sie sind im Jenseits überflüssig), überträgt Paulus auf die γνῶσις, die ihm sonst eine andere Bedeutung hat (ein Sehen bleibt sie ihm freilich dabei): auch sie ist Stückwerk, also muß auch sie vergehen.

2) Die Behauptung, daß Paulus nur von der Nächstenliebe rede, entfällt damit von selbst. Sprachlich war sie gegenüber dem ihm bekannten Gebot ἀγαπᾶν θεόν nicht zu begründen; sachlich auch nicht; Gottesliebe (bzw. Christusliebe) und Nächstenliebe bilden für ihn eine einheitliche Seelenkraft (oben S. 373).

3) II. Kor. 5, 7 διὰ πίστεως περιπατοῦμεν, οὐ δι' εἴδους (d. h. ὄψεως, vgl. sprachlich Corp. herm. X 5 κατακοιμίζονται εἰς τὴν καλλίστην ὄψιν), Röm. 8, 24 ἐλπὶς δὲ βλεπομένη οὐκ ἔστιν ἐλπίς. ὃ γὰρ βλέπει τις, τί καὶ ἐλπίζει; gewaltsam ist von dem letzten Gliede auf die beiden ersten die Eigenschaft übertragen, die ihnen im gewöhnlichen Sinne und Gebrauch gerade nicht zukommt.

(8, 1ff.). Er will jetzt (Kap. 12ff.) das Streben nach den πνευματικά nicht tadeln, mahnt aber, sie nicht zu überschätzen. Trotz der Verschiedenheit der Gaben (χαρίσματα) bilden alle Gemeindeglieder einen Leib, den Gott zusammenfügt. Wir wissen nicht, wen er am höchsten schätzt. Das προτιμᾶν, die *dignatio*, wird zunächst nur angezweifelt. Die Gaben (Prophetie, Wunderkraft, Zungenreden) sind des Ganzen halber da und nach dem zu beurteilen, was sie für das Ganze leisten und bedeuten; sie geben dem einzelnen Träger nicht den inneren und 'bleibenden' Wert. Zu dem weiß Paulus einen höheren Weg und zeigt ihn in dem hohen Lied auf die Liebe. Dann kehrt er mit der Mahnung 'also strebt wohl nach den πνευματικά, aber eifert vor allem der Liebe nach' noch einmal zu den χαρίσματα zurück; von den beiden, die in Kap. 13 nur kurz erwähnt sind, ist das von den Korinthern über alles geschätzte Zungenreden also das weitaus kleinere, weil es nicht den Brüdern dient, die Prophetie das höhere. Auf die γνῶσις geht er überhaupt nicht mehr ein; sie ist auch vorher nur in 12, 8 erwähnt und offenbar in Kap. 13 innerhalb des Hymnus auf die Liebe erledigt. Die Notwendigkeit dieses Kapitels für den Zusammenhang ist klar, nicht dagegen, warum πίστις und ἐλπίς hier im Gegensatz zur γνῶσις plötzlich mit der ἀγάπη zu einer unlöslichen Einheit verbunden werden. Wohl war die Lösung, sie möchten schon vorher in einer von den Gegnern des Paulus anerkannten und angeführten Formel vereinigt, und zwar auch mit der γνῶσις vereinigt gewesen sein, und Paulus habe nur letztere hier streichen wollen und darum einer viergliedrigen Formel seine nur dreigliedrige entgegenstellen müssen, zunächst nur eine unsichere Vermutung. Ihr Anlaß war, daß sich bei einem späteren heidnischen Autor eine solche viergliedrige Formel wirklich findet, nämlich bei Porphyrios, Ad Marcellam 24 τέσσαρα στοιχεῖα μάλιστα κεκρατύνθω περὶ θεοῦ, πίστις, ἀλήθεια, ἔρως, ἐλπίς. πιστεῦσαι γὰρ δεῖ ὅτι μόνη σωτηρία ἡ πρὸς τὸν θεὸν ἐπιστροφή, καὶ πιστεύσαντα ὡς ἔνι μάλιστα σπουδάσαι τἀληθῆ γνῶναι περὶ αὐτοῦ, καὶ γνόντα ἐρασθῆναι τοῦ γνωσθέντος, ἐρασθέντα δὲ ἐλπίσιν ἀγαθαῖς τρέφειν τὴν ψυχὴν διὰ τοῦ βίου. ἐλπίσι γὰρ ἀγαθαῖς οἱ ἀγαθοὶ τῶν φαύλων ὑπερέχουσιν. στοιχεῖα μὲν οὖν ταῦτα καὶ τοσαῦτα κεκρατύνθω. Auch

Heiden konnten ja πίστις (vgl. oben S. 234), ἔρως oder auch ἀγάπη (vgl. Nachrichten d. Gött. Ges. d. Wissensch. 1917, S. 131), ἀλήθεια oder γνῶσις als Gotteskräfte fassen. Schon vor Porphyrios bietet Clemens Alexandrinus Strom. VII 57, 4 eine diesem so ähnliche Aufzählung καί μοι δοκεῖ πρώτη τις εἶναι μεταβολὴ σωτήριος ἡ ἐξ ἐθνῶν εἰς πίστιν, δευτέρα δὲ ἡ ἐκ πίστεως εἰς γνῶσιν, ἡ δὲ εἰς ἀγάπην περαιουμένη ἐνθένδε ἤδη φίλον φίλῳ τὸ γινῶσκον τῷ γινωσκομένῳ παρίστησιν[1], daß wir die gleiche Quelle für beide voraussetzen müssen und es nur fraglich bleibt, ob Clemens sie verkürzt oder Porphyrios sie erweitert hat; weder Clemens (an dieser Stelle) noch Porphyrios läßt sich schon danach aus Paulus oder — wie es Corssen wieder versucht — rein aus sich selbst erklären. Ergänzend trat eine weitere Beobachtung hinzu. Schon Philo bietet in den beiden Schriften, De praemiis et poenis und De Abrahamo ein System von zwei Triaden von Tugenden oder Geisteskräften, eine für den πρακτικὸς βίος, nämlich ἐλπίς, μετάνοια, δικαιοσύνη, eine für den θεωρητικός, nämlich πίστις, χαρά und ὅρασις (bei ihm regelmäßiger Ersatz für γνῶσις, vgl. oben S. 318). Auch hier liegen, wie auch die Einführung der χαρά als Gotteskraft zeigt, hellenistische Einflüsse zugrunde, so daß a priori an der Existenz einer dreigliedrigen oder viergliedrigen hellenistischen Formel schon zur Zeit des Paulus zu zweifeln unberechtigt wäre. In welchem Kreise sie dann zu suchen wäre, wies mir einst ein gütiger Fingerzeig von J. Geffcken.[2] Die Oracula Chaldaica, eine im wesentlichen von

1) Das System kehrt bei ihm immer wieder; zum Pneumatiker wird man ἑνώσας τὴν γνῶσιν πίστιν ἀγάπην, εἷς ὢν ἐνθένδε (III 69, 3, lehrreiche Gegenbilder bietet Philo).

2) Vgl. jetzt sein Buch 'Der Ausgang des griechisch-römischen Heidentums', S. 271. Zur Sache füge ich hinzu: daß πίστις und ἀγάπη im apostolischen Zeitalter häufig verbunden erscheinen, geht aus den von mir Nachr. d. Gött. Ges. 1916, S. 386, 1917, S. 130 vorgelegten Listen hervor und ist sachlich begreiflich, irgendwelche Verbindung mit der als Tugend gefaßten ἐλπίς sehr selten; wo sie hereingebracht wird, liegt in der Regel handgreifliches Mißverständnis des Textes vor. Das Vorkommen der drei als Frauennamen könnte nie eine triadische Formel im Christentum bezeugen und ist, da eine Fülle von Tugenden im ganzen Griechentum dieser Zeit als Frauennamen erscheinen (darunter Elpis im Heidentum ganz häufig, Agape vereinzelt, Pistis in der Bedeutung Treue durchaus möglich), für diese Frage überhaupt bedeutungslos. Auch die römische Märtyrerin

persischer Mystik beeinflußte, von Porphyrios hochgeschätzte Schrift, welche keinerlei christliche Einflüsse aufweist, bieten als πηγαία τριάς drei Gotteskräfte: πίστις, ἀλήθεια, ἔρως und preisen sie πάντα γὰρ ἐν τρισὶ τοῖσδε κυβερνᾶταί τε καὶ ἔστιν. Auch die Hoffnung war erwähnt, ἐλπὶς δὲ τρεφέτω σε πυρίοχος (W. Kroll, Breslauer philolog. Abhandl. VII 1, 26 u. 74; Migne, Patrol. 122, p. 1152a). Man braucht nur den Wortlaut des Porphyrios zu vergleichen, um zu sehen, daß damit endgültig jeder Versuch, Porphyrios aus Paulus abzuleiten oder rein aus sich selbst zu erklären, abgeschnitten ist. Nur möchte ich zweifeln, ob die Orakel direkt oder allein benutzt sind; der Ausdruck ἐλπίσιν ἀγαθαῖς τρέφειν τὴν ψυχὴν διὰ τοῦ βίου kann, wie mich Prof. Jaeger freundlich belehrte, bei Porphyrios durch eine Erinnerung an Aischylos' Prometheus 536 mit beeinflußt sein: ἡδύ τι θαρσαλέαις τὸν μακρὸν βίον τείνειν ἐλπίσι, φαναῖς ἀλδαίνουσαν θυμὸν ἐν εὐφροσύναις. Ich prüfe zunächst die wenigen orientalischen Urkunden iranischer Mystik, die uns bisher vorliegen. Jenes Berliner soghdische Fragment M. 14, dem ich oben S. 224 A 1. die ganz altertümliche Aufzählung der fünf Elemente als Abbilder des 'neuen Menschen' entnahm, scheint unter lauter ähnlichen, sehr alten und vom Christentum ganz unberührten Scheidungen eine Einteilung 'der Religions-δόξα' (der Macht oder Herrlichkeit der Religion?) in Liebe, Glaube, Vollendetsein, Wissen und eine fünfte, leider noch unbestimmbare Eigenschaft oder Kraft zu bieten. Die Fünfteilung entspricht bis zu einem gewissen Grade der Fünfteilung der geistigen 'Glieder' des Lichtgottes im Fihrist (Flügel, Mani S. 86), die Liebe, der Glaube, die Treue, der Edelsinn (arabische Lesung nicht ganz sicher) und die Weisheit.[1] Dies ist also die älteste uns erreichbare orientalische Formel. Aus dem Haupttext des manichäischen Sündenbekenntnisses (A. v.

Sophia, deren drei zunächst noch namenlose Töchter (Ruinart[2] S. 619) später im Osten Pistis, Elpis, Agape heißen, könnte höchstens gegen v. Harnacks Behauptung etwas beweisen; offenbar ist ja bei dieser Namensgebung an eine Tetrade σοφία (für γνῶσις), πίστις, ἐλπίς, ἀγάπη gedacht. Man muß sich wirklich wundern, wie wenig die einmal, aber an einer so hinreißend gewaltigen Stelle bei Paulus begegnende Formel zunächst weiter gewirkt hat.

1) Vgl. Beigabe XIII (sie ist älter als Philo).

Le Coq, Chuastuanift, Abhandl. d. Berliner Akad. 1911, S. 16, Z. 13) ist uns in dem achten Stück eine Aufzählung der Siegel erhalten, die ähnlich ist, aber nur vier nennt: 'Wir glaubten an Zärvan den Gott, an den Sonnen- und Mondgott, an den Gott der Stärke und an die Burχane: auf sie stützten wir uns und wurden Auditores. Die vier lichten Siegel haben wir unserm Herzen aufgesiegelt; eines ist Liebe, das ist das Siegel Zärvans des Gottes; das andere ist Glaube, das ist das Siegel des Sonnen- und Mondgottes; das dritte ist (Gottes-)Furcht, das ist das Siegel des fünffältigen Gottes (Ormazd, bzw. Urmensch); das vierte ist weises Wissen, das ist das Siegel der Burχane. Wenn wir, mein Gott, unsere Einsicht und unser Herz von diesen vier Göttern sich abzuwenden veranlaßt haben sollten, wenn wir sie von ihren Plätzen fortgestoßen haben sollten, wenn die Göttersiegel verletzt sein sollten, jetzt, mein Gott, uns von Sünden läuternd flehen wir: Manastar hirza!' Man sieht, hier ist das Siegel des Gottes wie die σφραγίς im hellenistischen Glauben Zeichen, daß der bestimmte Gott Eigentumsrecht an den Menschen hat. Nach der Zahl der Götter richtet sich die Zahl der Siegel. Schon Le Coq, der damals M. 14 noch nicht kannte, vermutete in der zweiten Bearbeitung (Journal of the Royal Asiatic Society 1911: Dr. Stein's Turkhish Khuastuanift from Tun-Huang S. 300), die Aufzählung müsse ursprünglich den fünf geistigen 'Gliedern' Gottes im Fihrist entsprochen haben. Seit wir wissen, daß diese Fünfzahl der alten Zahl der Elemente entspricht und in junghellenistischer Zeit auf vier reduziert wurde, ist diese Vermutung sicher und der Hergang klar geworden. Die Vier-Siegel-Lehre gibt die zweitälteste (hellenistische) Gestalt der Formel. Auf Mani geht auch sie nicht zurück. Ihm wird im Fihrist ausdrücklich eine Dreizahl der Siegel zugeschrieben (Flügel S. 95 und 289), und die ganze abendländische Tradition bestätigt das. Ein Zweifel ist unmöglich. Und seltsam: auch jenes Sündenbekenntnis kennt sie neben den vier Siegeln in dem nur in Dr. Steins Exemplar erhaltenen Schluß (Journal of the Royal Asiatic Society 1911, S. 298, Z. 319ff.; er schließt unmittelbar an S. 26 der Berliner Publikation): *On account of the ten Commandments, the seven Alms, the three Seals do we hold the name of Auditores; to act their actions we are unable.* Die Folgerung ist: erst in diesem Stück spricht wieder Mani selbst zu uns; der frühere Abschnitt ist aus einem älteren Ritual übernommen, wie Ähnliches in der mythologischen Lehre der Turfan-Fragmente oft zu beobachten ist. Die drei Siegel werden immer bezeichnet als *signaculum oris, manuum, sinus.* Die Formel ist wohl aus dem Jüdischen (Deuteronom. 30, 14 ἔστιν σου ἐγγὺς τὸ ῥῆμα — das Gebot — σφόδρα, ἐν τῷ στόματί σου καὶ ἐν τῇ καρδίᾳ σου καὶ ἐν ταῖς χερσίν σου αὐτὸ ποιεῖν) übertragen. Aber ihr entspricht genau eine recht alte persische Einteilung nach Gedanken, Worten und Werken (z. B. Yašt 22)[1]; sie zusammen bilden die volle Persönlichkeit (*daēna,* dort Person, nicht Religion), und zum Himmel führen die Seele drei Stationen der guten Gedanken, Worte und Werke, wie zur Hölle die Stationen der bösen Gedanken, Worte und Werke (in den mandäischen Texten sind dafür die sieben Stationen der Laster, d. h. Planeten, der Babylonier eingetreten). Im Ardā Virāf c. 2 befähigen drei Weihetrünke die Seele, diese Stationen zu durchschreiten. Sie reinigen sie dafür. Es lag nahe, für jede der Seele ein Siegel mitzugeben (tatsächlich wird ihr in den mandäischen Texten in jeder 'das Siegel' abverlangt). Das Siegel bezeugt hier, daß dieser Teil des Menschen für die Sünde verschlossen und rein geblieben ist. Auch in dem manichäischen Sündenbekenntnis folgt nach der Aufzählung der vier Siegel sofort ein Abschnitt über die zehn Gebote, von denen der Mensch drei mit dem Munde, drei mit dem Herzen, drei mit der Hand, eins mit dem ganzen Wesen (der *daēna*) zu halten hat; dieser Abschnitt stammt nach dem Zeugnis des Fihrist von Mani; auf ihn verweist also die Erwähnung der drei Siegel in dem Schluß. Als seltsam erwähne ich noch, daß Philo, De paen. 183 die Stelle des Deuteronomion zitierend ausdrücklich hinzufügt: nach symbolischer (also pneumatischer) Deutung heiße στόματι, καρδίᾳ καὶ χερσί nichts anderes als λόγοις καὶ βουλαῖς καὶ πράξεσιν und sogar wiederholend beifügt: λόγου μὲν στόμα σύμβολον, καρδία δὲ βουλευμάτων, πράξεων δὲ χεῖρες, ἐν οἷς τὸ εὐδαιμονεῖν ἐστιν. Daß er das Selbstverständliche so breit ausführt, legt die Ver-

1) Auch auf indischem Boden begegnet sie schon früh.

mutung nahe, daß er für die 'mystische' Ausdeutung eine hellenistisch-iranische Quelle benutzt. Vom Christentum erweist sich die iranische Entwicklung, die wir hier verfolgt haben, ganz unberührt.

Auf eine iranische Quelle mußte die Porphyriosstelle zurückgehen; also kann die Bezeichnung στοιχεῖα περὶ τὸν θεόν nicht zufällig von Porphyrios selbst gewählt sein. Er hat also nicht die chaldäischen Orakel benutzt, sondern eine andere hellenistische Quelle, welche eine Vierzahl der stofflichen Elemente wie der geistigen Elemente Gottes annahm; sind sie vereint, so ist der Mensch vergottet. Die Übersetzung des orientalischen Textes war nicht besonders glücklich; Porphyrios hätte selbst, wenn er unmittelbar aus ihm geschöpft hätte, vielleicht στοιχεῖα θεοῦ oder θεῖα gesagt, wie auch der Verfasser des Kolosserbriefes (oben S. 269) richtiger wenigstens von μέλη ἐπίγεια (im Gegensatz zu οὐράνια wie bei Paulus) geredet hätte. Aber voll zum Ausdruck bringen kann eine abendländische Sprache die fließenden Vorstellungen orientalischer Mystik überhaupt nicht; kein Wunder, wenn selbst bei gedankenreichen Autoren unbehilfliche Übersetzungen weitergegeben werden.

Das Ergebnis der langen Untersuchung scheint mir nun für Paulus: nichts hindert mehr die Annahme, daß er eine solche Formel wirklich in Korinth schon vorgefunden hat. Daß er ihr früher nicht widersprochen hat, kann nicht befremden. Stehen doch Glaube und Liebe für ihn in noch ganz anderem Sinne als für den hellenistischen προσήλυτος im Mittelpunkt des religiösen Empfindens. Auch die Hoffnung hat er als lebendige Gotteskraft in sich erfahren und hat sie einmal auch, wie sonst andere Vorzüge, neben Glauben und Liebe empfohlen (I. Thess. 1, 3, vgl. 5, 8), freilich ohne damit selbst eine Formel prägen zu wollen. Auf die γνῶσις begründet er selbst gegenüber der Gemeinde sonst seinen Anspruch, aber wie sie ihm in dem Unabhängigkeitsstreben der hellenistischen Neuchristen entgegentritt, empfindet er, was ihn von jenen scheidet, und empfindet, daß in ihm selbst doch ganz anders hohe und unvergängliche Gotteskräfte wirken. Auch des ganz anderen Gebietes, auf dem sie liegen, wird er sich dunkel bewußt. So führt er seine Sache, indem er in begeistertem und doch planvoll geleitetem Erguß die Liebe preist, die er vorher schon der γνῶσις gegenübergestellt hat und die ihm als Gottes- oder Brùderliebe aus dem gleichen Ursprung quillt; diese Kraft ist unvergänglich, die Kraft, sich Offenbarungen zu erringen, nur für unser armes Erdenleben bestimmt; wenn er neben ihr noch Glaube und Hoffnung nennt, so erklärt sich das durch die Rücksicht auf die ihm entgegengehaltene Formel und rechtfertigt sich durch das dunkle Empfinden, daß zu den wesenhaften Kräften des καινὸς ἄνθρωπος, des Χριστὸς ἐν ἡμῖν, diese beiden auch noch in ganz anderem Sinn als die γνῶσις gehören; er hat ja eben angedeutet, daß man auch ohne die letztere Christ sein kann. Das ist unhellenistisch und doch echt christlich und echt paulinisch. Nirgends tritt uns der Apostel so nahe wie in diesem Kampf gegen den Hellenismus.

Ich habe meine Interpretation des Gedankenzusammenhangs des dreizehnten Kapitels in den Nachrichten d. Gött. Gesellsch. 1916 S. 395ff. ausführlich begründet und die sprachlichen Anstöße in v. Harnacks gegen die Religionshistoriker gerichteten Aufsatz (Sitzungsber. d. Preuß. Akad. 1911, S. 132f.) nachgewiesen. Daß sich mir ein so feinsinniger Erklärer wie H. Lietzmann in der zweiten Auflage seines Kommentars angeschlossen hat, erfüllt mich mit hoher Freude, Zustimmung aller Nachfolger und zu allen Einzelheiten habe ich nie erwartet und wundere mich über Deutungskunststücke wie μένει 'kommt nicht zu Fall' nicht. Nur wenn selbst ein Philologe, wie P. Corssen in den leidenschaftlich pathetischen Satz ausbricht 'aus der dumpfen Atmosphäre einer heidnischen Mysterienreligion stammen die heiligen Kräfte des Glaubens, der Hoffnung und der Liebe nicht', darf ich mich wohl etwas verwundern. Soll er nur bestreiten, daß jene Kräfte auch in heidnischen Religionen eine Rolle gespielt haben, so ist er nachweislich unrichtig; sie könnten ja auch in keiner Religion fehlen; soll er mir die Behauptung zuschreiben, Paulus habe diese Kräfte aus den Mysterienreligionen ins Christentum übertragen, so stelle ich nur fest, daß ich an den angegriffenen Stellen (Histor. Zeitschr. 1916 S. 191 und Nachr. d. Gött. Ges. 1916 S. 368) mit größtem Nachdruck das Gegenteil ausgesprochen habe. Über die Fassung einer Formel, also eine Systembildung, habe ich gesprochen[1], die Paulus nach meiner Ansicht vorgefunden, angenommen und mit eigenem Inhalt erfüllt hatte, jetzt aber, wo der Kampf ihm ihre Gefährlichkeit gezeigt hatte, umändert. Sie war mir ein Beweis, wie weit in der gedankenmäßigen Ausprägung Paulus auch hellenistischem Empfinden entgegenkommt und welche auch von theologischer Seite längst beobachteten, aber nicht erklärten Schwierigkeiten und Gegensätze sich ihm daraus notwendig ergeben, Gegensätze, die ihm wie allen in den Bruch zweier Zeiten gestellten Männer restlos in sich auszugleichen nicht gelungen ist.

Ob Paulus den widerstrebenden Teil der korinthischen Gemeinde wirklich zur Unterwerfung gezwungen hat? Ob, wenn dieser sich aus Furcht vor einer Zauberkraft in dem πνευματικός beugte, die Unterwerfung Dauer und Wert haben konnte? Ich gestehe, daß ich viele Hauptzüge des Bildes, das E. Schwartz (Charakterköpfe aus der antiken Literatur[2] II) von dem Heidenmissionar und Gemeindeleiter Paulus entworfen hat, gern annehme. Seine stärkste Wirkung hierin beruht auf dem, was er aus dem Judentum beibehalten hat. Der πνευματικός allein gründet θίασοι, kaum dauernde Gemeinden und am wenigsten eine Kirche, mag er auch noch so leidenschaftlich danach streben. Auch der Lehrer Paulus ist nicht in dem Maße, wie man manchmal behauptet, Begründer des späteren Christentums. Niemals hätte sonst, als die für die Bildung einer religiösen Tradition notwendige Distanz gewonnen war, die Botschaft von dem irdischen Leben und der Lehre des Stifters derart neben die paulinische γνῶσις treten können. Dennoch bleibt diese neben, ja

1) Man gestatte einen natürlich nicht in allen Stücken passenden Vergleich. Wer den Kanon der vier Kardinaltugenden oder der vier Elemente auf einen bestimmten Mann zurückführt, behauptet nicht, daß dieser Mann diese Tugenden oder diese Elemente erfunden hat, und wird nicht widerlegt durch den Nachweis, daß die betreffenden Worte einzeln oder in wechselnden Verbindungen auch sonst begegnen. Lehrt ein Philosoph 'es gibt nicht vier, sondern fünf Elemente' oder 'es gibt nicht vier, sondern sieben Hauptlaster', so werde ich prüfen dürfen, wie er zu der Änderung kommt; das ist im zweiten Fall klar, im ersten strittig; aber daß das Wort αἰθήρ schon früher begegnet, genügt zur vollen Entscheidung noch nicht.

über der Mystik des letzten Redaktors des vierten Evangeliums für mich die Trägerin des stärksten Einflusses, den der Hellenismus je auf das Christentum geübt hat. An dem Ursprung, nicht im Verlauf liegen seine folgenschwersten Einwirkungen. Hierin hat Bousset recht.

XVII. DIE KUNSTSPRACHE DER GNOSTIKER

Die oben S. 82 erwähnte Paulusstelle lautet (II. Kor. 2, 14): τῷ δὲ θεῷ χάρις τῷ πάντοτε θριαμβεύοντι ἡμᾶς ἐν τῷ Χριστῷ καὶ τὴν ὀσμὴν τῆς γνώσεως αὐτοῦ φανεροῦντι δι' ἡμῶν ἐν παντὶ τόπῳ, ὅτι Χριστοῦ εὐωδία ἐσμὲν τῷ θεῷ ἐν τοῖς σωζομένοις καὶ ἐν τοῖς ἀπολλυμένοις, οἷς μὲν ὀσμὴ ἐκ θανάτου εἰς θάνατον, οἷς δὲ ὀσμὴ ἐκ ζωῆς εἰς ζωήν. καὶ πρὸς ταῦτα τίς ἱκανός; οὐ γάρ ἐσμεν ὡς οἱ πολλοὶ καπηλεύοντες τὸν λόγον τοῦ θεοῦ, ἀλλ' ὡς ἐξ εἰλικρινείας, ἀλλ' ὡς ἐκ θεοῦ κατενώπιον τοῦ θεοῦ ἐν Χριστῷ λαλοῦμεν. Das Bild, für welches der Gedanke an den Triumph vollständig ausscheidet (vgl. Wissowa bei Lietzmann), gestaltet sich allmählich um; zunächst ist der Duft nur als Träger und Vermittler der γνῶσις gedacht; die γνῶσις ist dabei zugleich unser Dankopfer an Gott, wie in dem hermetischen Gebet oben S. 286; im zweiten Teil ist der Duft (und sein Träger) das φάρμακον τῆς ἀθανασίας, das Heilmittel, die Salbe (der Gedanke ist hellenistisch, doch auch in den Talmud übergegangen, vgl. die Kommentare). An das φάρμακον schließt der Gedanke, daß dasselbe Mittel den einen Leben, den andern Tod bringt. Der Übergang von dem ersten, einfachen Begriff εὐωδία zu dem zweiten φάρμακον ist an sich nicht schwer: der Duft aus dem Leben ist notwendig ein lebenbringender Hauch. Der Schluß zeigt, daß Paulus das Bild für das κήρυγμα, die pneumatische Rede im wahrsten und vollsten Sinne, gebraucht (er häuft die Worte ἐκ θεοῦ κατενώπιον τοῦ θεοῦ ἐν Χριστῷ).

Die beiden Bilder kehren in der gleichen Verbindung und gleichen Verwendung noch öfter wieder. In einem ganz aus paulinischen Erinnerungen zusammengesetzten, man möchte fast sagen zusammengestoppelten Erguß mahnt Ignatius die Epheser (c. 15ff.) sich an die reine Lehre zu halten und vor der κακὴ διδασκαλία zu hüten. Er beginnt ὁ λόγον Ἰησοῦ κεκτημένος ἀληθῶς δύναται καὶ τῆς ἡσυχίας αὐτοῦ ἀκούειν, ἵνα τέλειος ᾖ . . . . .

πάντα οὖν ποιῶμεν ὡς αὐτοῦ ἐν ἡμῖν κατοικοῦντος, ἵνα ὦμεν αὐτοῦ ναοὶ καὶ αὐτὸς ᾖ ἐν ἡμῖν ὁ θεὸς ἡμῶν, ὅπερ καὶ ἔστιν καὶ φανήσεται πρὸ προσώπου ἡμῶν, ἐξ ὧν δικαίως ἀγαπῶμεν αὐτόν. μὴ πλανᾶσθε, ἀδελφοί μου· οἱ οἰκοφθόροι βασιλείαν θεοῦ οὐ κληρονομήσουσιν (er verbindet I. Kor. 3, 16—18 mit 9. 10). εἰ οὖν οἱ κατὰ σάρκα ταῦτα πράσσοντες ἀπέθανον, πόσῳ μᾶλλον, ἐάν τις πίστιν θεοῦ ἐν κακῇ διδασκαλίᾳ φθείρῃ, ὑπὲρ ἧς Ἰησοῦς Χριστὸς ἐσταυρώθη; Er wird materiell (ῥυπαρός) und verfällt dem ewigen Feuer, wie auch jeder, der auf ihn hört. Es folgen die Bilderreden cap. 17. 18: διὰ τοῦτο μύρον ἔλαβεν ἐπὶ τῆς κεφαλῆς αὐτοῦ ὁ κύριος (gemeint kann nur die Salbung zum Χριστός sein; die Salbung des Toten ist selbst nach dem sprachlichen Ausdruck ausgeschlossen), ἵνα πνέῃ τῇ ἐκκλησίᾳ ἀφθαρσίαν. μὴ ἀλείφεσθε δυσωδίαν τῆς διδασκαλίας τοῦ ἄρχοντος τοῦ αἰῶνος τούτου, μὴ αἰχμαλωτίσῃ ὑμᾶς ἐκ τοῦ προκειμένου ζῆν. διὰ τί δὲ οὐ πάντες φρόνιμοι γινόμεθα λαβόντες θεοῦ γνῶσιν, ὅ ἐστιν Ἰησοῦς Χριστός; τί μωρῶς ἀπολλύμεθα ἀγνοοῦντες τὸ χάρισμα, ὃ πέπομφεν ἀληθῶς ὁ κύριος; Περίψημα τὸ ἐμὸν πνεῦμα τοῦ σταυροῦ, ὅ ἐστιν σκάνδαλον τοῖς ἀπιστοῦσιν, ἡμῖν δὲ σωτηρία καὶ ζωὴ αἰώνιος. Ignatius, der schon in den letzten Worten I. Kor. 1, 17ff. οὐ γὰρ ἀπέστειλέν με Χριστὸς βαπτίζειν ἀλλ' εὐαγγελίσασθαι benutzt hat, geht mit dem wörtlichen Zitat ποῦ σοφός, ποῦ συζητητής (I. Kor. 1, 10) zu dem Mysterion über, das er zu künden hat: seit der Himmelfahrt Christi hat der neue Aion begonnen. Seine Beschreibung stimmt, wie ich beiläufig bemerke, fast in jedem Zug zu den ältesten Texten des Totenbuchs der Mandäer: unbemerkt von Ruhā und den Sieben (den Archonten) ist der Anthropos zur Erde herabgekommen; wie er sie wieder verläßt, verliert sie das Licht; alles ist erschüttert und birst; Ruhā und die Sieben klagen: das Ende ihrer Herrschaft und der Untergang der Welt ist herbei gekommen. Doch zurück zu den Bilderreden. Der Duft, den Christus mit sich bringt, bringt den Seinen die ἀφθαρσία (ἐκκλησία war nur gesagt des Anschlusses an das Vorausgehende halber, wo der οἶκος θεοῦ die ἐκκλησία ist). Daß sie sich mit ihm salben sollen, wird erst durch die Form des Gegensatzes μὴ ἀλείφεσθε δυσωδίαν angedeutet, und zu ihm wieder sollte eigentlich den Gegensatz bilden λαμβάνετε τὴν γνῶσιν θεοῦ (salbt euch mit der γνῶσις θεοῦ) ὅ ἐστιν Ἰησοῦς Χριστός. Es ist schwer, hier nicht daran zu denken, daß Mandā d'Haijē, der Anthropos der Mandäer, γνῶσις θεοῦ heißt. Ausdrücklich wird dann Christus sächlich als τὸ χάρισμα (einschmeichelnd, doch bei näherer Prüfung nicht nötig ist die Konjektur χρῖσμα) bezeichnet; auch die heidnische Mystik nennt ja die γνῶσις das χάρισμα Gottes (oben S. 286). Doch das Bild wechselt von neuem; der seltsame Ausdruck τὸ ἐμὸν πνεῦμα τοῦ σταυροῦ, der offenbar nach Paulus I. Kor. 1, 18 ὁ λόγος ὁ τοῦ σταυροῦ gebildet ist, verlangt eine Erklärung. An das πνεῦμα λεκτικόν des Zauberpapyrus (oben S. 310) darf man schwerlich denken; aber vorausgegangen ist ja πνέῃ ἀφθαρσίαν, also ist der Duft selbst der Hauch (πνοή oder πνεῦμα), und der Duft bedeutet das κήρυγμα, die ἐπαγγελία oder διδασκαλία (vgl. bei den Späteren Duft des Kreuzes und Öl des Kreuzes). Daß sie selbst zugleich σωτηρία καὶ ζωὴ αἰώνιος genannt wird, kann nicht mehr befremden; nur die Gleichsetzung von διδασκαλία und μύρον oder εὐωδία wird, fürchte ich, Widerspruch finden. Und doch ist gerade sie formelhaft. In Hippolyts Bericht über die Naassener lesen wir 102, 14 W. καὶ ἐσμὲν ἐξ ἁπάντων ἀνθρώπων ἡμεῖς Χριστιανοὶ μόνοι ἐν τῇ τρίτῃ πύλῃ ἀπαρτίζοντες τὸ μυστήριον (die Taufe in dem himmlischen Euphrat) καὶ χριόμενοι ἐκεῖ ἀλάλῳ χρίσματι, ἐκ κέρατος ὡς Δαβίδ, οὐκ ὀστρακινοῦ φακοῦ, φησίν, ὡς ὁ Σαούλ und 83, 5 ἡ γὰρ ἐπαγγελία τοῦ λουτροῦ οὐκ ἄλλη τίς ἐστι κατ' αὐτούς, ἢ τὸ εἰσαγαγεῖν εἰς τὴν ἀμάραντον ἡδονὴν τὸν λουόμενον κατ' αὐτοὺς ζῶντι ὕδατι καὶ χριόμενον ἀλάλῳ χρίσματι. Ein ἄλαλον χρῖσμα kann nur eine Belehrung ohne Worte sein; auf Gott ist übertragen, was oft vom Menschen gesagt ist, dessen heiligstes Reden zu Gott die θεία σιγή ist (vgl. bei Ignatius oben τῆς ἡσυχίας αὐτοῦ ἀκούειν und zu ἡσυχία für σιγή denselben Eph. 19, 1; ein πνεῦμα ἄλαλον ist bekanntlich etwas ganz anderes). Erst jetzt halte ich die Zusammenhänge der Ignatiusstelle für klar und erwähne nur beiläufig, daß, wenn er den Ephesern verheißt καὶ φανήσεται πρὸ προσώπου ἡμῶν, die Thomasakten (cap. 27, p. 142 Bonnet) ein Mysterium schildern, bei dem die Salbung wirklich, und zwar unmittelbar nach der Taufe, vollzogen wird (eine Handschrift hat sogar die Bezeichnung χρῖσμα bewahrt); ihre Wirkung ist, daß die Täuflinge den Gott sehen, und zwar als Jüngling mit der brennenden Fackel in der Hand, wie der Sonnengott (Mithras) in den Mysterien des Apuleius dargestellt wird. Freilich ist auch hier damit die lehrhafte Rede verbunden, die Bousset (Zeitschr. f. d. neutestam. Wissensch. 1917 S. 1 u. 8) trefflich erklärt hat; nur hätte er ihre Grundlage nicht als manichäisch bezeichnen dürfen, sondern als von Mani nur übernommene ältere Epiklese (daß Christus in der Bearbeitung τὸ χάρισμα τὸ ὕψιστον genannt und der γνῶσις gleichgesetzt wird, ἡ τὰ μυστήρια ἀποκαλύπτουσα τὰ ἀπόκρυφα, erwähne ich wegen Ignatius). Auch in der Hermetik bewirkt immer die Lehre und besonders das Gebet die volle Schau Gottes. Für die Manichäer ist später Jesus der, welcher die γνῶσις bringt, zugleich freilich der Mondgott.

Ich nehme, ehe ich die Folgerungen ziehe, noch eine dritte Rätselstelle hinzu, I. Joh. 2, 20ff. Der Verfasser mahnt: das Ende der Zeiten ist gekommen: schon naht der Antichrist und gibt es viele Antichristen; von uns sind sie ausgegangen, aber sie gehören nicht zu uns: καὶ ὑμεῖς χρῖσμα ἔχετε ἀπὸ τοῦ ἁγίου καὶ οἴδατε πάντα. οὐκ ἔγραψα ὑμῖν ὅτι οὐκ οἴδατε τὴν ἀλήθειαν, ἀλλ' ὅτι οἴδατε αὐτήν, καὶ ὅτι πᾶν ψεῦδος ἐκ τῆς ἀληθείας οὐκ ἔστιν. τίς ἐστιν ὁ ψεύστης εἰ μὴ ὁ ἀρνούμενος ὅτι 'Ιησοῦς οὐκ ἔστιν ὁ Χριστός; οὗτός ἐστιν ὁ ἀντίχριστος, ὁ ἀρνούμενος τὸν πατέρα καὶ τὸν υἱόν. πᾶς ὁ ἀρνούμενος τὸν υἱὸν οὐδὲ τὸν πατέρα ἔχει. ὁ ὁμολογῶν τὸν υἱὸν καὶ τὸν πατέρα ἔχει. ὑμεῖς ὃ ἠκούσατε ἀπ' ἀρχῆς ἐν ὑμῖν μενέτω. ἐὰν ἐν ὑμῖν μείνῃ, ὃ ἀπ' ἀρχῆς ἠκούσατε, καὶ ὑμεῖς ἐν τῷ υἱῷ καὶ ἐν τῷ πατρὶ μενεῖτε. καὶ αὕτη ἐστὶν ἡ ἐπαγγελία, ἣν αὐτὸς ἐπηγγείλατο ἡμῖν, τὴν ζωὴν τὴν αἰώνιον. ταῦτα ἔγραψα ὑμῖν περὶ τῶν πλανώντων ὑμᾶς. καὶ ὑμεῖς τὸ χρῖσμα, ὃ ἐλάβετε ἀπ' αὐτοῦ, μενεῖ ἐν ὑμῖν καὶ οὐ χρείαν ἔχετε ἵνα τις διδάσκῃ ὑμᾶς, ἀλλ' ὡς τὸ αὐτοῦ χρῖσμα διδάσκει ὑμᾶς περὶ πάντων, καὶ ἀληθές ἐστιν καὶ οὐκ ἔστιν ψεῦδος, καὶ καθὼς ἐδίδαξεν ὑμᾶς, μενεῖτε ἐν αὐτῷ. Das χρῖσμα vermittelt die volle γνῶσις, wird aber dabei sprachlich und sachlich gleichgesetzt dem ὃ ἠκούσατε ἀπ' ἀρχῆς. Aber zugleich scheint es als die Person des Verkünders gefaßt, er ist ja der Logos: auf Ev. Joh. 15, 4ff. wird fühlbar Bezug genommen μείνατε ἐν ἐμοί, κἀγὼ ἐν ὑμῖν, ja, wenn ich richtig empfinde, auch auf 14, 6ff. ἐγώ εἰμι ἡ ὁδὸς καὶ ἡ ἀλήθεια καὶ ἡ ζωή, wo Christus ja auch als die γνῶσις bezeichnet wird. Es ist willkürlich hier χρῖσμα als πνεῦμα zu fassen und an die alte Prophetenweihe zu denken, und es verdirbt den Sinn der ganzen Stelle, wenn wir an ein kultlich durchgeführtes Sakrament denken. Die formelhafte Gleichsetzung der Verkündigung bei der Taufe mit dem χρῖσμα erklärt die Stelle restlos, und der Vergleich mit Ignatius sichert die Deutung bis in die Einzelzüge (auch Paulus II. Kor. 1, 12 ὁ δὲ βεβαιῶν ἡμᾶς σὺν ὑμῖν εἰς Χριστὸν καὶ χρίσας ἡμᾶς θεός, ὁ καὶ σφραγισάμενος ἡμᾶς καὶ δοὺς τὸν ἀρραβῶνα τοῦ πνεύματος ἐν ταῖς καρδίαις ἡμῶν verträgt diese Erklärung vielleicht besser als die Erklärung des χρῖσμα als πνεῦμα, doch ist der Ausdruck ganz unbildlich geworden).

Die drei Stellen, die sich gegenseitig erläutern, zeigen eine eigentümliche Entwicklung des Stils pneumatischer Rede. Wohl ist für uns schon die erste (II. Kor. 2, 14) befremdlich; daß das Bild sich beständig wandelt, zeigt, daß Paulus nicht von dem Gedanken ausgeht und erst später für ihn die bildliche Form sucht: nein, er denkt von Anfang an bildhaft und setzt voraus, daß seine Leser ebenso denken können; so gestaltet sich das Bild zugleich mit dem Gedanken um. Ganz anders Ignatius; er verwendet offenbar ein festes stilistisches Mittel der pneumatischen Rede. Sie verlangt die schwer verständlichen, allegorischen Bezeichnungen (vgl. τὸ ἐμὸν πνεῦμα τοῦ σταυροῦ) und eine feste Typologie. Es ist eine Art sakraler Glossensprache, die dem Hörer beständig Aufgaben stellt und von dem Ungläubigen nicht verstanden werden soll, das echte Gegenbild zu der allegorischen, bzw. pneumatischen Exegese, ja eigentlich nur eine Folgerung aus ihr: spricht in der heiligen Überlieferung das πνεῦμα beständig in Allegorien, die nur der Begnadete versteht, so muß es der πνευματικός, um sich zu beglaubigen, auch. Die Kultsprache und der Zauber vieler Völker bieten Ähnliches. Weil das Horusauge in dem bestimmten Mythos das kostbarste Opfer ist, heißt später im Kult jede wertvolle Opfergabe Horusauge, ohne daß man an den Mythos mehr denkt; oder die bildliche Darstellung z. B. der Sonne gibt den Ausdruck für die geheimnisvolle mythologische Erzählung im Zauber: κάνθαρος ὁ πτεροφυὴς ἀπεκεφαλίσθη (Dieterich, Jahrb. f. Phil. Supplem. XVI, S. 796); oder Symbol und Deutung fließen ineinander, wie in der mandäischen Erzählung vom weißen Aar (Johannesbuch c. 73). Besonders das Gebet, der eigentlich pneumatische Teil, liebt rasche Übergänge von einem Bild zum andern, zunächst in den Epiklesen, dann auch in der Ausführung; ist Gott dem Mandäer der Pflanzer und der Bauherr, so werden beide Bilder leicht durcheinander gehen, je nachdem der Gedanke des Betenden sich wendet. Die zunächst individuelle Schöpfung erstarrt dann, besonders in orientalischen Religionen, leicht zur Formel; hat sie sich in der Prophetenrede zur kunstvoll ausgeführten Allegorie umgestaltet (wie bei Ezechiel), so wird diese Allegorie nun traditionelles Gut und überträgt sich von einem Stoff auf den andern und von einer Religion in die andere (man denke an den Hirten des Hermas). Anders, aber doch ähnlich ist offenbar die Ausbildung der alchemistischen Geheimsprache. Auch hier ist der Übergang von der individuellen Schöpfung zur Formel leicht zu verfolgen. Aus den in alten Schriften angeführten Mythen und den erklärenden Glossen dazu werden Formeln, d. h. Decknamen. Allgemein durchgesetzt hat sich das Weltei (ᾠόν) und seine Teile; seltener bleiben sicher δράκοντος χολή (Berthelot in dem alchemistischen Lexikon 6, 23, vgl. 15, 8, aus dem Mythos vom Drachenkampf, den ich in der Festschrift für Fr. C. Andreas erläutert habe), πηλὸς Ἡφαίστου (Berthelot 13, 2), Ὄσιρις (12, 9), ἀετίτης λίθος (5, 20), Ἡλίου χαῖται (7, 19). Andere stammen aus alten Opfervorschriften, die 'pneumatisch' mißdeutet wurden (γάλα βοὸς μελαίνης 6, 15, θαλλοὶ φοινίκων 8, 6). Die Formeln der alten Rätselsprache wirken mit ein (λίθος ὁ οὐ λίθος). Am beliebtesten ist die leicht erkennbare Umdeutung wirklicher Mysterien (ἱερὸς γάμος, Erneuerung, Wiedergeburt, Totenerweckung), für welche die von mir in den Nachrichten d. Gesellsch. d. Wissenschaften Gött. 1919, S. 1ff. veröffentlichte Schrift (vgl. die Proben oben S. 314) lehrreiche Beispiele bietet. Bei der Ähnlichkeit dieser Geheimliteratur mit der mystisch-theologischen hat schon das Vorhandensein derartiger Lexika für den Philologen ein gewisses Interesse: sie dienen dem Lesenden, indem sie ihm die Interpretationsmöglichkeiten gesammelt bieten, sie dienen aber zugleich dem Schreibenden, indem sie ihm solche dem Uneingeweihten unverständliche Formeln zur Auswahl stellen. Wie jede andere Sprache kann man auch die pneumatische lernen. Tatsächlich muß es frühzeitig für die christliche und jüdische Mystik solche Hilfsbücher gegeben haben, und ich möchte wünschen, daß ein besserer Kenner die späten Überbleibsel dieser Literatur verfolgte. Nicht nur die pneumatische Exegese träte dadurch in ein volleres Licht, sondern auch die pneumatische Rede, beides ja im wesentlichen orientalische Gebilde. Jenes Gleiten von Bild zu Bild, das uns ihr Verständnis erschwert, will bewußt den Charakter der Prophetie nachahmen, die durch unverbundene Einzelbilder und Worte wirken will. So macht notwendig die Sprache der Mystik oder Gnosis eine ähnliche Entwicklung von der freien und individuellen Bildung zur schulmäßigen Formel durch wie die alchemistische. Für eine Formel wie ἅλαλον χρῖσμα müssen wir uns die Deutung wie für δράκοντος χολή suchen. Nur sind die Hilfsmittel dafür reicher.

In dieser Art künstlicher Sprcahe möchte Ignatius reden, wenn er den συμμύσται Παύλου beweisen will, daß er durch das beginnende Martyrium Pneumatiker, also der wahre Gnostiker, und Παύλου μύστης geworden ist: Paulus gibt ihm die Grundlage, aber er schafft noch neu; nur bleibt seine Imitation mühsam und gequält, vor allem gedankenarm. Der Verfasser des ersten Johannesbriefes steht zu dem Evangelium des Johannes wie Ignatius in diesem Abschnitt zu Paulus. Die Formelsprache ist daher für ihn noch fester, aber freilich auch einfacher. Für ihre Deutung muß man sich an Kennworte halten, wie z. B. für 3, 9 σπέρμα αὐτοῦ ἐν αὐτῷ μένει an den Begriff μένει ἐν ὑμῖν. Das σπέρμα θεοῦ ist hellenistisch auch die ζωή (z. B. Corp. herm. XIV 10), und diese für ihn wieder Jesus oder das Göttliche in uns, der λόγος τῆς ζωῆς (1, 1). Ich glaube gern, daß er ohne viel Nachdenken über den bildlichen Ausdruck ihn verwendet wie der Alchemist seine γρῖφοι, und stelle diese meine Deutung der sprachwidrigen Erklärung in den Sitzungsber. d. Berl. Akad. 1915, S. 541 gegenüber. Für Paulus ist weder ein bestimmtes stilistisches Streben fühlbar noch irgendein Formelzwang. Allerdings benutzt er für seine Bilder hellenistische Mysterienanschauungen, aber er schafft frei. Zu diesem sachlichen Teil nur noch wenige Worte.

In der iranischen Überlieferung vollzieht sich die Erweckung des schlafenden, weil in die Materie versenkten Gottes Ἄνθρωπος entweder durch den kurzen zauberkräftigen Spruch (so in dem Zarathustra-Liede) oder durch die ausführliche Belehrung (ein langes κήρυγμα, wie in der manichäischen Liturgie) oder dadurch, daß der göttliche Bote ihn den Duft des Lebens riechen läßt und hierzu ein Mittel verwendet (Theodor bar Khôni). Der Erweckung entspricht immer die Wiederbelebung des toten Gottes. Dennoch wird die eigentliche Kulthandlung bei ihr etwas andere Züge annehmen müssen als die Darstellung der Erweckung im Wort. Wir haben die Beschreibung einer solchen Kulthandlung aus den phrygischen Mysterien bei Firmicus Maternus De errore prof. rel. c. 22ff. Sie ist ursprünglich ähnlich der Zusammenfügung der Glieder des toten (d. h. in der Nacht schlafenden, ja gestorbenen) Gottes im ägyptischen Tageskult (Morin, Cult divin journalier en Égypte, Annales du Musée Guimet XIV 70ff.). Der Totenkult wird an manchen Orten Ähnliches gekannt haben. Neu hinzugetreten scheint, als diese Kulthandlung zum Mysterium in unserem Sinne wurde, der Zug, daß mit der Salbe, die man bei der Wiederbelebung des Gottes verwendete (dem φάρμακον τῆς ἀθανασίας, vgl. Diodor I 25, Griffith, Demotic magical papyrus p. 131, 133 und die aus dem Aramäischen übersetzte alchemistische Schrift oben S. 314), auch die anwesenden Mysten gesalbt werden, um Anteil an dem Geschick ihres Gottes zu erhalten. Eine kurze Verkündigung wird dabei gesprochen. Hält man sich die notwendigen Unterschiede gegenwärtig, so kann auch diese Kulthandlung uns in das Verständnis des Pauluswortes einführen. Die Beschreibung lautet: *nocte quadam simulacrum in lectica supinum ponitur et per numeros digestis fletibus plangitur. deinde cum se ficta lamentatione satiaverint, l u m e n i n f e r t u r. tunc a sacerdote omnium qui flebant, f a u c e s u n g u e n t u r, quibus perunctis sacerdos hoc lento murmure susurrat*: θαρρεῖτε, μύσται, τοῦ θεοῦ σεσωσμένου· ἔσται γὰρ ἡμῖν ἐκ πόνων σωτηρία. *quid miseros hortaris* ⟨*ut*⟩ *gaudeant, quid deceptos homines laetari conpellis? . . . . . idolum sepelis, idolum plangis, idolum de sepultura proferis, et miser, cum haec feceris, gaudes. tu deum tuum liberas, tu iacentia lapidis membra conponis, tu insensibile corrigis saxum. tibi agat gratias deus tuus, te paribus remuneret donis, te sui velit esse participem: sic moriaris, ut moritur, sic vivas, ut vivit. nam quod olore perunguentur fauces . . . . . unguentum hoc reserva mortuis, reserva morituris . . . . aliud est unguentum, quod deus pater unico tradidit filio, quod filius credentibus divina numinis sui maiestate largitur. Christi unguentum inmortali compositione conficitur et spiritalibus pigmentorum odoribus temperatur. hoc unguentum a mortalibus laqueis putres hominum artus exuit, ut sepulto primo homine ex eodem statim homine homo alius felicius nascatur.* Firmicus kennt I. Joh. 2, 18ff. und deutet es nur etwas um. Das πνευματικὸν χρῖσμα des christlichen Glaubens gibt die wahre innere Auferstehung, das σωματικὸν χρῖσμα des Attisglaubens höchstens die ἀφθαρσία σώματος, aber zugleich das ewige Verderben. Durch diese Pointe, die allerdings erst Firmicus hereinbringt, scheidet sich der Gedanke stark von dem paulinischen. Dennoch kann auch die von Firmicus gebotene anschauliche Schilderung der Kulthandlung uns die Voraussetzungen für die Bildersprache des Apostels deutlicher machen und dadurch zu ihrem Verständnis beitragen.

XVIII. DAS DOPPELEMPFINDEN IN DER ROMANTIK

Was ich mit dem Vergleiche meine, kann am besten vielleicht der inhaltsreiche Aufsatz von P. Hensel, Frankfurter Zeitung 1907 Nr. 130 I, Das Schauerliche bei E. Th. A. Hoffmann, zur Anschauung bringen. Er verlegt in den Zeitpunkt von Hoffmanns Übersiedelung nach Berlin eine wesentliche Weiterbildung in der Verwendung des Wunderbaren und im Empfinden Hoffmanns. 'Die frühere Trennung der Wirklichkeit in räumlich getrennte Bezirke des Gewöhnlichen und Wunderbaren hat aufgehört. Die beiden Wirklichkeiten sind durcheinander geschoben, und bald die eine, bald die andere erfaßt den Menschen, der auf diese Weise . . . ein Bürger zweier Welten ist . . . Der Student Anselmus weiß sehr wohl, daß er in einem Kristallflacon eingepreßt neben anderen Leidensgenossen auf einem Regal in der Studierstube des Archivarius Lindenhorst steht, seine Genossen im Unglück dagegen spotten über ihn, der, auf der Elbbrücke stehend, klägliche Seufzer ausstößt, und lassen es sich mit den Speziestalern des Archivarius im Linkeschen Bade wohl sein.' So ist Lindenhorst selbst der Geisterkönig, aber mit ebenso viel Wirklichkeit doch auch wieder nichts mehr und nichts weniger als der geheime Archivar, der pflichttreue Beamte, an dem Rektor Paulmann und Konsorten außer ein wenig Überspanntheit nichts Besonderes merken. Als Kinder führen wir alle ein derartiges Doppelleben und haben die Fähigkeit, uns die Wirklichkeit beständig zum Wunder zu machen. Aber nur wenigen erhält sie sich noch in der Jünglingszeit und zeigt dann ihre Kraft vor allem an dem Liebenden. Länger genießen Dichter und Künstler jene Steigerung ihres Wesens ins Geniale. Die Mehrzahl auch der früher Begnadeten vergißt ihre Liebe zur grünen Schlange, verliert ihr Heimatrecht im Dschinnistan, dem Reich der Wunder, und kommt eben in die großen Kristallflaschen, wo sie sich sehr behaglich fühlt. Die aber, welche sich nicht vertreiben lassen und ihr Leben lang mit den großen, erstaunten Kinderaugen in die Welt blicken, die Künstler, wecken mit dem, was sie von der Welt, in der sie leben, zu künden haben, den andern die Erinnerung, daß auch sie einmal in jener Welt heimisch waren. Wie hierbei im Grunde persönlichstes Erleben und Empfinden Hoffmanns bedingt, daß er auch die Begünstigten selbst als 'Zwittergeschöpfe' schildert, und wie die zwei Seiten seines Wesens es mit sich bringen, daß er, der musterhaft pflichttreue und eifrige Beamte, nur abends von den Geistern des Weines und der Unterhaltung in sein eigentliches Reich fortgetragen gewissermaßen das Amtshabit von seiner Seele streifen und als der Geisterkönig, der er nach der andern Seite seines Wesens ist, unter den verwandten Geistern erscheinen will, und wie in dieser Lösung des Problems, eine Gleichung zu finden zwischen dem eigenen Ich und der Welt, der Dualismus zwischen ihnen nicht überwunden, sondern in das Ich selber hineingetragen ist, wäre lohnend zu verfolgen. Gerade weil er auf einen Ausgleich verzichtet, kann Hoffmann jenen zweiten Teil seines Ich ins Übermenschliche steigern, und wächst die Autonomie der Phantasie ins Übermaß. Unendlich tiefer als diese Überreizung eines nur ästhetischen Empfindens mußte selbstverständlich in einer Zeit des Druckes und der Unbefriedigung die aufs äußerste gespannte Erregung der religiösen Sehnsucht und Phantasie wirken. Aber auch das schattenhafte Abbild kann uns doch ein wenig zum Verständnis jener allgewaltigen Bewegung verhelfen, die vom Orient in das Abendland übergreift. Vor allem kann es zeigen, wie der Gegensatz eines unscheinbaren Außenlebens und reichen Innenlebens eine derartige Übersteigerung des Empfindens vorbereitet, und kann insofern für das Verständnis einer Persönlichkeit wie Paulus, das wir ja voll nie erreichen werden, dennoch von Nutzen sein.

XIX. DIE BEDEUTUNG DES SELBST.[1]

Die Arbeit einer vergleichenden Religionsgeschichte, wie ich sie hier an einem engbegrenzten Stoff zu üben versuche, hat natürlich enge Berührung mit der folkloristischen Behandlung der Vorgeschichte der Religionen; nur daß sie den umgekehrten Weg geht, nicht kulturlose und verkümmerte Völker, von deren Geschichte und wechselseitiger Beeinflussung wir nichts wissen, die sogenannten Primitiven, zum Ausgangspunkte wählt, sondern aufstrebende und wache Nationen, die miteinander in Berührung stehen, ferner eine greifbare und entwickelte Form dieser Religionen zugrunde legt und von ihr langsam rückwärts schreitend die allgemeinen und die eigentümlichen Voraussetzungen und treibenden Kräfte durch Vergleiche zu erkennen versucht. Das Hauptmittel dabei muß die Sprache sein, die Arbeit rein philologisch. Wem, wie mir, die orientalischen Sprachen verschlossen sind, werden trotz aller Freundeshilfe höchstens Umrißlinien erkennbar werden; nur die Aufgabe kann er formulieren helfen, nicht selbst sie erfüllen, aber vielleicht doch zeigen, was er für die eigene Wissenschaft und die ihr nächststehenden davon erhofft.

Mit einem Dank und Bekenntnis möchte ich beginnen. Als ich als junger Student von der Theologie nach langem Umhersuchen zur klassischen Philologie überging, lockte mich zuerst

1) In der Korrektur zugefügt.

die ganz anders ausgebildete Kunst der Interpretation, die mir hier in einem Meister wie Johannes Vahlen entgegentrat. Mit jugendlich überschwenglicher Begeisterung erfüllte mich, daß sich mir hier endlich feste Richtlinien, ja, wie ich damals glaubte, unumstößliche Regeln böten, wie man von der Überlieferung zum Worte des Autors und von diesem zum Sinn und zu dem Empfindungsleben vordringen müsse; bei der damals noch feierlichen Promotion sprach ich die Überzeugung aus, was ich je in meiner Wissenschaft erreichen könne, nur dieser Unterweisung zu verdanken. Auf andere Gebiete als meinen Lehrer hat das Leben mich geführt; aber daß ich, als einmal ein einziger Vers des Paulus (I. Kor. 2, 14) mich beschäftigte, es als notwendig empfand, mich in die ganze Art seiner Gedankenführung und seiner Rhetorik, kurz seine Sprache einzuarbeiten, das danke ich ihm, und das hat dies Buch seinerzeit veranlaßt und mir die Fragestellung nach dem Orientalischen und dem Griechischen im Denken und Empfinden des Paulus gegeben. Ich habe die damals zunächst für mich selbst niedergeschriebenen Interpretationen langer Zusammenhänge nicht streichen können, sie bilden die notwendige Grundlage für alles Übrige. Wohl empfinde ich, so unzulänglich meine Kenntnis theologischer Literatur auch wohl geblieben ist, doch lebhaft, wie stark sich die theologische Interpretation seit meiner Studentenzeit, ja selbst seit dem ersten Erscheinen dieses Buches geändert und unserer philologischen genähert hat, aber ein Eigenes wird es doch hoffentlich noch bieten, schon durch die planmäßige Unterordnung der Interpretation unter die historische Untersuchung. Weil alles, was wir an geistigem Besitze haben, und besonders, was wir der alten Wiege der Weltkultur, Asien, verdanken, durch das Griechentum und das Römertum hindurchgegangen ist, unsere Sprache und mit ihr unsere Begriffe so gebildet sind und bis heute nur Völker auf uns gewirkt haben, die durch dieselbe Schulung gegangen sind, ist die klassische Philologie die Dienerin aller Wissenschaften und eben darum für mich die Königin. Eine wirkliche Geistesgeschichte ohne sie und die Hilfsmittel, die sie bietet, bleibt ohne Fundament, unselbständig und unzulänglich. Den Ausgangspunkt bildet für uns immer das Wort, die Aufgabe von ihm zum Verständnis des Begriffes oder der Anschauung zunächst in der Einzelsprache, dann in einer Gruppe durch Rassengemeinschaft oder historische Verbindung zusammengehaltener Volkssprachen durchzudringen.

Das griechische Pronomen αὐτός geben eine Anzahl Sprachen durch ein Substantivum wieder. So die indische, für die ich aus Oldenbergs vorbildlichen Darlegungen (Vorwissenschaftliche Wissenschaft, Die Weltanschauung der Brāhmana-Texte 1919, S. 86, vgl. Lehre der Upanishaden 52f.) kurz heraushebe: das Wort *ātman* ist etymologisch wohl mit Atem zu verbinden; es bezeichnet „das Selbst", besonders den Gegensatz zu dem, was nicht das Selbst ist, benennt die eigene Person im Gegensatz zu Angehörigen, Besitz, Außenwelt überhaupt; innerhalb der eigenen Person den Körper als Ganzes im Gegensatz zu den Einzelgliedern (O. 87,1. 88), den Teilen (O. 101)[1]; ferner das Innere, das Wesentliche, Belebende, Beherrschende gegenüber dem Äußerlichen, Wegdenkbaren, Beherrschten. Daß die Götter ursprünglich *ātman*-los waren, bedeutet, daß sie ursprünglich sterblich waren. Hier sind wir schon an der Grenze der Steigerung, die dann *ātman* zu der unsichtbaren Kraft macht, die in den Sinnen, aber auch in dem Denken wirkt (O. 88); die weitere Entwicklung zu dem Bewußtseins-Selbst, das in uns und in dem Kosmos, der ursprünglich ja auch einen belebten Körper, einen Menschen in seiner Gesamtheit, darstellt, ein und dasselbe ist, braucht uns hier nicht mehr zu beschäftigen.

Zugrunde liegt offenbar ein Empfinden der Zweiheit und Trennung und doch auch wieder der Zusammengehörigkeit oder gar Vereinigung zweier Dinge, und in keiner Religion werden wir es eher wiederzufinden erwarten als der iranischen. Die un-

---

1) Trotzdem trägt O. Bedenken gegen eine Übersetzung 'Körper'; auch wo sie sich zu bieten scheint, handele es sich schließlich um das Selbst im Gegensatz zum Nichtselbst. Mir scheint hier eine ältere Vorstellnng einzuwirken, die das Individuelle nur im Körper erblickt, wie sie Wackernagel aus Homer für das Altgriechische erwiesen hat. Das beste Beispiel bietet der sehr alte Satz 'der Mensch ist 21 fältig, denn er hat 10 Finger, 10 Zehen und das Selbst' (oben S. 265 A. I).

sichtbare, himmlische und die irdische Welt, Gott und Seele sind ja derartige Gegenbilder. Die Annahme eines himmlischen Leibes, die seltsame, uns noch unklare Vorstellung von den Fravaši, alles weist darauf. Das σῶμα τέλειον[1] in der Mithrasliturgie, das aus den Urelementen der uns bildenden Elemente besteht, oder die Jungfrau, die in dem Yast 22 der Seele des Frommen als ihr Gegenbild entgegenkommt, weil sie, um es kurz zu sagen, aus ihren Tugenden besteht, oder die in dem Dāmdād-Nask waltende Vorstellung von Gayōmard, der in der Materie vergeht, aber als die Seele, der innere und beherrschende Teil, in den der Erde entsprießenden Menschen wieder ersteht, sind dem Leser hoffentlich in der Erinnerung. In dem griechischen Zaubergebet ist er der ἴδιος δαίμων, und eine andere Übersetzung, wahrscheinlich τελεία φύσις, unsere vollkommene Natur, bot die arabische hermetische Schrift, aus der ich durch H. Ritters Güte Bruchstücke mitteilen durfte.[2] In der Naassenerpredigt ist es der Anthropos, also Gayōmard, oder, sächlich bezeichnet, der Logos, der innere Mensch, oder die Psyche, das Gottwesen, das als Gesamtseele im Kosmos, als Einzelseele in dem einzelnen Menschen waltet.[3] Das τέλος ist die Vereinigung beider, im Diesseits in der 'Schau', im Jenseits in völligem Ineinanderfließen. Für die Empfindung gibt uns Porphyrios in dem für jeden Griechen befremdenden und doch ungemein scharf bezeichnenden Ausdruck für die Schau ἀναδρομή und σύμφυσις πρὸς τὸν ὄντως ἑαυτόν Aufschluß.[4] Er kennt wirklich persische Anschauungen und hat in der eigenen syrischen Muttersprache auch den Begriff schon vorgefunden, denn das aramäische Wort *qnūma*, das in Übersetzungen oft αὐτός bezeichnet, schwankt in der Bedeutung zwischen φύσις, ὑπόστασις und *persona* und kann selbst den Begriff von Körper annehmen; es ist das Eigene.

---

1) Den Gegensatz bilden dort die Einzelteile (Elemente).

2) Reitzenstein-Schaeder I, S. 112f.

3) Vgl. das Petrus-Martyrium (oben S. 180) ὁ γὰρ πρῶτος ἄνθρωπος, οὗ γένος ἐν εἴδει ἔχω ἐγώ.

4) Oben S. 236, 1. Das erinnert an das μεταμορφοῦσθαι in der Schau bei bei Paulus (und noch mehr an Röm. 6,5 σύμφυτοι, vgl. den Zusammenhang).

Es wird gut sein, das Wenige, was ich über orientalische Sprachen erkunden konnte, gleich hier vorauszunehmen. Im Türkischen, über das mich auf meine Bitte W. Bang und A. v. Le Coq belehrten, entspricht das Wort *öz*, das Prof. Bang etymologisch mit der Wurzel *ö-* 'denken, bedenken, sich erinnern' zusammenbringen möchte; es wäre von ihr gebildet wie von *u-* 'können' *uz* 'Könner oder Könnender'. Im Mongolischen entspricht ein Wort *beye*, das erklärt wird *corps, chair, personne, figure, esprit, forme, moi, nature, naturel*, im Mandschurischen: Körper, Person, Wesen, selbst, Kapital, Glied. Selbst in das Tocharische könnte man, wie Prof. Sieg mir mitteilt, diesen Bedeutungswechsel und pronominalen Gebrauch verfolgen.

In ganz der gleichen Richtung muß sich nun das in der manichäischen Literatur so häufige Wort *grēv* entwickelt haben, das auch Körper, Figur, vor allem aber das Selbst, ein durchaus übersinnliches Wesen, bedeutet. Es wird in dem chinesisch-manichäischen Traktat als *notre nature primitive lumineuse*, unser Vater und unsere Mutter und zugleich unsere δόξα bezeichnet, und wenn hierfür die Mithrasliturgie die beste Erklärung bietet, so für die Worte *grīv hasēnag* wohl jener von Philo, Quaestiones in Exodum II 46 (oben S. 270) angeführte Terminus für den uns der Übersetzer des armenischen Textes zwei Ausdrücke *anima principalis* oder *spiritus principis* zur Wahl stellt. Gleichviel ob Philo[1] hier das Wort ψυχή (Seele des Urmenschen, Allseele) oder πνεῦμα gebraucht hat, immer ist erwiesen, daß der orientalische Begriff schon vor Beginn unserer Zeitrechnung fest war. Für Philo knüpft er sich an die μεταβολή der menschlichen Seele — ich sage, da von ihrem Vater und Mutter die Rede ist, lieber gleich: des menschlichen Selbst in das göttliche, für das man nur einen Vater (Gott selbst) nennen kann. Eine ähnliche Verwandlung schildert der hermetische Traktat XIII, der λόγος τῆς παλιγγενεσίας. Auch hier heißt das Gottwesen, dessen Teile aufgezählt werden und das ein anderer und doch derselbe ist als der Mensch, υἱὸς θεοῦ, aber freilich zugleich der Logos, wie ja auch ἐλλόγιμος für ἔννους (im

1) Vgl. bei ihm De plantatione, 18. 19, wo die Worte νοῦς, ψυχή, πνεῦμα (πνοή) und der Begriff des unsichtbaren, aber gestalthaften Menschen vorliegen.

mystischen Sinne) in dem iranisch beeinflußten Traktat XII des hermetischen Corpus erscheint.

Es ist lehrreich, daß dabei dieser Traktat[1] selbst für den gleichen Begriff auch ein anderes griechisches Wort, nämlich ψυχή, bietet und es zugleich als νοῦς erklärt. Daß die ἐλλόγιμοι nicht unter der εἱμαρμένη stehen, beweist er in § 9 in folgenden Worten: ὁ νοῦς τούτου (Gottes, bzw. des Aion, der vorher genannt ist) ἀγαθός ἐστιν, ὅ⟨σ⟩περ ἐστὶν αὐτοῦ καὶ ψυχή· τούτου δὲ τοιούτου ὄντος οὐδὲν διαστατὸν τῶν νοητῶν (alle νοητά bilden eine Einheit), ὡς εἶναι (οὖν Hss.) δυνατὸν νοῦν, ἄρχοντα πάντων καὶ ψυχὴν ὄντα τοῦ θεοῦ, ποιεῖν ὅπερ βούλεται . . . . . πάντων ἐπικρατεῖ ὁ νοῦς, ἡ τοῦ θεοῦ ψυχή, καὶ εἱμαρμένης καὶ νόμου καὶ τῶν ἄλλων πάντων· καὶ οὐδὲν αὐτῷ ἀδύνατον, οὔτε εἱμαρμένης ὑπεράνω θεῖναι (Fluss. ὑπεράνωθεν οὖν Hss.) ψυχὴν ἀνθρωπίνην, οὔτε ἀμελήσασαν, ἅπερ συμβαίνει, ὑπὸ τὴν εἱμαρμένην θεῖναι (Fluss. εἶναι A οὖν MC). Klar sollte sein, daß Gott nicht die Seele, sondern das Selbst des Menschen über die Heimarmene erhebt oder ihr unterordnet; ebenso auch, daß nicht der νοῦς θεοῦ die ψυχὴ θεοῦ ist, was scheinbar dreimal versichert wird[2], sondern das Selbst Gottes; der ψυχὴ ἀνθρωπίνη entspricht ja die ψυχὴ θεοῦ und der Traktat beginnt Ὁ νοῦς, ὦ Τάτ, ἐξ αὐτῆς τῆς (A, fehlt MC) τοῦ θεοῦ οὐσίας ἐστὶν, εἴ γέ τίς ἐστιν οὐσία θεοῦ. — ⟨εἰ δέ τίς ἐστιν⟩ καὶ ποία τις οὖσα τυγχάνει, οὗτος μόνος ἀκριβῶς, αὐτὸς (αὐτόν Hss. getilgt Tied.) οἶδεν. — ὁ νοῦς οὖν οὐκ ἔστιν ἀποτετμημένος τῆς οὐσιότητος τοῦ θεοῦ, ἀλλ' ὡς περιηπλωμένος, (ἀλλ' ὥσπερ ἡπλωμένος Hss.) καθάπερ τοῦ ἡλίου τὸ φῶς (τὸ τοῦ ἡλίου φῶς Hss.), vgl. XIV 9 ὁ γὰρ θεὸς ἓν μόνον πάθος ἔχει, τὸ ἀγαθόν . . . . . τοῦτο γάρ ἐστιν ὁ θεός, τὸ ἀγαθόν. VI 2 ἡ οὐσία τοῦ θεοῦ, εἴ γε οὐσίαν ἔχει, τὸ καλόν ἐστι, τὸ δὲ καλὸν καὶ ἀγαθόν ἐστιν. Seine Substanz oder Seelenregung ist das Gute; so ist der νοῦς, der gut ist, sein Selbst. Genau so spricht der Zauberer (oben S. 309) σύ εἶ ἡ ψυχὴ τοῦ δαίμονος (Steigerungsform: das Selbst des Selbsts) τοῦ Ὀσίρεως,

---

1) Die Sprache ist in dem eigentlichen Text fast ganz religiös, doch sind schon in alter Zeit kritische Bemerkungen von einem philosophisch geschulten Leser eingestreut; z. B. in dem unten angeführten Eingang.

2) Scott tilgt es natürlich alle dreimal, weil er orientalisch religiöse Vorstellungen nicht kennt oder nicht anerkennen will.

indem er hierin ägyptischen Brauch nachahmt, und fügt gleich hinzu σύ εἶ τὸ πνεῦμα τοῦ Ἄμμωνος und erklärt damit wohl hinreichend, daß Paulus (oben S. 338) νοῦς und πνεῦμα als identisch betrachten kann (beide sind ihm nur das Innerste); er folgt auch hierin nur dem religiösen Sprachgebrauch der hellenistischen Welt.

Eine σύμφυσις, wie sie Porphyrion andeutet, wird im Avesta Yasna 49,5 erwähnt: *He, o Mazdah, is happiness and fulness, whoever has united his daēna with Vohu Manah being well cognizant of Armaiti through Asha, and with all those in They Kingdom, o Ahura.*[1] Sie vollzieht sich für Porphyrios, aber auch für den Inder (vgl. Bhagavadgita XI 52—55) in der Schau. Die Schilderung des Vorgangs bietet der sogenannte Poimandres (oben S. 9). Dem Propheten erscheint der himmlische Νοῦς (Vohu Manō), gibt ihm durch die Schau die volle γνῶσις und damit die Unsterblichkeit und bleibt immer bei ihm, ihn vor aller κακία sichernd; er ist ἔννους geworden. Dabei sind νοῦς und ψυχή die beiden zusammengehörigen Teile in Gott wie in dem Menschen, sind sein Wesen, das aus φῶς und ζωή besteht. Der νοῦς Gottes tritt also in den Menschen ein (oder wird in ihm wach). Die ganz ungriechische Scheidung dieser Teile verbürgt noch weiter, daß tatsächlich eine iranische Quelle zugrunde liegt. Für das persische Wort *daēna* gibt uns Bartholomae als Deutungen: '1. Religion, 2. inneres Wesen, geistiges Ich, Individualität; öfters kaum übersetzbar.' Wie man die beiden Begriffe zusammenbringen kann, ist noch so wenig geklärt, daß einzelne Forscher geneigt sind, zwei nur klanglich übereinstimmende, voneinander aber völlig unabhängige Wörter anzunehmen. Das scheint mir selbst durch die noch unzulängliche Analyse des orientalischen Begriffes 'Selbst' ausgeschlossen. Die Avesta-Stelle, von der ich ausging, kann nur bedeuten: wer in das eigene Selbst den 'Guten Sinn', das Selbst des Gottes, auf-

1) Ich entnehme die Übersetzung der unter Prof. Jacksons Leitung entstandenen Dissertation von Cursetji Pavri 'The Zoroastrian doctrine of a future life', New York 1926, S. 30. Sie gibt für *happiness* und *fulness* als Textwörter *īžā* und *āzūitis* an und bemerkt, sie seien hier persönlich gefaßt. Die Zweiheit entspricht offenbar der Zweiheit der sich verbindenden Wesen. Das Wort *daēna* übersetzt Pavri mit *conscience*.

genommen hat.[1] So entspricht sie genau der Darstellung und dem Empfinden des Poimandres und wird restlos durch ihn erklärt. Wir gewinnen einen Eindruck von altiranischer Religiosität. Äußerlich gefaßt bedeutet also hier *daēna* das Selbst als den νοῦς. Sein himmlisches Gegenbild trägt hier den halbmythologischen Namen. In dem 22. Yast kommt der Seele des Frommen ihr Abbild entgegen, das durch ihre guten Gedanken, Worte und Taten seine strahlende Schönheit gewonnen hat, und sagt: ich bin deine *daēna*. Beide vereinigen sich und ein Gottwesen entsteht, das wie Ohrmazd verehrt wird. Die einfache, ja selbstverständliche Deutung scheint mir auch hier: dein Selbst. Keinerlei Anstoß erregt mir dabei, daß das Wort das eine Mal von dem menschlichen, das andere Mal von dem göttlichen Teil gesagt wird. Das ist in dem Begriff, dem Gedanken, daß zwei derselbe sind, begründet. Auch den von Cursetji Pavri wieder einmal in anderem Zusammenhang vorgebrachten Einwand, *daēna* könne nicht die Seele bedeuten, da es bisweilen neben dem Wort *urvān* erscheine und dieses die Seele bedeutet, *daēna* also doch von ihm verschieden sein müsse, kann ich nicht gelten lassen. Es bedeutet an dieser Stelle ja nicht die Seele schlechthin, sondern das Selbst, als dessen Inhalt die 'Seele' erscheint; auf die Funktion des Wortes kommt, wie ich immer wieder betone, alles an. Jede religiöse Sprache, die nicht künstlich aus einem philosophischen System oder Lehrbuch der Dogmatik herausdestilliert ist und damit den religiösen Charakter verloren hat, verwendet für dasselbe Empfinden verschiedene Worte, weil keines das Empfinden voll erschöpft oder der Schwung der Rede oder die Verbindung der Gedanken den

1) Es ist nicht bedeutungslos, daß Corp. herm. XII betont ὁ τοῦ θεοῦ νοῦς ἀγαθός ἐστιν und die οὐσία τοῦ θεοῦ in dem ἀγαθόν sieht. Durch diesen ἀγαθὸς νοῦς tritt der Mensch in das Reich des Gottes ein und ist damit aller κακία und daher auch der εἱμαρμένη entrückt. Er ist *united* mit dem Göttlichen: οὐδὲν γάρ ἐστι διαστατὸν τῶν νοητῶν, und zum νοητόν ist er selbst geworden. Weder in dem Traktat, noch in der Avesta-Stelle suche ich Mysterienglauben, sehe aber, wie er sich anschließen konnte, ja mußte. Der Ἀγαθὸς δαίμων, der hier als Offenbarungsgott erscheint, ist Vohu Manō, der Poimandres des ersten Traktats. Doch kann ich hier keinen Kommentar zu der hermetischen Schrift schreiben.

Wechsel des Ausdrucks verlangen. Eine Anreihung solcher, immer nur annähernder Bezeichnungen wird, besonders in Gebeten, dann üblich — man denke etwa an τήνδε ἀξίωσιν, τὴν λιτανίαν, τὴν προσύψωσιν, τὴν ἀναφορὰν τοῦ πνεύματος τοῦ λεκτικοῦ (oben S. 310) — und hieraus werden im Orient erst Formeln, dann Systeme. In der griechischen Formulierung der manichäischen Seelenlehre ist die ψυχή bekanntlich νοῦς, ἔννοια, φρόνησις, ἐνθύμησις, λογισμός.

Die Antwort auf die Frage, wie das gleiche Wort 'das Selbst' inhaltlich einmal νοῦς, das andere Mal ψυχή bedeuten kann, während doch im Poimandres Gott und Mensch aus νοῦς und ψυχή bestehen, die einer ähnlichen Zweiheit φῶς καὶ ζωή entsprechen, ist danach leicht: jedes der beiden Glieder kann für das Ganze eintreten, kann unser ganzes geistiges, d. h. unsichtbares Teil vertreten, weil sie eine unlösliche Einheit bilden. Daß dabei der νοῦς, weil er für den Orientalen nur das auf das Erkennen der Gottheit gerichtete Denken, das Wissen von Gott ist, auch die Religion (des einzelnen) bedeuten kann, ist klar. Aber jenes Geistige, d. h. Unsichtbare in uns, sei es Leben oder Denken, ist ja nach ältester Auffassung eben nicht Individualbesitz, sondern etwas Unpersönliches, eben darum Göttliches. Wir sehen im Persischen: das Leben und das Wissen von Gott, bringt der Urmensch in die Welt und vererbt sie an seine Nachkommen, die doch wieder nur als das eine Volk, der 'Stamm der Seelen' gedacht werden. Die Religion als Ganzes ist die Seele, und sie ist unsterblich, weil sie göttlich ist. Es ist die Form, in welcher der Unsterblichkeitsglaube zunächst vom Judentum aufgenommen wird. Uralte Vorstellung wirkt trotz der Umbildung des Empfindens bis in die Spätzeit nach.

Mit dieser Auffassung verträgt es sich nun sehr wohl, ja gereicht ihr nur zur Bestätigung, daß in den neuen Turfanfragmenten auch bei dem Bösen oder bei dem Dämon von einer *monuhmēd* gesprochen wird, und daß *monuhmēd*, ein Wort, das ja sicher eine (religiös orientierte) Denkkraft, etwas dem νοῦς Ähnliches, bedeutet, zu der Seele des Guten in Beziehung gesetzt wird und mit dem Beiwort 'Groß' die Seele des Urmenschen (bzw. des Ohrmazd) oder die Weltseele bezeichnet. Auch von der *daēna* des Bösen ist ja im Avesta die Rede — auch er muß doch ein Selbst haben —, und uns verlorene Teile des Avesta haben gelehrt, daß als erster und Führer der Auferstehenden Gayomard erscheint. Wie neben dem νοῦς die ψυχή, so steht neben der *monuhmēd* die *giyān* (neupersisch *džān*, ein Wort, das wie das griechische ψυχή häufig das Leben bedeutet[1]); beide werden miteinander in Verbindung gebracht. Auch daß in den erweiternden Zusätzen in dem Zarathustra-Liede (oben S. 58) das 'himmlische Selbst' den noch auf Erden weilenden Propheten anspricht „o mein Körper", macht, da Seele und Körper wie die beiden „Selbst" eine Einheit bilden, keinerlei Schwierigkeit, sobald wir nur jenen uns so fremdartigen religiösen Begriff des Selbst in seiner notwendigen Entfaltung richtig erfaßt haben.

Nur als Hypothese, als Aufgabe für Sprachkundigere, konnte ich diese Ausführungen, deren Mangelhaftigkeit ich selbst schwer empfinde, vorbringen. So habe ich die Pflicht hinzuzufügen, was mich zu dieser Hypothese zwingt, das heißt, welche Rätsel sie leicht und ungezwungen lösen würde, was sie erklärt. Ist es nicht rätselhaft, daß der Mann, für den die Unsterblichkeit unserer Seelen die Grundlage der neuen Religion und der eigenen Verkündigung bietet, Paulus, das damals so übliche Wort ἀθάνατος ψυχή nie gebraucht, ja daß sich ihm mit dem Wort ψυχή der Begriff von etwas Niederem, Irdischem, Vergänglichem verbindet? Dafür gibt es doch keine andere Erklärung, als daß er unsern, d. h. den seit Plato griechischen Seelenbegriff überhaupt nicht kennt oder nicht anerkennt. Er setzt dafür πνεῦμα, also das πνεῦμα ἐν ἡμῖν, ein, aber dies πνεῦμα ist — es sei offen gesagt — für uns etwas Unbegreifliches. Es ist das πνεῦμα θεοῦ,

1) Man denke an Poimandres § 17 ὁ δὲ Ἄνθρωπος ἐκ ζωῆς καὶ φωτός (den göttlichen Bestandteilen) ἐγένετο εἰς ψυχὴν καὶ νοῦν, ἐκ μὲν ζωῆς ψυχήν, ἐκ δὲ φωτὸς νοῦν. Die Etymologie scheint dies zu bestätigen. Ich habe zwar nicht in der Abhandlung über die Göttin Psyche oder dem Iranischen Erlösungsmysterium (vgl. dort S. 38), wohl aber einmal in einer Rezension mich dadurch verleiten lassen, *giyān* für die animalische Seele zu erklären. Den Anhalt bot natürlich Augustin; aber ob dieser Mani richtig verstanden hat und welchen Namen dieser dann der προσφυὴς ψυχή (bekanntlich älterer Terminus) gegeben hat, ist noch nicht zu sagen. Das Leben selbst ist göttlich.

aber die Vorstellung muß von der, welche wir uns von 'dem Geist' oder dem Geist Gottes machen, weit abweichen[1]: es hat eine μορφή, hat Glanz oder besteht aus Glanz, ist ein Gewand, formt uns um (μετασχηματίζει), ist wesenhaft, ja hat einen Leib wie der sichtbare Mensch und wie dieser Glieder; es muß wie dieser heranwachsen und vollkommen werden; es ist der ἔσωθεν ἄνθρωπος.[2] Die einzige mir verständliche Lösung bot Bousset: es ist der Χριστὸς ἐν ἡμῖν. Aber wie kann man beide Vorstellungen zusammenbringen? Daß es der Anthropos, der Adakas der Mandäer, ist, läßt uns doch nur ein Stück des Weges, den die Erklärung gehen muß, unklar erkennen. Und andererseits ist es auch wieder ein religiöses Erkenntnisvermögen, ein Wissen um Gott und aus Gott, der νοῦς (I. Kor. 2,16). In uns ist es, und hat doch auch wieder eine eigene Existenz in der 'Gotteswelt'. Dabei tritt für den Begriff νοῦς an anderen, meist nicht-paulinischen Stellen λόγος[3] ein und scheint in sich die beiden Elemente oder Wesenseigenschaften der Gottheit Licht und Leben zu vereinigen.

Zunächst hilft uns wohl die Beobachtung von Prof. Schaeder (Reitzenstein-Schaeder II, S. 299) etwas weiter, daß Mani sich die Seele als stofflich gedacht hat; sie ist ja Licht. Wenn die Seele, so natürlich auch Gott. Den vollen Begriff des Immateriellen kann er überhaupt nicht fassen. Das ist für Mani klar und unbestreitbar. Ist das System des Poimandres wirklich einer frühpersischen Schrift entnommen, so gilt das Gleiche auch für sie, denn Gott und der göttliche Mensch in uns bestehen aus Licht und Leben, die göttliche Welt aus Elementen, die den unsern entsprechen. Etwas Ähnliches scheint im Anfang des fünften Jahrhunderts v. Chr. Ostanes geglaubt zu haben. Wenn er die (Planeten-) Sphären, die ἀγέλαι, den Amesaspentas

1) Schon die S. 357 angeführten Stellen, die jeder Leser sich bei kurzem Lesen reich vermehren kann, genügen zum Beweis.

2) Das σῶμα πνευματικόν ist ihm ein selbstverständlicher, notwendiger Begriff (I. Kor. 15, 48 oben S. 345). Von dem hebräischen Wort *ruaḥ* kann diese Vorstellungsweise doch nicht ausgehen.

3) An die Namen Adakas (Adam) das Wort und Adakas der Gott bei den Mandäern (oben S. 14) erinnere ich nur.

gleichsetzt (oben S. 171,2), so zeigt er noch die Nachwirkung der alten iranischen Elementenliste trotz aller Umdeutung Zarathustras. Aber die Frage muß sich ja schon angesichts der unzulänglichen sprachlichen Zusammenstellungen, die ich oben gab, überhaupt erweitern und vertiefen: kennt orientalisches Denken vor der Beeinflussung durch das Griechentum überhaupt den Begriff Immateriell? Die Scheidung zwischen Sichtbar und Unsichtbar entsteht an vielen Orten sogar sehr früh; selbst von einem ἀόρατον φάος spricht man. Aber wie der νοῦς und der Gott der Stoa[1] bleibt auch er doch stofflich; es sind ja „Wesen". So ließe sich jene seltsame Entwicklung in den orientalischen Sprachen, für die „das Selbst" ein Wesen ist, von dem Haften am Körper und der sichtbaren Erscheinung eines Ganzen bis zu der Vorstellung der unsichtbaren und einigenden Kraft, die man dann als Leben, Bewußtsein, Geist bezeichnen kann, einigermaßen verstehen. Diesen orientalischen Begriff, der noch so vielerlei Vorstellungsmöglichkeiten bot und in den Mysterien sogar anschaulich machte, hätte dann Paulus benutzt, sich und anderen seinen Auferstehungsglauben und sein Bewußtsein des Zusammenhangs mit Christus verständlich zu machen. Notwendig mußte ihm dabei der 'Christus in mir' mit dem πνεῦμα, dem neuen Selbst und dem 'Leben' in ihm, zusammenfließen.

Bleiben wir einen Augenblick stehen und sehen, ob wir hier nicht noch mehr gewinnen könnten. Daß dieses Selbst als νοῦς, als das religiöse Wissen zugleich die Religion ist, würde sofort die in judenchristlichen Gemeinden besonders hervortretende Auffassung Christi als *anima mundi*, d. h. als der Urmensch, erklären. Daß es auch als Logos bezeichnet werden kann, läßt uns die Spekulationen Philos begreifen: nicht von einer Logos-Lehre, sondern von einer Anthropos-Spekulation, die ja im Judentum dieser Zeit nachweisbar ist, dürften wir bei ihm reden.[2] Daß dies 'Selbst' dabei auf die Gemeinschaft der Gläu-

---

1) Die Frage, ob hier nicht ein orientalischer Zug in der Stoa weiterwirkt, darf nach den Ausführungen von M. Pohlenz wohl aufgeworfen werden.

2) Ebenso bei dem Prolog des vierten Evangeliums. Wieweit der Gebrauch von *Mēmrā* mit einwirkt (Reitzenstein-Schaeder, II, S. 315f.) und wie er selbst zu erklären ist, entzieht sich meiner Beurteilung.

bigen bezogen wird, das Pneuma oder Christus nur innerhalb ihrer sich mitteilt, die Kirche sein Leib und er als τὸ ἡγεμονικόν ihr Haupt ist, — all das bedürfte keiner weiteren Erläuterung. Wie aber steht es mit der Vorstellung der ἀθάνατος ψυχή des Einzelnen, der Individualseele? Ausgeschlossen ist sie ja auch dem Orientalen nicht, und in gewisser Weise wird sie im Mysterienglauben sogar erfordert. Aber zu der Herrschaft, die sie in unserer Religiosität hat, kann sie nur durch den griechischen Begriff der ψυχή, mit dem die Individualität notwendig verbunden ist, gekommen sein. Der Begriff des πνεῦμα verliert an Bedeutung oder wird auf die Kirche beschränkt, Χριστὸς ἐν ἐμοί wird zur anschauungslosen Formel für die Hingabe an ihn, der griechische Seelenbegriff gestaltet den Glauben um. Vor den beiden Grundbegriffen 'Gott' und 'die Seele', d. h. die Individualseele, tritt für einen Augustin, so allgewaltig der Einfluß des Paulus ist, so mächtig der Kirchengedanke auf ihn einwirkt und so tief die Verehrung für Christus ist, doch alles andere zurück. Sein Weg zum Christentum hat ihn eben durch die antike Philosophie geführt; das beeinflußt nicht seine dogmatische Überzeugung, wohl aber sein Eigenstes, seine Religiosität, die nun weiter wirkt.

Doch zurück zu dem Hauptgang unserer Untersuchung! Wenigstens an einer Stelle können wir das Verhältnis des Paulus zu dem orientalischen, bzw. hellenistischen Glauben an das 'Selbst' mit Sicherheit bestimmen, in der Erzählung über die Vision, die seine ἐξουσία und γνῶσις verbürgen soll, und danken, daß wir es können, Albrecht Dieterich. Es ist die oben S. 88f. und S. 369 besprochene Schilderung seiner Entrückung in den dritten Himmel. Ich lege dabei den Wert nicht mehr auf die Einzelworte wie ἁρπαγέντα[1], nicht mehr darauf, daß der in der Mithrasliturgie breit dargelegte Begriff des Selbst als des τέλειον σῶμα, das die fünf göttlichen Glieder oder Elemente als Ganzes in sich zusammenfaßt und uns die Offenbarung vermittelt, hier vorausgesetzt wird, sondern darauf, daß Paulus

1) Livius XXXIX 13, 13: *raptos a diis homines, quos machinae inligatos ex conspectu . . . abripiant,* Philo De vit. cont. 12 Cohn: ὑπ' ἔρωτος ἁρπασθέντες οὐρανίου . . . . μέχρις ἂν τὸ ποθούμενον ἴδωσιν.

hier von einem Bewußtseins-Selbst in sich redet, das von ihm selbst verschieden und doch wieder mit ihm verbunden ist. Es ist nach seiner augenblicklichen Empfindung noch nicht der Χριστὸς ἐν αὐτῷ[1] — für den würde eine solche Erhebung in den dritten Himmel nichts bedeuten — ganz nüchtern, in gar nicht bildlicher Rede schildert er, bis zu welcher Höhe und also auch geheimnisvoller Macht es ein in ihm lebendes Gottwesen gebracht hat, um durch die Drohung mit dessen Macht die Gemeinde zur Unterwerfung zu zwingen. Wer hier nur stilistischen Anstoß nimmt, hat Zweck und Bedeutung dieses Teiles des Briefes nie empfunden. Deshalb mußte ich jene Abschnitte analysieren. Wer sie wirklich interpretiert, hat m. E. nur die Wahl zwischen zwei Erklärungen: entweder ist Paulus ein Schwindler und Gaukler (γόης), oder er hat wirklich ein hellenistisches Mysterienempfinden übernommen, und das Christentum ist tatsächlich schon so nahe an seinem Ursprung von hellenistischer Mysterienreligion beeinflußt. Es hat eine gewisse innere Berechtigung, daß es von seinen antiken Gegnern immer als solche gefaßt worden ist[2]; die ungeheuren Unterschiede konnten sie noch gar nicht erkennen. Wenn ich wirklich versuche, mir die Religiosität eines Mannes wie Paulus, sein Empfindungsleben auch nur einigermaßen anschaulich zu machen, so kann ich an einer solchen Stelle gar nicht vorübergehen. Sie bezeugt mir unwiderleglich, wie stark jenes Doppelempfinden in ihm ist, dessen religiöse Voraussetzungen ich in dem Hauptteil dieses Buches verfolgt habe und für das ich ein schwaches Gegenbild aus der näheren Vergangenheit in der vorausgehenden Beigabe glaubte anführen

---

1) Erst später wird es dem ,,aus ihm redenden Christus" gleichgesetzt. Hier empfindet er es noch als etwas Besonderes wie I. Kor. 5, 4 τὸ ἐμὸν πνεῦμα σὺν τῇ δυνάμει τοῦ κυρίου Ἰησοῦ (oben S. 364. Es bewirkt die κόλασις). Ich werde gewiß berücksichtigen, daß beide Ausführungen im Streit geschrieben und an eine hellenistische Gemeinde gerichtet sind, also nur einseitig die Überzeugung des Schreibenden darstellen können. Aber ein Teil oder eine Form seiner Überzeugung muß es nach meinem Empfinden wirklich sein.

2) Das zeigt sich selbst in kleinen Zügen wie der Frage des Proconsuls im Verhör der Scilitaner *quae sunt res in capsa vestra?* Er denkt natürlich an die *cista mystica* und hört mit Enttäuschung die Antwort *libri et epistulae Pauli viri iusti.*

zu müssen, weil uns — nicht nur Philologen — das Verständnis für diese Art des Empfindens fast ganz verloren gegangen ist, obschon sie, freilich unverstanden, in einzelnen Dichtern und Theologen wohl bis in die Gegenwart weiter wirkt.

XX. ZUR ENTWICKLUNGSGESCHICHTE DES PAULUS

In wundervoller Schärfe hatte Ed. Schwartz in seinen 'Charakterköpfen' hervorgehoben, was für den geistigen Horizont des Paulus das Aufwachsen in der hellenistischen Umwelt und das Denken in der griechischen Weltsprache bedeutet hat. Auf Einzelheiten und besonders auf den lexikalischen Kreis hinzuweisen, in dem die Sprache des Apostels wurzelt, war ihm durch den Charakter des Büchleins unmöglich gemacht. So mochte er ihm zunächst innerlich doch wieder ganz als Jude erscheinen. Gerade hier sollte von Anfang an meine Untersuchung einsetzen und erweisen, daß er ernstlich darum gerungen hat, a u c h den Hellenen Hellene zu werden. Ich kann es begreifen, daß, solange man von der Voraussetzung ausging, Paulus könne die Kenntnis hellenistischer Religiosität nur vor seiner Bekehrung in Tarsos erworben haben, selbst Dieterichs glänzende Funde in theologischen Kreisen mit äußerster Zurückhaltung aufgenommen wurden. Schienen sie doch zu der schwer denkbaren Annahme zu zwingen, er sei noch als Jude womöglich in zwei oder drei Mysterienreligionen eingeweiht gewesen oder habe wenigstens Sprache und Anschauungen ihrer Gemeinden im persönlichen Verkehr kennengelernt. Das ist anders geworden, wenn die Existenz einer religiösen Erbauungs- und Offenbarungsliteratur für die Mysterienreligionen und damit die Existenz einer mystischen Sprache für den Hellenismus seiner Zeit erwiesen ist. Für diesen Beweis und des Rätsels Lösung hätte freilich eigentlich schon Philo genügen können, der von den Mysterien mit Haß und Abscheu spricht und doch selbst außerordentlich oft die Mysteriensprache verwendet, stark von Mysterienanschauungen beeinflußt ist und sie bei seinen Lesern als bekannt voraussetzt. Er bezeugt, was uns jetzt auch andere Quellen lehren, daß in weiten Kreisen der Diaspora das Judentum wirklich mit dem Hellenismus bzw. mit orientalischen Religionen zusammenzufließen begonnen hatte. Eine große, im Stammland gewaltsam unterdrückte Bewegung, die der religiösen Allgemeinentwicklung Vorderasiens entsprach, wirkte sich hier hemmungslos aus. Begreiflich, daß dieselben Elemente, welche die fundamentale Umgestaltung auch des gesetzestreuen Judentums bewirkt haben, hier noch klarer hervortreten, persische Religiosität, babylonischer, mit ihr längst verbundener Schicksalsglauben, 'magische', äußerlich hellenisierte Kultformen. Begreiflich ferner, daß der Gegensatz zu dem national gebundenen Judentum sich an einzelnen Orten zu außerordentlicher Schärfe steigern konnte. Zu dieser jüdisch-gnostischen Bewegung — es sei verstattet, die notwendig verschiedenen Erscheinungen unter einem Namen zusammenzufassen — gehört auch die an den Namen des Johannes schließende Täuferbewegung, und mit ihr wieder hängt in bisher nicht ganz durchsichtiger Weise der Mandäismus zusammen und zeigen zahlreiche später judenchristliche Sekten oder Einzelwerke wie die Oden Salomos, die johanneische Literatur oder die Pseudoclementinen Berührung. Schon seinem Ursprung nach mußte ja das junge Christentum hier am leichtesten Boden finden. Wir wissen, daß die jüdische Messiashoffnung hier nicht nur ihren nationalen und politischen Charakter verloren hatte, sondern auch zu einer theologischen Vorstellung, allerdings wohl unklarer Art, umgebildet war, einer Vorstellung von einem Gesandten Gottes, der unsichtbar oder in Menschengestalt — nach weitverbreiteter Ansicht offenbar auch in den Gestalten verschiedener Menschen — durch die Welt wandelnd das Wissen von Gott und damit das Leben in ihr erhält; sein Scheiden bewirkt ihren Untergang, aber in dem damit verbundenen Weltgericht rettet er die Seinen. Die Verbindung mit dem Glauben an Weltuntergang, Weltgericht und Welterneuerung und der Name dieses Wesens, das über alle Propheten erhaben oder in ihnen waltend gedacht wird, *bar naṣa* oder *Enoṣ* oder Adam, griechisch Ἄνϑρωπος, zeigt, daß es in letzter Linie mit dem persischen Gayōmard zusammenhängt, der wenigstens nach späterem Glauben in Zarathustra weiter wirkt wie Zarathustra selbst in dem aus seinem Samen von der Jungfrau gebornen Saōshyant, dem Erlöser; nach älterer Anschauung ist er der erste der Auferstehenden, der seinen Stamm in die neue Welt führt. Die Herleitung der ganzen Vorstellung von dieser Lehre scheint mir, seit uns A. Goetze[1] ihre Grundzüge schon im fünften vorchristlichen Jahrhundert nachgewiesen hat, kaum noch bestreitbar zu sein.

Das innere Erlebnis einer wirklichen Bekehrung können wir uns gewiß nie voll zur Anschauung bringen — nicht wo wir so viel Nachrichten haben wie bei Augustin oder Luther, noch weniger also bei Paulus. Und doch wird es jeder Historiker für sich immer wieder versuchen müssen. Wenn einst ein von mir hoch geschätzter Theologe, Joh. Weiß, es nur begreifen zu können meinte, wenn Paulus schon bei Lebzeiten Jesus gekannt habe, und ihn nun wiedererkannte, so möchte ich dem entgegenstellen: weit leichter wird es mir begreiflich, wenn er diese Vorstellung von dem Gesandten schon kannte, als er die ihn erschütternde Vision erlebte; sie gab ihm die Gewißheit, daß diese Vorstellung richtig sei, sie die ihn erlösende Überzeugung, daß die Predigt von einem Gott, der gerade den Sünder und Unwürdigen suche, die Wahrheit sei. Einen Beweis kann für eine solche Annahme niemand bieten, nur dartun, daß sie an sich möglich ist und sonst kaum Verständliches wirklich erklären kann. Mir wird durch sie einigermaßen verständlich, daß Paulus nach der ersten Belehrung durch einen hellenistischen Christen, ohne weiter nach dem Leben jenes Jesu zu forschen, zwei Jahre in die Einsamkeit in dem südlich von Damaskos gelegenen Araber-Gebiet geht. Die Bedeutung der Tatsache, daß er sich dann einer hellenistischen Gemeinde angeschlossen hat, haben Heitmüller (Zeitschr. f. neutestam. Wissenschaft XIII, 1912, S. 320f.) und Bousset (Kyrios Christos 1913) mit Recht wieder so nachdrücklich betont. Ihre Sprache und ihr Kult mußten auf ihn den Haupteinfluß üben, nicht Kult oder Ausdrucksform der Urgemeinde. Endlich mußte von dem Moment an, wo er sich mit Bewußtsein zur Predigt unter den Ἕλληνες rüstete, auch ein planvolles Studium ihrer religiösen Sprache und Anschauungswelt einsetzen, das sich dann in dem dauernden Verkehr mit den Gemeinden notwendig vertiefte. Die Wichtigkeit, die für das volle Verständnis der an

1) Persische Weisheit im griechischen Gewande, Ztschr. f. Indologie und Iranistik II, 1923, S. 60 und 167. Dazu Reitzenstein-Schaeder 1926.

hellenistische Gemeinden gerichteten Briefe diese Sprache und Anschauungswelt haben, wird man von vornherein zugeben müssen. Der Versuch, auch tiefere Unterschiede der Auffassung der neuen noch in der Bildung begriffenen Lehre hiermit in Verbindung zu bringen, ist an sich berechtigt.

Auch wenn wir glauben, daß Paulus jener hellenistischen religiösen Literatur nichts weiter entnommen hat als die Sprache, einzelne Bilder und Begriffe, bedeutet das in Wahrheit schon unendlich viel. Wirken doch Wort und Bild, selbständig geworden, weiter, neue Vorstellungen weckend, Folgerungen und Rechtfertigungen erzwingend, neue Begriffe und schließlich Dogmen schaffend. Aber Wort und Bild üben, besonders im religiösen Leben, auch auf den Redenden selbst eine Wirkung zurück; gerade weil sie sich nie restlos mit dem religiösen Gedanken und nur ganz unvollkommen mit der ursprünglichen religiösen Empfindung decken können, beeinflussen sie nicht nur bei der Übernahme, sondern auch schon bei ihrer Schöpfung beide. Ich sehe, so selten das betont wird, gerade hierin die Rechtfertigung der philologischen Arbeit auf dem Gebiete der Religionsgeschichte; sie ist notwendig, denn es handelt sich bei diesen sprachlichen Untersuchungen um viel mehr als um die Sprache, die Worte allein. Unser religiöses Empfinden ist wortlos, aber seine begriffliche Ausgestaltung in unserm Denken vollzieht sich in Worten. Ganz andere Ideenverbindungen gestattet, ja erfordert nach der historischen Entwicklung seines Gebrauches das griechische Wort πνεῦμα als das hebräische *rūaḥ* oder das aramäische *rūḥā*. Von dem griechischen Wort, das, wie wir sahen, das Innerste im Menschen, sein Selbst, das Unsichtbare und doch Wirkende in ihm wie in Gott bezeichnen kann und doch wieder auch das Geisteswesen bedeutet, das nach dem Aufhören des materiellen Leibes fortlebt, müssen wir ausgehen, wenn wir die Christologie des Paulus ihrer Entstehung nach begreifen und uns veranschaulichen wollen, wie sie bei griechisch redenden Menschen aufgenommen wird. Gewiß, Bousset hat in seinem letzten Lebenswerk einen großen Schritt zur Erkenntnis dieser geheimnisvollen Entwicklung getan, wenn er das Grundempfinden des Apostels in dem Satze finden wollte ὁ δὲ κύριος τὸ πνεῦμά ἐστιν, aber wir müssen ihn nun sprachgeschichtlich begründen und fortführen. Nur mit den Mitteln seiner Sprache konnte auch ein Paulus sich das ungeheure Erlebnis, seine religiöse Erfahrung, verständlich und zur Grundlage seines Glaubens machen; die Begriffswelt seiner Zeit, nicht unsere dogmatisch ausgebildeten Begriffe und Systeme geben die Vorbedingung. So erst wird er uns lebendig. Die Forderung, daß Christus in uns vollkommen werde, das Empfinden, daß gar nicht mehr er selbst, sondern nur Christus in ihm lebe, sie gewinnen erst volle Bedeutung, wenn wir von den Vorstellungen ausgehen, die jenen Wortgebrauch geschaffen haben und in ihm latent weiter wirken. Freilich eine Grenze gilt es sofort zu ziehen: jene Vorstellungen und jener Wortgebrauch ermöglichen und formen das Denken auch eines Paulus über seine religiöse Erfahrung: Kraft und Ursprung hat es in dem übergewaltigen Drang der völligen Hingabe an den, der ihm durch die Offenbarung eines den Sünder suchenden Gottes die innere Befreiung gebracht hat. Dieses Letzte und Innerste des Empfindungslebens, das wir nur ahnen und nie voll in Worten ausdrücken können, ist überall das Schaffende und Dauernde, seine durch Denkform und Sprachform bestimmte Fassung nur das Mitwirkende und Veränderliche, es ist, um mit Paulus zu reden, das ψυχικόν, jenes das πνευματικόν. Nur muß für unsere Arbeit immer die Mahnung des Apostels gelten: ἀλλ' οὐ πρῶτον τὸ πνευματικόν, ἀλλὰ τὸ ψυχικόν, ἔπειτα τὸ πνευματικόν.

Verfolgen wir an dem einmal gewählten Beispiel diesen Gesichtspunkt etwas weiter. Es ist wohl begreiflich, daß eine überwiegend aramäisch redende, wenngleich auch schon von dem iranischen Glauben stark beeinflußte und mit griechischen Elementen durchsetzte Judengemeinde ein ähnliches Empfinden anders zum Ausdruck bringen muß, daß sie einen Begriff πνευματικός nicht kennt, aus dem hebräischen Begriff *ruaḥ* nur die Vorstellung augenblicklicher Gottesergriffenheit gewinnt, die ja auch Paulus in dem Gedanken ἐν πνεύματι λέγω bewahrt, ihn aber nicht derartig mit der Person Christi verbinden kann. Der alttestamentliche Gedanke einer Ausschüttung der *ruaḥ elohim*, deren Voraussetzung gerade die äußere Trennung von dem Χριστός ist, gibt hier die Ausdrucksform für das gleiche innere

Bedürfnis. Begreiflich, daß man über die Verschiedenheit dieser Ausdrucksformen hinwegkommt, solange das Bedürfnis nach Systematik hinter dem Empfinden zurücktritt, aber ebenso begreiflich, daß die Verschiedenheit die Ausbildung der späteren Dogmatik entscheidend beeinflußt, weil die *ruaḥ elohim* in dem damaligen Empfinden auch wieder die Stelle 'des Gesandten' einnehmen kann und dieser Grundbegriff noch in dem Denken der späteren Zeit haftet.[1]

So tritt die philologische Arbeit an den Urkunden unserer Religion notwendig unter dieselben Gesetze, unter denen sie auch bei den Urkunden anderer Religionen steht, und wird die historische Betrachtung notwendig mit der religionspsychologischen verbinden müssen.[2] Alles, was wir Religion nennen, wird ihr trotz der Unterschiede und Gegensätze nach Söderbloms Forderung eine einheitliche Größe, die von ihr einheitlich behandelt werden muß. Nicht bis zu dem letzten Ursprung erstreckt sich ihr Bereich, selbst der innersten Persönlichkeit und dem Erlebnis des einzelnen Menschen kann sie nur ahnend näher kommen, aber alle Formung und Prägung von der Wahl und Bildung der Worte an, unterliegt ihrer Betrachtung; einen kleinen Teil des unendlichen Gewebes von Wechselwirkungen zwischen Volk und Volk, Mensch und Mensch sucht sie zu erkennen. 'Sie sucht Entlehnungen, sie will erklären', so sagt man. Gewiß, sonst wäre sie keine Wissenschaft und hätte nicht die Geschichte des Geisteslebens zum Gegenstand. Aber erklären will sie nicht die Religion, sondern deren äußere Form und Prägung, ihr σῶμα ψυχικόν, wie ich es früher genannt habe,

1) Ich kann auf ihn hier nicht eingehen und nur andeuten, daß mir hier Bousset in der durchaus dankenswerten und fördernden Scheidung der hellenistisch-christlichen und jüdisch-christlichen Auffassung etwas zu weit zu gehen scheint. Er konnte den jüdischen Einschlag auch in der hellenistischen Lehre von dem Gott Anthropos und den iranischen Grundgedanken noch nicht genügend bewerten.

2) Nur wenn die letztere ihre Grenzen überschreiten und als Gegenstand des Erlebnisses und der inneren Erfahrung auch die Formulierung oder gar das Dogma in Anspruch nehmen wollte, müßte sie Einspruch erheben, da sie die Geschichte der Sprachform und damit der Denkformen der historischen Betrachtung allein vorbehält.

und gerade, wo sie Entlehnungen nachweist, sucht sie das Individuelle der Umbildung zu erkennen. Ich darf ein schon früher angeführtes Beispiel wiederholen. Ich bin überzeugt, daß Paulus eine im hellenistischen wie palästinensischen Judentum schon vorhandene, letzten Endes aus dem Iranischen stammende Vorstellung von dem göttlichen Anthropos als Träger der wahren Religion für die Ausgestaltung seiner Christus-Auffassung benutzt hat. Aber drei große Unterschiede habe ich schon früher betont und betone sie wieder. Dieser Anthropos ist nicht gestorben, und für Paulus steht die Tatsache, daß Christus, selbst schuldlos, den Verbrechertod erlitten hat, im Mittelpunkt des religiösen Empfindens; dieser Anthropos hat keine Beziehung zu unserer Sünde, und für Paulus bildet die Überzeugung, daß seine Sünde diesen Tod notwendig gemacht hat und er durch ihn von ihr freigeworden ist, die Grundlage; endlich dieser Anthropos hat wohl auf Erden gewirkt, ist aufgefahren und wird wiederkommen, aber Christus ist auferstanden von den Toten und hat sich dem Paulus selbst gezeigt. Das ist ihm der eigentliche Inhalt seiner Botschaft; die Glut der religiösen Empfindung, die ihn mit seinem Herrn verbindet, kann man nur von hier, nicht aber aus der Lehre vom Anthropos erklären. Seine Religion bleibt trotz der Entlehnung neu und sein eigen. Gerade hier empfinde ich, daß das Dogma, die Formel der Sprache wie des Denkens, noch zu dem σῶμα ψυχικόν gehört. In der Grundstimmung der Seele, der Religiosität, liegt weit mehr als in jenem die Individualität und Originalität einer religiösen Persönlichkeit; sie kann immer nur übernehmen, was in ihr selbst Anknüpfungspunkte findet, ja im Keim schon vorhanden ist, und gestaltet alles bewußt oder unbewußt nach sich selbst um. So kann wohl auch zu allen Zeiten die echte Religiosität nicht in einem buchstäblichen Festhalten von Formeln liegen, die zeitbedingt und individuell bedingt entstanden; sie ist nie Allgemeingut, sondern mehr oder weniger immer Sonderbesitz.

Wenn jenem σῶμα ψυχικόν ein so seltsames Beharrungsvermögen innewohnt, daß die Zahl der religiösen Grundvorstellungen und Bilder durch allen Wandel der Zeiten hindurch befremdend klein bleiben kann, so liegt ein Hauptgrund wohl darin, daß sie das Empfinden, die Religiosität, nie voll zum Ausdruck bringen und in jeder Zeit, ja in jedem einzelnen wieder verschiedene Vertiefung, Wertung oder Deutung erfahren können. Wir sehen das ja auch bei den aus ihnen hervorwachsenden Dogmen. Ich staunte, als ich in meinen 'Weltuntergangsvorstellungen' verfolgen mußte, wie eine Zeitlang das Dogma von der Höllenfahrt Christi den Kernpunkt des Christenglaubens zu bilden scheint und wie weit es jetzt auch für die leidenschaftlichsten Verfechter an dessen Peripherie gerückt, für sehr viele über sie hinausgeschoben ist. Auch die philologische Behandlung der Religionsgeschichte kann, indem sie die irdische Form, das σῶμα ψυχικόν der Religion, in ihrer Entwicklung verfolgt, dazu beitragen, unser Verständnis für den eigentlichen Kern, ihr σῶμα πνευματικόν, zu steigern und dadurch die Religion immer neu und lebendig zu erhalten. Diese Aufgabe hat ihr einst der Altmeister unserer Arbeit innerhalb des deutschen Protestantismus, Hermann Usener, bei der Neugestaltung des Archivs für Religionswissenschaft gestellt (VII, 1904, S. 32), und ein mir unvergeßlicher Straßburger Theologe, H. I. Holtzmann, hat in dem Schlußwort zu der Darstellung der christlichen Religion (Kultur d. Gegenwart, Teil I, Abt. 4, 1906, S. 713) die Mithilfe unserer Wissenschaft bei diesem Bestreben gefordert. Es erfüllt mich mit tiefer Sorge, wenn ich jetzt in der protestantischen Theologie, und nicht in der Theologie allein, den leidenschaftlichen Kampf gegen die historische Betrachtung und Forschung sehe, der bei den Jüngeren nur zu oft zur Feindschaft gegen „die Wissenschaft" wird. Unlöslich scheinen beide mir mit der Entstehung und dem Grundgedanken unseres Protestantismus verbunden. Wenn man für ihn jetzt äußere Stoßkraft oder gar politischen Einfluß in der Verengung und Uniformierung sucht, mit der stets die Herrschaft der Formel wesenhaft verbunden ist, so, fürchte ich, übersieht man, daß seine innere Kraft stets darin gelegen hat, daß seine äußere Grenze so flüssig war und sich zu ihm rechnen durfte, auch wer in individueller Weise sein Verhältnis zu unserer Religion und deren Überlieferung suchte. Ich möchte fast glauben, dies sind seine wirksamsten Vorkämpfer gewesen. Nicht um zu erbauen, aber auch nicht um zu zerstören, habe ich einst diese Untersuchungen begonnen, die auf eine damals noch zu wenig beachtete Quelle unserer historischen Erkenntnis hinweisen sollten. Ich gebe die Hoffnung noch nicht auf, daß sich auch an ihnen die auf anderen Gebieten oft gemachte Beobachtung bewährt, daß ehrliche wissenschaftliche Arbeit gewiß vorübergehend Streit erregen, aber auf die Länge nicht trennen, sondern nur vereinigen kann.

I. SACHREGISTER

1) Schon Yasna 31, 11 (Gatha IV 11) stellt einer Vielheit der Individuen eine einheitliche, allgemeine Seelenkraft gegenüber, die in die materielle Welt entsendet ist (Reitzenstein-Schaeder I 125).

II. STELLENVERZEICHNIS

A. CHRISTLICHE LITERATUR

B. PROFAN-LITERATUR

III. WORTVERZEICHNIS

---

1) Gegenbildung zu παλιγγενεσία im Sinne von μετενσωμάτισις (Kreislauf der Geburten); die indische Lehre wirkt auf die Mithrasliturgie, den Manichäismus, einzelne mandäische Texte.

IV. GELEHRTEN-VERZEICHNIS

Fragment eines Sarkophags im National-Museum in Rom

Zu S. 146. 147

Fragmente eines Sarkophags aus Turmus aija, jetzt im Kaiserl. Ottoman. Museum zu Jerusalem

Zu S. 147

May '63 16.00 D.M. $4.00